Ari

Peter Evans

ARI

La vie et le monde d'Aristote Onassis

Traduit de l'anglais par Serge QUADRUPPANI

Presses de la Renaissance
37, rue du Four
75006 Paris

820717

Si vous souhaitez recevoir notre catalogue et être tenu régulièrement au courant de nos publications, envoyez vos nom et adresse en citant ce livre aux

Presses de la Renaissance
37, rue du Four 75006 Paris

et pour le Canada à

Edipresse
5198, rue Saint-Hubert
Montréal H2J 2Y3

Titre original : *Ari*, publié par Jonathan Cape Ltd, Londres.

ISBN 2-85616-403-X　　　　　　　　　　　　　　　　　H 60-3453-2

Celui-là est pour Camille

PROLOGUE

Un soir de janvier 1968, un peu après sept heures, je reçus à mon domicile de Londres un coup de fil d'un Américain qui se présenta sous le nom de John W. Meyer et m'invita à rencontrer Aristote Onassis. « Nous aimerions nous entretenir avec vous au plus tôt », assura-t-il. A quel sujet ? Il ne tenait pas à en discuter au téléphone mais il me promit que je ne manquerais pas de trouver à l'affaire de l'intérêt — dans tous les sens du terme. Par « le plus tôt possible », il entendait le lendemain matin. Un billet m'attendait au guichet d'Air France de Heathrow; Meyer m'accueillerait à Orly; je devais prévoir de passer une nuit en France; il me réserverait une chambre au Plaza-Athénée. Notre échange à peine terminé, je décrochai de nouveau pour appeler la compagnie aérienne : un billet de première classe avait été réservé à mon nom. Le lendemain à midi, au 88 de l'avenue Foch, je rencontrai Ari pour la première fois. Il ressemblait assez à ce que j'avais imaginé : un sexagénaire musculeux au visage expressif et dont la chevelure poivre et sel commençait à se raréfier. Sa voix savamment modulée avait les intonations rauques, presque âpres d'un homme qui fumait soixante cigarettes par jour et qui buvait beaucoup de whisky. Son accent charriait toute la mélancolie de l'exil, ce qui, je n'en doutai pas, lui conférait un charme dont il savait user auprès des femmes. Derrière les légendaires lunettes noires, on sentait un regard perpétuellement en alerte, calculateur, mais non dépourvu d'ironie. Il portait un très classique costume bleu, et un mouchoir de soie blanche brodé de son monogramme dépassait de la pochette du veston. Seules les mains me surprirent. Des mains à la peau brune, des mains de catcheur, mais douces au toucher, comme celles d'une jeune fille. Il m'invita à prendre place dans le fauteuil qui lui faisait face. Il y avait un portrait de lui accroché au mur derrière lui et sur son bureau Louis XV les photos de ses enfants, disposées côte à côte dans des cadres d'argent : Christina lui ressemblait beaucoup. Alexandre paraissait sérieux et intelligent. Ils n'avaient pas l'air heureux.

Ari entra aussitôt dans le vif du sujet : il songeait à « faire un livre » sur sa vie. Il ne savait pas encore si ce serait une autobiographie ou bien une biographie autorisée. En tout cas, déclarat-il, il voulait un livre « vrai à cent pour cent », qui raconte « exactement ce qui s'est passé ». Est-ce que ça m'intéresserait de l'écrire ? Je savais qu'une biographie d'Onassis devait être publiée dans l'année. On disait qu'elle avait été écrite avec sa bénédiction, sinon en collaboration avec lui. Pourquoi en voulait-il une autre ? « Je ne me suis pas contenté d'un bateau, M. Evans, pourquoi devrais-je me contenter d'un seul livre ? » Faire son hagiographie ne m'intéressait pas. Je lui demandai quel genre de livre il avait en tête. Aussitôt lui vinrent aux lèvres ses débuts dans la vie, son enfance à Smyrne, l'Izmir actuelle, le massacre de 1922, sa fuite en Argentine où il a commencé à bâtir sa fortune. Au bout de quelques minutes, il se tut, retira ses lunettes noires et entreprit d'en essuyer les verres avec son mouchoir de soie. La couleur de ses yeux, que je vis alors pour la première fois, me fit penser aux vieilles pièces d'un penny. « Je pense que ça devrait se lire comme un roman », conclut-il en remettant ses lunettes. « Tu as eu une vie fabuleuse, Ari, une vraie saga », lança Meyer, resté jusque-là silencieux. « Bah, fit Onassis, ça donnerait aussi un sacré *thriller*. » Il se voyait sans doute sous les traits du héros ? Ma remarque ne l'offensa pas. « Non, rétorqua-t-il, du méchant. Les méchants ont toujours le rôle le plus intéressant. » Voilà un bon début, songeai-je. Mais j'étais encore curieux de savoir pourquoi il m'avait demandé à moi d'écrire ce livre. Nous ne nous étions jamais rencontrés et à ma connaissance, nous n'avions aucun ami commun. Je lui posai la question et il me tendit une lettre qui se trouvait sur son bureau. Onassis y expliquait à son ami Paul Getty qu'il envisageait d'écrire l'histoire de sa vie et lui demandait s'il ne connaissait pas un auteur qui pourrait travailler sur ce projet. Getty avait retourné la lettre avec mon nom et mon numéro de téléphone griffonnés en marge. Je venais d'interviewer Getty pour *Cosmopolitan* et avais passé plusieurs jours avec lui à Londres et à Sutton Place, son domaine du Surrey ; il n'était pas homme à perdre son temps sur des questions qui ne concernaient pas directement ses intérêts et je suppose que mon nom fut tout simplement le premier qui lui passa par la tête.

Nous dînâmes chez Maxim's. Ari but du Scotch Black Label puis du Dom Pérignon et à lui seul fit presque toute la conversation. De temps en temps, Johnny Meyer lançait une plaisanterie. En entendant son ami prononcer le nom de la Callas, il laissa tomber : « Avant, Maria te considérait comme un dieu grec — maintenant elle pense que tu n'es qu'un foutu Grec, un Grec comme les autres. » Ari éclata d'un rire guttural. Il avait vraiment l'air de trouver ça drôle. Meyer savait exactement jusqu'où il pouvait aller avec lui. Dans la limousine qui nous amenait de l'aéroport, il s'était présenté comme l'aide de camp d'Ari et m'avait raconté qu'ils s'étaient rencontrés pour la première fois à Washington pendant la guerre. Le déjeuner se prolongea. Je posai à Ari toutes les questions que je voulais et jamais il n'essaya de les éluder. Je lui expliquai quels détails personnels il me faudrait et quelles personnes j'allais contacter, et il répondit : « Aucun problème, une vie qui n'a pas subi l'épreuve de l'examen n'est pas digne d'avoir été vécue. » J'appris par la suite que la citation était de Socrate. Son bureau, sur le yacht *Christina*, était tapissé de classiques grecs. Lorsqu'on apporta le cognac, il me demanda : « Alors, comment me trouvez-vous maintenant, M. Evans ? » Je répondis qu'il avait du style. « Du style, peut-être, mais on dit que je n'ai aucune classe. Heureusement, les gens qui ont de la classe ferment généralement les yeux parce que je suis riche. La classe, ça ne s'achète pas, mais la tolérance devant le manque de classe, oui. » J'avais l'impression d'assister à une représentation, comme s'il s'était préparé à cette rencontre. Et pourtant, j'étais sûr qu'il était capable de convaincre n'importe qui de ce qu'il voulait, pourvu qu'il s'en donnât la peine. N'empêche : du mystère, de l'argent et du sexe, cela promettait une histoire remarquable. Quand nous quittâmes le restaurant en fin d'après-midi, nous avions passé un accord.

A partir de ce jour, nous eûmes toute une série de conversations. J'emploie à dessein ce mot, car je découvris rapidement que le procédé de l'interview n'était pas fait pour lui et que son esprit ne suivait pas de schémas logiques. S'il me soupçonnait d'avoir déjà fait des recherches sur une anecdote ou un événement que je désirais lui voir développer, il se mettait en colère : « Vous faites comme ces reporters minables qui ne savent pas penser tout seuls », lançait-il, mais je voyais bien que ses colères lui permettaient aussi de contrôler la situation. Il était à son zénith, débordant de souvenirs, au maximum de sa capacité d'auto-analyse quand il bavardait à bâtons rompus — de préférence à table, dans un bar, au cours d'une promenade nocturne dans les rues de Londres ou de Paris. Orateur né, il préférait parler devant un public ; à Paris, Johnny Meyer nous escortait parfois, accompagné de quelque jolie call-girl de Mme Claude ou d'une danseuse du Crazy Horse ; de temps à autre Alexandre se joignait à nous mais il paraissait mal à l'aise en écoutant les histoires d'Ari, en particulier quand il ignorait comment une anecdote allait finir, ou quelle découverte il allait faire sur son père. Leur relation n'était pas facile. C'était en présence de son vieil ami Costa Gratsos qu'Ari se sentait le plus en verve. Ils s'étaient rencontrés à Buenos Aires dans les années vingt et Gratsos connaissait mieux que quiconque les espérances, les pensées et les péchés d'Ari. « Costa connaît chacun des crimes que j'ai commis », m'avait dit Onassis en me le présentant. Gratsos avait aussi conscience de tout ce qu'Ari attendait de lui. Mais lorsque ce dernier se vantait de n'avoir besoin de personne, il gardait le silence, sans rancœur ni obséquiosité. Il surnommait affectueusement Onassis « le petit Grec affamé* ».

Ça marchait comme sur des roulettes. J'avais pris contact avec les gens qu'il me fallait, et Ari m'avait livré quelques informations sensationnelles. Il avait une bonne mémoire des noms et des visages (en particulier de ceux des gens riches) et la façon dont il évoquait les lieux où il avait vécu ou les moments les plus émouvants de sa vie tenait du tour de force. Mais il me déconcertait. L'un de ses collaborateurs les plus proches m'a dit un soir chez Régine : « C'est une machine à coder humaine. On insère la même clé et on obtient chaque fois une réponse différente. » « La clé d'Ari, c'est qu'il n'a pas de clé », a fait remarquer Gratsos. Ari était un charmeur, il savait être extraordinairement généreux et, comme beaucoup de gens profondément solitaires, il aimait la compagnie des enfants et des inconnus. Mais il y avait en lui une violence toujours prête à éclater. Je le savais capable de sadisme, en particulier avec ceux qui lui étaient le plus proches. Pourtant, c'était le même homme qui fréquentait volontiers les humbles. Son humour pouvait s'évanouir à une vitesse inquiétante : sa joie de vivre cédait alors la place au désespoir et pas seulement quand il avait bu. Un jour que je prononçai le nom de Stavros Niarchos — je n'en savais pas encore assez pour aborder en douceur ce qui touchait à son pire ennemi, son beau-frère, l'homme qui allait bientôt épouser son ex-femme, Tina —, il quitta la pièce en claquant la porte si fort que j'aurais parié que nous ne nous parlerions plus jamais. Le lendemain, il me rappela comme si de rien n'était, pour m'inviter à dîner chez Annabel, sa boîte de nuit préférée à Londres. Ces allées et venues se poursuivirent durant tout le printemps et l'été 1968 ; il m'invitait régulièrement à le rejoindre à Paris, pour bavarder quelques heures et même parfois quelques minutes seulement et un jour, alors qu'il s'était montré au téléphone impatient de me voir, il ne trouva pas un instant pour me parler. Je patientai quarante-huit heures à l'hôtel La Trémoille avant de rentrer à Londres ; il ne s'en excusa ni ne s'en expliqua jamais. Après neuf mois de travail sur ce mode fantasque, il

---

* « Le petit Grec affamé peut tout faire » (Juvénal).

m'annonça que le projet était abandonné « ou du moins gelé : ce n'est pas le moment ». Il refusa de me dire pourquoi. Il devait pourtant se rendre compte que j'en savais assez pour deviner ses raisons. Le 20 octobre 1968, il épousait Jacqueline Bouvier Kennedy.

Je ne le vis plus et il ne me téléphona plus pendant près de six ans. Au printemps 1974, il m'appela pour me proposer de prendre un verre chez Annabel. Il s'était passé tant de choses dans sa vie depuis 1968. Alexandre et Tina étaient morts. Christina s'était mariée et avait divorcé. Du Saloon P.J. Clarke à New York, Meyer me passa un coup de fil : je devais me préparer à avoir un choc en voyant Ari. « Ce n'était peut-être pas le meilleur père dont puisse rêver un garçon, mais à sa façon, il l'aimait », dit-il. Quand j'arrivai dans la boîte de Beverley Square, Ari était seul au bar, un grand verre de Black Label à la main. Visiblement, il avait perdu sa vitalité d'antan et tous ses efforts pour la retrouver sonnaient creux. Son rire, ses histoires, son charme légendaire avaient perdu leur pouvoir magique. Il me dit avoir été « un peu souffrant » ces derniers temps, mais rien de grave : « un peu de repos » et ça irait. D'après la légende, il avait soixante-huit ans ; il paraissait et était en fait plus vieux. Il alluma une cigarette, en tira quelques bouffées, l'écrasa avant d'en allumer une autre et but une gorgée de whisky. Il lui fallut plus longtemps qu'à notre première rencontre pour en venir au fait : « Où en étions-nous restés ? » demanda-t-il enfin d'une voix de vieillard. Il détestait laisser les entreprises inachevées : ce fut la seule explication qu'il me donna pour la soudaine reprise de nos entretiens. Mais à l'automne, il devint évident qu'il n'en avait plus pour longtemps à vivre et je le soupçonnai de parler non pour un livre qu'il ne verrait jamais mais pour trouver encore un but à sa vie, une explication qui pourrait le libérer. « On a beau être riche, on peut encore manquer de quelque chose », dit-il. Il passait toujours du coq à l'âne, mais dans la confusion, sans cette logique amusante qui était autrefois la sienne. Il évoquait dans le désordre des bribes de souvenirs vieux d'un demi-siècle, mais plus vivaces que ceux de ses récentes vicissitudes. Vers la fin de l'année 1974, nous nous revîmes pour la dernière fois. Presque tout ce qu'il avait aimé avait disparu. Il était épuisé et chaque mot lui coûtait un effort. « Permettez-moi de vous dire que vous avez déniché une sacrée histoire », me lança-t-il au moment où nous nous disions au revoir.

Il avait raison. Sauf sur un point : ce récit avait besoin d'être mis en perspective. Il mourut le 15 mars 1975, et longtemps le silence de la tombe pesa sur les vivants ; ceux qui avaient parlé quand il était là en chair et en os pour approuver gardaient le silence. Je continuai de me tenir au courant, et attendis. Peu à peu les portes se rouvrirent. En 1983, le moment était venu de commencer à raconter « cette sacrée histoire ».

CHAPITRE 1

> Peu nombreux en effet sont les fils qui ressemblent à leur père.
> D'ordinaire, ils sont pires ; quelques-uns seulement sont meilleurs.
>
> HOMÈRE, *Odyssée.*

Le crucifix était suspendu au-dessus de son lit d'enfant. Parfois, dans la pénombre du soir méditerranéen ou bien aux petites heures du jour, le symbole de la rédemption paraissait se détacher du mur et flotter. Le sinistre mirage terrifiait et fascinait le petit garçon qui voyait dans cette illusion d'optique une sorte de reproche et de révélation — il savait que chaque péché avait son ange vengeur : sa grand-mère le lui avait appris.

Depuis la mort de sa mère, Gethsémanée Onassis avait été pour Aristote Socrate à la fois une grande-mère et une mère. Petite femme aux cheveux gris rassemblés en un chignon très serré, cette dévote invétérée avait décoré la maison de Karatass, faubourg côtier de Smyrne, de tout un bric-à-brac religieux et de souvenirs ramenés de ses pèlerinages en Terre sainte. L'enfant l'adorait mais certains de ses propos le terrorisaient : il ne sert à rien de se dissimuler derrière draps et couvertures, tu peux bien te cacher au plus profond des océans, dans les plus hautes montagnes, tu n'échapperas pas au châtiment de tes péchés, lui annonçait-elle à la moindre désobéissance. Elle croyait au Père, au Fils et au Saint-Esprit ; elle croyait à l'enfer et au ciel, à la rédemption et à la damnation éternelle. Elle priait pour que son petit-fils devienne prêtre et chaque semaine envoyait quelques

15

sous-vêtements de l'enfant à Saint-Vendredi, l'église orthodoxe du coin, où il était enfant de chœur et apprenait les psaumes byzantins.

A la naissance d'Aristote, son père Socrate Onassis avait vingt-huit ans. Ce n'était pas encore l'un des plus riches entrepreneurs et marchands de tabac de Smyrne, mais il avait déjà entamé son ascension sociale. Deuxième fils de sept enfants, Socrate était un citoyen turc à l'âme grecque et plus il s'enrichissait, plus il s'hellénisait; même si le turc devait rester sa langue. L'époque était favorable aux Grecs anatoliens*, leurs talents d'entrepreneurs et d'administrateurs, vitaux pour l'empire ottoman, leur avaient valu des privilèges et des positions enviées. Sa Majesté impériale le sultan Abd-ul-Hamid II — « Notre Seigneur et Maître, la Couronne des Ages et l'Orgueil de tous les Pays, le plus grand de tous les Califes, le Successeur de l'Apôtre de l'Univers, le Conquérant victorieux, l'Ombre de Dieu sur Terre » — homme d'une grande cruauté, connu aussi sous le nom d'Abdul le Damné, leur permit d'accéder à une prospérité extraordinaire, mais sous condition. La plupart des villes turques avaient un quartier grec prospère, avec ses hôpitaux, ses écoles, ses églises et son système judiciaire. Aussi, en dépit de siècles d'oppression et de subordination, les Grecs anatoliens ne souffrirent jamais du syndrome du ghetto.

Socrate était né et avait été élevé au cœur de l'Asie Mineure, dans le village de Moutalasski, et, sans l'intervention de l'impérialisme allemand, il n'aurait peut-être jamais quitté son lieu de naissance. Mais quand l'Allemagne voulut disputer la route de l'Orient à l'Angleterre et envoya des équipes de géomètres et d'ingénieurs pour repérer le tracé du chemin de fer Berlin-Bagdad, les nouveaux venus apportèrent avec eux des histoires étonnantes sur les fortunes qu'on se bâtissait en un rien de temps à Smyrne. Socrate et ses frères cadets Homère, Alexandre et Basile, partirent pour cette ville en pleine expansion. Les récits des ingénieurs n'étaient pas exagérés : les voies ferrées qui arrivaient à Smyrne par le nord et par l'est avaient mis l'immense richesse de l'empire ottoman à portée de l'Occident. Tabac, tapis, coton, bois de construction, maïs, seigle, orge, raisin, figues et charbon affluaient vers le port et en repartaient à toute heure, chaque jour. Socrate écrivit dans une lettre à ses parents : « Il faut être stupide pour ne pas faire fortune ici. »

Les étrangers jouaient à Smyrne un rôle prépondérant : les Belges détenaient les compagnies de distribution d'eau; la plupart

---

* Au début du siècle, on appelait Anatolie la partie de l'Asie occidentale qui devint la Turquie; elle comprenait un territoire important de la ville et du port de Smyrne, habité principalement par des Grecs.

16

des négoces de tapis, de minéraux, de grain et de fruits secs ainsi que le pouvoir administratif sur la ville étaient aux mains des Britanniques ; les tramways et le quai principal appartenaient aux Français ; les Américains dominaient le commerce du tabac et des liqueurs ainsi que les terminaux pétroliers. Ce n'était pas une ville où l'on s'imposait facilement mais le jeune Socrate avait l'optimisme de la jeunesse. De petite taille, un cou de taureau, un hâle de Levantin, des cheveux noirs nettement séparés par une raie sur le côté, il avait des yeux sombres au regard perçant et une moustache gominée de style militaire qui cachait une bouche curieusement mince et féminine. Mais il se sentit de taille à relever le défi que lui lançait la côte. Sa philosophie était simple : « Ne soyez jamais pessimistes, répétait-il à ses frères, le pessimisme est une maladie à soigner comme les autres maladies. »

Les deux premières années, il travailla comme employé dans les bureaux d'un marchand juif, Bohar Benadava. Dès qu'il eut économisé assez d'argent, il loua un petit entrepôt à Port Abri et fonda une agence d'import-export qui faisait le négoce de toute marchandise susceptible de rapporter quelque profit. L'excellente qualité de ses produits fut bientôt reconnue dans toute la ville et son affaire prospéra rapidement. Aucune transaction, si minime fût-elle, ne lui paraissait négligeable. Au bout d'un an, il déménageait dans des locaux plus vastes, au cœur du quartier des affaires, Grand Vizir Hane. Puis il ouvrit un autre entrepôt à Daragaz Point, à un excellent emplacement sur les quais, non loin de la voie ferrée. Son jeune frère Alexandre, qui était retourné dans l'intérieur du pays pour y établir des contacts et collecter la marchandise, revint à Smyrne diriger le dépôt de Daragaz.

Bientôt il fit des affaires avec les plus importants négociants de Smyrne. Il disposait de lignes de crédit à la Banque impériale ottomane, à la Deutsche Bank et au Crédit lyonnais. A cette époque, l'imagination était reine et il fallait savoir prendre des risques. Il semble que dans son ascension, il n'ait pas toujours été absolument scrupuleux ; ses rivaux parlaient de lui avec ce respect formaliste qui procède surtout par assertions négatives : il n'était pas rancunier, il ne revenait pas sur la parole donnée, il n'était pas incorrigible.

Tandis que leur réputation s'affirmait, les frères Onassis se ménageaient une place parmi les meilleures familles de Smyrne ; Alexandre et Homère se lançaient dans la politique, en particulier au sein de la Mikrasiatik Ethniki Ameni, Ligue de défense de l'Asie Mineure, mouvement séparatiste qui réclamait la création d'une région grecque autonome, avec statut de zone internationale, autour de Smyrne, cité majoritairement grecque et centre traditionnel de la chrétienté en Asie Mineure. Socrate, lui, évitait de se mêler de politique ; plus réaliste que ses frères, il consacrait toute son énergie aux affaires, limitant son engagement politique à des contributions financières aux sociétés de secours et aux activités nationalistes qu'il jugeait utiles et solides.

Homme de tradition, il revint au village pour demander la main de Pénélope Dologlou. Fille d'un notable local, passablement jolie, Pénélope savait lire, écrire et tenir les comptes aussi bien qu'un homme mais, par nature, elle était plutôt une ménagère simple et sérieuse. Les deux familles donnèrent leur bénédiction à cette union considérée comme bien assortie. Le mariage eut lieu en l'église de Saint-Paraskevis de Smyrne, deux mois après le dix-septième anniversaire de la jeune femme.

Plus que sa prudence instinctive, c'est probablement son goût pour la vie villageoise qui incita Socrate à déménager à Karatass, localité située à peu de distance de Smyrne par la mer. Une bourgeoisie cosmopolite habitait cette agglomération dont les maisons s'étageaient sur des terrasses naturelles surplombant la mer. Groupes ethniques et religieux, commerçants et négociants, Arméniens, Grecs, Turcs, Juifs, musulmans et chrétiens s'y côtoyaient dans une hétérogénéité presque classique. Dans le quartier de la villa des Onassis, on parlait près d'une douzaine de langues, et dans la plupart des familles, on en pratiquait au moins deux.

Très vite, la presque totalité du clan Onassis était venue s'installer à Karatass : frères et sœurs, tantes, oncles, cousins. Quoiqu'il eût un frère plus âgé que lui, Socrate était l'élément dynamique de la famille, celui qui réfléchissait et prenait les décisions.

Onze mois après les noces smyrnoises, Pénélope donnait le jour à leur premier enfant, une fille baptisée Artémis, du nom de la déesse de la chasse et des bêtes sauvages. Deux ans plus tard, au matin du 20 janvier 1900, naquit Aristote Socrate Onassis. Mais là-dessus, on n'aura sans doute jamais aucune certitude, car le principal intéressé, devenu adulte, allait s'ingénier à brouiller les pistes.

Les six années suivantes furent pour Socrate et sa petite famille des années d'enrichissement paisible. Sa capacité de travail ne faiblit jamais mais il se referma de plus en plus sur lui-même, en montrant une froideur peu ordinaire chez un Méditerranéen. Obsédé par son travail, il semble n'avoir manifesté qu'un intérêt de commande pour Aristo, comme l'appelait affectueusement le reste de la famille ; il n'exprima jamais cet attachement profond, cet amour possessif qu'un père grec éprouve généralement pour son fils. Cette attitude était sans doute le signe de son désintérêt pour tout ce qui n'était pas le négoce, mais quelle qu'en fût l'origine, Aristo en souffrit profondément dès son plus jeune âge.

Les entreprises de Socrate, en particulier le commerce du tabac, continuaient de prospérer. Les temps étaient pourtant incertains

18

en Turquie. Le danger était au coin de la rue. A la suite d'une révolte sanglante à Constantinople, le sultan Abd-ul-Hamid avait été déposé par les Jeunes Turcs. La plupart des nouveaux dirigeants avaient fait leurs études en Europe, et ils étaient sincèrement décidés à créer une Turquie nationaliste sur le modèle des démocraties occidentales. Mais dès qu'il fallut désigner le nouveau parlement, on truqua les élections pour éliminer les représentants des minorités et les Jeunes Turcs ne furent pas longs à se lancer dans une inquiétante politique sur le thème de la Turquie aux Turcs.

Après le massacre de centaines d'Arméniens à Adana en 1909, un frisson d'appréhension parcourut toutes les échines chrétiennes. Mais pour l'heure, les Jeunes Turcs avaient d'autres priorités que l'extermination des minorités : l'Italie avait attaqué Tripoli et s'était emparée de Rhodes et de près d'une douzaine d'autres îles turques en mer Égée. Le gouvernement leva des impôts écrasants pour financer la guerre. En 1912, la Turquie signait enfin le traité d'Ouchy par lequel elle cédait Tripoli aux Italiens en échange de leur retrait des îles. Mais, encouragés par le succès italien, la Serbie, la Bulgarie, le Monténégro et, ce qui était plus inquiétant, la Grèce joignirent leurs forces contre la Turquie. Socrate se disputa violemment avec ses frères, en particulier Alexandre, prompt à s'enflammer, en raison de leurs sympathies affichées pour la patrie grecque. Furieux, il leur rappela le vieil adage turc : « Si tu ne veux pas avoir la corde au cou, fais-toi bourreau. »

L'époque était dangereuse pour les Grecs de Smyrne et si la richesse discrète de Socrate et les relations qu'il entretenait soigneusement avaient protégé les siens mieux que beaucoup d'autres, une tragédie plus personnelle devait bientôt les frapper. En 1912, Pénélope Onassis souffrait d'un abcès au rein. Cette affection, d'abord considérée comme bénigne, empira et l'opération apparut inévitable. L'enfant perçut bientôt la gravité de la situation : ses tantes interrompaient leurs conciliabules quand il surgissait, sa grand-mère Gethsémanée vint de Moutalasski pour prendre en main la vie domestique, le père Euthinion mentionna le nom de Pénélope Onassis dans la liste de ceux auxquels l'assemblée des fidèles devait dédier ses prières et ses pensées, et les religieuses faisaient toutes sortes d'embarras quand il rendait visite à sa mère à l'hôpital français, rue Parallèle, derrière le quai de Smyrne.

Quelques jours après ce qu'on pensait avoir été une intervention réussie, Pénélope, terrassée par une insuffisance rénale aiguë, mourut en quelques heures. Elle avait trente-trois ans. Aristo se retrouva ainsi sous la coupe de la dévote Gethsémanée et d'une cohorte de tantes.

Socrate était un homme vigoureux qui avait besoin d'un corps féminin et aussi de quelqu'un pour s'occuper d'Artémis et d'Aristo. Moins de six mois après la mort de leur mère, il se fiançait, se remariait et faisait un enfant à sa deuxième femme, Hélène. Mérope fut promptement suivie d'une autre fille, Calirrhoë. Au centre de l'attention d'une famille de femmes, petit, mince, avec une apparence d'extrême fragilité qui aux yeux de ces dames ne pouvait cacher qu'une âme vertueuse, Aristo était un garçon facile. Ce fut l'oncle Alexandre qui l'empêcha de devenir une parfaite poule mouillée. Il parlait à l'enfant de chasse et de navigation, des plaisirs de la chair et des dangers de la promiscuité, il discourait sur le monde et la place qu'un homme doit s'y faire. C'était la première personne qu'Aristo entendait jurer et dire tout haut les mots qu'on osait à peine chuchoter dans les cours de récréation. Alexandre ne le traitait pas avec condescendance, il ne le sermonnait jamais. Quel soulagement après les sermons de sa grand-mère! La piété de la vieille dame touchait parfois à l'extravagance.

Militant politique, patriote intraitable, Alexandre était excellent orateur, même si son haleine fleurait parfois l'ouzo; il pouvait plaisanter, jurer comme un troupier, taquiner son interlocuteur et cependant il allait toujours au cœur des choses, à l'essentiel. Et ce qui était par-dessus tout essentiel, déclarait-il, c'était la politique. L'enfant ne demandait qu'à se repaître d'idées grandioses et Alexandre en avait une réserve inépuisable. Aristo écoutait ses histoires avec toute l'attention d'un gamin plein d'imagination et de désirs. Alexandre était l'enfant chéri de la famille et il apprenait à son neveu quels pouvoirs confère le charme et aussi peut-être quels charmes a le pouvoir. Il lui mit en tête des idées et des notions qui l'accompagneraient toute sa vie. Des idées de passion et de vengeance, la sombre conception grecque de l'amour et de la loyauté, et une ancestrale méfiance dont Aristote Onassis ne se départirait jamais; quel que fût le vernis de culture et de raffinement qu'il allait acquérir, il garderait au plus profond de lui un atavisme jamais domestiqué. « Apprends à connaître ma haine et ma violence et apprends dans ton cœur que je me vengerai comme je peux de ton crime », lança-t-il à l'adresse d'un ennemi près de cinquante ans plus tard. La citation était de Theognis mais elle traduisait l'esprit de l'oncle Alexandre.

Aristo était entré à l'école des religieux; élève peu appliqué, il était logiquement dans les derniers de la classe. Il changea plusieurs fois d'établissement et on finit par l'inscrire à l'Académie Aroni de Smyrne, école petite et chère. Aristo y manifesta ses dons pour les langues : parlant déjà couramment le turc et le grec, il apprit l'anglais et l'allemand. Comme il n'avait nullement l'inten-

tion de faire un universitaire de son fils, Socrate manifesta peu
d'intérêt pour ses progrès. Les grands savants ne font jamais de
bons hommes d'affaires et ils sont rarement riches. S'il en apprenait trop, il risquait « de se croire supérieur au métier des affaires », expliquait-il à Hélène, qui veillait sur les études d'Aristo
et qui suspectait peut-être Socrate d'être trop préoccupé par son
négoce pour leur accorder suffisamment d'attention. Aristote
commencerait vraiment à apprendre quand l'école serait finie,
affirmait Socrate. Chaque soir, il gardait son fils un moment dans
son bureau pour lui apprendre les ruses du commerce et l'habituer à l'atmosphère des affaires. « Il faut que tu aies toujours sur
toi un stylo, Aristo. Prends des notes sur tout et en particulier
sur les gens. Si tu les revois, tu sauras tout de suite combien de
temps tu dois leur accorder et quel degré d'attention ils méritent. »
Aristo fit l'emplette d'un carnet de notes et y consigna soigneusement ses impressions et ses secrets. Quand Hélène protestait
qu'Aristo devrait travailler sur ses leçons, Socrate répliquait que
l'école ne pouvait qu'en faire un « petit employé, un serviteur éduqué ». Il apprenait la vie à son fils, le monde dur dans lequel il
lui faudrait vivre. Aristo démontra pour la première fois son apti-
tude à saisir les mécanismes économiques lorsque dans le quartier se répandit la mode des moulins miniature formés d'une voile
de coton piquée sur un support de balsa. Un ami vendit ces jouets
de sa fabrication au-dessous du prix des matériaux. « Imbécile !
Tu ne t'es même pas fait payer ton travail ! » hurla-t-il, hors de
lui. Michael Anastasiadès, lui-même fort étranger au monde du
commerce, devenu professeur de physique à Athènes, raconte :
« C'était déjà un homme d'affaires quand nous ne pensions encore
qu'à jouer. »
Il était cassant et sûr de lui, ce qui lui attira l'inimitié de beaucoup de ses professeurs, mais d'autres, impressionnés, éprouvaient pour lui une affection qu'ils ne pouvaient pas toujours
expliquer. Il cherchait sans cesse à discuter avec les adultes sur
un pied d'égalité. Lorsqu'on le réprimandait, il répliquait avec
une maturité précoce. « Votre fils a des manières tout à fait incon-
grues », déclara M. Arioni à Socrate, en infligeant à l'enfant une
semaine de renvoi pour avoir mis la main aux fesses d'une ensei-
gnante. Comme la plupart des pères confrontés à un fils adoles-
cent, Socrate sentit que son autorité était battue en brèche ; il
demanda son aide à Michael Avramidès. Voisin et ami de la
famille, Avramidès enseignait à Evangheliki, la meilleure école
de Smyrne. L'établissement avait été fondé en 1733 sous la protection du consulat britannique. Le *Red Ensign*, drapeau de la
marine marchande britannique, flottait au-dessus de l'école pour
l'anniversaire du souverain et les grandes fêtes d'Albion, et on
y parlait anglais. Pour Socrate, l'intérêt de cette école ne résidait

pas dans l'excellence de son enseignement mais dans la sévérité de sa discipline. Il se confia à Avramidès devant un verre de cognac Mastika, sur la terrasse de Karatass. « Mon fils me pousse dans la tombe. » Il parlait en turc, langue qu'il trouvait plus facile que le grec, et comme d'habitude, il n'en disait pas plus que ce qu'il avait à dire. « Il est allé dans toutes sortes d'écoles et pourtant il a réussi à se faire mettre à la porte. »

Avramidès hocha la tête et observa avec commisération : « Les jeunes d'aujourd'hui attendent trop de plaisir de la vie. » Mais quelles que fussent ses craintes au sujet d'Aristo, son admiration pour les Onassis l'emporta et un an plus tard, Avramidès avait trouvé une place pour le garçon à Evangheliki. « Le fils était aussi terrible que le père était aimable. C'était vraiment un individu indiscipliné, un enfant turbulent, un scandale pour son entourage, il gênait tous les autres élèves de l'école. Je n'avais jamais vu un enfant pareil. Le plus énervant que nous ayons jamais eu », raconte-t-il dans ses souvenirs recueillis par le Centre athénien pour l'étude de l'Asie Mineure, peu avant sa mort en 1961.

« Mon ami Christo Christou a un bureau trop petit pour lui, dit un matin Aristo à Avramidès. Comme je suis petit et que mon bureau est plus grand, nous pourrions peut-être les échanger pendant l'heure du déjeuner ? » La permission accordée, Aristo, seul dans la salle, travailla vite et posa une dérivation sur le circuit électrique. Dans l'après-midi, il déclencha la sirène d'incendie. « Ce fut un complet chaos jusqu'à ce que nous ayons découvert le pot-aux-roses », raconte Avramidès, et l'on perçoit encore, cinquante ans après, son indignation d'avoir été ainsi trahi. Exclu pour quinze jours, Aristo haussa les épaules : « Quand on est puni, on devient plus souple, ou plus dur », dit-il sans manifester le moindre regret. « Même dans sa jeunesse, dit Avramidès, on voyait qu'il était de ces gens qui soit se détruisent totalement, soit réussissent magnifiquement. »

Excellent nageur, rameur et joueur de water-polo, Aristo adhéra au club sportif de Pellos. Il se bâtit un corps dur et séduisant. Quoiqu'il fût d'une taille inférieure à la moyenne, il était fier de son physique, de ses muscles, de la sensualité de sa peau brunie par le soleil et il aimait parader devant les filles. Il détenait le record de rapidité dans la course à la nage entre la côte et les destroyers américains. (Ces bateaux mouillaient en effet souvent au large des raffineries de la Standard Oil, dans la zone sud du port.) Rejeton d'une famille respectée, il avait tout ce qu'il fallait pour réussir dans une petite ville : la force, l'audace, les relations... et l'argent. L'argent, tout particulièrement, l'argent que, selon le témoignage de Michael Avramidès, il dépensait libéralement. Son père lui en donnait, et lui donnait des pourboires aux domestiques de l'école. Il achetait généralement les cigarettes que sa bande fumait sur le quai du ferry. Il était bagarreur (« Ce qui compte pour un chien qui se bat, ce n'est pas sa taille, mais sa valeur au combat »), mentait sans retenue, souvent pour le plaisir, et ses mensonges étaient toujours pleins d'imagination et de vie. On l'aimait pour ses défauts autant que pour sa vivacité d'esprit et ses largesses ; toujours prêt à relever un défi, il acceptait sans rechigner les conséquences de ses erreurs. Doué pour l'imitation, il savait mimer à merveille l'oncle Alexandre inclinant la tête pour allumer un de ses affreux cigares. Il n'oublierait jamais les sons, les odeurs et les goûts de son enfance. Au soir de sa vie, alors qu'il allait mourir sur un autre sol, il se rappellerait les petits orchestres de mandolines, de guitares et de cithares qui jouaient des mélodies populaires dans les cafés, le bruit des locomotives à vapeur manœuvrant dans la nuit de Basma Hane aux confins du quartier arménien ; l'odeur des amandiers et de la dernière fournée de pain se mêlant aux parfums de jasmin et de mimosa, et le goût de la pâtisserie gorgée de sirop de rose que dans ce lointain passé sa grand-mère confectionnait chaque dimanche. « On peut casser le vase, disait-il en évoquant cette époque, mais le parfum des fleurs ne disparaît jamais. »

En 1914, la Turquie entra en guerre aux côtés de l'Allemagne et les Turcs musulmans déportèrent en masse et massacrèrent sans pitié les minorités chrétiennes. Le général allemand Otto Liman von Sanders, héros qui avait conduit les troupes turques à la victoire dans la célèbre bataille de Gallipoli (la désastreuse offensive alliée avait été commandée par Winston Churchill, premier lord de l'Amirauté), installa son quartier général à Smyrne et réquisitionna une résidence proche de la villa des Onassis à Karatass. Convaincu de l'utilité de leurs talents d'administrateurs et d'organisateurs, von Sanders s'efforça de gagner les Grecs de Smyrne à sa cause ; les officiers allemands distribuèrent du chocolat et des souvenirs aux enfants. Mais les Turcs se méprirent sur le sens de l'opération et, pour apaiser ses alliés, von Sanders changea de tactique. On ferma les églises ; Aristo et ses camarades de classe durent brûler leur casquette anglaise et porter le fez et le brassard frappé de l'Étoile et du Croissant.

Socrate Onassis prêchait la neutralité : « C'est souvent un avantage, et une bonne affaire, de voir les deux côtés de la question », disait-il, mais il est peu vraisemblable qu'il ait convaincu quiconque qu'une collaboration pragmatique n'était pas au fond ce qui se cachait derrière son credo. Il flanqua une taloche à son fils qui refusait de porter l'emblème de l'Étoile et du Croissant. Les temps étaient difficiles mais grâce à un mélange de souplesse, d'accommodements et de chance, la famille et sa fortune surnagèrent. Quand l'armistice fut signé en 1918, la Turquie devint l'objet de toutes les convoitises. Des forces françaises occupaient la Syrie, les troupes italiennes étaient à Antalya; l'Arabie avait fait sécession; les Anglais avaient pris la Palestine et, sous le nom de royaume d'Irak, avaient placé sous mandat la Mésopotamie. Et à la conférence de Versailles en 1919, la Grèce réclama la Thrace, le Dodécanèse, le nord de l'Epire... et Smyrne.

Mais quand l'Italie manifesta sa volonté de transformer la Méditerranée en un « lac italien », le président Wilson et Lloyd George, Premier ministre anglais, encouragèrent les Grecs à occuper Smyrne. Nul ne sembla se rendre compte de la maladresse que constituait l'occupation par des troupes grecques d'une ville dont la majorité de la population avait manifesté depuis des siècles de violents sentiments antihellénistes.

Le 15 mai 1919, peu après sept heures du matin, Aristo était, comme tous les matins, en train de nager lorsqu'il aperçut le convoi à l'horizon. « Je n'en crois pas mes yeux », se dit-il à haute voix. Tenant la main en visière pour se protéger du soleil, il compta les bâtiments : deux destroyers, un cuirassé, cinq transports de troupe et, derrière eux, une flottille de bateaux de soutien. Tous battaient pavillon grec. Il regagna le rivage en nageant aussi vite qu'il pouvait et se joignit aux milliers de personnes qui se rassemblaient sur le quai. C'était pour la plupart des Grecs anatoliens qui pour la première fois défiaient le joug turc en revendiquant leur liberté. Un drapeau grec surgit de nulle part, l'on se mit à danser dans les rues et des chants grecs s'élevèrent. On entendait des cris réclamant l'*enosis*, l'unification avec la Grèce. En tendant le bras, Aristo aurait pu toucher la chasuble brodée du métropolite grec venu bénir les libérateurs qui débarquaient en conquérants. Le jeune homme était assez proche du dignitaire ecclésiastique, idole terrestre de sa grand-mère, pour remarquer que ses chasubles étaient usées et couvertes de poussière. « Vivat ! » criait la foule tandis que les troupes avançaient. « Vivat ! vivat ! vivat ! »

Au moment où la tête de la colonne passait à la hauteur de la caserne où l'infanterie vaincue du général Ali Nadir Pacha était cantonnée, un unique coup de feu partit. Les soldats grecs, jeunes et inexpérimentés, perdus dans leur nouvel environnement et croyant être attaqués, ripostèrent par un tir nourri, dans tous les sens. Des chameaux qu'on était en train de réunir pour former une caravane rompirent leurs brides, augmentant encore la panique soudaine. Aristo tomba à terre, le visage dans la poussière. Le battement des sabots, les cris de la foule et les ordres frénétiques des officiers tentant de rassembler leurs hommes résonnaient de tous côtés. Il rampa jusqu'à une encoignure de porte et se tint absolument immobile, « comme un petit sac de farine, se dit-il absurdement. Si quelqu'un me piétine, c'est du sang qu'il aura sur les chaussures, pas de la farine. Il sera bien surpris ».

A midi la pluie commença à tomber, une de ces brutales averses qui s'abattent parfois au mois de mai en Méditerranée orientale. L'eau dispersa la foule et, aussi brusquement qu'elle avait éclaté, la violence cessa. Aristo resta sans mouvement longtemps après la fin de la fusillade. Il était incapable de bouger. Aujourd'hui, on nommerait cela un état de choc, à l'époque on aurait dit qu'il était rentré dans sa coquille. Mais en retournant chez lui, il se dit simplement : « Il fallait les avoir bien accrochées. Comme moi. »

Durant les deux années qui suivirent, Smyrne connut une grande prospérité ; la ville se développa de manière foudroyante sous l'administration grecque. Aristo rata ses examens à Evangheliki mais comme il n'avait rien d'un intellectuel, cela ne surprit personne. Il alla travailler au bureau de son père à Grand Vizir Hane, et entra comme il se devait dans l'âge adulte. Selon ses propres récits, la blanchisseuse de la famille, une préceptrice française et même une Turque voilée cédèrent à ses charmes « infidèles ». C'était un habitué de Demiri Yolu, le quartier chaud. Un bordel, en particulier, se flattait de l'avoir pour client. La première fois qu'il était allé chez Fahrie, il était entré plein d'assurance, comme il ferait la plupart du temps ses entrées dans la vie. L'odeur de civette et de poudre parfumée était entêtante, c'était une odeur qu'il trouva extrêmement agréable et qu'il rechercha jusqu'à la fin de ses jours, chez les putains de Demiri Yolu comme chez les filles haut de gamme de Madame Claude. Portant bas de soie colorés, sous-vêtements affriolants et escarpins pointus, les filles de chez Fahrie déployaient pour lui un peu plus que leurs charmes professionnels habituels, car il leur apportait toujours le meilleur tabac de son père. Peu lui importait qu'elles le fassent pour de l'argent. « C'est ce que font toutes les femmes, mon chéri, d'une manière ou d'une autre, lui avait dit une des filles. Si tu comprends ça, tu te feras encore avoir, mais tu le sauras. Et un jour, tu découvriras que c'est sacrément important de le savoir, surtout si tu le gardes pour toi*. »

---

* Il fut souvent difficile de l'acculer à dire la vérité, en particulier pour ce qui concerne cette période de sa vie. Il s'employa par exemple, alors qu'il avait raté l'examen de sortie de l'Evangheliki, à répandre la légende selon laquelle il avait décliné la possibilité d'aller à Oxford : « Tout était prêt, mes vêtements et le reste », raconta-t-il en 1966 à Michael Parkinson, dans une émission à la BBC. En fait, à la suite de la perte des archives consécutive aux massacres de Smyrne, un de ses anciens camarades de classe, Michael Anastasiadès, avait bien tenté de l'inscrire sur le registre des élèves d'Evangheliki présentés pour l'entrée à l'université, mais Elie Lithoxoos, le directeur, raya sans pitié son nom de la liste.

Après avoir mené l'une de ses premières transactions dans les grands lits de cuivre de chez Fahrie, il s'était empressé d'aller s'en vanter à ses camarades du club sportif de Pellos. Par la suite, quand il eut pris de l'assurance, il s'attardait au salon après le plaisir, y cultivant son goût pour le vin tandis que les filles, pour lutter contre la chaleur étouffante, agitaient leurs petits éventails dentelés et le couvraient d'éloges en quémandant un supplément de tabac pour rouler ces minuscules cigarettes, les meilleures de Smyrne. Mais il n'oublierait jamais sa première fois, chez Fahrie : « Janvier 1921, l'année où on a inventé la mitraillette Thompson — et où j'ai découvert mes propres capacités de répétition à Demiri Yolu ! » se souvenait-il, avec son amour du détail historique.

CHAPITRE 2

> Les hommes doivent endurer tous
> les maux que les dieux leur
> envoient.
>
> SOPHOCLE.

Bien que le cours ordinaire de la vie eût repris, l'été de 1922 s'abattit, brûlant, sur un pays où l'on sentait qu'une nouvelle calamité se préparait. Mais pour l'heure, Aristote avait d'autres sujets de préoccupation. Au cours de jeux d'été du club de Pellos, le titre de *Victor Ludorum* lui avait échappé. Son orgueil et sa confiance en lui avaient été mis à mal par la défaite. Il lui avait semblé aller de soi qu'il serait le champion des champions. Quand son oncle Homère, le président du club, avait essayé de le consoler avec des bonnes paroles, il lui avait rétorqué sur un ton rogue : « Ce n'est pas ici, dans cette ville minable, qu'il faut que je réussisse. »

Un peu plus tard, ce soir-là, Alexandre le trouva sur la plage. « Tu t'es bien battu, mon garçon », lui assura-t-il. Jouant les indifférents, Aristo se tourna vers un grand et superbe yacht ancré à quelque distance du bord. Il aimait les yachts, à la façon dont les gamins peuvent aimer les locomotives. « C'était le *Fouad*. Il appartenait au sultan. » Le neveu d'Alexandre se souviendrait toujours de la remarque de son oncle : « Ici-bas, celui qui prend bien soin de lui-même tire le meilleur de la vie. » La défaite, dit Aristo, est une attitude, et à présent il avait réussi à la surmonter. Ils arpentèrent côte à côte la plage déserte comme ils avaient fait si souvent par le passé. Il va y avoir une guerre, annonça Alexandre, peut-être pour relativiser les revers d'Aristo. Dans l'intérieur du pays, soldats grecs et turcs s'affrontaient dans des batailles

27

féroces et sanglantes, et l'Armée nationaliste de Mustafa Kémal (le futur Atatürk) l'emportait. Elle allait arriver à Smyrne et il y aurait une très dure bataille, dit Alexandre. Aristo répondit qu'il commençait à comprendre à quel point la vie était incertaine. « Alors tu as beaucoup appris. Aujourd'hui n'aura pas été une journée tout à fait perdue », observa Alexandre. Il suggéra qu'Aristo s'excuse auprès de son père pour les paroles brutales adressées à l'oncle Homère ; il avait fait beaucoup de peine à Socrate. « Je le déçois sans arrêt. » Il se rendait compte qu'il avait toujours pensé cela, aussi loin qu'il pût remonter. « Parfois j'ai l'impression de vivre dans le *Klafess* », avoua-t-il, faisant allusion à la salle du palais royal où les fils du sultan étaient souvent enfermés, par crainte de leurs complots. « Il y a beaucoup de jeunes gens de Smyrne qui seraient heureux d'être à ta place, Aristo », lui rappela Alexandre. Le jeune homme promit de présenter des excuses.

Durant ce même été, Aristo fut convoqué au bureau de son père. Toute la journée, Socrate et ses frères, ainsi que Chrysostomos Konialidis, époux de Maria, leur plus jeune sœur, avaient conféré à huis clos. Quand le jeune homme entra dans le bureau de Grand Vizir Hane, la pièce sentait le cigare ; les volets étaient clos, filtrant la chaleur de la fin d'après-midi ; il y avait aussi dans l'air un indéfinissable sentiment de solennité. Vêtu d'une redingote noire coupée à la turque, une chaîne de montre en or lui barrant l'estomac, Socrate présidait les débats. « Ton oncle Alexandre dit que tu dois participer à la conversation », expliqua Socrate en lui offrant un cigare ; c'était la première fois qu'Aristo était invité à fumer en présence de son père.

Socrate décrivit à grands traits la situation : l'armée grecque menaçait de s'effondrer à tout moment. Les Turcs pouvaient s'emparer de Smyrne en quelques jours. Aristo, trompé par la douce tranquillité qui régnait sur la ville, fut surpris par la tension perceptible dans la voix de son père. La guerre paraissait encore inimaginable. Des femmes superbes et des hommes élégants, des écrivains et des artistes se côtoyaient aux terrasses des cafés et dînaient au Kramer, le nouvel hôtel chic ; les gens se pressaient dans les théâtres et les salles de cinéma ; les boutiques chères de la rue Franque montraient dans leurs vitrines la dernière mode de Paris et de Londres ; une compagnie italienne avait été engagée à l'Opéra. Certes, Kémal Pacha ne cachait pas sa détermination : il voulait exterminer les chrétiens d'Anatolie. Ils avaient tous entendu les prières turques concernant les infidèles : « Que leurs femmes soient veuves, et leurs enfants orphelins. » Et maintenant les Turcs avaient publié une proclamation qui, pour le meurtre d'un chrétien, substituait à la peine de mort une punition bénigne. Sous la férule nationaliste, il n'y aurait nul espoir pour aucun d'entre eux, dit calmement l'oncle Homère ; ils étaient

28

tous à la merci des événements. Cadet des cinq frères, Homère ressemblait beaucoup à Socrate : même bouche, mêmes yeux, même teint ; c'était la première fois qu'on lui voyait ce visage hagard, marqué par l'angoisse. Alexandre était assis en face de lui, avec un air sérieux qu'Aristo ne lui avait jamais vu auparavant. Socrate expliqua que Homère et Alexandre, collecteurs de fonds et organisateurs de la Ligue de défense de l'Asie Mineure, seraient exposés aux plus graves dangers si les Turcs reprenaient Smyrne. Ressortissants turcs, ils risquaient d'être traités en traîtres et exécutés. Aristo comprit que c'était la mort qui conférait à cette pièce son atmosphère de solennité.

Le matin même, Alexandre avait reçu un message d'un compagnon de la Ligue qui lui apprenait qu'à Trébizonde, l'organisation tout entière avait été anéantie, ses dirigeants assassinés ou pendus ; les autres notables grecs avaient tout simplement disparu ou été envoyés dans ses *sevkiats*, des camps de déportation. « Ils ont liquidé les Arméniens, maintenant c'est notre tour. Il y a des massacres tous les jours, à Amasya, à Merzifon... ils n'enterrent même pas nos morts. Les corps sont abandonnés aux chiens et aux vautours », raconta Alexandre. Aristo n'arrivait pas à croire que les Alliés restaient sans rien faire. Et les Anglais ? Que faisaient les Américains ? « Le Haut Commissaire américain, l'amiral Bristol, estime que les États-Unis ont tout intérêt à ne rien voir. Il leur faut penser aux concessions qu'ils ont obtenues », rétorqua Alexandre, amer. Chef de la commission interalliée d'enquête sur le débarquement de 1919 à Smyrne, qui ne fut pas tendre pour les Grecs, l'amiral Mark L. Bristol n'aimait guère la Ligue de défense de l'Asie Mineure. « Pour moi, c'est une calamité de faire la moindre concession aux Grecs dans cette partie du monde », écrivait-il à un collègue, dans une lettre privée interceptée par la Ligue. « Les Grecs sont sans doute la pire des races du Proche-Orient. »

Les gouvernements sont bien obligés de traiter avec les dirigeants, quels qu'ils soient, même si ces derniers ne leur sont pas particulièrement sympathiques, observa Socrate avec philosophie ; il tenait beaucoup à ne pas se laisser entraîner dans un débat politique avec Alexandre. Aristo vit clairement que l'attitude de la famille était déterminée par son père : c'étaient ses idées à lui, ses principes et ses façons de faire, sa volonté qui l'emportaient. Alexandre ne bougerait pas, il n'était pas disposé, déclara-t-il, à passer le reste de sa vie à fuir d'un refuge à l'autre. Avec un coup au cœur, Aristo comprit que l'expression qu'il voyait sur le visage de son oncle favori était celle d'un homme qui sait sa mort proche.

Le 26 août, l'armée de Mustafa Kémal opérait une percée à travers les lignes grecques à Afyon Karahisar, à 300 kilomètres à l'est de Smyrne; six jours plus tard les Grecs abandonnaient Usak, à 170 kilomètres à l'est de la ville. L'afflux continu de réfugiés se transforma en déferlement. Arméniens, Juifs, chrétiens et Grecs ottomans, emportant leurs biens dans des chariots à bœufs, à dos de cheval ou de chameau, furent rejoints par des milliers de soldats grecs, débris d'une armée en déroute. En quelques jours, la population de Smyrne avait doublé, atteignant 700 000 personnes. Ces scènes navrantes resteraient à jamais gravées dans l'esprit d'Aristote Onassis. C'était le grand naufrage de la défaite : les rues grouillaient d'animaux abandonnés, de soldats blessés; caisses, meubles, machines à coudre, voitures à bras, coffres-forts, cageots et ballots encombraient les trottoirs. Les gens marchandaient et se disputaient des places sur les bateaux en partance; peu importait pour où, du moment qu'ils appareillaient avant l'arrivée des Turcs.

Le vendredi 8 septembre dans l'après-midi, Socrate emmena Aristo dans son bureau pour la dernière fois. Ils brûlèrent quelques livres que le négociant y gardait ainsi que des brochures de la Ligue de défense et des documents appartenant à Alexandre qui s'était finalement laissé persuader de quitter la ville pour Kasaba, à 1 000 kilomètres de Smyrne. Emportant avec eux quelques affaires personnelles, des photographies, la bible de Pénélope en langue turque et caractères grecs, ils fermèrent le bureau et se mirent en route pour rentrer chez eux. Avant même d'avoir quitté le *bedesten*, marché oriental au cœur du quartier commerçant, ils furent abordés par un inconnu qui leur apprit la dernière rumeur : Kémal Pacha avait averti la Société des Nations qu'il ne pourrait pas être tenu pour responsable de ce qui arriverait quand ses troupes auraient repris la ville. Avant qu'ils aient atteint Karatass, on leur avait raconté bien des fois la même chose. La panique la plus complète régnait. Les colporteurs faisaient des affaires en vendant fez et litham (le voile des musulmans) à prix d'or. «Les époques difficiles font sortir au grand jour les hommes vils, ou en avilissent d'autres», dit Socrate à son fils.

Ils n'avaient rien à craindre. Socrate s'était tenu à l'écart de la politique, et il avait beaucoup de bons amis turcs. Homère et Alexandre avaient quitté la ville; sa sœur Maria, l'époux de cette dernière et un de leurs enfants étaient partis se mettre en sécurité à Akhisar, une ville du nord. Socrate parlait avec assurance, comme toujours. Ce soir-là, la grand-mère leur lut son passage favori de l'Ecclésiaste, d'une voix ferme, en turc, la seule langue qu'elle connût :

Pour chaque chose il y a une saison, et un temps pour toute fin poursuivie sous le ciel :

Un temps pour naître, et un temps pour mourir ; un temps pour planter, et un temps pour arracher ce qui a été planté ;

Un temps pour tuer et un temps pour guérir ; un temps pour détruire et un temps pour bâtir ;

Un temps pour pleurer et un temps pour rire, un temps pour l'affliction et un temps pour la danse...

Tandis qu'elle lisait la vieille bible de la famille, bien droite sur le divan couvert de tapis kurdes, derrière la table basse de bois découpé et incrusté de nacre, entourée des meubles européens de Socrate, des chromos et du phonographe, Aristo découvrit à quel point elle lui paraissait irréelle. Née au milieu du siècle précédent, elle appartenait à un passé et à un monde qu'il ignorait, quoique son père, ses oncles et ses sœurs fussent tous issus d'elle ; elle est la source, songea-t-il, l'âme qui a fait la famille telle qu'elle est aujourd'hui. Notre richesse et notre avenir viennent d'elle. Elle était le facteur invariant de leur vie quotidienne.

Un temps pour aimer, et un temps pour haïr ; un temps pour la guerre et un temps pour la paix.

« Merci, maman, dit Socrate, si nous n'oublions jamais ces mots, nous n'aurons jamais de raison d'avoir peur. » Il jeta un coup d'œil sur son fils et dans cet échange de regard, ils se communiquèrent leurs doutes. Aristo ne s'était jamais senti si proche de son père qu'en cet instant, et il ne l'avait jamais tant aimé.

Le samedi 9 septembre, à huit heures du matin, un détachement du quatrième régiment de cavalerie turque, cimeterre au poing, entra dans Smyrne. Il ne rencontra pas de résistance, et quand la nuit tomba, la ville était investie. Un terrifiant silence s'installa dans les rues de Karatass ; Gethsémanée occupait Hélène et les filles à la cuisine, où elles préparèrent un pilaf puis des desserts aux amandes et aux pistaches. Comme elle savait que ça les faisait toujours rire, elle éventa un feu de charbon de bois avec une aile de pintade, à la façon des vieilles Turques.

Le matin du troisième jour, le lundi 11, Aristo fut réveillé par des coups frappés à la porte. Le visiteur, un Arménien qui venait leur demander à manger, leur parla tout en se restaurant des choses horribles qui se passaient dans les rues de Smyrne. Il avait vu de ses propres yeux une foule de musulmans mettre en pièces le métropolite Chrysostomos, sur le seuil d'un barbier. On lui avait coupé le nez, les oreilles et les mains avec les rasoirs effilés de la boutique puis on lui avait arraché les yeux avec des couteaux et des bâtons. Socrate lui ordonna de tenir sa langue, de terminer son repas et de filer. Le silence de l'Arménien, les bruits de mastication de cet homme affamé augmentaient le sentiment d'irréalité qui les gagnait. Après son départ, Gethsémanée invita toute la maisonnée à s'agenouiller et à prier pour l'âme du métropolite... et celle des assassins ! Aristo se révolta à l'idée de prier pour les gens qui avaient tué le prêtre qui, sous ses yeux, avait béni trois ans auparavant les soldats grecs. Nous devons toujours pardonner les fautes des autres, lui dit sa grand-mère, « nous devons nous soumettre aux desseins de Dieu ». Socrate refusait de croire le récit de l'Arménien. Cet homme n'avait sans doute pas toute sa raison. De nombreux bâtiments alliés mouillaient dans le port, les destroyers américains *Simpson*, *Lawrence* et *Lichtfield*, ainsi que des croiseurs et des cuirassés français, italiens et belges. Les Turcs n'oseraient pas se livrer à des exactions tant qu'ils seraient là.

Le mercredi 13, en fin d'après-midi, un nuage de fumée apparut au-dessus du quartier arménien. « Ils sont en train d'incendier la ville », dit tranquillement Socrate à son fils. L'Arménien avait dit la vérité. Ils brûlaient les traces de leurs crimes. Poussé par l'*imbat*, le vent du sud-ouest qui souffle jusqu'au coucher du soleil, le feu progressait inexorablement en direction du quartier grec. A la tombée de la nuit, le massacre commença. Les flammes illuminaient le ciel, aspergeant la terre d'escarbilles brûlantes. Sur les coteaux de Karatass, le bruit de l'incendie parvenait comme un lointain grondement d'orage. Toute la nuit, ils regardèrent la ville qui brûlait et le ciel qui luisait comme un rubis maudit.

Les patrouilles turques arrivèrent, dans des voitures décorées de branches d'olivier. A midi, les soldats occupaient les rues et les officiers commencèrent les interrogatoires, maison par maison. « Socrate Onassis, marchand de tabac ? » demanda un lieutenant. Il avait un visage d'enfant et des dents noircies. On ne pouvait espérer de la compréhension d'un tel homme. Il s'enquit du passé de Socrate, de ses affaires. Celui-ci répondit sur un ton respectueux, sans servilité ni morgue dangereuse. Aristo enregistrait tout : l'odeur fauve du lieutenant qui portait un pantalon bouffant et des cartouchières croisées sur sa veste de l'armée américaine ; les cris des soldats intimant l'ordre d'ouvrir et assurant que le général Kémal avait donné sa parole que nul ne serait molesté.

Mais dans la villa les questions du lieutenant avaient pris la tournure d'un réquisitoire : Socrate avait versé des fonds aux groupes grecs durant l'occupation étrangère de la Turquie. J'ai offert des contributions à de nombreuses œuvres charitables, admit-il avec confiance car il savait qu'il s'était montré fort circonspect dans ses dons. Il était en relations étroites avec des ennemis de l'État, insistait le lieutenant. Socrate le nia absolument. Puis, sur le ton de la conversation, l'officier lâcha les terribles nouvelles, plus effrayantes que des menaces. Alexandre avait été arrêté à Kasaba. Déféré devant un tribunal militaire et déclaré coupable d'atteinte à la sûreté de l'État, il avait été pendu en place publique. Ses frères Jean et Basile attendaient d'être jugés dans l'intérieur du pays. Pour la première fois, Aristo vit pleurer son père ; ces larmes le laissaient désemparé. Il ne connaissait pas son père sous ce jour. « J'étais trop jeune pour savoir que tout homme a son talon d'Achille », dit-il plus tard en se souvenant du sentiment de honte qu'il éprouva à cet instant. Avec la disparition de son oncle s'évanouit l'influence qui aurait pu le pousser vers une carrière politique, mais son admiration et son amour pour Alexandre dont il donna le prénom à son fils unique l'accompagneraient tout au long de sa vie.

Socrate fut emmené dans un camp de concentration à l'extérieur de la ville, et on envoya les femmes dans un *sevkiat* en attendant leur déportation en Grèce. Hélène supplia qu'on autorisât son beau-fils à les accompagner, mais l'officier refusa. Sa petite taille et la jeunesse de ses traits permettaient de prétendre qu'il avait à cette époque seize ans (ce qu'il allait ensuite maintenir tout au long de sa vie, dans un effort constant pour réécrire son passé) alors qu'il était au moins dans sa vingtième année. Il avait l'air vigoureux, observa l'officier : il lui serait utile à la villa. Indubitablement, le Turc le trouvait à son goût. Pris entre le chagrin du deuil et les craintes pour sa famille, Aristo n'éprouva pas d'anxiété d'être ainsi abandonné à lui-même pour la première fois. Ce soir-là, il erra en ville en quête des choses familières ; la familiarité lui donnait le sentiment de survivre. Mais rien dans sa vie ne l'avait préparé au spectacle qui l'attendait.

Des cendres descendaient du ciel en tournoyant, couvrant de leur linceul les tas de meubles abandonnés et les cadavres qui jonchaient les rues. Le bureau de Grand Vizir Hane avait échappé au feu mais des soldats turcs lui interdirent l'entrée du bâtiment. Il revint à la villa, le cœur au bord des lèvres. Quelques semaines plus tôt, il était entouré par l'amour de sa famille, il vivait en sécurité, avec un avenir assuré. La plus grande déception qu'il avait connue jusqu'alors avait été de ne pas avoir décroché le titre de champion des champions. A présent son oncle préféré était mort, son père en prison, le reste de sa famille interné. A présent, il le savait, il était un homme.

Quelques jours plus tard, un général turc décida que la villa Onassis ferait une splendide résidence. Son aide de camp annonça à Aristo qu'on allait l'envoyer rejoindre sa belle-mère et ses sœurs au camp de déportation. Il avait de la chance de ne pas avoir encore dix-sept ans car Kémal Pacha avait ordonné que tous les chrétiens mâles entre dix-sept et cinquante ans soient envoyés dans des équipes de travail à l'intérieur du pays. Cette nouvelle loi (« C'était pratiquement une condamnation à mort », raconterat-il) incitait encore davantage Aristo à cacher son âge ; le camp de déportation était bien préférable. Mais le lieutenant tenait-il vraiment à ce qu'il parte immédiatement ? s'enquit-il avec respect en dépit de la vision sacrilège du Turc installé dans le fauteuil de sa grand-mère. La maison n'était pas facile à tenir, expliqua-t-il en imitant le ton déférent de son père. Peut-être devrait-il rester jusqu'à ce que le lieutenant ait saisi tous les détails du fonctionnement de la villa ? Il parla des caprices des différents équipements, assurant que les instructions qu'il donnerait seraient toujours trop vagues et difficiles à suivre, chaque indication en appelant d'autres à l'infini ; il assura pouvoir acheter de nouveaux cylindres pour le phonographe et qu'il savait encore où trouver le seul homme capable de réparer la plomberie capricieuse. Il guida le jeune officier à travers la villa, faisant un petit réglage ici, un autre là, comme si la maison tout entière reposait sur un système en délicat équilibre.

Impressionné ou peut-être simplement amusé par le zèle d'Aristo, le lieutenant l'invita à rester pour jouer auprès de lui le rôle d'ordonnance à titre officieux. A ses propres yeux, Aristo n'occupa jamais une position de domestique et en peu de temps une authentique amitié naissait entre eux. Le Turc était à peine plus âgé que lui : environ vingt-cinq ans, estimait Aristo ; mais dans son uniforme alourdi de brandebourgs et d'épaulettes, il paraissait nettement plus. Il avait combattu dans la première division turque à la bataille d'Afyon Karahissar et avait beaucoup tué. Il avait ce sens subtil de la vigilance qu'on rencontre chez les hommes dont les mains peuvent être meurtrières. L'œil d'un bleu dur, le cheveu très court, il ressemblait presque à un Prussien. Il incarnait la force et la vitalité et, pour un soldat, avait des vues larges sur le monde. Ils formaient un duo extraordinaire ; ils avaient les mêmes espérances, une philosophie qui attachait le plus haut prix à l'effort physique, et le considéraient avec un sens du devoir presque puéril. Par tradition et par tempérament, ils devinrent amants.

Aventure sentimentale, cette liaison fut aussi une expérience instructive. Avide de tout comprendre, Aristo éprouvait pour ce monde adulte dans lequel il était irrémédiablement embarqué une immense curiosité. Il passait le plus de temps possible avec le Turc ; tout en fumant les minces cigares noirs de ce dernier (bien moins bons que ceux de Socrate), ils parlaient du monde et du reste. Il était résolu à acquérir savoir et expérience avec le même entêtement obsessionnel qu'il manifesterait plus tard pour acquérir son immense fortune et tout ce qu'il désirerait. Un soir il demanda au Turc pourquoi les grandes puissances n'avaient pas levé le petit doigt pour contenir les fantassins de Kémal Pacha.

Les vaisseaux alliés présents à Chypre auraient pu interdire les massacres et l'incendie de la ville ; à eux seuls les quatre destroyers américains auraient stoppé net Kémal Pacha. C'était très simple, rétorqua le Turc. Les représentants des intérêts économiques qui déterminaient la politique étrangère des Alliés — Grande-Bretagne, France, Russie, Italie et aussi États-Unis — tenaient beaucoup à ne pas troubler un État dont le territoire englobait les détroits séparant l'Europe et l'Asie : que ce fût du point de vue militaire ou du point de vue commercial, le pays qui contrôlait ce carrefour stratégique de l'Asie Mineure pouvait infléchir le destin du monde. Kémal Pacha savait exactement ce que les Alliés voulaient et se disait avec raison qu'aussi longtemps qu'il saurait leur montrer où était leur intérêt, ils s'abstiendraient d'intervenir. Bien que la Turquie ne fût pas elle-même une puissance mondiale, expliqua le soldat avec orgueil, elle était en position de faire pencher la balance du pouvoir à sa guise. Ce fut un des moments décisifs de l'éducation d'Aristo. Bien des années plus tard, il dira à Johnny Meyer : « J'ai compris que lorsqu'on a réussi à cueillir une seule pomme d'or, on a le pouvoir. On peut tout, on peut même se laver d'un meurtre quand on a une seule de ces pommes d'or dont les autres ont envie. »

Les paisibles journées passaient vite et lorsque le général, qui menait dans la villa un train de satrape oriental, ordonna à son aide de camp de renouveler les provisions d'alcool (au mépris de la prohibition proclamée par Kémal Pacha), Aristo fut plongé dans la plus vive anxiété. Si son amant et protecteur échouait dans sa mission, il serait presque à coup sûr envoyé au loin et l'abandonnerait. Pour garantir sa propre sécurité, il lui fallait ravitailler le général. Il se mit avec ardeur au travail. Mais sa fraternisation avec les Turcs n'était pas du goût des relations d'affaires de son père et des vieux amis de la famille sur lesquels il comptait. Il se heurta à un mur.

Quelques jours après, il rencontra James Loder Park, vice-consul américain, une connaissance du défunt Alexandre. Diplômé de la Harvard Medical School, Park était allé à la fin de la première guerre mondiale travailler pour la Société des Nations en Syrie puis, en 1921, était entré au ministère des Affaires étrangères et avait été affecté au poste de Smyrne. Tout à la fois spécialiste des relations publiques, fonctionnaire et officier du renseignement, Park en savait assez sur les activités d'Alexandre pour ne pas être surpris en apprenant son exécution à Kasaba. C'était un brave homme, fort obligeant. Depuis des semaines, il se démenait sans compter et dormait fort peu. Il proposa néanmoins au jeune homme de faire avec lui une nouvelle tournée des fournisseurs, lesquels se montreraient peut-être plus accommodants en voyant Aristo flanqué d'un yankee. De fait, cette fois-ci, le fils de Socrate réussit à dénicher un tonnelet de raki et quelques flasques de gin et de whisky. Il échangea le gin contre un laissez-passer allié qui lui donnait accès à la zone contrôlée par les États-Unis ; le raki et le whisky furent remis au général qui manifesta sa gratitude en donnant à Aristote un sauf-conduit militaire qui lui permettait de circuler dans toute la ville.

Si les malheurs de la famille Onassis ne constituaient qu'une partie du drame national qui suivit le sac de Smyrne, elle n'en paya pas moins très lourdement le prix du sang. Trois des oncles d'Aristo furent exécutés et une de ses tantes, Maria, son époux, Chrysostomos Konialidis, et leur fille périrent à Thyatira, avec cinq cents autres chrétiens, quand les Turcs incendièrent l'église où ils avaient cherché refuge. Park réussit à faire sortir la belle-mère d'Aristo et ses sœurs du camp de réfugiés et à les embarquer pour Mytilène, dans l'île de Lesbos, où elles attendraient leur transfert sur le continent grec. Séparée d'Hélène et des filles, la grand-mère Gethsémanée avait disparu. Quant à Socrate, il attendait son procès et ignorait toujours quelles charges avaient été retenues contre lui.

Grâce à son sauf-conduit militaire et à ses relations, Aristo pouvait entrer dans le camp de prisonniers à peu près chaque fois qu'il le désirait et il devint bientôt une figure familière pour les gardiens. Cela lui permit de passer du courrier pour les prisonniers. Son père s'inquiétait : chaque jour, on exécutait des prisonniers. « Ces gens ne perdent pas de temps à nous juger. C'est chacun son tour, voilà tout », dit Socrate à son fils en le pressant de retrouver Sadiq Topal, un ami turc qui lui devait de l'argent et lui avait remis en gage des titres sur diverses propriétés et des bijoux. Aristo devait proposer à Topal d'annuler sa dette et de lui rendre ses titres à condition de lancer une pétition de Turcs en faveur d'Onassis. Par les temps qui couraient, il n'était pas très sain pour un Turc de fraterniser avec un Grec anatolien. « Vous me mettez dans la merde », se plaignit Topal quand Aristo lui présenta le marché. « Je sais, je sais », répondit le jeune homme, comme s'il partageait son désespoir : cela deviendrait une attitude habituelle chez lui chaque fois qu'il lui faudrait exercer une pression, que ce soit en affaires ou dans sa vie privée. Quarante-huit heures plus tard, plus de trois cents signatures furent présentées au *Konak*, la résidence du gouverneur, par une délégation d'« hommes d'affaires turcs inquiets ». On transféra Socrate hors du quartier des condamnés à mort et on lui retira les fers des mains et des pieds mais il ne fut pas relâché.

En allant chercher les valeurs gagées dans le grenier de Vizir Hane, Aristo découvrit des liasses de livres turques. Il révéla sa découverte à Park qui lui conseilla de prendre l'argent et de quitter le pays au plus vite. Ce soir-là, l'Américain organisa avec un officier du renseignement de la marine, le lieutenant Merril, le départ d'Aristo sur l'*Edsall*, destroyer des États-Unis, qui devait appareiller le lendemain matin. Aristo fit une dernière visite à son père.

L'entrevue fut pénible. Socrate partageait avec vingt autres prisonniers une cellule sans le moindre recoin pour s'isoler et il fallait s'asseoir à même le sol crasseux. Portant encore les vêtements qu'il avait sur le dos au moment de son arrestation, ni rasé ni lavé, c'était maintenant un homme terrorisé, anéanti par les cauchemars et l'épuisement, il paraissait incapable de comprendre ce qui lui arrivait et ce qu'Aristo disait; toute capacité de raisonnement semblait l'avoir quitté. Aristo parla de l'argent découvert et du projet que Park avait mis au point pour lui permettre de quitter le pays. Il retrouverait sa grand-mère, Hélène et les filles et s'occuperait d'elles jusqu'à ce que Socrate puisse les rejoindre en Grèce. Le comité de Topal comptait bien obtenir rapidement la libération de Socrate; Aristo s'efforçait d'avoir l'air confiant. Il glissa une liasse de billets turcs à son père, pour qu'il se ménage les bonnes grâces des gardiens. Grâce à cet argent, la vie de son père vaudrait peut-être un peu plus cher que celle des autres prisonniers. Il savait que cet au revoir était peut-être un adieu et quand il embrassa le vieil homme, il éprouva devant tant de misères une tristesse dont il se souviendrait sa vie durant.

Au portail du camp, on l'arrêta. On l'avait vu remettre de l'argent à son père, lui annonça un gardien en le ramenant au bureau du commandant. Aristo avait rencontré ce dernier plusieurs fois. C'était un petit homme corpulent qui traitait le camp comme son domaine privé. Il ne paraissait pas pressé de parler de l'argent. Fixant sur Aristo un regard vide, inexpressif, il lui dit : « Tu ne te rases pas encore, j'aime ça chez les jeunes Grecs. » Tout en lui parlant avec une douceur effrayante chez un homme pareil, il lui avait touché le visage. Glacé par la peur et le dégoût, Aristo demanda s'il était en état d'arrestation. Le Turc répondit par un sourire rapide, charmeur, plein d'une morgue mauvaise. Il se rapprocha de lui. « Juste à ce moment, le téléphone a sonné », racontera Ari, chez qui le souvenir de cet instant sera encore bien vivace plus de trente-cinq ans après. « Le directeur a décroché et il a dit à un officier : "Gardez ce gamin ici jusqu'à ce que je revienne", et il s'est précipité dehors, en laissant la porte ouverte. »

Ce répit inattendu ne suffit pas à calmer les appréhensions d'Aristo. Il savait qu'on finirait bien par le fouiller — il était étonnant qu'on ne l'ait pas encore fait déshabiller — les Turcs découvriraient alors le reste de l'argent et les messages qu'il devait passer. Il pouvait détruire ces derniers mais il répugnait à abandonner les billets de banque qu'il portait déjà sur lui, serrés dans des bandes de tissu, en prévision de son départ du lendemain matin. Fut-ce parce qu'il était devenu un personnage familier du camp et qu'il avait fait des commissions pour les gardiens ? Toujours est-il qu'on ne le surveillait pas étroitement. Il sortit comme en flânant de la pièce ; nul ne l'interpella tandis qu'il s'approchait des portes, l'air désinvolte, le cœur battant. Il craignait d'avancer trop vite, d'attirer l'attention ; il lui fallut un combat héroïque avec lui-même pour ne pas se mettre à courir. « Qu'il s'agisse de sortir d'une situation ou d'entrer dans une autre, le secret est toujours de bouger à la bonne vitesse », disait-il quand il racontait sa fuite.

Il trouva le vice-consul à l'hôtel Majestic, dans la zone de la marine des États-Unis et lui raconta ce qui s'était passé. Park était un homme pondéré — seule la chaleur paraissait l'affecter — mais l'affaire le mettait dans une position difficile ; comme Aristo était à présent légalement en fuite, on risquait de l'accuser d'aider un fugitif et non plus un simple réfugié. Mais il avait déjà organisé le passage d'Aristo sur l'*Edsall* et il décida de procéder comme prévu. Les Turcs fouillaient régulièrement les zones alliées, c'était une éventualité à laquelle il fallait donc se préparer. S'ils survenaient, Aristo devrait se dissimuler dans le bureau à couvercle coulissant. Le jeune homme éclata de rire. Il n'aurait jamais pensé que des choses pareilles arrivaient dans la vraie vie.

Les Turcs vinrent dans la soirée. Ils cherchaient un jeune voleur qu'on avait vu entrer dans la zone des États-Unis ; ils prétendaient qu'il avait volé une importante somme d'argent et violé une Arménienne. Quelle horreur ! dit Park. Aristo entendit l'exclamation du vice-consul dans l'obscurité suffocante du bureau victorien où il s'était recroquevillé. Il écoutait les allées et venues de ses poursuivants : ils « chauffaient », s'éloignaient, revenaient tout près. Cinquante ans après, il revivait avec émotion cet épisode. Ce fut, disait-il, à ce moment que j'ai commencé à tester mes réactions face à la peur. Après le départ des soldats, Park ouvrit le bureau et lui donna une vareuse de marin américain. Ils gagnèrent le port en voiture ; l'*Edsall* mouillait devant un cinéma dont l'affiche annonçait *La danse de la mort*. Le vice-consul lui serra vigoureusement la main. Il avait fait tout ce qui était en son pouvoir pour lui. « Bonne chance, petit fellah », dit-il.

Douze heures plus tard, une barque le déposait sur la rive de Lesbos, un sac de biscuits à la main et les économies de la famille ceintes autour du corps. Étape vers le continent grec, l'île grouillait de réfugiés ; le typhus et la dysenterie y faisaient des ravages ; des centaines de gens mouraient de malnutrition ; et beaucoup étaient soûls, car s'il n'y avait rien à manger, les chais étaient pleins et le vin constituait tout à la fois un festin et un moyen d'évasion. Il fouilla les camps de cahutes en criant les noms de ses sœurs, en les décrivant à des inconnus qui hochaient la tête avec sympathie avant de retourner à leurs propres soucis. Pendant des jours, il parcourut l'île d'un camp à l'autre, à travers les bois de sapins noirs et les prés jaunis ; il accrochait aux arbres et aux portes des cabanes de pierre des messages proclamant qu'il était vivant et se trouvait sur l'île. La famille était le centre, le lieu dans lequel il retrouverait des forces et des raisons d'agir ; hors de son cercle, on ne rencontrait qu'animosité et méfiance, songeait-il en reprenant l'homélie de son oncle Alexandre. La faim lui donnait des vertiges, ses yeux brillaient de fièvre et il avait perdu le décompte des jours quand il découvrit enfin, dans un campement au pied de la colline de l'Olympe, sa belle-mère, ses trois sœurs, ses tantes et ses cousines : dix-sept femmes et enfants terrorisés. Hélène pleura à chaudes larmes en le voyant. Et ainsi entra-t-il dans le rôle qu'il était venu jouer : à présent, c'était lui le responsable, le chef de famille. Ce soir-là, sa sœur Artémis lut la Bible et ils prièrent pour l'âme de ceux qu'ils aimaient et qui avaient été assassinés, et pour que leur reviennent sains et saufs Socrate et grand-mère Gethsémanée. Après un repas de pain et de sardines, il fuma une cigarette roulée puis s'enveloppa dans une couverture ; en dépit de son épuisement, il ne s'endormit pas tout de suite. Il pensait à l'avenir. Au bout d'un moment, sa tête s'inclina et il ferma les yeux. Il s'éveilla avec l'élan prodigieux de quelqu'un qui a travaillé sur un problème difficile tout en dormant d'un profond sommeil. Quand il se le remémorerait, bien des années plus tard, Aristote Onassis insisterait sur ce réveil plein de l'ardeur de la revanche, sur ce moment où un extrême fatalisme fit place chez lui à la détermination « de foutre en l'air tous ceux qui se permettraient encore de nous menacer, ma famille ou moi ». Cette fureur n'était pas nouvelle chez lui. Mais pour la première fois, il allait s'en servir.

Comme il ne voulait pas que la famille se sépare d'un seul de ses membres, il lui fallut plus d'un mois pour trouver un navire où ils puissent embarquer tous ensemble. C'était un cargo libanais en route pour Le Pirée. Dix jours après son vingt-troisième anniversaire, il foulait le sol de la Grèce pour la première fois. Après un bref internement dans un camp de personnes déplacées, à Piraiki, dans la banlieue d'Athènes, il déménagea dans un appartement situé au-dessus d'un garage dans un quartier bon marché proche des docks ; une semaine plus tard, il revoyait Homère. Son oncle avait de terribles nouvelles. Gethsémanée était morte. Elle n'avait réussi à atteindre la Grève que pour y être agressée sur les docks par un voleur. En se débattant elle était tombée et sa tête avait heurté une bitte d'amarrage. La mort de sa grand-mère accabla Aristo et quoique la foi qu'elle avait tant essayé de lui insuffler ne guidât plus sa vie, elle lui imposait encore ses vieilles habitudes. Ce soir-là il entra dans une église et pria pour l'âme éternelle de la vieille femme. Bien que ces prières fassent partie de rituels qu'il ne pratiquait plus depuis bien longtemps, cinquante ans plus tard il retournerait dans la même église prier pour son fils agonisant.

Homère était l'antithèse de son frère Alexandre. Tour à tour suffisant et pessimiste, avec une pointe de prudence que certains assimilaient à de la couardise, il brossa à son neveu un sombre tableau de la situation : ils pouvaient dire adieu à Smyrne, à l'entrepôt et à toutes leurs marchandises. En Grèce, assura-t-il, ils n'étaient que des *Turkospori* (sperme de Turcs). Il n'accorda aucune attention à l'exploit qu'avait accompli Aristo en ramenant sains et saufs femmes et enfants à Athènes. Il allait de soi à ses yeux que c'était lui le chef de la famille, du moins jusqu'au retour de Socrate et il fut choqué que son neveu insiste pour être traité en égal. La tension entre eux monta dans les semaines suivantes et s'exacerba encore quand Aristo refusa de remettre à son oncle les économies de la famille et persista à payer les factures et à contrôler lui-même le budget. Il y eut nombre d'explications tumultueuses mais la discussion la plus grave, qui revenait sans cesse, portait sur le moyen de tirer Socrate de prison. Aristo voulait agir en coulisse, ce qui signifiait toucher les gens importants et distribuer des pots-de-vin..., *mordidita*, ces « petites bouchées » dont s'engraissaient les fonctionnaires ; Homère, qui croyait à l'efficacité de la probité et de la patience, préférait s'en remettre aux voies légales. Aristo s'irritait de la confiance qu'avait Homère dans les lois et les règlements ; il aurait mieux aimé avoir affaire à Alexandre : le pot-de-vin sera toujours le meilleur des investissements, lui avait dit son oncle maintes fois, le bakchich est la meilleure des devises. Mais Homère n'était pas Alexandre et Aristo fut pour finir contraint de prendre l'affaire en main. Sans dire à personne où il allait, il investit dans l'achat d'un nouveau costume, d'une valise et partit pour Constantinople, encore la capitale de la Turquie.

L'*Abbazia*, vaisseau de ligne naviguant sous pavillon britannique avec un équipage anglais, était un véritable petit palace flottant et quoique son billet ne lui donnât droit qu'à une couchette du pont inférieur, il se glissa en première classe pour voir un monde dont les splendeurs l'ébahirent ; cette vision n'éveilla pas en lui de la jalousie, mais la détermination de faire un jour partie intégrante de cette société. Il avait déjà parcouru les salons en tous sens, se mêlant aux hommes en habit et à leurs épouses en robes somptueuses, tandis que le petit orchestre jouait « *Ain't We Got Fun* », quand un steward le repéra : « Allons, mon gars, ce n'est pas un endroit pour toi, ici. Retourne chez les tiens.

— Les miens sont ici », dit Aristo.

A Constantinople, il prit le métro jusqu'à Bursa Sokagi et descendit dans un petit hôtel proche de l'élégant Istiklal Caddesi; une bonne adresse était importante s'il lui fallait impressionner les gens qui pouvaient tirer les ficelles en faveur de son père. « Les fonctionnaires corruptibles aiment voir que leurs bailleurs de fonds ne les lâchent pas avec un élastique », disait-il plus tard pour définir très précisément sa conception de la corruption. Il travailla beaucoup et joua gros, en particulier dans les bars et les cafés autour de Cumhuriyet Caddesi où les *consommatrices* (en français dans le texte — NdT) apprirent à le connaître. Il donnait l'impression d'un homme qui a beaucoup voyagé et qui a assez d'argent pour voyager encore beaucoup. Persuadé que son emprise sur les hommes comme sur les femmes tenait à l'aura de la richesse, il avait pris en outre de nouvelles habitudes, en rupture avec le narcissisme de la jeunesse : il se mettait dans la peau de personnages différents suivant les moments, et cultivait le secret. L'homme qu'il serait resterait toujours seul : telle était la condition de sa survie, la réalité qui transformait son existence et dont il ne prendrait clairement conscience qu'après bien des années.

On ne sait exactement quelles personnes il contacta à Constantinople, mais six mois après son retour, son père était sain et sauf à Athènes. Il ne fallait pas attendre de gratitude du vieil homme — cela aurait signifié qu'il lui devait quelque chose —, mais Socrate ne montra même aucune joie d'être en vie et d'avoir retrouvé la liberté. Maigre et pâle, souffrant d'une angine de poitrine, il reprit sans tarder sa place de chef de famille et soumit son fils à un interrogatoire serré sur l'usage des fonds pris dans le coffre de Smyrne. Aristo avait tenu des comptes précis : il avait beaucoup dépensé pour l'entretien de la famille — le voyage en bateau, les loyers, la nourriture, les vêtements, les bakchichs à Lesbos et à Athènes —, mais c'était surtout la libération de Socrate qui lui avait coûté cher : quelque dix mille dollars. Aristo essuya d'amers reproches : il s'était montré trop dépensier. Homère, encore vexé de la manière dont Aristo avait pris la direction des affaires, le critiqua pour avoir déboursé tant d'argent « sans être sûr du succès ». Un pot-de-vin est un pari, rétorqua Aristo, et « on ne peut pas parier sur un cheval quand il est déjà revenu à l'écurie ». Socrate le réprimanda. Il estimait qu'à Constantinople Aristo avait jeté l'argent par les fenêtres et soupçonnait dans ces prodigalités comme une espèce de rébellion qui le renvoyait à son propre déclin. « Vous savez ce que c'est, les gens oublient vite », dira plus tard Onassis au sujet de cet épisode qu'il présentait comme sa première expérience de l'inanité des choses. « Les gens ont beau avoir été au seuil de la tombe, ils ne peuvent s'empêcher, quand vous les avez sauvés, de se plaindre encore et de vous en vouloir. »

41

Bientôt à Athènes la vie reprit son train routinier. Mais au fond de lui, Aristo ne pouvait se défaire d'un sentiment d'injustice. Il était malheureux et s'inquiétait de l'avenir. En proie à des accès de mélancolie, incapable d'admettre sa déception, sans personne pour la partager avec lui, il devint de plus en plus distant et solitaire. Le jeune homme se mit à dormir dans la journée et à se promener la nuit en ruminant ses pensées ; il lui était plus facile de les mettre en ordre au cours de ses déambulations nocturnes. Lorsque Socrate lui proposa de travailler dans le négoce de tabac qu'il était en train de remettre sur pied, il déclina son offre.

Hélène ressentait profondément le fossé qui se creusait entre son époux et son beau-fils. Elle n'avait pas pris la place de la mère disparue et ne l'avait d'ailleurs jamais tenté, mais son affection pour Aristo n'avait cessé de croître et elle le considérait avec une fierté digne tout à la fois d'une mère et d'une sœur. Désireuse de les raccommoder, elle le supplia de faire le premier pas. « Je lui ai sauvé la vie, et il réagit comme un comptable », lui répondit Aristo. « Des remerciements, ce n'était pas trop demander. » Il avait l'intention d'émigrer, annonça-t-il. Sa décision, ou le soudain aveu qu'il s'en faisait, lui causa un choc. Il connaissait le prix des putains et des politiciens, mais n'avait jamais reçu un salaire correct dans sa vie.

Les hommes fabriquent leur propre destin, lui dit Hélène quand il eut terminé. Encouragé par cette espèce d'approbation, il ne perdit pas de temps. Il se renseigna sur les États-Unis, découvrit que le Congrès avait récemment voté les quotas d'immigration les plus rigoureux de l'histoire et que les immigrants de Turquie étaient particulièrement indésirables chez l'oncle Sam. Restait Buenos Aires, où il avait de lointains parents. L'Argentine ne pouvait lui être plus étrangère qu'Athènes. En août, muni d'un passeport Nansen, attribué pour un seul voyage aux réfugiés en quête d'un pays d'accueil, et avec 250 dollars en poche, il entama la première étape de son voyage en Amérique du Sud. Hélène et ses sœurs vinrent sur le quai lui dire au revoir ; Socrate était retenu par ses affaires.

Il lui fallut attendre trois semaines à Naples et à l'en croire, ce fut un interlude instructif ; il acquit quelques rudiments d'italien et l'ardeur napolitaine et sans vergogne d'une logeuse d'âge mûr et de sa fille veuve de guerre lui remontèrent passablement le moral. Le lundi 27 août 1923, il monta à contrecœur à bord du navire d'émigrants *Tommaso di Savoya* en partance pour l'Argentine. On y avait entassé un millier d'Italiens répartis entre les soutes et les entreponts, dans une saleté repoussante. Il ne fallut pas longtemps à Aristo pour repérer celui à qui il devait graisser la patte pour obtenir une couchette dans un réduit au-dessus de l'arbre d'hélice. C'était bruyant et confiné mais pour les vingt-cinq jours à venir, l'endroit lui permettrait de s'isoler et de réfléchir.

Tandis que le navire longeait la côte italienne en direction du nord, les émigrants attroupés sur le pont faisaient de grands gestes d'adieu à leur terre natale. « C'est à cette époque que j'ai vu Monte Carlo pour la première fois, depuis le pont d'un bateau d'émigrants qui m'emmenait vers ma nouvelle vie », raconterait-il volontiers aux journalistes dans les temps de prospérité qui suivirent. La remarque était claire, il le savait : nul ne pouvait se méprendre sur le symbole.

CHAPITRE 3

> Je suis un citoyen, non d'Athènes,
> ni de la Grèce, mais du monde
> entier.
>
> SOCRATE.

A Buenos Aires, Aristo n'était qu'un miséreux parmi tant
d'autres, un de ces réfugiés venus par milliers des confins orientaux de l'Europe — Arméniens, Syriens, Turcs et Libanais, tous
regroupés sous le vocable méprisant de *Turkos*. Il travailla tour
à tour comme plongeur, employé d'une laverie, gardien de nuit.
« Toute espèce de travail, sans qualification » : c'était ce qu'il
demandait en espagnol, en anglais et en italien, dans les usines,
les magasins et les bars. Pendant un moment, il partagea une
chambre avec un lointain cousin et son épouse dans la Boca, le
quartier italien, à la limite est de la ville. La chambre se trouvait
au-dessus d'une salle de bal, et entre la musique et les braille-
ments qui montaient du rez-de-chaussée et les rythmes de la passion qui se donnait libre cours dans le lit voisin, il avait du mal
à trouver le sommeil. Il finit par louer une chambre pour lui seul
sur l'avenida Corrientes. Il était encore petit pour son âge, et son
torse musculeux, ses bras puissants conféraient au haut de son
corps quelque chose de difforme mais ses manières solennelles,
sa façon de tenir les gens à distance lui donnaient une aura de
dignité qui séduisait les femmes. Il avait une façon bien à lui de
les écouter, de paraître boire leurs paroles en fixant sur elles son
regard noir et trop brillant. Mais ses succès féminins ne compen-
saient pas l'absence d'emploi stable. Il commençait à s'accoutu-
mer à l'échec. La pauvreté le rendait léthargique, raconta-t-il plus

tard. « Il est difficile de garder sa vitalité quand on a presque constamment faim. »

Un soir, en regardant plonger les mouettes sur les ordures du bord de mer, il remarqua que la lumière disparaissait plus vite ; l'été serait bientôt fini. Il ne voulait pas passer un hiver à Buenos Aires sans emploi et sans un sou devant lui. Dans un bar de l'avenida Costanera, le long du fleuve, il rencontra le capitaine écossais d'un cargo nommé *Socrate*. Il lui dit qu'il cherchait un boulot qui lui permette de quitter Buenos Aires et qu'il lui semblait de bon augure que le navire porte le nom de son père. Est-ce qu'il avait déjà pris la mer ? Il répondit que oui. Le capitaine se frotta le nez en fixant d'un œil soupçonneux sa chevelure brillantinée, luisante comme du cuir verni, suivant le goût des danseurs de tango de l'époque. Avec un fort accent écossais, il lui dit : « Bon, je vais pas te faire un discours, p'tit gars. Tu dois savoir qu'on embarque dans trois jours pour Liverpool où c'est qu'y a des sacrés diables qui hurlent et qui rugissent. Viens demain soir et ça ira comme ça, p'tit gars. »

Il s'était lié d'amitié avec un certain nombre d'immigrants grecs qui discouraient volontiers sur les fortunes qu'ils allaient bâtir en Amérique du Sud. Ce soir-là, dans un bar de la Boca, il leur annonça la nouvelle. Ils lui dirent que son idée était minable. Ils étaient sûrs de lui dénicher un boulot d'électricien dans leur équipe de la British United River Plate Telephone Company qui embauchait du personnel supplémentaire sans expérience exigée. Le patron, le colonel Smith, un Anglais portant redingote et monocle, avait un faible pour les proverbes bibliques et le porto. Il avait passé plusieurs années à Salonique pendant la guerre et il parlait toujours de cette ville dans ses épanchements sentimentaux d'alcoolique. Ce serait, lui dirent ses amis, une astucieuse tactique de se présenter comme un originaire de Salonique et d'éviter l'insultante appellation de *Turko*. Le *Socrate* appareilla sans lui. Quand il se présenta à l'embauche, au central téléphonique d'Avellaneda, banlieue de Buenos Aires et grand centre industriel du pays, on lui demanda ses papiers d'identité. Le fâcheux contretemps n'avait en fait rien de vraiment grave. Depuis le milieu du XIXᵉ siècle, près de six millions d'émigrants, principalement européens, s'étaient installés en Argentine et les procédures de nationalisation étaient devenues tout à fait formelles. Grâce à une *bustarella* (une enveloppe contenant un pot-de-vin), Aristo activa la demande qu'il avait déjà déposée quelque temps auparavant, cette fois en répétant les détails qu'il avait inventés pour le colonel Smith : né à Salonique, en Grèce, le 21 septembre (jour de son arrivée à Buenos Aires) 1900.

La paie était bonne, mais le travail monotone et répétitif, sauf les jours où il devait travailler à genoux au pied des filles du standard; devant leurs bas roulés et ce qu'il devinait de leurs cuisses, il se plaisait à imaginer leurs visages et leurs sourires mutins. Comme il faisait beaucoup d'heures supplémentaires et que ses dépenses restaient modestes, il fut bientôt plus à l'aise. Il envoya de l'argent au pays et prit une chambre dans une pension de l'avenue Esmeralda, non loin du Teatro Colón, le Grand Opéra. Il avait conscience de s'éloigner ainsi de la plupart de ses collègues de travail et de ses amitiés de comptoir, mais malgré la camaraderie qui existait entre eux, il n'était jamais arrivé à vraiment communiquer avec ses compagnons, confessait-il dans une lettre à sa sœur Artémis. Il se voulait à la fois sociable et prudent. « Le seul moment où l'on sait ce qu'Onassis a en main, c'est quand il abat ses cartes », dit un Grec au cours d'une de ces parties de poker auxquelles Aristo se mêlait très occasionnellement.

Il saisissait toutes les occasions de faire de l'argent. Quand il découvrit que la nuit c'étaient des hommes qui travaillaient au standard et qu'ils gagnaient mieux leur vie que lui, il demanda à recevoir une formation d'opérateur. Il apprit vite et on l'envoya bientôt au central de Retiro, sur la calle Florida, la rue Saint-Honoré de l'Amérique du Sud, en face d'une succursale de Harrods, le grand magasin de luxe londonien. Il commençait à vingt-trois heures et finissait à sept. C'était aux heures du petit matin qu'il réfléchissait le mieux. Les appels se faisaient alors plus rares et il avait tout son temps pour améliorer son espagnol, pour dormir, pour lire les journaux... et écouter les coups de fil qui lui semblaient intéressants. A Buenos Aires, il est deux heures plus tard qu'à New York et trois heures plus tôt qu'à Londres. Il apprit ainsi que les transactions les plus profitables étaient celles qu'on passait après la fermeture des marchés. Il prit des notes, étudia les pages financières et très bientôt, fit un bénéfice de cinq cents dollars en revendant de l'huile de lin. Puis il spécula sur le cuir et gagna encore deux cents dollars.

Il découvrit à peu près à cette époque que le jeune lieutenant turc qui l'avait protégé et lui avait tant appris était mort de diphtérie dans la péninsule de Gallipoli. Hormis son oncle assassiné, c'était l'homme qu'il avait le plus aimé dans sa vie. Le deuil d'Aristo fut bref : il prit une superbe cuite. Il n'avait pas la gueule de bois quand il se réveilla par une très belle journée qu'il devait, décida-t-il, consacrer à la vie. A présent, il devenait un homme pressé. Il investit les deux cents dollars récoltés grâce au cuir dans deux costumes de bonne coupe, une demi-douzaine de chemises de soie, une paire de chaussures italiennes, un borsalino et une inscription d'un an à un élégant club d'aviron, dénommé... l'*Aviron*, en français dans le texte.

Ce fut le début d'une extraordinaire double vie, que ne soupçonnèrent jamais ses collègues de la compagnie de téléphone et ses copains de bistrot de la Boca. Pour ses nouveaux amis de l'*Aviron*, ce jeune homme sans passé avait de l'argent, des relations d'affaires d'une nature imprécise, une adresse dans un bon quartier et un charme considérable. Existence complexe, à la limite de la schizophrénie. Comédien-né, il sut tout au long de sa vie jouer le personnage adéquat à la situation avec une extraordinaire aisance. Costa Gratsos disait : « D'instinct, il savait quelle était l'image la mieux calculée pour impressionner telle ou telle personne, tel ou tel groupe... il a inventé la personnalité multiple ; ça faisait de lui quelqu'un de très difficile à cerner. » Par la suite, quand il évoquera cette époque, Onassis décrira ainsi ses journées : « A sept heures du matin, j'avais terminé le boulot au central ; je prenais un café et un *bizcocho* dans un petit bar tout à côté de l'avenida de Mayo, où les serveuses, qui me connaissaient, étaient épatantes avec moi ; je dormais quelques heures, puis je prenais un bain, m'habillais et sortais me promener, en quête de mes amis, d'une ou deux jolies filles, de quelqu'un qui pourrait m'être utile ! » « Il désirait toujours toutes les jolies femmes qu'il voyait, et d'autres, apparemment sans attrait, mais aucune de ses liaisons ne durait », racontera Gratsos.

Peu de temps après avoir commencé à travailler au central, parce qu'il avait décidé de se cultiver, il alla assister à son premier opéra, *La bohème*, au Teatro Colón. Le rôle de Mimi était tenu par la soprano italienne Claudia Muzio qui, à trente-cinq ans, n'était plus dans la fleur de l'âge. Mais sa robuste beauté lui valait encore, disait-on, de nombreux amants. Aristo lui envoya des fleurs. Et encore des fleurs. Il lui envoya une quantité de fleurs suffisante pour que même une prima donna le remarquât. Il laissa passer une semaine avant de faire porter sa carte dans la loge de la cantatrice. « Je m'attendais à quelqu'un de plus âgé », lui dit-elle. Une semaine plus tard, il était invité à une réception donnée en l'honneur de la prima donna par le Club de Residentes Extranjeros, club très chic, le plus ancien d'Argentine. Parmi les invités figuraient quelques-unes des personnalités influentes de Buenos Aires. Aristo décida de devenir l'amant de Claudia.

Au cours de leur premier moment d'intimité, à quelques jours de là, il lui raconta qu'il se sentait comme une chrysalide « qui attend la force qui brisera son cocon ». Mais, répondit-elle, les chrysalides ne se transforment pas d'un seul coup en papillon, car elles sont entourées d'ennemis : « Jouer les papillons des hautes sphères n'est pas une occupation qu'on considère à la légère. » Mais il n'avait pas l'intention de s'en tenir là. Ce n'était pas pur hasard si le mot chrysalide vient du grec *chrusos*, qui signifie or.

Comme elle ne savait presque rien de la vie de son nouvel amant et qu'il gardait le silence sur son passé, elle le surnomma par jeu l'Étranger, comme le lui suggérait le nom du club où s'était tenue

47

la réception. Dans l'entreprise de séduction de Claudia Muzio, on voit déjà à l'œuvre cette énergie et cet esprit calculateur, ce coup d'œil aigu pour les occasions d'ascension sociale, et aussi ce romantisme qu'on retrouvera tout au long de la vie d'Onassis. Il était heureusement surpris de la facilité avec laquelle il avait su s'attacher une femme célèbre. A la compagnie du téléphone, où il continuait à travailler, il surprit entre un distributeur de films de Buenos Aires et un cadre de la Paramount à New York une conversation qui lui inspira sa première grande initiative. Rudolph Valentino était alors à l'apogée de sa gloire et le distributeur se plaignait de la dureté des conditions imposées par la Paramount pour le dernier film de la star : « Cet enfant de salaud bourre les salles jusqu'au plafond, insistait le vendeur de films. La merde orientale, on en rafole, ça marche à tous les coups. » Aristo n'avait aucun moyen de faire des affaires dans le cinéma, mais ces quelques phrases lui donnèrent une idée.

Il écrivit à son père en lui exposant son plan : il voulait introduire le tabac oriental en Argentine, en jouant sur l'effet de la mode. Les fabricants locaux de cigarettes utilisaient du tabac cubain, une variété brune que les femmes trouvaient trop forte. Convaincu de pouvoir vendre aux compagnies l'idée d'un tabac turc plus doux qui séduirait les femmes et dont on appuierait la commercialisation sur l'engouement furieux qu'elles éprouvaient pour le cheik d'Hollywood, il proposa à son père d'être son représentant en Argentine, suivant le contrat habituel, qui lui assurerait une commission de 5 p. 100 sur les cinq cent mille premiers dollars de tabac vendu, puis de 7,5 p. 100. Socrate trouvait qu'une « dame » ne devait pas fumer et il se répandait en invectives contre la « femme nouvelle ». Mais il se contint, car il croyait discerner dans la lettre de son fils un désir de réconciliation. Aussi lui envoya-t-il sans tarder plusieurs balles de son meilleur tabac.

Aristo savait qu'il lui serait difficile de s'introduire sur le marché. Après qu'on lui eut passé quelques commandes d'essai — qui ne représentèrent guère plus de 5 000 dollars en trois mois, sur lesquels il gagna 250 dollars —, la demande cessa tout à fait. Dans l'impossibilité de toucher les chefs du service des achats des grandes compagnies, il se retrouvait en train de négocier avec des subordonnés ; même le recours généreux à la *bustarella* ne lui permit pas d'atteindre les dirigeants. « Lorsqu'on veut conquérir une salle entière, il vaut mieux parfois chanter pour une seule personne », lui dit Claudia Muzio un soir où il lui exposa ses difficultés.

La première fois que Juan Gaona vit Aristo devant sa villa, il éprouva simplement une pointe de curiosité. Le lendemain matin, en le revoyant, son regard devint glacial. Le troisième matin, son mécontentement se transforma en inquiétude et à la fin de la semaine, la panique commençait à le gagner. Quand il ne put plus supporter cette attente, il demanda à son assistant de se renseigner. Qui était cet homme et à quoi jouait-il, bon dieu ? Deux jours après, Aristo discutait en tête-à-tête avec le directeur de la troisième compagnie de tabac d'Argentine. « Expliquez-moi ce que vous avez à proposer, señor Onassis », dit Gaona, qui dissimulait sous la politesse formelle sa surprise de découvrir la jeunesse de son interlocuteur. Les gosses de cet âge ont d'habitude des manières moins policées et moins assurées, se dit-il. Gaona était un homme impénétrable dont le visage émacié et hâlé se creusait de rides si profondes qu'elles restaient pâles. Il ne releva pas les circonstances extraordinaires de leur rencontre. « Trouve un moyen, sinon fabrique-le », dictait une petite plaque sur le mur lambrissé derrière son bureau.

En reprenant à son compte le boniment du marchand de films sur la vogue Valentino, Aristo expliqua le potentiel que représentait la clientèle féminine et l'intérêt du tabac doux pour faire face à une demande qui allait sûrement venir. « Vous parlez d'or, M. Onassis », dit Gaona quand il eut fini. Il lui passa une commande de cinquante-cinq mille dollars et lui en promit d'autres si le nouveau tabac marchait.

Pendant les semaines qui suivirent sa première entrevue avec Juan Gaona, Aristo rêva de la fortune et du succès qu'il sentait enfin à sa portée. Pour répondre le plus vite possible aux commandes qui allaient suivre, il en était sûr, il câbla à son père de lui expédier immédiatement une nouvelle cargaison et réserva un espace de fret (arrangement qui liait l'exportateur par contrat mais le protégeait contre les augmentations de tarif et lui donnait le « bénéfice de la baisse », les conditions de transport les plus favorables du moment).

Pourtant, ils n'avaient pas réussi la percée espérée : c'est ce que diagnostiqua Gaona à leur entrevue suivante. Les femmes fumaient davantage, mais seulement en privé. « Pour une femme, fumer en public est encore considéré comme un peu choquant, trop émancipé. » Gaona ne renouvellerait pas sa commande. Il remplit deux verres à cognac. « A nos erreurs », dit-il. En portant le verre à ses lèvres, la main d'Aristo tremblait.

Cet après-midi-là, après qu'il eut quitté le bureau de Gaona, il entra dans un bar. Quand il eut fini son deuxième café, il avait pris une décision. Puisqu'il ne pouvait vendre son tabac aux manufactures, il fabriquerait lui-même ses cigarettes. Une fois sa décision arrêtée, il agit sans tarder, installant un bureau de deux pièces sur le paseo Colón à la limite du quartier industriel. La vitrine proclamait en lettres dorées : « Aristote Onassis, Importateur de Tabac Oriental. Cigarettes Turques de Qualité Supérieure Fabriquées à partir d'un Stock Exclusif d'Authentiques Feuilles Macédoniennes. » Il mit jusqu'à son dernier sou dans l'affaire et emprunta vingt mille dollars à la First National City Bank... en présentant comme garantie les connaissements de la marchandise expédiée par son père. C'était assez osé puisqu'il n'était légalement propriétaire que de 5 p. 100 de la cargaison qui arrivait d'Athènes et qu'il ne toucherait pas un sou tant que le tabac n'aurait pas été vendu.

Quelques mois plus tard, Gaona et lui se retrouvèrent dans la fraîcheur du bureau lambrissé dont les murs portaient la plaque : « Trouve un moyen, sinon fabrique-le. » « Ce n'est la faute de personne. Nous avons essayé, mais ça n'a pas marché, lui dit Juan Gaona. Buenos Aires n'est pas encore mûre pour les mélanges orientaux. — Il n'empêche, dit Aristo gravement, je ne suis pas content de moi. » C'était son idée et il s'était trompé. A la fois méfiant et touché, Gaona lui dit de ne pas se mettre martel en tête ; il avait rarement entendu un homme d'affaires se livrer à une telle autocritique. « Vous m'avez offert une occasion, insista Aristo, j'aimerais vous manifester ma reconnaissance. » A présent, poursuivit-il, il s'occupait lui-même de fabriquer des cigarettes, aussi était-il disposé à racheter les balles de tabac turc qui étaient restées sur les bras de Juan Gaona, à un prix raisonnable et à crédit ! Peut-être se comprenaient-ils sans détours, en commerçants lucides, peut-être Gaona admirait-il simplement l'effronterie d'Aristo, quoi qu'il en fût, il accepta de vendre ce qu'il lui restait des produits Onassis à un prix très intéressant pour Aristo.

Ce dernier embaucha des travailleurs immigrants pour rouler à la main ses deux qualités de tabac : Primeros et Osman, deux sortes de cigarettes à bout doré présentées dans des paquets destinés à séduire les riches jeunes filles de Buenos Aires. Parfois, quand il y avait un coup de feu, il mettait lui-même la main à la pâte. Mais, immanquablement, à dix-huit heures trente, il prenait une douche et mettait son meilleur costume (l'opération ne lui prenait pas plus de dix minutes), sortait pour faire la tournée des cafés, dîner et passer à l'*Aviron*. A vingt-deux heures trente sonnantes, il rentrait chez lui, se changeait et allait prendre son service de nuit. Il semblait posséder d'inépuisables réserves d'énergie.

C'était une époque intéressante pour le commerce du tabac en Amérique du Sud, secteur difficile, en pleine expansion, et qui n'était pas sans affinités, au moins par l'esprit qui y régnait, avec le monde des rackets. « A l'époque, on était bien obligés, presque à tout coup, de se battre », avoua-t-il plus tard. Il lui arriva plus d'une fois d'arroser les chargements de ses concurrents d'un produit sulfuré qui dégageait une odeur de carotte pourrie quand on allumait la cigarette. Durant une période très brève et extrêmement profitable, il fabriqua avec son tabac une cigarette bon marché dénommée Bis. L'aventure tourna court lorsqu'il fut poursuivi par l'ex-propriétaire de la célèbre marque Bis. Aristo prétendit n'avoir jamais entendu parler auparavant de ces cigarettes ; assez semblable en cela à un distillateur clandestin de whisky qui aurait affirmé ignorer le nom de Jack Daniels. Le procès se conclut par une amende de quelques milliers de dollars. Il apprenait très vite — et commençait aussi à gagner de l'argent, assez pour embaucher ses cousins Costa et Nicos Konialidis, qui étaient restés orphelins après les massacres de Smyrne et l'avaient suivi à Buenos Aires, et assez pour quitter son travail au central. Mais c'était encore très insuffisant pour étancher sa soif de ce qu'il commençait à appeler « du vrai profit bien juteux ». Déçu par les résultats de la cigarette Osman, il chercha à améliorer sa situation.

Il fit ses premiers pas dans un art qui jouerait un rôle décisif dans ses succès, l'art de se servir des gens importants, et de demander des faveurs ; en particulier aux femmes. Avec Claudia, il entra tout de suite dans le vif du sujet : consentirait-elle à fumer ses cigarettes en public ? Elle ne nourrissait guère d'illusions sur lui : « Ma puissance vitale lui plaisait, mais elle me considérait comme un escroc, et c'est ce que j'étais, je suppose, je n'avais pas tellement le choix*. » Claudia fumait en privé comme des milliers d'autres femmes. Si elle utilisait en public ses cigarettes à bout doré, ce serait un acte d'émancipation. « Et ça me donnerait un coup de pouce, aussi, tu sais ! » Devant l'audace d'Aristo, elle sentit céder toutes ses velléités de résistance. On ne sait quel effet eut sur les ventes cet engagement de la diva mais il lui manifesta sa reconnaissance en faisant déposer chaque jour dans sa loge un bouquet et une cartouche d'Osman. Pourtant, leur liaison avait pris fin. « Je déteste l'opéra, expliquait-il. Je crois que pour ça, je suis bouché. J'ai beau essayer de me concentrer, ce que j'entends ressemble toujours à une bande de cuisiniers italiens qui se hurlent les uns aux autres leur recette du risotto. »

Aristo avait trompé Claudia Muzio avec une ballerine russe venue à Buenos Aires avec la compagnie Anna Pavlova. Il en avait connu des femmes, devait-il affirmer, et presque toutes plus âgées, plus riches et plus expérimentées que lui. Mais la ballerine avait son âge et c'était la première qu'il avait réellement le sentiment d'aimer. Ils se disputaient beaucoup, chacun sachant jusqu'où

---

* Même le slogan de ses Primero avait été copié sur celui des De Reszke dont Claudia lui avait envoyé des paquets de Londres : « la cigarette de l'élite ». « La courtoisie exige qu'on suppose à ses amis autant de goût qu'à soi-même », lui avait-il dit la première fois qu'il l'avait emmenée dîner au Plaza Hotel. Par la suite, il avoua avoir copié ce précepte sur un autre slogan publicitaire d'une marque de tabac.

aller pour faire craquer l'autre, et s'irritaient sans cesse pour se réconcilier ensuite dans le déchaînement de la passion et l'ardeur de la jeunesse. La nuit ils roulaient dans la Bugatti d'occasion qu'il venait d'acheter, allant au hasard pour le simple plaisir d'être ensemble ; ils goûtaient les mystères sacrés des dîners aux chandelles et des étreintes emportées au bord de la mer. Parfois, confiait-il à Costa Gratsos, il la prenait au sortir de son travail, quand elle avait encore la peau brûlante et moite des efforts accomplis. Le sexe devait jouer un rôle essentiel dans la vie d'Onassis : ses affaires, ses succès, sa célébrité, tout cela prenait sa source dans les zones profondes de la sexualité. « C'était un sacré baiseur, disait Gratsos, mais même au lit il essayait de tirer le maximum de ce qu'il avait en main. » Un jour que Gratsos lui exprimait sa surprise en apprenant le nom d'une de ses amantes, épouse allemande remarquablement laide d'un armateur rival, il lui rétorqua que les petits riens qu'on murmure sur l'oreiller ne l'intéressaient pas. « Je veux qu'on me dise quelque chose... quelque chose qui puisse me servir. »

Lorsque la compagnie Pavlova eut terminé sa saison à Buenos Aires, la danseuse russe refusa de rentrer en Europe. Pavlova en personne vint dans leur appartement pour obtenir qu'Aristo la fasse revenir sur sa décision, mais il refusa. « Vous êtes un jeune homme très pervers. Vous ne savez même pas la différence entre le bien et le mal ! » Il n'y a ni bien ni mal, rétorqua-t-il plus sûr de lui que jamais, il n'y a que ce qui est possible.

C'était Alberto Dodero, personnage qui avait pris la stature d'une légende vivante en Argentine, qui avait présenté la ballerine à Aristo. Cadet des cinq fils d'un immigré italien en Uruguay, Dodero avait quitté Montevideo pour Buenos Aires et, à la fin de la première guerre mondiale, avec un crédit de dix millions de dollars, il avait acheté 148 navires américains pour les revendre immédiatement avec un confortable bénéfice et acquérir une importante participation dans la prospère compagnie de navigation Mihanovich. Dodero donnait des réceptions fastueuses, déployait un charme digne d'un acteur et généralement raflait toutes les mises. C'était un héros selon le cœur d'Aristo, qui acceptait toutes ses invitations et se souvenait du moindre mot qui tombait de ses lèvres : les apartés de Dodero pouvaient faire changer la cote à la Bourse du Pacifique et un de ses froncements de sourcils orienter dans un sens ou un autre les positions d'un homme politique — « Ça, c'est le pouvoir, le vrai », devait dire Onassis à Johnny Meyer.

Avec énergie et détermination, Aristo fréquentait le beau monde, en particulier les créatures de Dodero. A force de se démener, grâce à son don pour les affaires, il s'enrichissait. Il vendit les marques Osman et Primeros à l'un des principaux fabricants et se concentra sur l'import-export, renforça ses liens avec Athènes et développa son secteur du marché : le tabac turc. Ses succès et en particulier sa réputation d'homme qui s'est fait seul le remplissaient de fierté. « Seuls Dieu et moi avons su créer quelque chose à partir de rien », se vantait-il souvent. A l'époque, la réalité de sa surface financière demeurait opaque, non parce qu'il ne parlait pas d'argent, mais parce qu'il était aussi peu cohérent dans la tenue de ses livres de comptes que dans ses vantardises. Mais à l'été 1928, son négoce avec la Grèce avait probablement atteint le chiffre de deux millions de dollars par an*. Ce qui est sûr c'est qu'en peu de temps, il avait fait beaucoup de chemin... et que sa relation avec la danseuse se détériorait tout aussi rapidement. Les disputes devenaient de plus en plus violentes et leur liaison se termina abruptement peu après leur déménagement dans une suite permanente du Plaza. En dépit de tous ses efforts, elle n'avait pas réussi à partager les rêves de son amant. La rupture le blessa profondément. Même s'il lui avait été infidèle, il l'aimait ; sa présence compréhensive lui manquait. Plus tard, il prétendra que, comme Cendrillon, elle n'avait laissé d'elle qu'un chausson ; mais il n'était pas le Prince Charmant. Son nouvel ami, Costa Gratsos, qui le regardait noyer sa souffrance dans la colère et l'alcool, vit qu'il était tout simplement incapable de comprendre pourquoi elle l'avait quitté : « Quand je lui ai rappelé qu'il n'avait pas toujours été très gentil avec elle, Ari a répondu qu'il ne pouvait pas se permettre d'être gentil. D'abord, il faut que je sois riche, m'a-t-il dit. C'était déjà un jeune type très riche, mais il savait que ce n'était qu'un début. Alors j'ai commencé à le prendre au sérieux. »

A voir le rude visage de Gratsos nul n'aurait soupçonné son intelligence ni sa fortune. Son apparence induisait généralement en erreur sur la façon dont son esprit fonctionnait. Rejeton d'une famille d'armateurs, les Dracoulis, diplômé de la London School of Economics, il avait gagné sa vie comme simple marin sur l'un des navires de son oncle. Peu après son arrivée, il rencontra Aristo au cours d'une soirée ou dans un night-club — ils ne s'en souvenaient plus — et ils devinrent vite amis : ils partageaient les mêmes centres d'intérêt, et souvent les mêmes femmes. Quoique ses sentiments envers Onassis aient toujours été ambivalents, quoiqu'il ait été déchiré entre l'admiration et l'horreur devant ce qu'il faisait, Gratsos comprenait ses névroses et ses besoins mieux que quiconque : « Même quand on le voyait dans un bar ou simplement marcher dans la rue, on savait que ce type était

---

* 8,25 millions de dollars actuels (Bank of England, *Information Division*, septembre 1985).

lancé dans une compétition. Conclure des marchés, c'était toute sa vie, le reste attendait. »

Un matin du printemps 1929 à huit heures, il téléphona à Aristo au Plaza pour lui lire une brève nouvelle qu'il avait remarquée dans les pages financières du journal : dans le cours d'une interminable querelle sur les tarifs douaniers, le gouvernement grec, voulant obliger la Bulgarie à négocier, avait annoncé que les droits d'importation sur les produits en provenance de pays avec lesquels la Grèce n'avait pas d'accord commercial seraient relevés de 1 000 p. 100. Et l'Argentine n'avait pas d'accord commercial avec la Grèce. « *Merde* ! » s'exclama Aristo (en français dans le texte, car il avait récemment engagé un professeur de français); les Argentins seraient obligés de rendre la pareille, dit Gratsos. « C'est sûr », approuva Aristo et il oublia ses leçons pour jurer tout en calculant ce qu'allaient entraîner ces tarifs de représailles sur les affaires qu'il faisait avec la Grèce.

Aristo avait déjà acquis la capacité de penser large et de viser haut. Quelques heures plus tard, il appela Gratsos : il voulait préparer pour le Premier ministre grec, Eleutherios Venizelos, un rapport qui démontrerait les risques immenses que représentait pour l'économie grecque le projet de relèvement des droits. Peu habitué à ce genre de travail, il avait besoin de l'aide de Gratsos. Durant les vingt-quatre heures qui suivirent, les deux hommes, claquemurés dans la suite d'Onassis, se sustentant seulement de café noir et de biscuits de Savoie, travaillèrent sur leur mémorandum. Aristo traçait les grandes lignes, mais c'était Gratsos qui, grâce à ses études et à ses connaissances en armement maritime, fournissait le savoir du spécialiste. Ce rôle, il allait le jouer désormais toute sa vie. Ils constituaient une équipe prodigieuse. (« Ils avaient la possibilité de considérer chaque situation de deux points de vue complètement différents : Costa agissait avec prudence, rationnellement, Onassis se fiait à sa ruse animale, à ses instincts », racontera un de leurs assistants.) Gratsos calcula que plus de 80 p. 100 de la flotte marchande grecque assurait le trafic entre l'Europe et l'Argentine. Si les Argentins répliquaient par un accroissement des taxes portuaires sur les navires grecs, tout le commerce maritime de la Grèce en serait affecté. Ils constituèrent une argumentation impressionnante. Aristo décida d'aller présenter lui-même le dossier à Athènes.

Ce fut un joyeux retour au bercail. Même son père, auquel rien n'avait échappé des procédés parfois douteux par lesquels Aristo avait réussi, et qui de temps à autre ne détestait pas y faire allusion, même Socrate attendait sur le quai du Pirée pour l'accueillir. Il était manifestement sur une fort mauvaise pente (son angine de poitrine s'était aggravée au point qu'il souffrait presque sans arrêt de douleurs à la poitrine et au cou) mais il avait voulu assister à l'arrivée du bateau bien que le médecin l'eût averti que toute cette excitation ne lui vaudrait rien. Ce n'est pas tous les jours que votre fils unique, parti sept ans plus tôt sur un bateau d'émigrants, revient en première classe, homme fait et bientôt millionnaire. « Il avait du mal à l'admettre, et ne le fit jamais explicitement, mais je sais qu'il respectait ce que j'avais réussi et le fait que j'y étais arrivé par moi-même. »

L'influence des Dracoulis, mise en œuvre par Gratsos, porta ses fruits à Athènes et au bout d'une semaine le rapport Onassis arrivait sur le bureau du Premier ministre. Venizelos, le grand homme de la politique grecque, fut impressionné et demanda à son ministre des Affaires étrangères, Andreas Michalakopoulos, dont le cabinet avait rédigé les lois instaurant les taxes punitives, de recevoir Aristo.

Le ministre se tenait debout derrière un somptueux bureau Louis XV, considérant d'un œil renfrogné un document posé devant lui, comme s'il était écrit dans une langue qu'il ne comprenait ni ne reconnaissait. « Le Premier ministre semble penser que vos vues pourraient être de quelque intérêt pour mon ministère », laissa-t-il tomber de cet air d'ennui poli qu'utilisent les politiciens quand les hautes sphères leur laissent une affaire sur les bras. Fermant ostensiblement le dossier, il demanda à Aristo d'en résumer le contenu. Mais tandis que ce dernier parlait, Michalakopoulos se curait les ongles avec un coupe-papier. Après un court moment, il interrompit Onassis. Manifestement, dit-il, le « señor Antoniades » n'était pas homme à admettre que parfois un gouvernement doit montrer ses muscles. A présent, il avait des affaires à traiter. Il tendit la main. Sans relever la grossièreté de cet individu qui ne se souvenait même pas de son nom, Aristo considéra la main aux ongles parfaitement polis ; il savait que ses ambitions se heurteraient souvent à de telles oppositions, et que son attitude exaspérait souvent ses interlocuteurs. « On m'avait dit que vous étiez un homme occupé, monsieur le Ministre. Maintenant je comprends que vous n'êtes occupé qu'à vous curer les ongles. Je vois bien que je dois me tenir soigneusement à l'écart de ce bureau si je veux être de quelque utilité à la Grèce. » Sa voix était calme mais la menace implicite n'échappa pas à Michalakopoulos. « Señor Onassis, dit-il ; comme s'il se rappelait soudain son nom, ce que vous avez dit n'est pas tombé dans l'oreille d'un sourd, mais il faut vraiment du temps pour traiter de telles questions. J'étudierai votre rapport avec beaucoup d'intérêt, vous pouvez y compter. »

L'épisode resta gravé dans la mémoire d'Aristo qui le citait volontiers. « Je suis sorti de cette pièce en sachant deux choses que j'ignorais en y entrant : un, j'avais du répondant... deux, je posséderais un jour un bureau Louis XV ! »

L'insolence d'Aristo éveilla certes l'attention de Michalakopoulos mais ce fut l'hospitalité princière qu'il sut déployer, dans les semaines suivantes qui lui valut l'amitié du ministre. Grâce à ce dernier, il put rentrer à Buenos Aires avec un passeport grec flambant neuf qui lui donnait comme date de naissance le 20 janvier 1906* et le titre d'envoyé spécial (s'il avait acquis la nationalité argentine, il possédait aussi la grecque, en tant que réfugié d'Asie Mineure, aux termes du traité de Lausanne). Il avait pour instructions de stimuler les pourparlers commerciaux entre les deux pays. De son côté, le gouvernement exclurait l'Argentine de la liste des pays soumis à ses tarifs rigoureux. « Ils réparent d'une main ce qu'ils ont cassé de l'autre », raconta à son retour Aristo à Gratsos.

En 1931, sur l'inspiration d'un Andreas Michalakopoulos désormais plein d'obligeance, le gouvernement grec reconnut l'influence d'Aristo dans les sphères du commerce et de la bonne société, aussi bien que dans les cercles politiques, en le nommant vice-consul. Non seulement cela lui conférait un statut social dont il était avide, mais en outre, il avait ainsi accès à d'importantes sommes de devises occidentales aux taux de change officiel, qu'il pouvait vendre sur un marché noir en pleine expansion. Gratsos désapprouvait. « Je pensais que c'était un jeu dangereux qui risquait d'annuler tous les bénéfices de son statut diplomatique », expliqua-t-il plus tard. Le jeu auquel il jouait, suggéra Ari, c'était l'espionnage. Même en tenant compte de sa tendance à se donner des rôles romantiques et de son goût pour l'exagération, nul n'ignore que les gouvernements utilisent leurs consuls comme agents de renseignement. Il eût été étonnant que les Grecs n'essaient pas d'utiliser ses relations dans les domaines intéressant le renseignement. Le gouvernement avait différents moyens à sa disposition pour rémunérer en secret Aristo (surtout dans un pays où la plupart des hommes d'affaires tenaient au moins une double comptabilité), et fermer les yeux sur ses activités au marché noir pouvait être une façon de le remercier de ses services. Il est possible qu'il y en ait eu d'autres. En 1932, un dossier

_____

* La vanité l'avait poussé à se rajeunir de six ans pour rendre sa réussite encore plus remarquable ; par la suite, il raconta à sa maîtresse Ingeborg Dedichen qu'il avait saisi cette occasion pour se *vieillir* de six ans afin d'être sûr d'échapper au service militaire en Argentine. Dans sa vieillesse, il disait à ses amis : « Pour être honnête, je ne suis pas sûr de l'âge que j'ai, car même mes papiers mentent. »

de police expédié de Gênes disparut opportunément à Athènes. Il impliquait Aristo et son cousin Nicos Konialidis dans une affaire d'escroquerie à l'assurance en rapport avec l'importation du tabac de Socrate*.

Quoique le tabac demeurât le fondement de la fortune d'Aristo, les bateaux l'intéressaient de plus en plus. Il était fasciné par les récits que Gratsos lui faisait sur les fortunes gagnées et perdues en mer, histoire de la richesse des Dracoulis. Mais un tel homme agit rarement poussé par un motif unique, et ses années de formation près du Pirée ont certainement influencé sa façon de voir les choses. Enfin, cela l'ennuyait que certains tirent presque autant d'argent de sa compagnie que lui-même, simplement parce qu'ils transportaient son tabac. « Les bateaux, c'est là qu'est vraiment l'argent », répétait-il sans cesse à Gratsos. « Le risque aussi », lui rappelait ce dernier. Ils avaient eu maintes fois cette discussion. « Tu réussis à merveille, ne gâche pas tout avec un truc que tu connais à peine », lui objectait Gratsos. L'armement serait toujours un secteur à haut risque, mais il exerçait une attraction irrésistible sur Aristo à l'époque. La dépression avait frappé durement la marine marchande, et des cargos de huit mille tonneaux qui coûtaient cinq cent mille dollars dix ans plus tôt étaient revendus pour une bouchée de pain ; le hic, ce n'était pas le prix d'achat, mais les coûts de fonctionnement — il y avait trop de bateaux pour trop peu de fret. Les propriétaires de navire perdaient souvent des millions de dollars sur un chargement parce que cela leur coûtait toujours moins cher que de désarmer le bateau. Mais il n'y avait pas moyen de décourager Aristo. Au grand désespoir de Gratsos, et en dépit de ses mises en garde répétées, il acheta

---

* Onze ans plus tard, en janvier 1943, dans un rapport adressé au FBI, le Bureau du renseignement de la Marine américaine décrivait ainsi cette escroquerie : « Le tabac était expédié via Gênes, où il était transbordé. Et il apparaît qu'Onassis a eu l'idée d'asperger les balles d'eau salée durant leur séjour à Gênes, les indemnités de l'assurance pour dommage en mer formant un supplément bienvenu aux profits commerciaux légitimes. Les agents d'assurance s'en mêlèrent, un employé livra le pot-aux-roses au moment où Nicolas Konialidis, beau-frère de l'intéressé, se trouvait à Gênes, ce qui eut pour résultat d'envoyer en prison ce dernier pour quelque temps. Il semble que le dossier ait été envoyé de Gênes en Grèce mais on pense qu'il s'est perdu grâce aux étroites relations entre Onassis et un certain Michalakopoulos, ministre à l'époque. » L'ONI (Office of Naval Intelligence) ne fut pas le seul service de renseignement des États-Unis à s'intéresser à certains détails de la vie d'Aristote Onassis, ce qui peut donner du crédit à ses propres allusions au fait qu'il ait opéré au moins à la lisière de l'espionnage. Selon des documents obtenus par l'intermédiaire du FOI Privacy Office, le service de renseignement de l'armée et le Security Command surveillaient aussi de près ses activités et en rendaient compte directement au Lt. Col. J. Edgar Hoover.

un cargo de sept mille tonnes échoué dans le rio de la Plata. Il dépensa une petite fortune pour remettre à flot la *Maria Protopapas*. Une fois pratiquement en état, le bateau qui mouillait à Montevideo coula au cours d'une tempête. Dans son for intérieur, Gratsos espérait que l'expérience mettrait « un terme à ce rêve délirant ». Mais elle ne fit qu'en retarder la réalisation.

Peu de temps après qu'Aristo eut été nommé vice-consul, son père mourut d'une crise cardiaque et il revint à Athènes assister aux funérailles ; après quoi, il se promena en Europe. A Londres, alors centre du monde maritime, où vivait une fort ancienne communauté d'armateurs grecs qui comptait entre autres Stavros Livanos, André Embiricos, Manuel Kulukundis — société aussi méfiante et fermée qu'une secte exotique —, on lui apprit en confidence que la Canadian Steamship Company était au bord de la crise financière et avait sur le Saint-Laurent dix cargos désarmés à vendre trente mille dollars pièce, prix à peine supérieur à celui de la casse. Il embaucha un ingénieur maritime et partit immédiatement pour Montréal.

Pendant trois jours, par des températures au-dessous de zéro, Aristo grimpa dans les navires, suivi de près par une troupe de fonctionnaires canadiens. De l'aube à la nuit, il inspecta les salles des machines, les chaudières, examina les cloisons, s'introduisit à quatre pattes dans les tunnels des arbres d'hélice, et visita chaque magasin, chaque soute, chaque cale, de la passerelle à la quille. Il notait tout. Il observait aussi les Canadiens, jaugeant leurs inquiétudes. Le soir, il faisait ses comptes, soustrayant des milliers de dollars pour chaque regard anxieux qu'il avait surpris entre les Canadiens. A la fin du troisième jour, sur le pont du *Canadian Miller*, il grogna, se frotta l'oreille, secoua la tête. Il allait en prendre six, annonça-t-il, à vingt mille dollars pièce. C'était des conditions très dures, mais il n'y avait pas d'autres amateurs. Les Canadiens se raclèrent la gorge, bafouillèrent et se rendirent. Il était entré dans l'armement. Son premier geste d'armateur fut de rebaptiser le *Canadian Miller* et le *Canadian Spinner* ; les deux premiers bateaux de sa flotte prirent les noms de ses parents : *Onassis Penelope* et *Onassis Socrates*.

CHAPITRE 4

Tout ce que nous faisons, c'est en
gardant un œil sur autre chose.

ARISTOTE, *Ethique à Nicomaque.*

Elle se tenait parmi un petit groupe de passagers qui, appuyés au bastingage de l'*Augustus*, adressaient des signes d'adieu à leurs amis venus leur souhaiter bon voyage pour ce parcours Buenos Aires-Gênes, dernière étape d'une luxueuse croisière dans l'Antarctique. Il ne pouvait détacher d'elle ses regards. Elle ressemblait à Garbo, avec ses sourcils épilés et ses joues creuses, son insolente sensualité et son aura de fatalité. S'apercevant de l'intensité du regard qu'il posait sur elle, elle lui répondit par un chaleureux sourire de jeune fille. Elle aimait toutes les sortes de singularité chez un homme et sa curiosité fut instantanément éveillée par ce compagnon de voyage aux yeux perçants et aux cheveux pommadés. Il y avait du défi dans la façon dont il l'observait et cela lui plut. Elle pensa qu'il s'agissait de quelque bandit d'une espèce calme, d'un homme dont nul ne connaissait les origines. C'est ce qu'elle devait lui raconter par la suite.

Il remarqua que parmi ceux qui étaient venus lui dire au revoir figurait le millionnaire Don Juan Christophersen ; et ce fut à lui qu'elle jeta une rose de son bouquet. Une femme qui avait tant d'allure, nimbée de l'odeur quasi cosmique de l'argent, méritait certainement d'être connue. Cette pensée devait influer sur le cours de leur vie à tous deux.

Grâce à un pourboire glissé à un steward, il obtint de changer de cabine pour se rapprocher de la sienne. Les premiers jours, il garda ses distances tout en menant son enquête à grand renfort de coupures de cinq dollars. Elle s'appelait Ingeborg Dedichen et était une habituée de l'*Augustus*. Parmi ses compagnons on remarquait Gustav Bull, important armateur norvégien, et Lars Christensen, propriétaire d'une flotte de baleiniers. Cadette des sept enfants d'Ingevald Martin Bryde, l'un des armateurs les plus puissants et les plus respectés de Norvège, elle avait grandi dans un monde enchanté, celui de Kathrineborg, sa maison de Sandefjord, bâtie par son grand-père Johan Mauris Bryde et plus connue sous le nom de Brydeslottet, le Château Bryde. La marine marchande était une tradition familiale : ses quatre frères sortaient de l'École navale de Tjome, fondée par leur grand-père Johan. Ils avaient pour arrière-grand-père maternel un poète romantique, Pieter Dass. Et leur mère, Nanna Sabina Klerck, descendait d'aristocrates suédois. Ingeborg avait été mariée deux fois ; son époux du moment, Hermann Dedichen, était un joueur qui pratiquait le bridge et qui, après avoir dilapidé sa fortune aux cartes, avait commencé à entamer celle de sa femme. Elle se proposait donc de se débarrasser de Hermann dès qu'elle serait de retour à Paris, où ils habitaient.

Quelques jours plus tard, Aristo lui adressa la parole au bord de la piscine. Elle portait le premier maillot deux-pièces qu'il eût jamais vu, mais au lieu de lui en faire compliment, il plaisanta sur la façon dont elle nageait. La lourdeur de son attaque ne la surprit pas, mais elle s'étonna de l'entendre parler suédois ! Il laissa s'écouler plusieurs jours avant de la relancer. Elle était étendue sur une chaise longue. Il lui demanda en anglais (il avait épuisé au bord de la piscine la totalité de ses connaissances en suédois) si le livre qu'elle lisait lui plaisait. C'était *My Life and Hard Times* (Ma vie et mes moments difficiles) par James Thurber, et elle lui répondit que cette lecture l'amusait. Quant à lui, affirma-t-il, il avait connu suffisamment de moments difficiles dans sa vie pour ne pas avoir envie de lire un livre sur ceux des autres. Il déployait tout ce charme qui impressionnait quiconque n'avait pas l'occasion de faire des affaires avec lui, et usait des riches sonorités de sa voix rauque, à laquelle il était presque impossible de ne pas prêter l'oreille bien que ce fût aussi la voix d'un homme pour qui le langage était toujours un instrument grossier plutôt qu'un talent à cultiver : l'efficacité, c'était ce qui comptait en toutes choses. Ce devait être vraiment épouvantable de ne pas avoir d'argent, dit-elle, contente de la facilité avec laquelle cette conversation se déroulait. Il se présenta. « Et je sais que vous êtes Mme Dedichen. Nous allons devenir bons amis. » Il semblait bien sûr de lui, observa-t-elle. Aristo sourit. Chez elle, on devait connaître le vieux dicton qui affirme que rien ne vaut un bon vent pour le marin qui ignore son port d'attache. Manifestement, il parlait de ses affaires. Ingeborg esquiva. Le commissaire de bord lui avait dit qu'il était le consul grec de Buenos Aires, annonça-t-elle. Il rétorqua qu'il était armateur. Oh, mon Dieu, un armateur grec, s'exclama-t-elle, avec un soudain dégoût dans la voix. Depuis sa plus tendre enfance, elle avait entendu sa famille et ses amis se plaindre des armateurs grecs et les accuser de toutes sortes de vilenies. Dans les couloirs de la Lloyd, les grandes assurances maritimes de Londres, on disait que les Grecs fabriquaient toujours les mythes les plus inventifs.

Mais ce soir-là, Ingebord l'invita à sa table en compagnie de Lars Christensen et de Gustav Bull, des hommes dont l'amitié lui serait un jour utile. (Ce fut à bord de l'*Augustus* qu'il mit au point le truc consistant à manger avant d'aller à un dîner ; ensuite tandis que les autres invités s'occupaient de leur assiette, il pouvait se donner des airs de frugalité et s'employer à séduire !) Ingeborg et lui devinrent vite intimes. Dans la nuit, ils s'installèrent sur le pont pour se raconter l'un à l'autre. (« Il est bien plus fascinant dans une conversation *à deux* » (en français dans le texte - NdT), avoua-t-elle aux Christensen.) La sœur de son premier mari, expliqua-t-elle, était une amie de la reine Maud de Norvège ; ils avaient assisté à maintes réceptions somptueuses au palais royal. C'était une époque merveilleuse. Pourquoi est-elle terminée ? demanda-t-il. J'ai surpris mon époux au lit avec ma nièce, répondit-elle. Ils ont fait un très beau bébé. Elle sourit comme si cette conclusion rendait tout parfait. Et maintenant son deuxième mariage avait échoué ; Dedichen avait dilapidé d'énormes sommes qui lui appartenaient ; il lui fallait vendre divers bijoux et bibelots de son appartement parisien. Elle redoutait ce retour en France. Au moment d'échanger des bonsoirs, elle accorda un baiser à Aristo. Il n'était pas pressé de concrétiser cette idylle océane : non seulement parce qu'une rencontre aussi prometteuse procurait un plaisir en soi, mais aussi parce qu'il se remettait à peine d'une maladie vénérienne.

En cette année 1934, tous les orchestres apparemment jouaient du Cole Porter, mais quel que fût l'air, Aristo dansait toujours la même chose : un fox-trot, lent, rapide ou à moyenne vitesse. Comment se fait-il que même en smoking, tu aies toujours l'air d'un gangster ? le taquina-t-elle le dernier soir de leur voyage. Peut-être parce que j'en suis un, rétorqua-t-il. C'était une image qui flattait son romantisme et son désir de se créer une légende en mêlant faits imaginaires et vérités déformées. « Non, tu es un pirate », se souvient-elle de lui avoir répondu. Elle avait un coup d'œil aiguisé pour repérer les faiblesses humaines. Contre toute attente, et contre sa propre volonté, il l'avait impressionnée ; il l'avait fait rire, et ces derniers temps, elle n'avait guère eu l'occasion de rire.

Le dernier soir à bord de l'*Augustus*, il lui dit que sa Cadillac l'attendait à Gênes. Et s'ils allaient ensemble à Cannes, à Marseille, à Venise, n'importe où hormis Paris ? « Si je pars avec toi, cela va faire un drôle de remue-ménage et je ne suis pas sûre qu'en ce moment mes nerfs, sans parler de ma réputation, puissent supporter le moindre scandale. » Il avait envie d'être avec elle et elle avait envie d'être avec lui, insista-t-il, ce serait perdre son temps que de discuter de moralité. Elle savait qu'il appartenait à cette espèce d'hommes qui sacrifient toujours les intérêts des autres à leurs fins personnelles, devait-elle dire plus tard ; cependant il y avait quelque chose d'irrésistible dans la proposition qu'il lui faisait et, toute circonspecte qu'elle fût, elle perçut dans sa voix en cet instant précis un élan incroyablement touchant, une passion presque désespérée. A Venise, où d'après elle ils avaient pris des chambres communicantes au Danieli et, d'après lui, une suite au Gritti, Aristo étant libéré des charmes forcés du célibat, ils firent l'amour pour la première fois. Les surnoms amoureux qu'ils se donnèrent — elle était Mamita (petite mère), lui était Mamico — en disaient long sur leur relation.

Ils parcoururent l'Europe à bride abattue, goûtant à ses fastes, aux meilleurs restaurants, aux plus grands hôtels, se disputant en public pour se réconcilier en privé ; si l'harmonie entre eux était incertaine, l'ardeur ne fit jamais défaut. (Et ses affaires comme sa vie privée évoluaient au rythme de ses passions : après une semaine à Oslo et à Sandefjord, Aristo écrivit à Gratsos qu'il avait « rencontré tous ceux qu'il valait la peine de voir » dans le secteur de l'armement norvégien.) Mais nombre d'amis et de relations d'Ingeborg furent consternés par ce que l'un d'entre eux appela poliment « l'excessive vivacité grecque » d'Onassis, et par l'intensité de l'attachement qu'elle lui manifestait ; ils espéraient que ce n'était qu'un engouement passager, qu'elle désavouerait cet arriviste à la première occasion. Chez Foyot, à Paris, il appelait les serveurs comme dans une gargote grecque, en claquant les doigts, avec un sifflement de serpent ; chez Maxim's, il attirait l'attention du maître d'hôtel en tapant du couteau contre son verre. Si Ingeborg avait des réticences qu'elle gardait pour elle, il ne lui échappait pas que c'était l'indifférence d'Ari à l'égard du qu'en-dira-t-on qui lui donnait son énergie et son style. Mais son bonheur était complet quand ils dînaient en *cabinet particulier* (en français dans le texte - NdT). Par la suite, dans un élan de réminiscences sensuelles, elle confessa qu'aucun de ses maris n'avait une peau qu'elle aimait caresser comme celle d'Aristo (« elle avait un parfum, un grain, une tiédeur et une douceur de velours incomparables, dont je ne me lassais jamais ») ; et aucun d'eux ne l'excitait comme lui. Quand ils faisaient l'amour, il « aimait me lécher entre les orteils, soigneusement, comme un chat... Il embrassait chaque point de mon corps et me couvrait de baisers avant de se consacrer à mes pieds, qu'il adorait ».

L'intense vie mondaine d'Aristo ne freinait en rien son ardeur à faire de l'argent. Après qu'Ingeborg eut donné son congé à Hermann Dedichen, il s'installa avec elle dans l'appartement qu'elle possédait avenue de Villiers, sans renoncer à son habitude de travailler aux petites heures du jour, quelle que fût l'heure à laquelle avaient pris fin ses dévotions, et la quantité d'alcool qu'ils avaient absorbée. Des heures durant, il téléphonait à Londres, à Athènes, à Buenos Aires. Son élan vital, ses capacités de récupération extraordinaires la sidéraient. Parfois il travaillait jusqu'à l'aube et les oiseaux chantaient dans les arbres de la place Malesherbes. Quand, après plusieurs mois de présence constante à ses côtés, il dut se rendre à Athènes et en Argentine alors qu'elle était obligée de rester à Paris pour régler les aspects juridiques de son divorce, Ingeborg accueillit ce répit avec soulagement.

Presque chaque jour durant ses voyages, il lui écrivait des lettres-fleuves, extraordinaires d'abandon, d'anxiété terrible et d'ardeur juvénile*. Inlassablement, il la suppliait de lui être fidèle : « être à moi à cent pour cent... Dis que tu m'aimes, dis que tu es totalement sincère avec moi... Mamita, mon adorable Ingse, ne trahis jamais ma confiance même pour un instant, ne laisse jamais des hommes flirter avec toi, tu dois me le promettre ! » Il veillait sur elle comme un oiseau de proie, s'agitait comme une mère poule : « Dis à ta charmante sœur à Oslo de ne pas être méchante avec toi parce que c'est très mal quand des sœurs sont méchantes les unes avec les autres » ; comme elle manifestait l'intention de vendre une petite intaille, il la mit en garde contre les marchands qui « à chaque fois qu'ils voient une femme veulent en faire leur victime ». « Ce sont des Juifs », ajouta-t-il laissant paraître là la première trace de cet antisémitisme peut-être superficiel qui allait lui valoir tant d'ennuis par la suite. Il voulait savoir comment elle passait son temps, les gens qu'elle avait vus, ceux avec qui elle avait dîné. Au début, son style de collégien amusa Ingeborg mais ses reproches et ses soupçons commençaient aussi à la gêner. Elle raconta à Artémis : « Il voudrait que je n'aie pas de passé, pas de souvenirs, pas de tampons sur mon passeport. » Elle s'accoutuma à ses coups de fil au milieu de la nuit, à ces appels suscités par le soupçon, la mélancolie, une hypocondrie grandissante. Ses lettres débordaient de douleur : « Mamita, ça ne peut pas continuer comme ça. Si tu m'aimes vraiment, si vraiment tu veux de mon amour, tu dois venir tout de

---

* Ils étaient nés la même année mais il lui mentit sur son âge en choisissant d'avaliser la légende de son passeport grec ; elle n'était sans doute pas totalement convaincue : dans son exemplaire annoté de la biographie de Joachim Joesten, *Onassis*, publié à New York en 1963, elle mit en marge de sa date de naissance présumée, 1906, un point d'interrogation au crayon rouge.

suite m'épouser. » Mais elle était encore mariée à Hermann, est-ce qu'il l'oubliait ? lui répondait-elle. « Tu te contentes de m'écrire des choses gentilles, qui ne coûtent rien, mais tu refuses de bouger, de t'infliger le plus léger désagrément pour être avec moi », lui écrivit-il d'Athènes. Elle détestait Athènes. Londres lui plaisait mais il prétendait que c'était trop cher de la loger là-bas (bien qu'il y gardât une suite au Savoy) et poursuivait en exposant les conséquences de ses serments de fidélité : « Tu ne crois pas qu'il est stupide et injuste d'être aussi fous d'amour et de vivre séparés ? As-tu idée du nombre de fois où je me réveille le matin le lit trempé parce que j'ai éjaculé pendant mon sommeil ? Du coup, mon corps est dans un état répugnant toute la journée. »

En femme dont les deux mariages s'étaient soldés par des échecs, elle était extrêmement attentive à se préserver, et quoi qu'elle fût peu disposée à renoncer à sa protection (il l'entretenait désormais de manière confortable), elle avait besoin de conserver au moins un minimum d'indépendance ; peu lui importait qu'on sache qu'Onassis était son amant, mais cela la hérissait d'être considérée comme sa maîtresse, racontera plus tard son neveu Finn Bryde. « Passer des marchés, c'est toute sa vie », dit-elle à Costa Gratsos qui mieux que personne comprenait ce qu'elle voulait dire. Brasser des affaires était devenu pour Aristo un besoin existentiel. Il commençait à prendre conscience en profondeur de l'importance de ses racines grecques et répétait : « Comme Achille, je ne me bats que pour ma propre gloire. »

A Londres, il partageait un petit bureau retiré avec Périclès Dracoulis, oncle de Costa Gratsos. Ce fut pour lui une époque difficile et solitaire. L'effort qu'il devait fournir pour garder la maîtrise de son empire du tabac (qui était encore sa principale source de revenus, contrôlée par l'oncle Homère à Athènes et par ses cousins Nicos et Constantin Konialidis à Buenos Aires) était considérable, tout comme celui requis par le développement de son affaire d'armement. Sublimant son énergie sexuelle dans le travail, il fonçait seize heures par jour, sept jours par semaine, courant de bureau en bureau, de dock en dock, distribuant les pots-de-vin, jouant un agent contre l'autre pour trouver un emploi à ses bateaux. Il déjeunait rarement, se contentant de sandwiches et d'une bière au bureau. Car en dépit des apparences de prospérité, de la suite au Savoy, de ses coûteux costumes bleu sombre (achetés à Paris rue Royale, chez Creeds), de ses va-et-vient entre Londres, Athènes, Buenos Aires et Paris, il devait puiser abondamment dans les ressources fournies par le tabac pour que l'aventure de son incertaine flotte reste viable. Quand Mamita lui offrit d'abandonner son appartement de l'avenue de Villiers pour occuper rue de Laborde un logement plus petit au quatrième, récemment libéré par sa cousine Stina qui venait de se marier avec le comte de Mais, il bondit sur l'occasion d'économiser de l'argent. (« Il pouvait être pingre aussi bien que généreux, admit par la suite un de ses collaborateurs, et ne résistait pas à la tentation de gratter un peu de fric, même sur les petites choses. ») Lorsque Inge, pour assortir les murs de l'appartement avec son mobilier Louis XVI, voulut les faire lambrisser, il la réprimanda : « Nous avons des besoins beaucoup plus urgents et importants. » Cette ambivalence ne le quittait jamais, même quand il achetait un bijou : « Mamita, pour moi, ces trucs que j'achète, il faut que ce soit des occasions, parce que quand je te vois les porter, le fait de savoir que je les ai eus à bon marché alors qu'ils sont très jolis me fait encore plus plaisir. » Au début de l'année 1936, en lui envoyant un chèque de soixante livres, il la pressait de « faire attention à l'argent... d'économiser ». En cette période de Noël, il n'avait pas pu la rejoindre ne fût-ce que pour une journée ; il avait passé les vacances à négocier une cargaison à Anvers à trois cents kilomètres de Paris. « Mamita, je n'en peux plus de me tracasser pour tous ces problèmes. J'aimerais pouvoir me reposer un moment, être près de toi », écrivit-il, ajoutant l'argumentation habituelle pour qu'elle n'accepte aucune autre invitation que celle de sa famille : « Quand les hommes découvriront que tu es seule et que tu te sens solitaire, ils voudront t'emmener dîner... S'il te plaît, je t'en supplie, ne va pas avec eux. »

Pour économiser le taxi et parce qu'il se perdait dans le métro, il allait souvent à pied de son bureau au Savoy. Trente ans plus tard, il pouvait réciter les anciens noms des rues de son chemin habituel : Cornhill, Cheapside, Newgate, Ludgate Hill, Fleet Street, Aldwych, le Strand. Marcher le maintenait en forme et l'aidait à combattre le profond sentiment de solitude qu'il éprouvait à Londres. Le soir, il lisait tout ce qui lui tombait entre les mains et qui traitait de bateaux : de la *Lloyd's List* à la *Shipping Gazette* en passant par le *New York Journal of Commerce*. Il pouvait réciter les taux d'assurance, les conditions d'affrètement, les prix des carburants et le tableau des principales compagnies de navigation du monde. Passé maître dans la manipulation brutale des prix, il pouvait arranger un marché si habilement que Gratsos jurait plus tard qu'il « savait couper l'herbe sous le pied de son concurrent en un clin d'œil ».

Au Savoy, pour la première fois de sa vie, il lui sembla qu'il existait aux marges de l'insignifiance, qu'il était simplement à l'épreuve parmi des gens « si riches et tellement à l'aise dans leur richesse ». Il passait son temps au cinéma. Il aima Conrad Veidt dans *King of the Damned* et écrivit à Mamita qu'il avait vu trois fois Grace Moore dans *Love Me Forever*. Certains matins il se levait avant l'aube et traversait le pont de Londres pour prendre son petit déjeuner dans les cafés des docks, dans Tooley Street ou Rotherhithe Street, où l'odeur de friture et de bacon se mêlait à celle du chanvre, du pétrole, et aux remugles du houblon des brasseries. Ce n'était pas la nostalgie du bord de mer qui l'attirait en ces lieux, mais une force gravitationnelle comparable à celle qui pousse les beautés avides vers les hommes aux fortunes secrètes. Il savait qu'il recueillerait quelques informations auprès des dockers, de ces employés et marins à la haute taille qui fréquentaient ces cuisines graisseuses, et que ces renseignements l'aideraient à flairer les cargaisons disponibles.

Un soir en rentrant au Savoy, il trouva un messager qui l'attendait au salon avec de fâcheuses nouvelles. Le consul grec de Rotterdam refusait d'autoriser le départ de l'*Onassis Penelope* tant qu'on n'aurait pas trouvé un ressortissant grec pour remplacer un marin victime d'une crise d'appendicite. Le bateau, enregistré en Grèce, devait rallier Copenhague avec le restant de la cargaison transportée depuis Buenos Aires ; un retard entraînerait le versement de coûteuses indemnités et la perte du prochain chargement. Il téléphona en Hollande pour convaincre le consul d'oublier un peu les règlements mais l'homme resta inflexible. Aristo travailla toute la nuit, tirant des agents de leur lit, discutant avec ses avocats, prenant les contacts nécessaires. Le lendemain matin il prit l'avion pour Rotterdam et invita le consul à venir boire un verre avec lui à bord du navire en panne. « Mon ami, lui dit-il, éclatant de générosité, vous êtes maintenant à bord d'un bateau panaméen », et tandis qu'ils levaient leurs verres, il lui remit un petit paquet : le pavillon grec. Il n'avait pas dormi pendant trente heures, « mais le plaisir de se montrer plus malin que les autorités valait bien tout le temps que j'y avais consacré, jusqu'à la dernière minute ».

A Paris, Ingeborg bénéficiait des tendres attentions d'un vieil admirateur hollandais, un chef d'orchestre. Elle n'en éprouvait aucun scrupule. Cette aventure n'était rien de plus qu'un « petit accroc » dans leur vie, une passade pour soulager sa solitude : la culpabilité sexuelle était exclue de son sens nordique de la responsabilité. Mais Aristo devina que quelque chose n'allait pas ; trois jours s'étaient passés sans qu'il reçoive le moindre mot. Il lui écrivit d'urgence : « Qu'est-ce qui se passe, Mamita ? Tu as toute la journée pour jouer au bridge mais tu ne peux pas trouver dix minutes pour m'écrire quelques mots ! Je pense qu'il a dû se passer quelque chose. Pourquoi ne m'écris-tu pas ? Tu es injuste parce que je souffre ici à tant travailler, même avec une fièvre terrible, comment peux-tu te conduire ainsi si tu m'aimes vraiment ? Pourquoi es-tu si injuste ? Tu me détestes ? » Bien sûr qu'elle ne le détestait pas, assura-t-elle. A un ami, elle raconta que le mot « injuste » semblait être devenu son terme favori. Et plus tard, elle devait dire : « Je me souviens d'avoir lu quelque part qu'il faut être très juste pour ne pas trouver injuste le comportement d'un amant. »

Les assurances d'Ingeborg ne l'ayant pas convaincu, il l'appela du Savoy, bien qu'il détestât les conversations qui passaient par des standardistes (il les soupçonnait de l'écouter « pour se moquer de son mauvais anglais »), il voulut savoir si elle lui avait été infidèle. Elle ne voulait pas lui mentir, quoiqu'elle sût la vérité dangereuse. Ses franches réponses aux questions directes qu'il lui avait posées sur ses expériences avec ses époux l'avaient déjà plongé dans des rages terribles. Elle lui répondit avec prudence qu'elle avait vu un vieil ami mais que c'était du passé, elle avait déjà presque oublié l'épisode. Il ne devait pas confondre une impulsion érotique avec l'amour, ajouta-t-elle. Mais il le prit très mal.

Les nations industrielles émergeaient peu à peu de la dépression et les navires d'Ari commençaient à rapporter. Il était temps de passer à l'étape suivante. Le charbon couvrait encore à 75 p. 100 les besoins d'énergie mondiaux, mais il allait être supplanté par le pétrole ; en dépit de leurs énormes ressources naturelles, même les États-Unis étaient sur le point de devenir, tout compte fait, importateurs de pétrole ; tandis que la production industrielle progressait au taux annuel de 12 p. 100, et que le secteur militaire européen connaissait une croissance rapide, les raffineries se multipliaient à travers le Moyen-Orient. On avait besoin de pétroliers pour transporter le carburant depuis les terminaux de Syrie, de Libye, de Tunisie, d'Algérie et du Liban jusqu'aux marchés qui se développaient un peu partout dans le monde. Aristo considérait que la vraie réponse à ces nouveaux besoins était de construire des pétroliers non pas très nombreux mais plus grands. Comme tous les armateurs grecs de cette époque, c'était un transporteur de fret « sec » (tabac, blé, bois) mais il avait soigneusement fait ses comptes et calculé qu'il pouvait réduire de manière substantielle ses coûts s'il parvenait à augmenter des deux tiers la taille des pétroliers normaux de neuf mille tonnes. Les idées qui lui venaient avaient beau ne pas être du même ordre que celles sur la vitesse de la lumière, les ingénieurs maritimes lui dirent exactement ce que les experts déclarèrent à Einstein : ses conceptions heurtaient le sens commun. Les ingénieurs parlèrent d'échelle de déplacement, de poids spécifique, de maximum de pression permissible et de ligne de charge. Un pétrolier de quinze mille tonnes, c'était impossible. En dépit de la résistance rencontrée, il restait quant à lui persuadé que les grands pétroliers c'était l'avenir, et rien ne pouvait lui ôter cette idée de la tête. « Il n'y a pas d'échec tant qu'on ne renonce pas à essayer », rétorqua-t-il à Gratsos qui lui suggérait de renoncer à l'ensemble du projet. « Un homme ne vaut pas un pet de lapin s'il n'essaie pas une fois dans sa vie de repousser les limites. »

Il lui fallait trouver un chantier naval disposant de suffisamment de place pour construire le pétrolier auquel il songeait. Un agent maritime du nom de Gustav Sandstrom, dont il avait fait la connaissance à Buenos Aires, le recommanda à Ernst Heden, directeur des chantiers Gotaverken à Göteborg. Vingt-quatre heures après, il entrait dans le bureau de Heden, flanqué de Mamita. Non seulement il ne serait pas facile de persuader Heden d'engager son entreprise dans la construction d'un aussi énorme navire, avec les innombrables casse-tête techniques que cela représentait, mais de plus, Aristo avait besoin qu'on lui accorde des crédits bien plus importants que ceux consentis d'ordinaire aux armateurs grecs. La présence de Mamita, fille du respecté Bryde de Sandefjord, serait bien utile pour soutenir sa réputation.

Heden estima que le projet était réalisable mais calcula qu'il coûterait huit cent mille dollars, près du double du prix d'un pétrolier de neuf mille tonneaux. « Achetez donc deux bateaux de neuf mille tonneaux », suggéra-t-il. Aristo insista et pendant les trois jours qui suivirent, les deux hommes discutèrent des conditions de livraison du grand navire mais ne purent trouver un accord. Aristo appela à la rescousse l'influent Lars Christensen, compagnon d'Ingeborg à bord de l'*Augustus* ; Ingeborg pressentit Anders Jahre, brillant avocat norvégien qui avait travaillé sur les statuts de certaines des plus puissantes sociétés de baleiniers et de cargos, pour défendre le point de vue d'Aristo. Heden accepta de retirer la « clause grecque » qui exigeait le versement comptant d'au moins 50 p. 100 du prix et fixait à cinq ans la durée maximum du crédit ; c'était déjà un beau succès mais cela ne suffisait pas à Aristo. Des désaccords importants et insurmontables demeuraient entre Heden et lui quand il rentra enfin à Londres. Aristo était parmi les meilleurs quand il s'agissait de négocier sous la pression et, dans les semaines qui suivirent, il bombarda Heden de câbles, de lettres, de coups de fil, arrachant sans cesse des concessions au constructeur, ébranlant sa résolution jusqu'à ce que leurs positions fussent voisines.

Heden était dans son bureau de Gotaverken lorsque sa secrétaire lui annonça que M. Onassis désirait lui parler. « Passez-le-moi », dit-il, en se préparant à subir une nouvelle harangue téléphonique. Mais Aristo surgit dans la pièce et vingt minutes plus tard, l'affaire était conclue : la société A.S. Onassis Göteborg Limited commandait le premier pétrolier de quinze mille tonnes pour huit cent mille dollars, dont un quart réglable en trois fois au cours de la construction et le reste réparti sur dix ans à 4,5 p. 100 d'intérêt. Le bateau s'appellerait *Ariston*, annonça l'heureux propriétaire. C'était à la fois une allusion à son prénom et le mot grec signifiant « le meilleur ».

Chaque jour, il écrivait à Mamita des lettres au style décousu et à l'orthographe défectueuse, demandant son avis, cherchant des assurances de sa fidélité ; l'anxiété étreignait son cœur à chaque instant. C'était le récit minutieux de sa vie qui touchait le plus Ingeborg : voyages solitaires en train à travers l'Europe (« J'aimerais beaucoup prendre l'avion mais il y a eu tant d'accidents récemment que je n'ose pas ; hier sept personnes se sont tuées dans un accident en Norvège »), les heures consacrées à revoir de mauvais films pour faire passer le temps entre deux retrouvailles.

Tandis que ses affaires maritimes prospéraient, son négoce de tabac, dont tant de choses dépendaient, connaissait de nouvelles difficultés. A Athènes, Homère avait laissé la situation prendre une tournure inquiétante. Presque vieux à présent (Aristo par la suite lui attribua une soixantaine d'années à cette époque), il se révéla totalement inconscient des crises et de sa croissante incapacité à y faire face. Quand pour finir il se rendit compte qu'il allait être remercié et qu'Aristo avait l'intention de renouveler complètement l'équipe de direction à Athènes, il réagit violemment en menaçant de tuer Aristo et de se tuer ensuite. « Tu n'es pas seulement lâche, en plus tu es stupide », lui dit Aristo. Quand Mamita exprima son inquiétude, il la rassura : « Je sais me défendre. De toute façon, ce n'est qu'un vieil homme désespéré qui vient à peine de découvrir à quel point il a youpiné*. Il me fait pitié (avec une faute d'orthographe en anglais - NdT) parce qu'après tout, c'est le frère de mon père et je l'aiderai encore, mais la prochaine fois, ce sera seulement en lui donnant de l'argent et non en le mêlant à mes affaires. »

Malgré la force qu'il professait, il subissait une tension terrible. Les tracas venaient de tous les côtés à la fois. Tandis qu'il s'occupait des difficultés de la maison d'Athènes et qu'il s'inquiétait de chaque étape de la construction de l'*Ariston* à Göteborg, sans perdre de vue les opérations de Buenos Aires et tout en jonglant avec les plans de navigation pour rafler des cargaisons à l'autre bout du monde, il s'usait les nerfs à tirer profit des circonstances les moins prometteuses et sa santé commençait à le lâcher. Il souffrait de migraines, de douleurs aux mains et aux reins, de maux de gorge et de bronchites.

Bien qu'il eût l'habitude de naviguer au plus près (« ma posi-

---

* Il est peu vraisemblable qu'Ari ait cru avoir été délibérément volé par Homère. Mais en inventant un verbe qui assimilait le comportement de son oncle à celui de gens dont il se méfiait profondément, il confirme à quel point il détestait Homère.

tion naturelle », dirait-il plus tard), ses investissements dans l'*Ariston* avaient opéré une sévère ponction sur ses fonds, et il devenait plus économe que jamais avec Mamita. En août 1936, au moment même où il essayait désespérément de la persuader de le rejoindre à Athènes, il insistait : « Je ne veux pas que tu viennes en train, ça coûte horriblement cher. Si tu te décides à venir, il est entendu que ce sera par bateau. » Dix jours plus tard, il se radoucissait et admettait qu'elle prenne un billet de train de seconde classe. Elle détestait Athènes, la chaleur et la poussière, les boîtes de nuit dans lesquelles il aimait se détendre. Elle ne pouvait comprendre sa fièvre d'hellénisme. Son refus de le rejoindre alors qu'il lui avait dit être malade le mit au désespoir. « Crois-tu que j'aime être ici ? Je n'exagérerais pas si je te disais que je *hais* la Grèce encore plus que toi », prétendait-il, en lui rappelant que c'étaient ses affaires qui le retenaient à Athènes. Il lui écrivait des lettres passionnées, des lettres furieuses, lui expédiait des télégrammes, puis lui téléphonait pour s'excuser de la fureur de ses lettres. Dans ses coups de fil, comme dans ses missives, il passait d'un extrême à l'autre : tantôt il lui jurait son amour éternel et la pressait de faire un enfant avec lui (« C'est très grave et c'est une énorme responsabilité, Mamita, mais si tu en as le courage, faisons-en un, ou du moins essayons »), et tantôt il la traitait de snob parce qu'elle avait accepté une invitation à dîner à l'ambassade danoise à Paris et lui signalait avec allégresse que le Danemark n'avait pas d'ambassade à Paris, « juste une légation, comme tous les petits pays ! »

Il manifestait les premiers signes de ces troubles maniaco-dépressifs qui allaient resurgir tout au long de sa vie. « Ma santé, Mamita, c'est incroyable. J'ai trente ans et je pars déjà en morceaux », écrivit-il, attentif à préserver le mensonge sur son âge pendant qu'il en appelait à ses instincts maternels. Son beau-frère le Dr Théodore Garofalidès l'obligea à garder le lit une semaine pendant ce séjour à Athènes, où il perdit sept kilos. Le goût d'Ingeborg pour le flirt le tourmentait. Il vivait dans la crainte qu'elle ne le trahît de nouveau. Son infidélité le faisait tant souffrir : « Je ne peux pas te décrire ma douleur. Elle emporte tout mon enthousiasme pour la vie. Mon égotisme, mon *amour-propre* (en français dans le texte - NdT) ne m'ont pas permis de te dire ces choses-là avant, mais j'ai eu le loisir de réfléchir longuement ces derniers jours — la plupart du temps je ne pense et ne m'inquiète que de mes affaires et sans un moment à consacrer à mes sentiments personnels — et je veux que tu comprennes exactement ce que je ressens. Quelle importance, après tout, qu'une femme aime coucher avec un autre une seule fois ou quelquefois ? Si l'on réfléchit un peu, ce n'est rien, mais ça fait terriblement souffrir l'homme, Mamita. J'avais l'habitude de rire de ce genre de choses. Mais quand j'ai commencé à aimer, je me suis mis à découvrir ce que ça voulait dire, la fidélité. Peu m'importe que tu aies été mariée deux fois, que tu aies eu plusieurs aventures, mais ça me rend fou de penser que tu pourrais me trahir de nouveau un jour. Ça n'a pas d'importance quand je pense à ton passé, avant qu'on se rencontre. Je n'ai pas d'images gênantes de toi avec tes maris ou avec ton amant américain, mais je ne peux me sortir de la tête la vision de toi avec le Hollandais à Paris. Je garde sans cesse à l'esprit une sorte de tableau sinistre né de ce que tu m'as raconté. »

Il revint à la charge : ils devaient se marier dès que son divorce serait prononcé : « La vie est courte, Mamita, nous n'avons que quelques années pour goûter le plaisir de l'amour physique : ma *jeunesse* (en français dans le texte - NdT) ne durera pas toujours. » Il lui annonça qu'il l'avait associée à sa belle-mère, Hélène, comme bénéficiaire de l'assurance-vie qu'il avait prise en 1933 à Buenos Aires pour trois mille dollars — mais il insistait pour qu'elle lui dise immédiatement si un jour elle devait le trahir de nouveau !

Dans les mois qui suivirent, il perdit le bénéfice du passeport diplomatique (les Grecs estimant qu'il passait trop peu de temps à Buenos Aires pour remplir des fonctions de consul), se fit enlever les amygdales et subit une intervention au cours de laquelle on lui ôta plusieurs petites nodosités des ganglions lymphatiques. Dès qu'il se sentit suffisamment rétabli, il décida de rentrer à Buenos Aires pour résoudre les problèmes apparus là-bas entre-temps.

Mamita accepta de l'accompagner mais peu avant que le bateau appareille pour Naples, elle éprouva un violent regain d'anxiété à propos de sa réputation : « Qu'est-ce que ma famille va penser ? Personne ne comprendra que je puisse t'accompagner dans un si long voyage sans être mariée avec toi... C'est de la folie ! » Aristo avait sans doute semé lui-même les germes de cette décision quand, inquiet des sorties parisiennes de son amante, il lui avait fait savoir qu'il voulait que sa réputation « reste aussi bonne que possible, parce que, expliquait-il, je considère qu'une bonne réputation est une part importante du bonheur humain. Certaines personnes, très très riches, peuvent se permettre une certaine négligence envers leur réputation. Des femmes très riches peuvent être extravagantes et on le leur pardonnera parce qu'elles ont la puissance de l'argent. Mais avec un train de vie normal — ou plutôt modeste — on doit faire attention à l'opinion publique et se cantonner à l'intérieur de certaines limites. » Mais maintenant, il n'appréciait guère son sens des convenances : « Tu as envoyé au diable ta réputation dans ta jeunesse, à l'âge de vingt ans — avec l'Américain, avec d'autres, quand tu as donné ta virginité — et maintenant que tu es une femme adulte, deux fois mariée, tout à fait indépendante de ta mère, tu décides tout à coup de t'inquiéter de ta réputation et de ce que les gens vont penser ! »

On en apprend beaucoup sur cette incroyable relation, sur leur désastreuse incapacité à se comprendre quand on voit qu'elle fut surprise de sa colère — et blessée par son refus de lui acheter un collier de corail qu'elle avait admiré peu après avoir décidé de ne pas l'accompagner à Buenos Aires. Elle s'en plaignit à un ami : « Imagine ce que ça lui aurait coûté de m'emmener en Argentine, et il ne voulait même pas m'acheter ce misérable petit collier ! »

A Buenos Aires, les difficultés étaient moins graves que celles qu'avait affrontées Aristo à Athènes ; les frères Konialidis s'étaient mieux débrouillés qu'Homère et, au bout de quelques semaines, l'affaire tournait à nouveau de manière satisfaisante. En cet été 1937, il avait de bonnes raisons d'être de plus en plus optimiste. Il avait annulé à la dernière minute un voyage à New York sur le Zeppelin *Hindenburg* parce qu'il devait aller à Dax discuter de modifications de l'*Ariston* avec un architecte qui prenait dans la ville d'eau des bains de boue contre l'arthrite. Le 6 mai, le voyage du *Hindenburg* auquel Aristo aurait dû participer se termina par une catastrophe à Lakehurst. « Tout réussit à l'homme chanceux », disait-il, mais il y avait pour lui comme un signe du destin dans le fait qu'il avait échappé ainsi à la mort. Entre-temps, le Dr Hjalmar Schacht, président de la Reichsbank et maître absolu de l'économie du Troisième Reich, avait lancé un programme de réarmement massif. Tandis que l'Europe se préparait au pire, l'essor du secteur maritime ne cessait de s'amplifier. Comme Aristo le raconta par la suite, il était impossible de ne pas se faire beaucoup d'argent quand on avait des bateaux. Son premier pétrolier était presque terminé en Suède et il avait signé un contrat d'un an avec la Tidewater Oil Company de Jean-Paul Getty pour le transport du pétrole de Californie aux raffineries de la Mitsui Corporation à Yokohama. Aristo décida de passer commande de deux autres pétroliers encore plus grands que l'*Ariston*.

Quelques jours après son retour à Buenos Aires, son vieux mentor Albert Dodero l'invita à une réception où il lui présenta Fritz Mandl, roi de la production d'armes autrichiennes, patron des usines de munitions Hirtenberger à Vienne. Dans cette fastueuse assemblée de puissants figuraient quelques-uns des membres éminents de l'importante communauté allemande, des célébrités du spectacle (divorcé depuis peu de Hedy Lamarr, Mandl avait un faible pour les actrices : la vedette allemande Eva May s'était tuée à la fin de leur liaison), des diplomates des trois dictatures fascistes d'Europe et les généraux argentins pronazis Basilio Pertine et Juan Molina. Les services de renseignement britanniques et américains attachèrent un intérêt tout particulier à la liste des invités.

Quoiqu'il se vantât de ses excellentes relations avec les nazis et qu'il se fût dès 1927 rallié aux fascistes autrichiens (de plus, Franco et Mussolini étaient ses amis personnels), Mandl était aussi juif. Craignant apparemment les visées de Hitler sur l'Autriche, il avait déjà acquis un ranch et des rizières près de Buenos Aires et, avec sept cents kilos de lingots d'or déposés dans les coffres de la Banque centrale d'Argentine, il était en quête de nouveaux investissements. Aristo se sentit flatté quand l'Autrichien le prit à part pour lui demander son avis sur le secteur maritime. Il avait le sentiment d'être entré dans un monde nouveau, d'avoir été admis dans une fraternité économique. Qui se ressemble s'assemble, dit-il non sans fierté à son cousin Costa Konialidis.

Dodero continua d'inviter Aristo, ou plutôt Ari comme il l'appelait, à toutes ses réceptions et à de longs week-ends dans sa demeure de Montevideo, de l'autre côté du Rio de la Plata, où une bonne dizaine de convives, le beau monde de l'époque, et en particulier les belles femmes, pour lesquelles Dodero avait un vif intérêt, trempaient leurs lèvres dans le meilleur champagne et se restauraient d'œufs brouillés ou de *pâté de foie gras* (en français dans le texte - NdT) agrémentés de truffes fraîches expédiées par avion du Périgord. Les réceptions de Dodero étaient légendaires ; parfois le jour se levait et les serveurs commençaient à dresser sur les pelouses les tables du petit déjeuner alors que l'orchestre n'avait pas encore joué la dernière danse. C'était une manière de vivre qui plaisait énormément à Aristo. Il ne manquait pas une fête et se mit, peut-être inconsciemment, à imiter son modèle, l'homme qu'il appelait Don Dodero. Il parut dans un night-club avec une tenue qui ressemblait si fort à celle de son hôte — portant les mêmes chaussures en croco, les cheveux gominés et coiffés en arrière comme Don Ameche — que Fritz Mandl s'écria qu'on devrait l'« arrêter pour usurpation d'identité ! ».

Ari (le surnom inventé par Dodero fut promptement adopté et paraissait à l'intéressé mieux adapté à son statut d'adulte) continua d'écrire à Mamita presque chaque jour, en lui donnant une version soigneusement expurgée de ce qu'il avait fait et en prenant soin d'y inclure des détails qui lui étaient maintenant familiers (« Demain l'un de mes bateaux doit partir d'ici pour Copenhague avec une cargaison de blé ; ça me rend si triste de penser que dans trente jours il sera à quelques heures de train de toi, qui ne pourras pas rentrer avec lui »), formant ainsi un mélange de sentiments et d'informations sur ses affaires. Pendant ce séjour il révisera une nouvelle fois ses polices d'assurance — « pour que s'il m'arrive quelque chose tu puisses avoir pour le reste de ta vie au moins cinq cents couronnes par mois », expliqua-t-il, dans le style qu'il adoptait chaque fois qu'il lui parlait affaires ou argent, c'est-à-dire, comme s'il s'adressait à un enfant : « Je veux que tu te sentes en sécurité et que tu n'aies pas de soucis. » C'était un geste prévenant, inspiré peut-être par le fait qu'il était passé si près de la catastrophe du *Hindenburg*. C'était aussi une façon de calmer son sentiment de culpabilité pour le bon temps qu'il prenait avec Dodero et sa bande.

En juin 1938, la veille du lancement de l'*Ariston*, Ari donna un banquet de 150 couverts au Grand Hôtel de Göteborg. Une équipe de cuisiniers grecs s'était jointe aux chefs suédois pour préparer un festin gréco-suédois. Artémis était venue d'Athènes avec son époux Théodore Garofalidès, le cousin Nicos Konialidis était arrivé de Buenos Aires avec sa nouvelle épouse, Mérope, demi-sœur d'Ari ; les Sandstrom et les Christensen étaient là, jouant les parrains (Mme Sandstrom aurait l'honneur de baptiser le navire). Et l'élite de l'armement grec s'était assemblée pour saluer le lancement du plus grand pétrolier jamais construit, et pour voir le personnage le plus scabreux du secteur maritime depuis Livanos.

Ari portait une chemise empesée, ce qui le mettait mal à l'aise, mais il fit un discours plein de dignité en remerciant tous ceux qui s'étaient démenés pour rendre possible la construction de l'*Ariston*. Il remercia les dessinateurs et les architectes, les riveteurs et les soudeurs ; il remercia ses sœurs pour leur foi en lui, il remercia ses cousins et son beau-frère d'être là pour partager sa fierté. Il exprima sa confiance dans l'avenir du commerce mondial ; peu importaient la toute récente annexion de l'Autriche par Hitler et la ruée des Japonais à travers la Chine. Il ne fit aucune allusion à Ingeborg.

CHAPITRE 5

La querelle des amoureux est le
regain de l'amour.

TÉRENCE.

Émergeant à peine, dans sa suite du Savoy, d'une monumen-
tale gueule de bois à la suite de la fête donnée en l'honneur du
trente-neuvième anniversaire de Mamita, qui avait commencé au
soir du vendredi 1er septembre pour se terminer seulement le
samedi après-midi quand elle était rentrée à toute vitesse à Paris
après une violente dispute, Ari entendit Chamberlain annoncer
à la radio que l'Allemagne s'était abstenue de répondre à l'ultimatum du gouvernement britannique lui demandant de retirer
ses troupes de Pologne et « en conséquence, disait le Premier
ministre, notre pays est en guerre avec l'Allemagne ». Certes, la
guerre n'était pas nécessairement une mauvaise chose pour un
armateur neutre. Ari avait conservé ses deux passeports, l'argentin et le grec, avec leurs indications divergentes. Ses cargos naviguaient sous pavillon panaméen; l'*Ariston* était enregistré en
Suède et l'*Aristophanes* affrété par une compagnie norvégienne.
Le *Buenos Aires*, 17 500 tonneaux, était en cours d'achèvement à
Göteborg. Posséder trois des plus importants pétroliers du monde
et être totalement impartial en temps de guerre, était une situation qui ne gênait en rien ses projets. En sirotant un Fernet
Branca, son remède favori contre la gueule de bois, ce dimanche
matin, tout en prêtant l'oreille aux accents guerriers de l'homme
d'État britannique, il se dit que le destin lui souriait.

En réalité, il lui réservait un mauvais tour. Les Suédois, désireux de prouver leur neutralité, déclarèrent immédiatement que

les navires appartenant à des étrangers mais battant pavillon de Suède ou construits dans ce pays seraient immobilisés jusqu'à la fin de la guerre — et cela incluait l'*Ariston*, à quai à Stockholm, aussi bien que le *Buenos Aires*, qui se trouvait dans le chantier naval de Göteborg, enregistré sous le pavillon d'une Argentine favorable à l'Axe.

Ari avait beaucoup à penser et il partit pour une longue promenade. Il racontera par la suite qu'à Piccadilly le cireur frotta ses chaussures de croco jusqu'à ce qu'il pût s'y mirer. Le visage qu'il y voyait était blême. Les deux tiers de sa flotte de pétroliers, 32 500 tonneaux des meilleurs pétroliers du monde, lui avaient été enlevés d'un seul coup. Et comment préserver le reste de sa flottille ? Au soir de ce dimanche, il téléphona à Mamita à Paris et après qu'ils se furent réconciliés, elle lui suggéra de rencontrer son ami Anders Jahre, l'avocat norvégien dont l'influence discrète l'avait aidé à obtenir le crédit dont il avait eu besoin pour l'*Ariston*. Tout au long de la drôle de guerre, Ari et Jahre travaillèrent à éviter de nouvelles saisies. Surmontant sa peur de l'avion, Ari fit une dizaine de voyages à Oslo, Stockholm, Sandefjord et Göteborg pour organiser et réorganiser ses affaires, adaptant les contrats, peaufinant les conditions, jonglant avec les accords, les compagnies, les pays, les continents. La tension que lui imposaient ces activités, s'ajoutant à celle des négociations entamées pour la vente de deux cargos à des Japonais, se traduisit de nouveau par des troubles de santé. Inflammation des gencives, migraines et saignements de nez le tourmentèrent de façon récurrente durant les pénibles mois de l'hiver 1940.

Mamita lui tint compagnie pendant les fêtes de Pâques à Londres. Le 25 mars, ils s'envolèrent pour Oslo où Ari mit la dernière touche à ses arrangements. Il travailla beaucoup, mais ce fut aussi un voyage d'amour, car il était clair à leurs yeux que le compte à rebours avait commencé ; le monde changeait chaque jour. Le 5 avril, il revint à Londres pour les négociations avec les Japonais et Mamita rentra à Paris. Ce fut une séparation déchirante, il y eut beaucoup de larmes. Ari était bouleversé. Quelques jours plus tôt, une diseuse de bonne aventure l'avait prévenu que des temps difficiles s'annonçaient pour lui, en amour comme en affaires. Mamita avait pressenti combien leur séparation serait pénible et avait couché ce qu'elle ressentait dans une missive qu'elle lui remit à l'aéroport. « C'est le destin », lui dit-elle ; du bout du pouce il lui essuya une larme sur la joue. Il n'oublierait jamais ces derniers instants dans le salon de l'aéroport ; il se souviendrait de leur étreinte, chacun sachant qu'ils ne se reverraient peut-être plus.

Tandis qu'il survolait la mer du Nord en direction de l'Angleterre, il lut : « Je t'aime de tout mon cœur. Mon chéri, en ce qui

76

me concerne, je vais très bien, mais je suis terriblement inquiète pour toi... Alors je te supplie de ne pas t'occuper de moi, d'aucune façon. J'ai de l'argent, je suis en sécurité — s'il te plaît, d'une manière ou d'une autre, tu dois décider de faire ce qui est le plus sûr et le mieux pour toi, nous ne pouvons pas dans une époque pareille faire des plans d'avenir... Ce que j'ai besoin de savoir, c'est que tu vas te mettre à l'abri de tout danger possible. Mon amour, je me sens si malheureuse loin de toi dans une époque pareille. J'envie tous ceux qui ont le privilège d'être entourés de leur famille, de leur mari et de leurs enfants. Toutefois, j'ai d'autres privilèges pour lesquels je remercie Dieu du fond du cœur. Quoi qu'il arrive, je ne cesserai jamais de t'aimer. Pour moi, la seule chose que je te demande, c'est de te mettre à l'abri et s'il te plaît de me télégraphier ou de m'écrire le plus vite possible. Que Dieu te bénisse, mon chéri adoré, et souviens-toi toujours que mon amour est avec toi, toujours, toujours. Des milliers de baisers, Mamita. »

À Londres, il songea à « tous les moments tristes, toutes les larmes » qu'il avait provoqués à cause de sa « vie irrégulière ». Persuadé d'être en train de changer profondément, il lui écrivit : « Je me suis trop laissé absorber par les affaires. Je sais que je me mets en colère. Je sais que je me mets en fureur contre toi. Mais je t'aime vraiment. Ma chérie, tu as tant fait pour me faire plaisir, pour m'aider, tu as toujours été si gentille ; tu m'as gâté comme un enfant. Les gens parlent de ma force de caractère, de ma *volonté* (en français dans le texte - NdT) en affaires. Mais j'ai été lâche en ce qui nous concernait. Je me disais toujours : demain, le mois prochain, l'année prochaine... Et voilà où nous en sommes, après six ans, une autre séparation, un autre chagrin. J'ai été si aveugle. »

Le 10 mai, Winston Churchill était Premier ministre et Hitler envahissait les Pays-Bas. Le 16, les armées allemandes opéraient une percée sur la Meuse et avançaient si vite qu'on s'attendait à ce qu'elles atteignent les environs de Paris dans les jours suivants. Ari pressa Ingeborg de quitter la France immédiatement, mais elle refusait de croire que Paris pût tomber et, souffrant de douleurs dorsales, elle répugnait même à quitter leur appartement. Ari non plus n'allait pas bien du tout, et son ton passait vite de la tendresse et de l'inquiétude à l'exaspération et à l'apitoiement sur lui-même « Tu ne comprends pas que maintenant la perspective, pour moi, c'est de me retrouver sans le sou ! » lui lançait-il, furieux. À l'en croire, financièrement et physiquement, il était sur la corde raide. Presque toute la colonie des armateurs grecs avait quitté Londres pour New York où l'on faisait des affaires en or. « La plupart de mes collègues sont maintenant installés à l'abri, même les plus stupides gagnent des fortunes », se

77

plaignait-il, bloqué à Londres par le marché qu'il essayait de conclure avec les Japonais. Les négociations traînaient depuis des mois. Il détestait traiter avec les Japonais, mais ses sentiments n'avaient rien à voir avec le fait que Tokyo avait signé avec l'Allemagne nazie, pacte dont l'onde de choc avait été ressentie jusqu'à Washington et Whitehall. Ce qui lui déplaisait, c'était leur façon de négocier : on était pris à contre-pied par le marchandage le plus acharné derrière une ruse aimable. Il n'aimait pas avoir affaire à des gens qui savaient penser comme des Orientaux et agir de manière aussi carrée que les Occidentaux. Peut-être lui ressemblaient-ils trop, dira par la suite Ingeborg.

« Un vaisseau sanguin ou je ne sais quoi s'est rompu dans ma gorge. Je ne peux pas parler sans avoir le goût du sang dans la bouche et son odeur dans les narines. Et je suis sans cesse confronté à la possibilité de perdre jusqu'au dernier sou, de me retrouver sans un sou à cause de ces aventuriers qu'on appelle les hommes politiques. Tout mon travail de près de vingt ans, tous les sacrifices et l'abominable vie anormale de toutes ces années pourraient aboutir à un immense zéro ! La plupart des hommes dans ma situation laisseraient tomber, Mamita, on les comprendrait parfaitement s'ils se suicidaient ! » Mais elle savait en lisant cela qu'il ne le ferait jamais ; quels que fussent ses malheurs, il ne mettrait jamais fin à ses jours. Son sens des responsabilités envers les quelques personnes qu'il aimait, ses sœurs, sa belle-mère, Ingeborg elle-même, qu'il entretenait toutes plus ou moins, lui interdisait cette porte de sortie. Mon sens du devoir et de mes engagements, mon orgueil sont peut-être exagérés, lui avait-il dit un jour, mais je suis ainsi fait. Il avait pris une position dominante dans la famille, il l'avait sauvée, il la dirigeait. C'était un bonheur qu'il avait mérité ; elle soupçonnait que c'était la plus grande réussite de sa vie.

Elle s'entêta à rester à Paris jusqu'au 11 juin. Ce jour-là, ne doutant de rien, elle s'en fut à l'ambassade britannique demander un visa pour Londres. L'ambassadeur et son personnel étaient partis la veille au soir, laissant l'ambassade entre les mains du concierge. L'homme portait encore le chapeau haut de forme et le frac rouge. Il attendait le diplomate américain qui apposerait le sceau officiel plaçant les lieux sous la protection des États-Unis.

Suivant les instructions d'Ari, elle avait retiré tout son argent, ses papiers et ses bijoux quelques jours plus tôt du coffre de sa banque ; elle entassa ses biens dans sa voiture, ferma l'appartement et prit le chemin du sud pour rejoindre des amis à Bagnères-de-Bigorre. Sur les routes se pressaient les réfugiés, les soldats, les ambulances, les taxis, les carrioles tirées par des chevaux, les cyclistes et les milliers de fonctionnaires évacués vers le sud pour pouvoir continuer à administrer un État qui n'existait plus. Il lui

78

fallut cinq jours pour atteindre la sous-préfecture des Hautes-Pyrénées à une cinquantaine de kilomètres de la frontière espagnole.

Les Allemands entrèrent dans Paris le 14 juin, et trois jours après l'ambassade américaine à Londres conseillait aux ressortissants des États-Unis en Grande-Bretagne de regagner leur pays le plus vite possible. Le 22 juin, jour où les Français signaient l'armistice à Compiègne, Ari réservait une place sur le *Samaria*, un vapeur de la Cunard Line qui appareillait pour New York le 1er juillet. Il aurait préféré quitter plus tôt la capitale britannique — Churchill avait déclaré que la bataille d'Angleterre allait commencer — et il n'avait pu obtenir qu'une couchette de seconde, mais la réservation était faite, et confirmée. « Apparemment, raconta-t-il, les choses s'arrangeaient enfin. » Il avait trouvé un accord avec les Japonais. Il avait même réussi à faire sortir un de ses bateaux du port de Marseille au milieu d'un raid aérien, « le navire n'étant pas assuré, il était exposé à des risques énormes », et les deux cargos étaient à présent en route vers l'Extrême-Orient ; les formalités restantes seraient réglées à New York. Il avait reçu un télégramme d'Ingeborg (elle en avait envoyé neuf depuis son départ de Paris le 11 juin) lui annonçant qu'elle était saine et sauve à l'hôtel Tivoli à Bagnères-de-Bigorre. Il songea un moment à s'envoler vers le Portugal neutre pour, de Lisbonne, gagner Bagnères-de-Bigorre par l'Espagne. Cela eût pris du temps mais c'était possible ; dans l'Espagne de Franco, son passeport argentin lui aurait ouvert beaucoup de portes. Mais pour finir il renonça ; eu égard à l'état de l'Europe, c'eût été imprudent, sinon téméraire.

Le *Samaria*, sans armes ni escorte, zigzaguait pour éviter les sous-marins en maraude : les vaisseaux fantômes, comme Ari les appelait, sans dissimuler la crainte qu'ils lui inspiraient. Son inquiétude se transforma en terreur quand un paquebot fut torpillé à dix milles du leur et coula en vingt minutes. Parmi les passagers, la panique céda la place à un état d'hébétude. Une fumée noire stationna dans le ciel au-dessus de l'endroit où s'était trouvé le bateau ; au milieu de l'océan Atlantique-Nord, dix milles, ce n'est vraiment pas grand-chose. Ari délaissa sa cabine, et choisit de dormir sur un divan dans le fumoir, près des canots de sauvetage, agrippé à la mallette contenant ses contrats, les titres de propriété de ses bateaux, la preuve de tout ce qu'il possédait, de ce qu'il était. Tout son avenir était contenu dans ce bagage. Plusieurs Grecs londoniens observaient son comportement d'un œil désapprobateur. Par la suite, ils répandirent des histoires désobligeantes sur sa couardise. Ils racontèrent que ses mains tremblaient quand il s'allumait une cigarette et que sa conversation survoltée et ses regards paniqués lui donnaient l'air un peu fou,

Il ne mangeait presque plus, son visage s'était amaigri et il arborait un menton mal rasé de malade. A leurs compagnons de voyage, parmi lesquels figurait Henry Bernstein, l'auteur dramatique français, qui avait démontré de quel courage il était capable en se battant en duel à huit reprises dont la dernière à soixante-deux ans, les Grecs assuraient qu'Ari n'était pas un « vrai Grec » mais un Smyrnien ! Pratiquement un Turc ! Mais il n'avait jamais prétendu être brave, pas même dans ses lettres à Mamita, quand il aurait pu si aisément donner une peinture plus flatteuse de lui et de son caractère.

Il arriva à New York le 10 juillet 1940. A cause de ce qu'il appelait une « petite irrégularité technique » (mais comme il avait passé dix jours en mer sans se changer ni beaucoup dormir, son apparence dut aussi le desservir), les fonctionnaires de l'immigration le gardèrent vingt-quatre heures en détention sur Ellis Island. « Cette île dont le port devrait s'appeler l'île du Diable, écrivit-il seize jours plus tard à Ingeborg, encore bouillant de colère, c'est pire qu'une prison de troisième classe. Elle a été construite à l'intention des aventuriers de toute espèce et des crasseux immigrants européens d'autrefois, et le personnel a été spécialement formé pour traiter cette sorte de gens, mais maintenant ils utilisent les mêmes installations et le même personnel pour des gens de première classe. »

Nicos Konialidis, qu'il avait convoqué, était arrivé de Buenos Aires et l'attendait. Ari lui expliqua le plan mis au point avec Anders Jahre. En avril 1940, au moment de l'invasion de la Norvège, le gouvernement de ce pays, réfugié à Londres, avait réquisitionné l'*Aristophanes*, qui battait pavillon norvégien. Nicos devait prendre l'avion pour Rio de Janeiro et « saisir » le pétrolier. Si les Norvégiens n'acceptaient pas de lui payer un million de dollars, l'*Aristophanes*, l'un des plus vastes pétroliers du monde, élément important de l'effort de guerre allié, passerait la durée de la guerre au Brésil, immobilisé par un millier de procédures judiciaires. Manifestement, il n'était pas en forme pendant qu'il discutait avec son cousin des démarches à suivre. Il détestait la chaleur humide de New York, il se plaignait d'une grippe et de maux de gorge ; ses gencives saignaient tant qu'il devait boire sans arrêt de l'eau salée.

Konialidis protesta : le plan qu'Ari avait mis au point avec tant de soin et de ruse était tout simplement impraticable. La mission norvégienne avait saisi des centaines de navires et n'avait jamais déboursé un sou. « Ils vont crier qu'on les égorge mais ils paieront », assura Ari, persuadé que les alliés ne courraient pas le risque de perdre le pétrolier « dans une guerre judiciaire ». Comme il l'avait prédit, les Norvégiens crièrent qu'on les égorgeait, et comme il l'avait également prédit, ils payèrent. « Ils ont fait tout

80

ce qu'ils ont pu pour ne pas me payer, mais comme j'avais une hypothèque sur le bateau et que je l'avais saisi à Rio, ils ont fini par me payer... alors pendant que tous les autres propriétaires devaient se soumettre aux volontés de la mission, je me suis trouvé, grâce aux mesures que j'ai prises, dans une position très privilégiée, unique (avec une faute d'orthographe en anglais - NdT), qui m'a sauvé », écrivit-il à Mamita.

En 1939, Ari valait 8 millions de dollars (37,7 millions de dollars actuels). A présent, après la vente des bateaux aux Japonais et le million qu'il avait arraché à la mission norvégienne, il était redescendu à 2,5 millions de dollars (11,8 en devises actuelles). Il avait bu la tasse mais, disait-il à Mamita dans une lettre du 11 août 1940 : « Maintenant je me moque un peu de ce qui peut arriver. Tu admettras que quand Mamico pense et étudie jour et nuit comme j'ai fait à Sandefjord et à Götenborg (sic), à la fin le jour vient où ses efforts sont récompensés à l'étonnement de tous ! »

« Mon cher, mon très cher amour, comment dire avec des mots mon bonheur et mon soulagement de savoir que tu es *en sécurité* à New York », répondit Mamita au premier câble d'Ari qui l'atteignit à Bagnères-de-Bigorre, dans la France de Vichy. « J'espère avec tout mon amour que tu n'as pas trop souffert... » Cette lettre avait été difficile à écrire pour elle. Elle l'aimait encore beaucoup mais elle éprouvait une sorte de pitié pour lui. Il ne saurait jamais se détendre, il ne pourrait jamais goûter les joies d'une vie ordinaire. Elle s'attristait de son ambition, car elle y voyait une sorte d'avidité. Et la générosité de son amant la troublait autant que sa jalousie. Parfois l'envie de n'avoir plus jamais peur de lui devenait si forte qu'elle l'emportait sur tout le reste. De telles contradictions offraient une base peu sûre pour un avenir commun.

« Mais, mon chéri, écrivait-elle, je n'ai pas l'ombre du courage nécessaire pour recommencer à voyager, même si je le pouvais. Alors s'il te plaît, essaie de me comprendre, essaie de patienter encore un peu, peut-être seras-tu bientôt en mesure de me rejoindre en Europe... Je me sens trop fatiguée et abattue, et absolument effrayée par l'idée de traverser maintenant l'Atlantique... Alors pourquoi dans des moments pareils me faire venir près de toi ? La séparation est dure et triste, mais soyons reconnaissants de ce qui va bien. Ce que je désire à présent, c'est que cette lettre et les tiennes arrivent à destination rapidement. Je t'aime toujours de tout mon cœur et toutes mes pensées vont à toi, alors s'il te plaît essaie de tirer le meilleur de ta vie de chaque jour, c'est ce que tu peux faire de mieux pour moi. Avec mon amour pour toujours, Mamita. »

La guerre lui apparaissait presque comme un répit.

Les Alliés avaient besoin de navires marchands, et la quasi-totalité des navires étaient mobilisés pour le transport de matériel à travers l'Atlantique-Nord; les tarifs du fret dans les zones de combat étaient avantageux et les polices d'assurance permettaient souvent de s'offrir un vaisseau flambant neuf lorsqu'on avait perdu un rafiot rouillé. Dans une telle situation, les armateurs étaient à la fête et Manhattan menait le bal. Ari était bien décidé à prendre sa part du gâteau une fois qu'il serait remis des traumatismes de sa traversée de l'Atlantique. Il passa dix jours au lit, souffrant de constipation et ruminant l'idée que son excellente digestion n'était plus qu'un souvenir. Un dentiste lui arracha deux dents saines en lui assurant qu'elles empoisonnaient son organisme. Il loua une suite au trente-septième étage des Ritz Towers sur Park Avenue. Quoiqu'il ne pût s'introduire dans la commission des armateurs grecs de New York, discret groupe d'expatriés représentant les principales familles grecques du secteur maritime et dominé par le légendaire Stavros Livanos, Ari était lancé parmi les entrepreneurs de haut vol, milieu où figurait un bouillant jeune Grec : Stavros Niarchos.

Ses pétroliers lui avaient été retirés, ses autres navires se trouvaient affrétés par les Alliés ou transportaient des cargaisons en Amérique latine sous le pavillon de Panama. Mamita lui manquait terriblement. Il se mit à la bombarder de câbles et de lettres, à élaborer des plans pour la sortir de France. Il lui fit entre autres l'inquiétante suggestion de gagner le Mexique à bord d'un pétrolier. Mais maintenant que le destin avait mis tant de distance entre eux, elle s'était mis en tête de rendre son répit définitif. Durant l'été 1940, dans un discours fleuve, parlant un langage qui leur était étranger à tous deux, elle essaya de lui expliquer ce qu'elle ressentait et dans un déluge de lettres et de câbles, Ari exprima son désarroi, sa souffrance. Il attribuait son comportement aux « complexes » qu'elle nourrissait au sujet de son âge (dans une lettre récente, elle assurait que ses cheveux grisonnaient) et se demandait ce qu'il avait pu faire pour mériter « la situation si terrible » qu'elle lui avait « créée ». « Je suis toujours à toi, tu as gagné le droit de me posséder tout entier... maintenant que je me suis tiré de mes plus graves difficultés, maintenant que l'espoir raisonnable de jours meilleurs est devant moi, maintenant que je vois tout le mal que je t'ai fait, je suis sur le point de te perdre ou de n'avoir plus que l'affection d'une sœur en guise d'amour. *Quelle ironie**! »

Elle lisait ses lettres en pleurant. « S'il te plaît, essaie *par ami-*

---

* En français dans le texte (*NdT*).

tié de me comprendre, s'il te plaît donne-moi vraiment ton amitié, s'il te plaît essaie de ne pas me faire souffrir, même si par vengeance tu voudrais le faire. Si tu m'écrivais gentiment, cela m'aiderait plus que tout, mais s'il te plaît, accepte la situation... *Je t'embrasse avec tendresse**, Mamita. »

Il ne la comprenait pas du tout. Il ne savait pas pourquoi elle riait ou elle pleurait. Il faisait son examen de conscience, exposait sa culpabilité, confessait ses fautes avec une candeur presque puérile, mais le besoin qu'elle avait d'affirmer sa propre existence lui échappait complètement. Aussi persistait-il à battre sa coulpe, tout en étant la principale source de sa tristesse à elle. « Je ne peux pas continuer à t'écrire de cette façon, lui disait-elle, c'est trop difficile et trop douloureux pour nous deux. Tout ce que j'aimerais te dire paraît sans espoir, de toute façon. Si tu étais là, tu réussirais peut-être, toi qui sais si bien parler, à me faire changer d'idée. Tout est si compliqué et je ne m'infligerai pas la souffrance d'écrire encore. » Elle le comprenait comme aucun Grec ne le comprenait, et comme aucune autre femme n'en serait jamais capable, et les lettres qu'elle lui envoyait étaient des lettres d'amour, même si c'était aussi des mots d'adieu. Il déploya alors toute sa force de conviction et toute la puissance des rêves magnifiques qui l'avaient poussé en avant des cendres de Smyrne à une suite du trente-septième étage des Ritz Towers à Manhattan. Ingeborg s'était attendue à ce qu'Ari proteste, car elle lui refusait quelque chose, et il n'était pas dans sa nature de perdre, d'être privé de quelque chose qu'il voulait vraiment. Et de fait, il se battit.

Le 1er septembre 1940, jour de son anniversaire, des amis offrirent à Ingeborg des fleurs et du chocolat et une famille juive logeant au Tivoli lui donna un kilo de sucre (« cadeau inestimable à l'heure actuelle ») mais il n'y eut pas un mot d'Ari. Elle exécuta ses exercices de piano et le soir son professeur de chant la félicita de ses progrès. En dépit de son âge (« J'ai l'âge du siècle », aimait-elle dire), et de ses douleurs dorsales, elle croyait qu'un jour elle pourrait devenir professionnelle et gagner sa vie grâce au chant.

Le lendemain matin, elle reçut avec vingt-quatre heures de retard un câble de New York. Ari lui souhaitait un joyeux anniversaire, du bonheur pour l'année à venir, et s'excusait pour la dispute de l'anniversaire précédent. Le message était signé *Amour tendresses Onassis**. C'était la première fois qu'il se souvenait de son anniversaire. « Ah, *mon dieu**, comme les choses sont compliquées, et tristes... Hier j'ai tant pleuré qu'en dépit d'un temps superbe je suis restée au lit jusqu'à cinq heures de l'après-midi, lui écrivit-elle le 3 septembre. Et ce matin, profondément

---

* En français dans le texte (*NdT*).

83

émue par ta lettre, j'ai encore pleuré... mes yeux me brûlent, j'ai mal à la tête, le dos courbatu... Mais malgré tout, je me sens mieux... ce qui est vraiment l'essentiel pour moi, c'est que maintenant je peux de nouveau recommencer à croire que tu as besoin de moi non par habitude mais parce que tu m'aimes réellement et que tu en es conscient. »

Le consul américain de Marseille ne fut pas impressionné par le nom de l'Argentin qui se portait garant d'Ingeborg, un certain Onassis. Pendant qu'elle attendait dans la cité méditerranéenne, à l'hôtel Splendid, Ari tempêtait à New York, et mettait en branle toutes les relations dont il disposait : il persuada un de ses contacts au Département d'État de câbler au consul réticent qu'il répondait de « l'aisance et de l'honorabilité de M. Onassis ». Il dit à Ingeborg d'affirmer au consul, pour l'impressionner, qu'ils se marieraient dès son arrivée à New York et qu'ils partiraient aussitôt chez eux à Buenos Aires ; il fit appel à Hugh Reid, principal associé de ses agents aux États-Unis et à Gregory Taylor, propriétaire du Saint-Moritz Hotel à New York, qui câblèrent pour donner leur garantie personnelle ; il envoya un câble au consul pour offrir de déposer immédiatement «quelque somme qu'il considérerait comme appropriée » dans une banque américaine au nom d'Ingeborg. Mais les difficultés inattendues que présentait la venue en Amérique de sa maîtresse le plongèrent dans une colère irrationnelle contre elle. «Pourquoi est-ce que je me tracasse ? disait-il à Costa Gratsos. Elle n'est bonne qu'à se plaindre parce que j'ai oublié de l'aider à sortir d'un taxi, et je n'aurai même pas un merci pour m'être donné tout ce mal pour lui sauver la vie ! Elle préférerait un homme qui n'oublie jamais de lui envoyer des fleurs ou d'idiotes petites félicitations pour son anniversaire ! » Alors pourquoi se tracassait-il ? demanda Gratsos. « Je crois que j'ai besoin d'elle », répondit-il.

Le consul des États-Unis à Marseille se laissa enfin persuader et Ingeborg arriva à New York à la fin d'une superbe matinée de novembre vibrante de promesses.

Leur liaison se poursuivit suivant le modèle de toute relation fondée sur l'obsession d'un côté et la capitulation de l'autre. Les premiers jours à New York furent parfaits. Tous deux, soucieux de prouver qu'ils n'avaient pas fait une erreur, se montraient sous leur meilleur jour. Mais leurs rires auraient dû les alerter ; au début, ils ne cessaient de rire. Ils ne mangeaient jamais chez eux hormis le petit déjeuner. Et dans les restaurants huppés comme le Pavillon, au milieu des diplomates et de l'intelligentsia, la crème du Dun et de Bradstreet, au Colony, où la richesse des clients va de soi, dans la pénombre luxueuse d'El Morocco, qui était déjà le night-club favori d'Ari, les regards convergeaient vers eux quand ils riaient. Certains soirs, il l'emmenait dans des petits restaurants, des gargotes grecques ou italiennes où le menu est écrit à la craie sur une ardoise, et dans ces établissements où les murs sont couverts de photographies de vedettes du cinéma et où les serveurs ressemblent à des pugilistes. Ils formaient un couple remarquable : Ari petit et brun, avec son allure de dur du bord de mer, et Ingeborg (Ingse, comme on l'appelait souvent désormais), plus grande que lui, sa chevelure blonde (nulle trace de gris à présent) ondulée à la Carole Lombard ; on la comparait souvent à cette vedette. Ari lui offrit des robes de chez Bergdorf, des fourrures de chez Maximilian, des traitements de beauté de chez Helena Rubinstein. A quarante ans, sa beauté avait encore quelque chose de candide.

Durant l'absence d'Ingse, Ari avait rencontré une bande de playboys et il commençait à boire beaucoup plus qu'en Europe. Elle ne l'avait jamais vu soûl, il ne perdit jamais le contrôle de lui-même, mais parfois ses yeux brillaient. Et sa jalousie irraisonnée apparaissait à la surface quand il avait absorbé trop d'alcool ; après quelques verres, il devenait agressif et querelleur, mais il cachait sa mauvaise humeur en attendant le moment où ils se retrouveraient seuls.

Il n'avait jamais réduit ses activités au niveau qu'il avait prétendu dans les lettres qu'il lui envoyait en France. Les bateaux qu'il avait vendus au Japon avaient été remplacés par ceux qu'il avait acquis en Amérique du Sud. Son besoin de gagner de l'argent était toujours aussi impérieux. Il ne songeait pas un instant à s'arrêter. Le prix des navires et les tarifs du fret grimpaient au fur et à mesure que la guerre se déchaînait en Europe ; un cargo sur lequel il avait mis la main à Buenos Aires pour 350 000 dollars et qu'il faisait rallier New York pour le réparer avait triplé de valeur avant d'avoir atteint les Caraïbes. Ari le revendit en Floride avec un joli bénéfice de 700 000 dollars. Il aimait l'excitation des transactions — il pouvait presque sentir le flot d'adrénaline se répandant dans son sang au début d'une négociation. Quand il travaillait sur un marché, le temps n'avait pas de sens, et quelquefois, il tenait quarante-huit heures avec seulement quelques siestes et du café ; il pouvait s'étendre tout habillé, s'endormir instantanément et se réveiller à l'instant qui lui convenait. C'était un de ses trucs, expliqua-t-il à Ingeborg ; de toute sa vie il n'utilisa jamais de réveille-matin.

Si elle se sentait trahie en se retrouvant de nouveau prise dans l'engrenage des ambitions d'Ari, leur vie sociale était suffisamment remplie pour l'occuper. Quoiqu'il n'eût aucun goût, ni pour l'art, ni pour la musique, ni pour les occupations sociales de la campagne, Ari s'était constitué un intéressant cercle de relations

— pour une bonne part grâce à la soudaine apparition sur la scène de New York de son modèle, Alberto Dodero. Ce dernier avait acquis un domaine sur la côte nord de Long Island, à Center Island, à une heure de voiture du centre de New York. Ari redevint un convive assidu des soirées de Don Dodero et de sa seconde épouse, une ancienne starlette de Hollywood nommée Betty Sunmark. Par le truchement des Dodero, il rencontra un grand nombre de gens du spectacle, à côté d'autres simplement riches et influents, comme Otto Preminger, Ludwig Bemelmans, Spyros Kouras et une très jolie actrice aux longs cheveux du nom de Constance Keane, avec laquelle il trompa quelquefois Ingse. « Ce n'était pas une liaison, et ce n'était pas innocent », dira-t-il plus tard. Ils sortaient ensemble, au Copacabana, au Stork Club, au Monte Carlo, au 21, au Versailles sur la Cinquantième Rue, à l'inévitable El Morocco, et chez Elmo. Elle avait une vingtaine d'années, et après Ingeborg, elle lui parut une enfant, ne lui laissant pas d'impression profonde, hormis la satisfaction d'une nouvelle conquête. Quand elle partit pour Hollywood, il ne s'en émut pas.

Ari appréciait beaucoup ses week-ends à Center Island et quand, au printemps 1941, son courtier en assurances, Cecil Stewart mit à sa disposition un cottage sur son domaine de l'île, il accepta avec enthousiasme. Ingse vit dans le cottage, appelé Foster House par ses anciens propriétaires, l'occasion de donner un but à sa vie. En un mois, elle avait redécoré les lieux. Elle courut les brocanteurs, assista aux ventes ; à l'Armée du Salut elle acheta un sofa pour leur salon et le recouvrit de coton vert tilleul. Touché par son activité industrieuse, son sens de l'économie et du style (il croyait encore que la classe était quelque chose qu'on achetait chez Tiffany, remarqua un jour un de ses amis), Ari rebaptisa la maison Mamita Cottage. Ils embauchèrent un couple de Français, Antoine et Louise, pour en prendre soin ; ils avaient aussi un chauffeur pour conduire la Cadillac, un Italien nommé Carmine.

Ingse était une hôtesse remarquable, et très vite Mamita Cottage devint un lieu de rendez-vous de week-ends très couru. Ari adorait donner des « barbecue-parties » et inviter ses amis de café à des séances de poker qui duraient toute la nuit, même s'il préférait regarder jouer les autres. Sur des skis nautiques, sport qu'il avait ignoré en Europe, il se débrouillait très bien. Ce premier été aux États-Unis, l'été 1941, fut sans doute pour Mamita l'époque la plus heureuse de sa vie. Ari poursuivait sa course en avant mais il n'était plus un nomade sans racines. Il commençait à jouir de sa richesse, même s'il ne paraissait pas opulent : « Je ne me doutais pas que ce type était aussi riche, se souvient Otto Preminger. Il avait l'air de dormir tout habillé. » Peut-être en raison de la classe d'Ingse, même les Grecs bien établis, les familles Embiricos et Livanos qui s'étaient si longtemps employées à le tenir à distance, passaient à présent de temps en temps boire un verre chez lui. Parmi ses autres visiteurs, Stavros Niarchos. Avec sa seconde épouse, Melpomène, il avait acheté une maison non loin de Lloyd Neck. De même qu'Ari, Niarchos était considéré comme une espèce de parvenu par les armateurs grecs de vieille souche. A l'origine, leur exclusion commune rapprocha les deux hommes. Mais leur besoin de se faire accepter, d'étaler leurs succès prit l'allure d'une compétition fatale.

Quand un Grec rencontre un autre Grec, disait une vieille blague new-yorkaise, ils ouvrent un restaurant. Mais à présent, quand des Grecs se rencontraient, ils parlaient généralement de la guerre : combien de temps durerait-elle ? Ils en tiraient tous beaucoup d'argent, ce qui ne les dérangeait pas. La guerre est une histoire et l'histoire est simplement l'expression de la divine Providence, disaient-ils, alors pourquoi serait-il mal de s'en servir ? Mais pour Ari, la guerre était bien un sujet d'inquiétude. Quand les Allemands avaient envahi la Grèce, sa famille avait décidé de rester à Athènes et maintenant les journaux racontaient des histoires de gens qui s'évanouissaient de faim dans les rues. Il avait entendu dire que les provisions de raisins et de figues sèches qui étaient désormais la base de la nourriture grecque avaient été confisquées et expédiées en Allemagne. Le jour de Thanksgiving — ils avaient invité une vingtaine d'amis américains à dîner —, il quitta brusquement la table sans un mot.

Ingse le retrouva sur la plage. « Ma grand-mère aurait dit une prière maintenant », lui affirma-t-il. Elle lui demanda s'il voulait prier. « Les prières ne changent rien, rétorqua-t-il. Arrive ce qui doit arriver. »

« Ce n'est pas la liberté que tu veux, Ari, parce que tu l'as déjà ; ce que tu veux, c'est la licence », lui lança Ingeborg quand il revint au Mamita Cottage et qu'il fut contraint de passer aux aveux après un week-end à New York. C'était quelques jours après Pearl Harbor. Il avait presque quarante-deux ans. Il sentait que le temps lui échappait, il avait travaillé dur sa vie durant et maintenant il voulait un peu s'amuser avant qu'il soit trop tard. Il ne demandait que la permission de prendre du bon temps. C'était une notion qu'elle avait du mal à accepter. Pour dissimuler le mauvais côté de lui-même, dit-elle, il s'y entendait ! Il insista sur l'idée que rien n'avait changé ; il l'aimait toujours. Mais ce que tu veux, c'est coucher avec d'autres femmes ? « Je veux voir d'autres gens », répondit-il avec cette façon qu'il avait de tout dire en continuant de cacher quelque chose. Et tu veux que nous continuions exactement comme avant ? lui demanda-t-elle avec une appréhension peut-être plus forte encore que la crainte. Avait-il changé d'avis au sujet de leur mariage ? Il répondit qu'il ne cessait de penser à ces grenouilles de la fable d'Esope qui mouraient de soif mais ne voulaient pas sauter dans le puits de peur de ne pouvoir en sortir. Elle lui assura qu'elle ne voulait pas qu'il saute dans un puits pour elle.

Ce fut vers cette époque qu'il rencontra Géraldine Spreckles. Trente ans plus tard, il le lui rappellerait : « Tu fumais une cigarette et tu portais le plus gros diamant que j'aie vu en dehors d'un musée. J'ai pensé que tu étais sans doute la plus belle femme du monde. » Elle dit que le diamant y était sans doute pour quelque chose, avec ce sourire qui avait bouleversé la vie d'Ari. Quand elle descendait un escalier, c'était déjà sensationnel à voir, se souvient Gratsos, qui les avait présentés l'un à l'autre. Héritière d'une fortune sucrière, elle voulait devenir actrice (et se trouvait déjà sous contrat avec la Warner Brothers), conduisait des motos très vite, adorait les boîtes et tournait la tête aux hommes. Mais Gratsos pensait qu'elle n'était pas pour Ari. « Nous sommes dans un pays libre, je peux avoir ce que je veux. » C'était le refrain favori d'Ari et sa main avait un geste caractéristique de commerçant levantin, le pouce caressant le bout des autres doigts, geste qu'il ne se permettait qu'en présence de Gratsos qui le connaissait bien et comprenait l'humour, la connaissance de soi qu'il exprimait dans cette mimique familière.

Géraldine n'était pas une simple héritière WASP* parmi d'autres. Son père avait été tué dans un accident d'automobile quand elle était encore bébé et sa mère s'était remariée avec un Turc. Géraldine avait passé la plus grande partie de son enfance à Constantinople et parlait parfaitement le turc, langue qu'elle avait apprise avant l'anglais. Sa mère n'avait pas touché un sou du patrimoine de son époux, et Géraldine avait connu la pauvreté avant de recevoir son héritage à vingt ans. Gratsos devait se souvenir de l'expression de triomphe qui se peignit sur les traits d'Ari lorsqu'il découvrit le passé de Géraldine. De telles affinités triomphaient de tous les obstacles : c'était leur destin, insista-t-il et il se fit plus pressant.

Ari fascinait Géraldine. Son intelligence aiguë, la complexité de son caractère, sa *joie de vivre* (en français dans le texte - NdT), son ego, les histoires qu'il racontait, l'énergie pure qu'on sentait chez lui, l'impressionnaient terriblement. Il la faisait rire. Il était choquant (« ne pas être découvert était pour lui la même chose que dire la vérité »), c'était un joueur, un provocateur ; il pouvait se montrer vraiment méchant : « La peine qu'il faisait — et il effaçait tout avec un grand rire », raconte-t-elle. Elle n'avait jamais

---

* White Anglo Saxon Protestant : Protestant anglo-saxon blanc, la quintessence d'une certaine Amérique (*NdT*).

rencontré personne comme lui. « Il semblait si ouvert, si facile à deviner, et en fait plus on le connaissait plus on se rendait compte de la difficulté de le connaître en profondeur ; essayer de suivre les tours et les détours des pensées, ce qui permettait de comprendre une personne, c'était avec lui un travail impossible à faire. » Elle était intriguée par les différentes versions de sa vie, les petits mensonges (« Il n'a jamais paru très fier de son passé à Smyrne ») mais le défendait toujours quand des amis le dénigraient. Il l'appelait Mamasita. Quand il découvrit qu'elle adorait la musique russe, il demanda à leur ami commun Sasha de Seversky de lui dresser une liste des meilleurs restaurants russes de New York et il y emmena la jeune femme. Ils burent champagne et vodka, dînèrent de caviar Beluga et de blinis. « Nous discutions et nous nous disputions tout le temps. J'adorais discuter, j'étais très forte pour ça », dit-elle plus tard.

Mais Géraldine avait vingt-deux ans, et un beau matin, elle partit pour la Californie.

Ari décida que la Californie méritait un séjour. Mais d'abord il retourna à Buenos Aires pour régler quelques affaires. Au moment de demander un visa de retour aux États-Unis, il prétendit être né à Salonique en Grèce, le 21 septembre 1900. Il revendiquait la nationalité argentine et possédait un passeport argentin valide, numéro 701014, délivré par la police de Buenos Aires et valable deux ans. L'adresse officielle qu'il donnait était Reconquiesta 336, Buenos Aires, et l'adresse aux États-Unis Ritz Towers, 57 Park Avenue, New York City. Le 8 mai 1942, le Département d'État accorda le visa.

Début juin, ayant liquidé ses activités dans le secteur du tabac, il s'envola pour Los Angeles afin, affirma-t-il, « de se concentrer sur (ses) intérêts maritimes et d'être plus près de (ses) amis ». Deux de ses nouveaux pétroliers, le *Calirrhoë* et le *Gulf Queen*, achetés à la Gulf Oil, travaillaient pour le gouvernement des États-Unis, avec San Pedro pour port d'attache. Costa Gratsos avait été nommé consul maritime à San Francisco par le gouvernement grec ; et Spyros Skouras avait accédé à Hollywood à la présidence de la XXth Century Fox (et à celle du Fonds de secours de guerre grec) ; Otto Preminger, Gloria Swanson, Ludwig Bemelmans, Alberto Dodero, et l'ancien diplomate britannique Sir Charles Mendl et son épouse l'ex-actrice américaine Elsie de Wolfe, ainsi que bon nombre d'autres relations mondaines new-yorkaises se trouvaient à présent sur la côte Ouest. Il prit une suite au Beverly Hills Hotel et il était déjà suffisamment reconnu pour avoir droit à la carte de réservation rose, délivrée aux clients les plus importants.

Devenue aide-infirmière, Géraldine Spreckles partageait une maison sur la plage de Malibu avec un groupe d'amies (elles avaient des chevaux à l'écurie au Riviera Country Club tout proche). La jeune femme ne fut guère ravie de l'arrivée d'Ari en Californie. Elle le pria de la laisser tranquille mais il s'obstina à débarquer, les bras chargés de steaks et de caviar, s'invitant aux réunions amicales qui avaient lieu chaque week-end chez les jeunes femmes. Géraldine raconte : « Je lui ai dit qu'il n'était pas mon type, et il m'a demandé quel était mon type. Je lui ai dit que je voulais un gentil Américain bien correct. » Ari mentionna le nom du chevalier servant de l'époque, un jeune pilote de la United State Air Force : « Lui, c'est ton type ? » Elle admit qu'il correspondait à la norme requise. Une semaine plus tard, Ari se présenta à sa porte en traînant avec lui l'aviateur ivre mort. Le laissant tomber aux pieds de Géraldine, il lui dit : « Voilà ton jeune Américain bien correct ! »

Gratsos fut consterné en apprenant ce qu'Ari avait fait. « Il croyait qu'en répondant par l'humiliation à l'opposition, il pourrait impressionner une fille comme Géraldine. "Tu ne connais rien de rien aux femmes, Ari, je lui ai dit." Il lui conseilla d'oublier Géraldine Spreckles. Il s'amusait beaucoup à baiser tout un tas de petites starlettes, il perdait complètement son temps avec une fille qui le considérait probablement comme le pire des salopards après ce qu'il avait fait à son petit ami. »

Ari devint le playboy hollywoodien type, et il travailla assidûment à se faire une réputation de don juan. Il connut Paulette Goddard et la vedette française et symbole sexuel Simone Simon. Il eut une aventure discrète avec Gloria Swanson. Lorsque Constance Keane l'appela au Beverly Hills Hotel, il se rappelait à peine son visage. Mais la voix qu'il entendit au téléphone lui remémora des moments agréables passés à New York, et il lui proposa de dîner avec lui. Quand ils se revirent, il découvrit qu'elle ne s'appelait plus Constance Keane. Elle était devenue Veronica Lake.

Ils dînèrent chez Romanoff, dansèrent au Mocambo. Miss Lake s'enivra énormément. Ari la ramena chez elle — c'est-à-dire chez Géraldine Spreckles dans la maison de la plage. Il mit la reine de la mèche dans l'œil dans le lit de Miss Spreckles et attendit que cette dernière rentre chez elle. Miss Spreckles n'apprécia pas du tout la plaisanterie. « Je lui ai dit que je considérais qu'il avait les plus détestables manières que j'avais vues de ma vie, raconta-t-elle bien des années plus tard. Il trouvait ça amusant mais c'était aussi une façon de me montrer qu'il pouvait avoir une autre jolie fille quand il voulait. Mince alors, qu'est-ce qu'il me mettait en rogne ! »

Elle ne tient pas l'alcool, expliqua-t-il, tandis qu'ils veillaient sur le sommeil de la célèbre vedette, qui avait commencé à ronfler doucement. « Ce n'est pas comme toi, Mamasita. Tu tiens tête à n'importe qui », ajouta-t-il. Ses efforts pour attirer l'attention de Géraldine finissaient toujours par la faire rire. « Nous avons recommencé à sortir ensemble. C'était une idylle très correcte, en dehors de la fréquentation des boîtes. Pour être franche, chaque fois que je sortais avec lui, c'était une nuit blanche, et si je ne tenais pas le coup, il me ramenait chez moi, sans plus. » Ils n'avaient jamais couché ensemble. Géraldine comprenait la mentalité levantine : « Ari voulait que je sois sa femme, non sa maîtresse. Il me traitait avec un immense respect. » La plupart du temps, ils étaient accompagnés (chaperonnés serait exagéré, même si cela revenait au même) par Ludwig Bemelmans.

Sasha de Seversky désapprouvait vivement les intentions d'Ari. « Tu ne veux pas épouser Géraldine, l'accusa-t-il un soir au Polo Lounge. Tu veux épouser l'élite des Quatre Cents Familles ! » Ari répliqua que « les nombres, c'était sécurisant ! ». Seversky aimait bien Ari mais désapprouvait ses intentions. Quand Ari revint une fois de plus à la charge en demandant sa main à Géraldine (« c'était une demande fréquente, il ne me laissait pas en paix »), elle la lui accorda.

Le 16 juillet Ari prit l'avion pour New York. Il allait annoncer la nouvelle à Mamita. Le même jour, à Washington, J. Edgar Hoover écrivait une lettre personnelle et confidentielle à l'amiral Emory S. Land, chef de l'administration de la Marine de guerre qui contrôlait les mouvements de navires civils en période de conflit. La missive ne comportait qu'une dizaine de lignes. Délivrée par porteur spécial, elle disait :

« Mon cher amiral.

« D'après une information fournie par une source confidentielle, M. Aristote Onassis qui serait propriétaire des pétroliers *Calliroy* et *Antiope* devait appareiller de Buenos Aires, en Argentine, le jeudi 18 juin 1942 à bord d'un clipper de la Pan American à destination des États-Unis. Selon l'informateur, le but de la visite d'Onassis est de poursuivre les négociations pour la vente de ces deux pétroliers à l'administration de la Marine de guerre.

« Selon notre informateur, rien n'indique que M. Onassis ait d'autres motifs pour effectuer un voyage aux États-Unis. Mais il aurait exprimé des sentiments inamicaux à l'égard de l'effort de guerre des États-Unis, et ses activités et mouvements aux États-Unis devraient être attentivement surveillés.

« Bien à vous,

« John Edgar Hoover. »

Tôt ou tard, Ari devait attirer l'attention du FBI. Ses relations étroites avec Fritz Mandl (les Alliés s'interrogeaient toujours sur la facilité remarquable avec laquelle ce dernier avait réussi à expatrier sa fortune d'Autriche) et avec beaucoup d'autres Argentins pro-allemands ne passaient pas inaperçues. En Californie, il s'était lié avec des gens de droite qui gravitaient autour de Lady Mandl — parmi eux, selon Otto Preminger, il y avait des « sympathisants » et même des « agents » nazis. Et Ari n'avait rien fait qui donnât à penser que sa loyauté allait du bon côté ; Spyros Skouras avait failli rompre avec lui quand il avait refusé de verser une contribution au Fonds de secours de guerre grec. « J'ai vu ce qui arrivait aux gens qui se mêlaient de causes politiques. — Tu n'es qu'une merde de Smyrne montée en graine », lui lança Skouras, retombant dans la vieille insulte raciste. « J'ai toujours résisté à la tentation d'être un type bien », répondit Ari ; il ne voulut pas même soutenir la collecte de Mamita pour l'aide alimentaire aux marins norvégiens.

Ce mercredi après-midi, quand il franchit les portes de l'aéroport de La Guardia, elle était là pour l'accueillir, petit civil en complet froissé, dont la silhouette se détachait sur la masse des hommes en uniforme. Ils gagnèrent directement Center Island. Ingeborg bavardait, heureuse. Elle raconta que Stavros et Melpomène Niarchos avaient eu une terrible dispute et que cette dernière, déprimée par les infidélités de son mari, avait apparemment pris une massive surdose de médicaments ; mais quand l'ambulance était arrivée, elle avait fait un clin d'œil à Ingeborg. Elle voulait seulement flanquer la frousse à son mari. Ingeborg n'aimait pas Niarchos, peut-être parce qu'elle avait beaucoup d'affection pour Melpo, et qu'elle trouvait qu'il traitait mal son amie, peut-être parce qu'elle pressentait la rivalité et les querelles à venir entre les deux hommes, le moment où ils se disputeraient chaque pouce de terrain, où ils s'affronteraient pour savoir celui qui posséderait les plus gros yachts et les femmes les plus désirables du monde. Bien qu'il fût issu d'une grande famille nettement plus élevée dans la hiérarchie sociale que le clan Onassis, elle était hérissée par la vanité de Niarchos et sa façon affectée de parler (probablement destinée à passer pour un pur accent anglais, elle paraissait si snob que certaines personnes préféraient parfois croire qu'il avait un défaut de prononciation.) Ingse mettait sans cesse Ari en garde : « Regarde ses yeux, regarde ses yeux. » Ses craintes étaient compréhensibles. Elle avait lu assez de tragédies grecques pour savoir que les jalousies profondes entre Hellènes ne pouvaient se terminer que dans le sang. Et quoique leurs vies fussent nettement séparées, qu'ils fussent issus de milieux très distincts, Ari et Niarchos avaient beaucoup en commun. Leurs forces et leurs faiblesses, leurs buts et leurs ambitions se ressemblaient tant qu'ils auraient pu être frères.

Ingeborg savait qu'Ari était revenu à New York avec une idée en tête, mais elle n'aurait su dire laquelle. Il s'était installé dans la chambre voisine, celle qui n'était là que pour sauvegarder les apparences dans les débuts de leurs retrouvailles. Presque tout au long de ce long week-end à Mamita Cottage, il s'enferma dans un silence morose. Au moment de repartir pour la Californie, il lui fit part de ses décisions. Quelques jours plus tard, elle se remettait à peine du choc quand elle reçut un chèque de deux cent mille dollars. Le mot qui l'accompagnait, affectueux et bref, était signé Mamico.

Le 13 novembre 1942, dans une dépêche spéciale, l'ambassade des États-Unis à Buenos Aires assurait disposer d'« informations selon lesquelles Onassis professait des opinions fascistes et était considéré comme un homme malin et sans scrupules ». La Field Division du FBI à Los Angeles entama aussitôt une enquête de contre-espionnage.

Peu de temps après, Sasha de Seversky passa un coup de fil à Ari et demanda à le voir pour une affaire d'importance. Comme il s'apprêtait à assister à une projection au studio Warner à Burbank, Ari lui proposa de prendre un verre au Sportsmen's Lodge, sur Ventura Boulevard, à Coldwater Canyon, à mi-chemin du Beverly Hills Hotel et du studio. Il supposa que Seversky voulait parler de Géraldine, qu'il aimait comme un père. Ari avait beaucoup de respect pour lui et lui accordait une confiance pleine et entière*. Lorsqu'ils eurent passé commande au serveur, Seversky dit qu'il « était entré en possession » de rapports qui l'inquiétaient. « Je crois, raconte Ari, qu'ils devaient émaner du FBI mais je n'ai jamais pu les voir, alors je ne sais pas. Mais on prétendait que j'étais un homme d'affaires véreux et un fasciste. Les conneries à propos de mon fascisme étaient surtout des allusions, on s'étendait beaucoup sur mes amitiés avec Mandl et certaines personnes à Buenos Aires. Ils avaient beaucoup fouiné. Ils étaient consciencieux, c'est sûr. Il y avait même des trucs sur des affaires d'assurances qui remontaient à des années et qu'ils disaient n'être pas très claires. »

Seversky était également inquiet pour Géraldine, car il avait aussi appris qu'Ari essayait de la faire investir dans un pétrolier qu'il devait armer. « Elle va probablement doubler sa mise à la

---

* Ancien élève de l'Académie navale impériale et de l'École militaire d'aviation russes, le major Alexandre P. de Seversky perdit la jambe droite après avoir été abattu dans un combat aérien au-dessus du golfe de Riga durant la première guerre mondiale. Envoyé à Washington comme attaché naval, il décida de rester aux États-Unis après la révolution. En 1935, il dessina le chasseur P 35, prototype du P 47 Thunderbolt, et par la suite travailla sur le premier viseur automatique de bombardement.

seconde où elle aura signé le premier contrat », lui assura Ari, comme il l'avait déjà assuré à Géraldine. Ce fut un soulagement pour Seversky lorsqu'elle finit par renoncer. « Par la suite, j'ai entendu raconter qu'il faisait ce genre de marché sur beaucoup de bateaux, il obtenait que des gens mettent de l'argent dans des bateaux qu'il gérait, mais je n'avais pas confiance en lui, c'est tout », avoue Géraldine.

Quelques jours après l'entrevue au Lodge, Gratsos confirma à Ari que le FBI le surveillait. A présent responsable de quinze cargos du gouvernement grec fabriqués par l'Amérique pour renforcer les convois de l'Atlantique-Nord, Gratsos représentait un lien fiable avec Washington. Quiconque se déplaçait régulièrement entre l'Argentine et les États-Unis était sûr d'attirer l'attention, lui dit Gratsos : Buenos Aires « grouillait d'agents de l'Abwehr », et le Rio de la Plata offrait un havre sûr aux navires de guerre nazis ; Ari se sentit « pourchassé... persécuté ». Il finit par contacter Johnny Meyer, qui travaillait pour Howard Hughes et avait d'exceptionnelles relations à Washington. Si ce qu'on disait de lui corrrespondait ne fût-ce qu'en partie à la vérité, Meyer était un homme qui gardait de dangereux secrets par-devers lui. Considéré parfois à tort comme un élégant gangster, un de ces voyous new-yorkais qui firent des affaires pendant la guerre, il aimait se voir comme un médiateur de haut vol, un roi de la combine. Ceux qui l'ont rencontré se souviennent d'un homme toujours en veine d'histoires amusantes et scandaleuses sur les célébrités pour lesquelles il travaillait ou qu'il connaissait. Ari l'avait rencontré par l'intermédiaire de Seversky qui disait : « Meyer connaît tout le monde, et il a les reçus (de ses notes de frais) pour le prouver ! » La principale activité de Meyer était de s'assurer que le gouvernement n'oubliait pas les entreprises de Hughes quand il passait des contrats pour la Défense. « Je ne suis pas dans le secret des dieux, aimait-il à dire pour résumer son *modus operandi*, mais je suis dans le secret des alcôves, ce qui est encore mieux. »

Ari expliqua à Meyer ce qui le tracassait. « Il me dit que quelqu'un essayait de le détruire et qu'il voulait que je découvre qui. » Une semaine plus tard, Meyer lui signalait deux pistes. Spyros Skouras s'était récemment rendu à Washington pour s'entretenir au Département d'État du Fonds de secours de guerre grec. On croyait savoir qu'il avait fait quelques remarques acerbes sur Ari. Meyer avait aussi entendu dire que quelqu'un de l'ambassade grecque avait envoyé au FBI un rapport hostile sur Ari. Dans l'esprit de l'intéressé, il n'y avait pas de place pour le doute sur l'identité du dénonciateur : Stavros Niarchos, qui, engagé dans la marine grecque, était assistant de l'attaché naval de l'ambassade.

Tous ces soucis passèrent brusquement au second plan quand, peu de temps avant la date prévue pour leur mariage, Géraldine Spreckles changea d'avis. Avec ce langage étonnamment direct qui est fréquemment l'apanage des jeunes filles riches, elle lui fit remarquer qu'elle ne lui avait jamais dit qu'elle l'aimait. « Tu m'as tellement harcelé. Je me suis sentie acculée dans les cordes. On ne peut pas commencer un mariage dans les cordes, Ari, nous ne sommes pas des boxeurs, nous sommes des gens corrects. » Peu de temps après, elle épousait son cousin. Ce fut une union de courte durée et bientôt elle se remariait avec Andrew Fuller. Ari rentra à New York, auprès de Mamita.

Humilié d'avoir été rejeté par Géraldine, honteux de la manière dont il avait traité Ingeborg, et reconnaissant de ce qu'elle n'avait pas encaissé son chèque d'adieu, il multiplia les attentions. Il lui acheta un Steinway à queue pour l'appartement du trente-cinquième étage des Ritz Towers dans lequel elle avait emménagé, à deux niveaux en dessous du sien. Elle était plus que jamais amoureuse de lui ; les quelques mois qui suivirent furent remplis de moments auxquels elle s'accrocherait pour le reste de sa vie. Ils écoutèrent Ezio Pinza au Metropolitan Opera ; Lena Horne au Café Lounge du Savoy-Plaza. Il aimait entendre Ingeborg jouer du piano ; elle lui apprit un morceau des *Inventions* de Bach ; un jour, à une réception donnée par Katina Paxinou en l'honneur d'Arthur Rubinstein, il se laissa persuader, avec force protestations de modestie, de montrer ses propres talents au clavier. Il joua le seul morceau de musique qu'il ait jamais appris de sa vie. Impressionnée par la façon dont il joua (il s'était entraîné en secret pendant des mois) et par l'habileté avec laquelle il avait mené sa barque, Ingeborg le taquina : « Je ne savais pas que tu étais aussi passionné de musique. » Il lui répondit qu'il était un homme aux nombreuses passions : « C'est une vérité qui excuse toutes mes perversions et mes cruautés. »

Il continua ses va-et-vient entre Los Angeles et New York. Ingeborg savait qu'il voyait toujours d'autres femmes et leur envoyait des produits de luxe difficiles à trouver, qu'il faisait apporter par ses bateaux. (Géraldine reçut encore des boîtes de caviar jusqu'à ce qu'Andrew Fuller s'en aperçût et demandât à Ari de cesser.) Les femmes d'Ari furent pour Ingeborg la cause de bien des nuits blanches passées dans les affres de la jalousie. Mais elle n'éprouva aucune inquiétude au sujet de la jeune fille qu'il rencontra au printemps 1943 dans la suite de Stavros Livanos au Plaza Hotel ; Athina Livanos avait quatorze ans : c'était une enfant, et Ari n'avait jamais manifesté d'intérêt pour les « fruits verts » — les nymphettes, comme on dira plus tard. Tina s'était cassé une jambe en faisant une chute de cheval et c'est en sautillant, appuyée sur des béquilles, qu'elle s'avança pour lui être présentée. Ari avait bien trop peur d'admettre à quel point elle l'attirait, et sur son carnet de notes, il écrivit seulement : Samedi 17 avril 1943, sept heures du soir.

Ingse avait beaucoup changé depuis Bagnères-de-Bigorre. A présent, elle souhaitait épouser Ari, mais il n'était plus question de mariage. Même quand il l'appelait de Los Angeles pour lui dire combien il l'aimait et combien elle lui manquait, il n'était pas question de mariage. Lui aussi avait changé. S'il ne sombrait jamais dans le délire éthylique, il buvait néanmoins beaucoup trop. Après une soirée de poker et de libations chez un ami de Lloyd Neck, Ingse et lui étaient rentrés à bord de leur christ-craft, et il l'avait frappée. Il continua de la battre longtemps et ne s'arrêta qu'au moment où elle s'évanouit. Alors il se recroquevilla sur le sol et s'endormit comme un enfant. Qu'avait-elle fait pour le mettre dans une telle colère ? Elle avait mis un pantalon de plaid qui ne lui plaisait pas, expliqua-t-il le lendemain. Plein de remords, il la supplia de lui pardonner. Mais quelques semaines plus tard, il la battit de nouveau. Ce fut le début d'une nouvelle forme de relations entre eux. Il avoua éprouver du plaisir sexuel dans la violence et la tourmenta de sarcasmes méprisants, en lui contant avec forces détails que nombre de ses maîtresses étaient excitées par ses manières brutales, c'était si bon de faire l'amour après !

Elle quitta les Ritz Towers pour un appartement sur la Cinquante et unième Rue Est. Mais leur liaison et le cycle des violences alcoolisées alternant avec les récriminations larmoyantes reprit. L'infidélité parisienne d'Ingse était restée gravée dans sa mémoire, prenant une importance disproportionnée, et quoiqu'il continuât à lui faire des cadeaux somptueux et d'affirmer son amour, il ne pouvait plus lui être fidèle ni lui faire confiance. Pour la moindre peccadille, il était hors de lui. « C'était vraiment maladif : il cherchait une occasion, attendait patiemment le prétexte le plus futile pour justifier ses excès », raconte Ingeborg. Prise d'un malaise au cours d'un dîner qu'ils donnaient au Pavillon, elle se permit de se faire raccompagner par un armateur yougoslave, Ari ne pouvant quitter ses hôtes. L'homme revint aussitôt, en tout bien tout honneur, à la soirée qui s'était déplacée au El Morocco, ou Elmo's. Quelques heures plus tard, Ari rendait une petite visite à Ingse. Cette fois, même lui fut effrayé par les dégâts. Le visage de sa maîtresse était marqué de coups, elle avait les yeux au beurre noir, le corps couvert de bosses et d'ecchymoses, et sa main gauche était paralysée par les coups de poing et de pied dont elle avait essayé de se protéger. Au petit matin, il la porta dans la Cadillac et l'emmena à Mamita Cottage. Après avoir renvoyé les serviteurs, il la veilla jusqu'à ce qu'elle fût guérie de ses blessures. Mais son comportement n'échappait pas aux amis d'Ingeborg. Ils n'en étaient pas surpris. « Un Grec qui a passé tant de temps en Argentine, qu'est-ce que tu espères ? lui dit une amie new-yorkaise. Il a été élevé dans les deux environnements les plus machistes du monde. Le machisme repose sur la soumission de la femme. Les Grecs et les gauchos traitent leurs femmes comme de la merde. » Le médecin d'Ingeborg ne se laissa pas abuser par les explications et les excuses qu'elle lui donna pour ses blessures et il tenta de la persuader de poursuivre Ari en justice, « après qu'il m'a rossée horriblement sans raison », écrivit-elle par la suite à un collaborateur d'Onassis à Paris.

Quand ils revinrent à New York, après ce dernier épisode particulièrement violent, Ari et elle discutèrent de la situation et des suites possibles. Elle le mit en garde : un jour, il risquait d'aller trop loin et de la tuer. Il jura qu'il l'aimait et, une fois encore, parla de faire un enfant, en dépit des quarante-quatre ans d'Ingeborg. Elle aimait entendre Ari parler ainsi de leur avenir ensemble mais à présent, quand elle l'entendait tracer des plans, sa résignation cédait la place au désespoir. Ce soir-là, quand il l'eut quittée, elle tenta de se suicider au Nembutal. Il revint et la découvrit juste à temps. Avec l'aide de Dorothy Stewart, épouse de son assureur et meilleure amie d'Ingse, il la ranima avec un bain froid et force tasses de café. Il n'arrivait pas à comprendre comment elle avait pu « lui faire une chose aussi cruelle ». Elle lui répondit qu'elle était humaine et que sa compréhension avait des limites ; elle était au fond sans calcul, elle ne pouvait que suivre ses sentiments. Elle ne n'appela plus jamais Mamico.

A la fin de la guerre, Ingeborg était aussi, à sa manière, une victime du conflit. Elle s'en était mieux sortie que certains, moins bien que d'autres. Elle avait encore beaucoup d'allure mais le chagrin et l'incertitude des cinq années qui venaient de s'écouler l'avaient marquée. Elle ne pouvait plus se regarder dans le miroir avec satisfaction. Ari, lui, rayonnait. Trois de ses navires affrétés par la United States Marine Commission lui rapportaient chacun quelque 250 000 dollars par an ; ses pétroliers étaient libres de quitter leurs chantiers scandinaves où ils étaient demeurés à l'abri depuis 1940. Sur les 450 bateaux grecs engagés dans la guerre, 360 avaient sombré avec des milliers de vies ; Onassis n'avait pas perdu un seul navire, ni un seul marin.

A présent, lui dit Ingeborg, il pouvait souffler. Elle se réjouissait que les affaires de son amant aillent si bien. « L'argent ne dispense pas de travailler dur, il dispense seulement de certains travaux durs », répondit-il. Il avait beaucoup de projets. Ingeborg savait qu'elle n'en faisait pas partie. Même le petit panneau « Mamita Cottage » avait été retiré de la façade de la demeure de Center Island, où désormais il venait souvent s'amuser sans elle.

Elle essaya de tomber amoureuse de quelqu'un d'autre. A sa manière directe, elle lui écrivit : « A partir de maintenant, tu ne comptes plus pour moi. En dépit de tes infidélités continuelles, je ne t'ai jamais trompé ; j'en ai assez, je reprends ma liberté, je ne veux pas passer le reste de ma vie à subir tes caprices, à croire tes fausses promesses... »

La réponse qu'il lui fit était passionnée, possessive, douloureuse et vide... C'était la réponse de l'éternel bonimenteur qui reprenait une vieille chanson tant de fois entonnée. Ingeborg céda, comme elle avait toujours cédé. Ainsi leur relation continua d'aller à la dérive, lamentablement.

> La loi est comme la toile d'araignée. Qu'une pauvre et faible créature y tombe, elle est prise, mais une créature plus forte peut la déchirer et s'en échapper.
>
> SOLON.

Les affaires étaient la passion dominante d'Ari ; il considérait tout ce qu'il voyait en termes de valeurs commerciales et quand son regard se posa sur Athina Livanos, il sut que ce qu'il avait sous les yeux n'était pas seulement un lot de grand prix, mais encore un superbe investissement. Il adorait la chevelure dorée, le petit visage délicat et les dents éclatantes. Les yeux aux couleurs automnales, marron et or, avaient un éclat malicieux inattendu dans un visage si doux et si sensible. Elle n'avait vraiment rien de grec. Sujet britannique de naissance, elle était devenue citoyenne des États-Unis pendant la guerre par décision du Congrès et sa mise, ses gestes, ses comportements étaient désormais extraordinairement américains. Seule la voix restait étonnamment britannique.

Athina, ou Tina, comme ses amis et sa famille l'appelaient, savait presque assurément quelles pensées il nourrissait : les considérations commerciales aussi bien que les désirs charnels. C'était le même genre d'homme que son père ; elle devinait que si elle épousait Ari, elle ne ferait que changer de maître. L'idée ne la troublait pas, car comme toutes les jeunes Grecques de sa classe, elle avait été élevée pour le mariage et comme toute aristocrate anglaise, elle avait été éduquée pour vivre dans un certain milieu, ce milieu qu'elle aimait si fort qu'elle n'était pas même curieuse de découvrir autre chose. Née le 19 mars 1929 à Londres, dans le quartier de Kensington, elle avoua une fois qu'elle ne s'était jamais approchée de la pauvreté autrement qu'à la Toussaint 1938, quand sa sœur Eugénie remporta en compagnie de Dawn Luscombe le prix junior du bal masqué de la Heathfield School, en incarnant des personnages célèbres du temps, les « Bisto, deux gamins à l'air affamé ».

Tina entra à la Heathfield au début de l'année scolaire 1939-1940, dans une petite classe qui comprenait seulement elle-même, Sheila Rohll et Bridget Cronin. Eugénie était dans la classe supérieure, plus nombreuse, où résonnaient les grands noms de la société britannique : Curzon, Villiers, Boscawen, Hubbard. A l'issue de son troisième trimestre (mot d'ordre : le travail de chacun pour le bien de tous), Tina remporta l'insigne d'émail bleu récompensant les bonnes élèves. Outre les matières habituelles, elle étudiait la couture et l'économie domestique, jouait au tennis et à la crosse canadienne. Elle était heureuse ; son carnet de notes de l'été 1940 annonce : « Tina a très bien travaillé ce trimestre. Elle a fait une excellente chef de classe, pleine de bonne volonté et toujours prête à rendre service. Nous sommes ravis qu'elle ait gagné son insigne bleu. »

Après qu'on eut gravé leurs noms sur l'un des bancs de la chapelle, suivant la tradition de Heathfield, les sœurs quittèrent en 1940 le collège pour le couvent Villa Maria à Montréal, où elles restèrent un an, puis Tina fut envoyée dans un pensionnat à Greenwich, dans le Connecticut, et Eugénie inscrite dans les Miss Hewitt's Classes, école new-yorkaise pour jeunes filles en fin d'études.

Lorsqu'elle s'aperçut de l'intérêt qu'Ari éprouvait pour elle, Tina manifestait déjà une tendre inclination pour John Vatis, un garçon de son âge, rejeton d'une famille d'armateurs « de haute lignée » (la hiérarchie du prestige dans les dynasties d'armateurs grecs s'établissait autant d'après le pedigree que la fortune de chaque famille). Suivit pour Tina une période de grande fascination. Ari fréquentait leur maison d'Oyster Bay, donnant une impressionnante démonstration d'activités juvéniles : natation, ski nautique, course de vitesse à vélo. Devant ces gambades qui, elle le voyait bien, ne lui étaient pas destinées, Eugénie observa qu'il ressemblait à une « gargouille qui fait de la gymnastique ».

Tina était dans un âge très impressionnable, mais elle savait quelle force lui conférait une attitude distante. Aussi adopta-t-elle une indifférence coquette ; feignant même de ne rien remarquer lorsqu'il accrocha derrière sa vedette une banderole portant l'inscription : « T.I.L.Y. » (Tina I Love You). Elle l'écoutait se raconter. (« En fait, confia-t-elle un jour avec perspicacité à Eugénie, sur la jeunesse d'Ari, on ne saura jamais que ce qu'il veut bien en dire. ») Elle jouait avec lui aux devinettes (« Si j'étais un bateau, qu'est-ce que je serais ? » « Un pétrolier », lui répondit-elle. « Un torpilleur, lança-t-il avec un grand rire. En fait, je suis vraiment un torpilleur ! ») et tous deux faisaient de longues promenades le long de la plage de Long Island. Apparemment, l'esprit de Tina, formé par son éducation anglaise, lui était profondément étranger ; elle l'écoutait parler de son passé en songeant aux conteurs des souks orientaux. Elle ne sut jamais que croire ; le mystère qu'il laissait planer sur ses origines excitait son imagination de jeune fille.

Alors qu'il était encore dans les affres de son divorce avec Melpo, Niarchos avait exprimé son intérêt pour Tina auprès du père de cette dernière, et essuyé une sèche rebuffade. Décidé à ne pas commettre pareille erreur, Ari prit son temps ; il se mit en grands frais de gentillesse pour les deux sœurs, et s'insinua aussi dans les bonnes grâces de leur mère, Arietta. Il invitait la famille à déjeuner ou à se réunir autour du barbecue le dimanche chez lui, et emmenait tout le monde faire un tour de vedette. Chacun de ces gestes n'avait qu'un but : Tina. Et Tina le savait. Quand il se décida à demander la main de la jeune fille, Stavros en fut furieux. Non qu'il lui déplût d'avoir Ari pour gendre (une alliance Livanos-Onassis dans le secteur maritime avait bien de l'attrait) mais il lui avait demandé la « mauvaise » main : les sœurs devaient se marier strictement par ordre d'aînesse, rappela-t-il à Ari. « Vos filles ne sont pas des bateaux, M. Livanos, vous n'en disposez pas au fur et à mesure qu'elles sortent du chantier », lança le postulant au mariage, anéantissant ainsi en une seule phrase des années de flagornerie. L'homme, dit Livanos, doit observer des règles dans la vie. « La règle, c'est qu'il n'y a pas de règle », rétorqua Ari.

Livanos était convaincu que le récalcitrant s'inclinerait et accepterait Eugénie ; pour la première fois de sa vie, les choses ne se passèrent pas conformément à ses plans. Au bout d'un an, il renonçait, déclarant qu'il ne pouvait pas supporter de voir Tina si malheureuse ; de plus l'intérêt que Niarchos, à présent divorcé, manifestait pour l'aînée le rassurait. Pour Livanos, ultraconservateur méprisant toute forme de publicité, Onassis et Niarchos n'étaient pas précisément les gendres qu'il eût choisis dans un monde parfait. L'idée de rapprocher trois des plus grosses flottes privées du monde le consola largement.

Toutefois, Ari ne se laissa pas entièrement absorber par son idylle. En 1946, le Congrès vota une loi sur la vente des Liberty ships (les cargos de la guerre), le Ship Sale Act, qui permettait aux négociants alliés bénéficiant de la bénédiction gouvernementale de les acheter. A 550 000 dollars pièce, dont 125 000 comptant et le reste payable sur sept ans à 3 p. 100 d'intérêt, c'était une occasion en or. Le gouvernement grec autorisa l'Union des armateurs grecs à le représenter. Dominée par ces riches et puissants propriétaires qui s'étaient installés à New York au début de la guerre, l'organisation décida qu'une centaine de navires suffirait à ses besoins. Mais quand Ari en commanda treize, on lui dit qu'aucun n'était disponible. Livanos obtint les douze qu'il voulait. Ari étouffait de rage ; l'Union l'ignorait superbement. Manuel Kulukundis, qui avait fondé l'Union dans les années vingt, s'en moquait éperdument... Ari n'avait jamais été des leurs. L'Union s'occupait de la marine grecque et les bateaux d'Ari battaient pavillon panaméen, expliqua-t-il. La mésaventure se renouvela avec sept pétroliers offerts à la Grèce par la Commission maritime des États-Unis. Ari se porta acquéreur directement auprès du gouvernement grec pour les sept bateaux. Athènes insista pour ne traiter qu'avec l'Union et de nouveau il fut écarté. Il haïssait les cadres réglementaires de ces vieux Grecs tout autant qu'il admirait leur monde, et il leur fit payer jusqu'au dernier bout de navire qui lui avait été refusé. Il se vengea d'eux dans les affaires et dans des domaines plus personnels.

Le 28 décembre 1946, Ari et Tina se mariaient. Tina avait dix-sept ans, Ari quarante-six. L'événement fut rapporté, comme le veut la coutume dans le « Carnet mondain » du *New York Times* :

« Athina Livanos a épousé chez nous, dans la cathédrale grecque, Aristote S. Onassis.

« Mlle Athina Livanos, fille de M. et Mme Stavros George Livanos, demeurant dans notre ville au Plaza Hotel et à Londres, en Angleterre, a épousé hier après-midi dans la cathédrale grecque orthodoxe Aristote S. Onassis, habitant notre ville et Oyster Bay, Long Island, fils de feu Socrate Onassis et de feue Mme Pénélope Onassis, originaires d'Athènes, en Grèce. La cérémonie a été célébrée par l'archevêque Athenagoras avec l'assistance du père Euthimion.

« La sœur de la jeune épouse, Mlle Eugénie Livanos, était sa première demoiselle d'honneur. Les autres demoiselles d'honneur étaient Mlles Nancy Harris, Andree Maitland, Janet Bethel et Joan Durand, habitant toutes notre ville. Beatrice Ammidown et Cornelia Embiricos portaient les bouquets. André Embiricos était garçon d'honneur. Une réception a été donnée dans la salle de la terrasse du Plaza. »

Obtenir la main de Tina Livanos était bien plus que la réalisation d'un rêve. Dans l'esprit d'Ari, c'était un règlement de comptes avec son beau-père et le reste de l'Establishment grec qui l'avait privé de sa part du butin. « Te voilà vengé », lui lança Gratsos le jour des noces. Dans la salle de la terrasse du Plaza se pressaient bon nombre de ceux qui avaient fait de leur mieux pour l'abattre, lui qu'ils appelaient le « parachuté » — « il nous est tombé du ciel ». Ari répondit à son ami : « Ça ne suffit pas, Costa. Je cherche le moyen de les écraser comme des merdes, ces fumiers. Je suis en guerre avec ces gorilles. » Gratsos jeta un regard circulaire sur la salle pleine de femmes aux robes superbes et d'hommes en tenue de ville, un œillet à la boutonnière. « Voilà une façon très civilisée de conduire une guerre », ironisa-t-il. Ari lui conseilla de ne pas s'y laisser prendre. « Nous sommes sans arrêt à essayer de rétamer l'autre. Sans arrêt. Simplement, de temps en temps, pour plaire aux dames, nous faisons semblant d'être civilisés. »

Parmi les cadeaux de mariage de Livanos figurait un de ses Liberty ships, sur lequel pesait encore une hypothèque de quatre cent mille dollars. Ensuite, le vieil homme ajouta une maison à Sutton Square sur l'East River, au nom de la Tina Real Corporation. (Retournée à Paris avec un viatique de trente-cinq mille dollars et une pension mensuelle de cinq cents dollars, Ingeborg reçut un câble d'Ari qui se plaignait qu'elle fût la seule de ses amis qui ne lui eût pas envoyé de cadeau d'anniversaire !)

M. et Mme Onassis passèrent leur nuit de noces dans une suite du Plaza. Lorsqu'un homme de quarante-six ans épouse une jeune fille de dix-sept ans, il existe presque à coup sûr une certaine tension, le sentiment de la précarité du moment. La seule surprise que connut Ari fut de découvrir qu'ils occupaient la suite nuptiale, et que c'était parfaitement normal.

Ils s'embarquèrent pour une nonchalante lune de miel, à bord d'une péniche aménagée qui les conduisit par la voie fluviale jusqu'en Floride, où ils prirent un bateau qui les porta sans se presser jusqu'en Argentine (« Mon père ne marche jamais, toi tu ne cours jamais », lui dit Tina.) Spyros Skouras, oubliant le passé, les accueillit à Buenos Aires et les traita somptueusement. Alberto Dodero les invita à Montevideo, où il leur présenta Eva Peron. Dodero était un partisan de toujours des Peron, il portait leurs profils gravés sur ses boutons de manchette, leur offrait des diamants et des Rolls-Royce. Le gouvernement de Peron le remercia par des contrats d'armement, des prêts, l'achat de nouveaux navires et bien d'autres faveurs.

La soudaine arrivée de Mandl et d'Eva Peron à Bet Alba, la demeure princière de Dodero à Rio de la Plata, n'était pas fortuite. En dépit des apparences, Dodero courait au-devant de graves ennuis et avait besoin d'un apport de capitaux... ce qui arrivait souvent à un homme qui n'hésitait pas à louer tout Maxim's à Paris pour donner des réceptions ou qui offrait des dîners de cinquante couverts, avec remise aux messieurs d'étuis à cigarettes en or monogrammés et de diamants aux dames. Il avait une fois essayé d'obtenir d'Ingeborg qu'elle persuade Ari d'investir dans la Rio Plata Navigation Company. Elle avait refusé en prétendant qu'elle ne s'occupait jamais des affaires de son amant, ce qui n'était pas tout à fait vrai.

Virtuellement codictatrice de l'Argentine (sa popularité auprès des masses avait aidé Juan Peron à se faire élire en 1946 à la présidence), Eva Peron usa de tous ses charmes pour soutenir la cause de Dodero. « Je vous assure, l'Argentine n'a pas la moindre difficulté économique importante. Économiquement parlant, nous pourrions devenir la plus grande nation du monde. » Mandl et Ari avaient là une occasion en or de s'allier à Dodero, assura-t-elle. Ils avaient la possibilité de constituer une société avec un homme qui avait déjà une place spéciale dans les plans du président aussi bien que dans son cœur à elle ! Mandl mordit à l'appât. Ari dit qu'il voulait y réfléchir. « Si Mandl, Don Alberto et moi nous nous étions associés, c'est sûr, ça aurait donné une très grande compagnie. Mais qui l'aurait contrôlée ? Et est-ce que les Peron auraient été capables de résister à la tentation de mettre la main sur un tel butin ? Le risque était trop grand, c'est tout », expliqua-t-il par la suite.

Deux mois après leur mariage, le couple, de retour à New York, s'installait au 16 Sutton Square, cul-de-sac débouchant sur Sutton Place. Tina se lança aussitôt dans la décoration de leur nouvelle demeure, avec des meubles français d'époque, des sols de marbre noir, de riches tapisseries et de superbes peintures, dont un Renoir. Ari lui, se lança dans les affaires. Quoiqu'il eût à présent un bureau au 80 Broad Street, dirigé par Nicolas Cokkinis, il abattait la plus grande partie de son travail à Sutton Square, nouant souvent des contacts et entamant des négociations au cours des grandes réceptions que Tina et lui aimaient y donner, où se mêlaient vedettes du spectacle, banquiers, avocats, artistes, musiciens, courtiers de Wall Street et rois de l'armement. Leurs dépenses étaient somptueuses et ostensibles. A dix-huit ans à peine, Tina s'imposa rapidement comme la plus active, la plus jeune et la plus belle des hôtesses de New York. « Je suis si heureuse », disait-elle à Ari, à ses amis, à tout le monde, avec sa prononciation étonnamment anglaise, qui paraissait plus adaptée à l'école qu'au salon. « Je suis si *parfaitement* heureuse. »

Toujours prêt à mettre sur le tapis tout ce qu'il avait en poche et même davantage, Ari signa un accord portant sur le transport de charbon en Amérique du Sud, en France et en Argentine, par lequel il s'engageait à donner en location seize Liberty ships qu'il ne possédait pas encore. Il présenta les contrats à la First National City Bank auprès de laquelle il avait déjà fait quelques modestes emprunts depuis sa première aventure dans le tabac à Buenos

Aires, et demanda qu'on lui prête de quoi acheter les navires qu'il comptait donner en location. La banque lui fournit la moitié de la somme. Les conditions étaient plus dures que celles accordées par le gouvernement des États-Unis aux autres Grecs de New York mais c'était suffisant pour tenir et faire des bénéfices au bout de deux ans.

Il voulait toujours mettre la main sur les pétroliers T2 qui, à 1,5 million de dollars chacun, étaient une incroyable occasion. Mais si la Commission maritime était disposée à céder sans trop poser de questions les Liberty ships dont la maintenance se faisait aux frais du gouvernement, et dont aucun opérateur américain ne voulait, elle insistait en revanche pour que ces pétroliers de seize mille tonneaux d'une capacité de 18 millions de litres de carburant, qui présentaient un intérêt stratégique considérable, ne soient vendus qu'à des citoyens des États-Unis. Ari fit de son mieux pour contourner la clause exclusive. Il demanda à Constantin Konialidis, à présent ressortissant urugayen, de se porter candidat à l'acquisition d'un unique T2. Quand, le 12 septembre 1947, son offre d'achat fut repoussée (« On estime que la vente à un non-citoyen pour une opération sous pavillon panaméen permettrait au navire d'échapper à tout contrôle effectif de la part des États-Unis »), Ari eut une idée.

« Ce qui m'intéresse, c'est d'avoir l'usage de ces pétroliers, pas de les posséder », expliqua-t-il en exposant son idée au cabinet Lord, Day and Lord, dont Herbert Brownell était l'un des principaux membres. Ari fonderait une compagnie dont les dirigeants les plus en vue seraient des Américains très respectés, et dans laquelle il prendrait une participation lui donnant pouvoir de décision. Plusieurs autres propriétaires grecs de bateaux avaient déjà songé aux possibilités d'une telle combinaison — c'était le cas en particulier de Niarchos et de Kulukundis — et les avocats-conseils estimaient que la chose était légale, au moins en ce qui concernait la lettre de la loi. En outre, ils savaient que, si l'on présentait un conseil d'administration composé d'éminents Américains, et si les bateaux étaient payés comptant, la section juridique de la commission n'effectuerait aucune enquête sur la question du contrôle effectif de la compagnie, même si le postulant admettait que la presque totalité du capital investi était d'origine étrangère.

Ari s'en fut à Washington s'entretenir avec Joseph H. Rosenbaum, un des principaux associés du cabinet Goodwin, Rosenbaum, Meacham & Bailen. Rosenbaum et Robert W. Dudley, membre lui aussi de ce cabinet et gendre de l'ancien représentant au Congrès Joseph E. Casey, étaient spécialisés dans le conseil pour l'achat de bateaux à la Commission maritime ; ils avaient aidé Konialidis dans ses tractations infructueuses pour l'acquisition d'un T2. Cette fois, Ari leur expliqua comment il voyait les choses. Deux semaines plus tard était fondée la United States Petroleum Carriers Inc., société américaine au capital officiel réparti en mille actions. Six cents parts étaient attribuées à un trio de prête-noms : Robert L. Berenson, Robert W. Dudley et l'amiral H.L. Bowen, tous trois citoyens des États-Unis. Quatre cents parts n'avaient pas encore été émises.

Le 30 décembre 1947, la Commission maritime approuvait la vente de quatre pétroliers T2 à la United States Petroleum Carriers, Inc. Presque aussitôt Dudley doublait sa participation en rachetant pour 7 600 dollars les 250 actions de l'amiral Bowen. Une semaine après, Robert Berenson achetait les actions de Dudley pour 125 000 dollars (soit 25 000 de plus que leur valeur originelle) et le même jour, la Sociedad industrial maritima financiera ariona, Panama, SA, propriété d'Aristote Onassis et de Nicolas et Constantin Konialidis, achetait les 400 parts qui n'avaient pas été émises jusque-là. Dans les six mois qui suivirent, la même compagnie panaméenne faisait l'acquisition de 90 actions supplémentaires auprès de Berenson, constituant ainsi un portefeuille de 490 parts, représentant 49 p. 100 du capital de la société. Au même moment, Berenson réduisait sa propre participation à 48 p. 100 en vendant à trois Américains très proches d'Ari dix actions chacun : il s'agissait de Clifford N. Carver, qui avait travaillé pour Onassis lorsque ce dernier avait fait en Californie une brève incursion dans le secteur baleinier ; de Nicolas Cokkinis, qui dirigeait son bureau de New York ; et de Arne C. Storen, un ami architecte maritime. Ainsi à l'assemblée des actionnaires, l'équilibre du pouvoir était-il entre les mains de Cokkinis (devenu citoyen des États-Unis dix jours avant d'acheter les actions de l'USPC), Carver et Storen ; en cas de différend entre Berenson et l'équipe Onassis-Konialidis, chacun des trois était en mesure de faire pencher la balance en faveur des intérêts étrangers.

Niarchos, beau-frère d'Ari depuis qu'il avait épousé en troisièmes noces Eugénie, en 1947, et plusieurs autres armateurs grecs avaient monté des combinaisons semblables. Quand Ari et Tina partirent pour des vacances bien méritées dans le Sud de la France, même le succès de Niarchos ne parvint pas à entamer son optimisme. Non content d'avoir mis la main sur les pétroliers T2 (le dur hiver de 1947 ayant provoqué une crise d'approvisionnement aux États-Unis, le tarif du fret avait grimpé), il était à présent en négociation avec la Metropolitan Life Insurance Company de New York pour l'octroi d'un prêt spectaculaire de quarante millions de dollars destinés à l'achat d'une toute nouvelle génération de superpétroliers.

Au milieu des gens qu'elle préférait, de la société qui était la source de ses plaisirs et des progrès d'Ari, Tina était dans son élément à Monte Carlo. Comme tous les gens du monde, sa force était dans la ruse. Quand ils retrouvèrent Eva Peron et Alberto Dodero à l'Hôtel de Paris, elle se montra pleine d'enthousiasme. Un esprit moins innocent, une femme plus expérimentée aurait éprouvé davantage d'appréhension à laisser un homme comme Ari approcher de trop près une femme comme Eva Peron. Née dans une famille pauvre d'un village de la pampa aux environs de Buenos Aires, en l'année 1919 (lorsque son mari accédera au pouvoir, la date officielle deviendra 1923), Eva avait usé de ses charmes pour faire son chemin dans le monde, et à présent elle étalait sa richesse. Leurs origines similaires ont sans doute permis à Eva et Ari de comprendre beaucoup de choses l'un sur l'autre. Onassis confia à Dodero qu'il lui plairait de rencontrer Eva d'une manière moins guindée. Ce fut une conversation entre vieux amis, entre hommes du monde. Don Alberto, qui accompagnait Eva dans une tournée européenne mêlant plaisirs et devoirs officiels, déclara qu'on pouvait s'arranger. Infatigable dame de charité, Eva collectait auprès de chacun une contribution pour sa Fondation, dix mille dollars suffiraient, expliqua Dodero.

Eva reçut Ari dans sa villa de Santa Margherita, sur la Riviera italienne. («Vous allez droit au but, n'est-ce pas ?» lui aurait-elle dit, à en croire Onassis). Après l'amour, elle lui fit des œufs brouillés. «Ce sont les œufs brouillés les plus chers que j'aie mangés de ma vie», raconta-t-il à Meyer; il les avait trouvés excellents. Et lorsque les Peron nationalisèrent ses navires, sa compagnie aérienne et la plupart de ses propriétés en lui versant trois millions de dollars pour toute indemnité, Dodero (qui avait mis en sécurité en Uruguay une confortable fortune) déclara : «Le président m'a fait ce qu'Onassis, grâce à moi, a fait à sa femme !»

En ce printemps 1948, Ari avait bien des raisons de se réjouir. Le 30 avril, dans une clinique privée de New York, le Harkness Pavilion, Tina avait donné naissance à un garçon, baptisé Alexandre en souvenir de l'oncle assassiné. Le premier pétrolier américain d'Ari, *Olympic Games*, sortit des chantiers navals de Baltimore, quatre autres étaient en construction. «Cinq pétroliers... et la seule fois où j'ai dû mettre la main à la poche, c'était pour me gratter les couilles», raconta-t-il à un ami anglais. Il buvait toujours beaucoup et s'était pris d'engouement pour le Gibsons (50 centimètres cubes de gin, une larme de vermouth français, remuer avec de la glace, servir dans un verre rafraîchi, accompagné d'une tranche d'oignon apéritive); cela ne diminuait ni son élan ni sa capacité à financer ses navires avec l'argent des autres. OPM : tel était le nom qu'il avait donné à cette formule. A peine s'était-il engagé à transporter du charbon dans des navires qu'il n'avait pas, qu'il avait signé des contrats pour transporter du pétrole dans des pétroliers qui n'étaient pas encore construits, ce qui n'allait pas sans poser quelques questions quant à la moralité, sinon la légalité de ses méthodes. Mais si ses principes éthiques n'étaient pas vraiment parfaits — « il gagnait sa vie avec des tours de passe-passe », selon le mot d'un de ses anciens collaborateurs, l'OPM continua de fonctionner pour lui à merveille. Les principales compagnies comme Mobil, Socony et Texaco préféraient signer des contrats à long terme à tarif fixe pour le transport de leur pétrole plutôt que de se donner le mal de construire et de gérer leurs propres flottes de pétroliers, qui auraient dû battre pavillon des États-Unis et verser les salaires et les impôts correspondants. Ces contrats valaient toutes les réserves d'or. Et comme ses bateaux naviguaient sous le pavillon panaméen, avec des coûts de fonctionnement extrêmement bas et sans impôts, Ari pouvait faire des bénéfices sur chaque transport, et les pétroliers furent payés au bout de six mois d'affrètement.

Les rédacteurs des premières pages des journaux commençaient à l'appeler le « Grec doré ». Et pourtant il n'avait pas encore gagné le respect de ceux qui comptaient le plus à ses yeux; l'Establishment grec pour qui il était toujours un parvenu smyrnois. « Ils prétendent même que je me teins les cheveux en noir pour mes rendez-vous galants et en gris pour mes réunions d'affaires », disait-il. Il inventait la plupart des bonnes histoires qui couraient sur son compte. La presse l'adorait. Il n'avait pas perdu son allure d'homme capable de se défendre dans une rixe des bas-fonds et sa saga de miséreux devenu milliardaire était le genre de chose dont les lecteurs étaient friands; plus il s'enrichissait, plus il rabaissait ses débuts. A tous égards, il faisait un bon sujet et il avait un don de politicien pour prendre le pouls de la presse; les journalistes n'ignoraient pas qu'il était capable d'explosions de colère qui faisaient raser les murs à ses collaborateurs mais dans leurs articles ils ne parlaient que de son charme, de sa générosité, de son style décontracté. Son histoire d'amour avec les médias n'était pas seulement destinée à flatter son ego. « Son image faisait passer sa dureté en affaires », dit Meyer. Pour les journalistes, la façon dont il gagnait son argent était moins importante que celle dont il le dépensait, et avec qui. « Nous savions que pour bien des raisons Ari était un saligaud, mais ce n'était pas important », admet un spécialiste parisien du potin, « c'était une célébrité. La célébrité est un phénomène de courte durée. On en tire le meilleur parti possible. » Gratsos, considéré à présent comme l'intellectuel de l'équipe d'Onassis, le mit en garde contre un excès de publicité. Une présence trop envahissante dans les colonnes mondaines risquait de nuire à son image d'homme d'affaires sérieux, assurait-il. Mais Ari lui répondit : « Tout ça, c'est le mythe. Plus les gens lisent des informations sur le mythe, moins ils connaissent l'homme. Costa, *old sport*, je suis en fait quelqu'un qui tient beaucoup à sa vie privée. »

En entendant cet « *old sport* » (« mon vieux »), Gratsos se demanda si son ami se rendait compte de l'influence qu'avaient sur lui Tina et ses amis. Cette expression typiquement anglaise, prononcée avec un accent levantin, le rendait d'autant plus étranger. Tina avouait souvent à ses amis qu'il lui faisait penser à quelque « sauvage rééduqué » qui aurait acquis un vernis de respectabilité insuffisant « pour paraître plausible ». Sa perspicacité surprenait toujours Gratsos.

Cependant la compétition entre Ari et Stavros s'intensifiait au fur et à mesure que leurs succès se multipliaient. Ari construisit un pétrolier de vingt-huit mille tonnes ; Niarchos en contruisit deux. Moins voyant qu'Ari et certainement moins mythifié, Niarchos agaçait son beau-frère de toutes les façons possibles. Ari était jaloux de la ribambelle de maîtresses anonymes mais toujours éblouissantes qui se succédaient auprès de son rival ; il lui enviait son élégance de dandy et raillait son « foutu air continental ». Ari pouvait bien avoir le plus chic des complets sur le dos : au bout d'une demi-journée, il avait l'air d'une personne déplacée. Ils s'opposaient en tous points ; un cadre américain d'une compagnie pétrolière résuma ainsi leurs différences : « Niarchos exhalait l'*ennui** de l'homme très riche ; Onassis avait la *joie de vivre** d'un pauvre. »

Mais cette rivalité qui faisait sourire leurs amis et stimulait leur ambition avait aussi son côté sombre. Tous deux exigeaient de leurs épouses une loyauté totale, il fallait qu'elles partagent leurs préjugés et leurs haines, leurs ressentiments et leurs désirs. Chacun jugeait la fidélité de ses amis à leur horreur de l'autre. Ari interdit même à Tina d'assister au mariage d'Eugénie et de Niarchos. Cet éloignement causa beaucoup de peine aux deux sœurs ; Ari jugeait ses exigences tout à fait légitimes. Selon un de ses anciens employés à Londres, « il considérait le pardon comme une faiblesse et la détente comme une défaite. Il avait besoin d'adversaires. Il aurait été perdu sans ennemis à haïr... parfois il lui fallait aller chercher l'ennemi jusque dans le cercle très proche de sa propre famille ».

Le 11 décembre 1950, leur deuxième enfant, une fille, naquit à New York. On la baptisa Christina. A dix-sept jours près, cela faisait quatre ans qu'ils étaient mariés. A vingt et un ans, Tina, belle et immensément riche, convaincue que celui dont elle aurait besoin aurait fatalement davantage encore besoin d'elle, ne soupçonnait pas qu'elle était parvenue à un tournant de sa vie. Leur mariage, au sens d'une union qui les avait fait vivre chaque ins-

_____
* En français dans le texte (*NdT*).

109

tant ensemble, voyager ensemble, partager les mêmes amis, ce mariage-là était terminé. La transition fut imperceptible et presque inévitable, étant donné le constant besoin qu'éprouvait Ari de devancer toujours le jeu, et l'intérêt qu'elle éprouvait pour son propre milieu social.

Outre leur demeure de Sutton Square, ils possédaient à présent une maison à Montevideo ; une suite permanente au Plaza de Buenos Aires ; une villa au bord de la mer aux environs d'Athènes ; un appartement sur l'avenue Foch à Paris ; et une villa qu'ils avaient louée, le château de la Croë, dans le paysage sublime du cap d'Antibes, avec douze hectares de parc, quarante-deux chambres et un personnel à peine moins nombreux que celui de Buckingham Palace : le duc de Wellington y avait vécu avant eux. Tina trouvait les lieux divins, bien que même elle pût être effarée par la taille du domaine. Un milliardaire doit toujours vivre un peu au-dessus de ses moyens pour maintenir sa crédibilité, assurait Ari à ses amis avec l'insouciance d'un homme qui sait ne pas être du tout au-dessus de ses moyens. Quand Niarchos acheta une demeure aussi grandiose que la sienne sur la Côte d'Azur, il n'apprécia guère. « Je crois que Stavros souffre d'une crise d'identité. Il me déteste parce qu'il n'a aucune idée originale de lui-même. » Tina lui répondit qu'elle pensait que Stavros était amoureux d'elle. Même en cherchant beaucoup, elle n'aurait pu trouver une idée plus dérangeante à fourrer dans la tête de son mari.

CHAPITRE 7

> Nul n'est jamais devenu un scélé-
> rat d'un seul coup.
>
> JUVÉNAL.

Quand les chantiers navals devinrent trop chers à son goût, Ari s'en fut explorer la place de Hambourg. La deuxième ville d'Allemagne, où l'on avait construit des bateaux pendant mille ans, était en ruine. « Impossible de voir comment on pourrait jamais refabriquer des bateaux à cet endroit, la ville était une zone sinistrée », racontera-t-il. En 1945, l'Accord de Potsdam avait interdit aux Allemands la construction de tout navire de plus de quinze mille tonnes (« De fichus jouets » : ainsi Ari qualifiait-il désormais les bateaux de la taille de son premier grand pétrolier); mais Costa Gratsos avait insisté pour qu'il fasse le voyage car il était convaincu que tôt ou tard la guerre froide transformerait l'Allemagne de l'Ouest, ennemi vaincu, en un allié de valeur. « Alors on flanquera par la fenêtre les restrictions de Potsdam. »

Accompagné de Tina et de son conseil allemand, le Dr Kurt Reiter, Ari inspecta les chantiers navals et évalua la situation. D'abord il se montra ennuyé et désinvolte, et souvent ne cacha pas son envie de rentrer à l'hôtel, ou d'aller boire un verre. Puis quelque chose se passa. « Un soir, il m'a téléphoné de l'Atlantic Hotel. Il était très excité mais nullement imbibé, se souvient Gratsos. Il avait reconnu les incroyables possibilités de renouveau de cette ville; il pressentait avant tout le monde le miracle économique. Il m'a dit : "Il faut qu'on trouve un moyen de contourner ce foutu accord parce que ces gens sont prêts à se remuer les fesses pour travailler pour nous." Je ne voyais pas de moyen de contourner

111

l'accord, il fallait être patient, c'est tout. Mais je lui ai dit que j'allais réfléchir à la question. »

Ari commença à prendre au sérieux les propriétaires de chantiers navals, même si la plupat de leurs rencontres se déroulaient chez Emhke, le restaurant du Gansemarkt, et quelquefois au Tarantella, une boîte où Ari prétendait avoir introduit le Gibson pour la première fois à Hambourg. Il n'aimait pas les bureaux — « Gratsos abattait son travail au bureau, Ari travaillait partout sauf au bureau », explique un collaborateur — les bureaux, pour lui, c'était trop sombre. Il disait que pour parvenir aux meilleurs résultats, il fallait faire des affaires comme on fait l'amour : avec exubérance. Il buvait beaucoup et les industriels allemands trouvaient qu'il était difficile de traiter avec lui, même s'ils le caressaient dans le sens du poil, et lui le savait ; il faisait du commerce avec leurs malheurs, et eux le savaient. Par la suite, Tina raconta à des vieux amis qu'elle n'aimait pas l'aspect d'Ari qu'elle avait découvert en Allemagne.

Une semaine environ après qu'Ari l'eut appelé pour lui demander de trouver un moyen de tourner l'accord de Potsdam, Gratsos surgit à Hambourg, « avec l'air du chat qui vient de manger le canari », raconta Tina. « Est-ce que ça te dirait de te lancer de nouveau dans la pêche à la baleine ? » demanda-t-il à Ari. (Ils avaient touché à ce secteur pendant la guerre, quand ils étaient en Californie ; Ari appelait cela « le plus élémentaire des jeux ».) Après un instant de réflexion, Ari lança : « Je te parle de pétroliers, tu réponds avec des histoires de baleinier. Il y en a un de nous deux qui doit être fou. » En fait, Gratsos n'était pas hors sujet. On avait certes interdit à l'Allemagne de construire de gros bateaux mais les Alliés l'avaient autorisée à recréer sa flotte de baleiniers d'avant-guerre. Ainsi donc, non content d'avoir trouvé une ouverture dans un marché très lucratif, Gratsos avait découvert que l'Accord de Potsdam ne mettait aucune limite aux travaux de reconversion des navires. Ari pourrait utiliser les chantiers navals allemands pour convertir un pétrolier de dix-huit mille tonnes en usine flottante. « Et quand les restrictions sur la construction navale seront levées, tu seras déjà dans le secteur, prêt à foncer. » Gratsos devait se souvenir du sourire qui apparut sur les lèvres d'Ari. « Il a dit simplement : "c'est magnifique" et le lendemain, on s'y mettait. »

Suivit un déroutant enchevêtrement de transactions : le navire-usine *Olympic Challenger* (un ancien pétrolier T2, le *Herman F. Whiton*), financé par une compagnie contrôlée par un citoyen argentin, filiale de l'American Pacific Tankers Inc. de New York, fut cédé à une compagnie enregistrée à Panama et dirigée par l'Olympic Whaling Company de Montevideo, en Uruguay. Fait significatif, ni Panama, ni l'Uruguay, n'avaient signé la convention de 1946 de Washington qui fixait un quota maximum de seize mille baleines tuées par saison. Les sept bateaux de chasse du *Challenger* battaient pavillon panaméen ou hondurien, bien que le capitaine et la plupart des 519 hommes d'équipage fussent allemands. Le chef de l'expédition était un homme d'origine norvégienne : Lars Andersen, considéré par de nombreux baleiniers comme le plus grand harponneur de tous les temps. Collaborateur nazi (jugé et condamné après la guerre à 16000 dollars d'amende), il conseillait Juan Peron pour les entreprises baleinières de l'Argentine quand Ari le découvrit à Buenos Aires. « Il est costaud, cher, déplaisant et c'est un salopard sans scrupules, dit Ari à Gratsos, exactement comme moi, avec le harpon en plus ! ».

Gratsos avait vu juste. Le 2 avril 1951, les restrictions sur la construction navale allemande furent levées ; quelques semaines plus tard, Ari décrocha un énorme prêt de cent millions de dollars pour bâtir dix-huit pétroliers (dont deux de quarante-cinq mille tonnes) dans les chantiers de Hambourg et Kiel. Un soir où ils faisaient la fête au 21, Gratsos lui rappela amicalement l'importance de ses engagements. « J'espère que tu ne pousses pas le bouchon trop loin. » Tina intervint en disant que si Ari avait été peintre, il aurait réalisé les fresques les plus vastes que le monde ait connues.

Cependant ses activités continuaient d'éveiller l'intérêt officiel : « Une nouvelle source de capitaux, étonnamment abondante, est apparue dans la région en la personne d'un certain A. Onassis », annonçait le consul des États-Unis à Hambourg, Jalleck L. Rose, dans une dépêche confidentielle adressée au Département d'État le 21 janvier 1952. « Ces deux dernières années, (il) a commandé dix grands bateaux, fondé une compagnie baleinière prospère et offert d'acheter deux chantiers navals propriétés de l'État fédéral, qui forment ensemble le plus grand combinat de chantiers navals d'Allemagne Occidentale. En dépit de l'étendue de ses activités, on sait très peu de chose ici sur ce gentleman, en dehors du fait qu'il peut produire des relevés de compte en banque portant des sommes en dizaines de millions de dollars. On dit qu'il est Grec de naissance et citoyen américain, mais durant ses visites à Hambourg, il n'a jamais contacté nos services de la nationalité ou du visa. »

Ari estimait que, comme la guerre au XIXe siècle, quand des généraux et leurs épouses pique-niquaient sur les hauteurs de Sébastopol en contemplant la charge de la brigade légère, la chasse à la baleine était un spectacle sportif. Ses hôtes et lui sirotaient des grogs brûlants en regardant les tireurs utiliser leurs harpons à grenade avec une terrible efficacité. Une énorme tache de sang se répandait sur la mer. L'*Olympic Challenger* était le premier navire usine à utiliser un hélicoptère pour aller chercher ses proies ; il planait dans les airs, tel un faucon irréel. Certains des invités d'Ari avaient participé à des carnavals à Rio ou à des grands bals à Venise ; aucun d'eux n'avaient connu pareils moments. De l'avis général, seul Ari avait pensé à organiser une chasse à la baleine dans l'océan Atlantique. Les messieurs furent invités à essayer leurs talents au fusil-harpon. « Je crois qu'il voulait simplement qu'ils sentent le sang sur leurs mains et qu'ils partagent la culpabilité », dira plus tard Gratsos.

Outre Tina, Kurt Reiner et Nicolas Cokkinis, la compagnie était composée de Frederick Pratt, un des directeurs de la Socony Oil et son épouse, du courtier maritime Marshal Dodge et de son épouse, et de M. et Mme Walter Saunders. Saunders était le conseiller juridique de la Metropolitan Life qui avait investi dans la flotte, en particulier en fournissant les quatre millions de dollars nécessaires à convertir l'*Olympic Challenger*. L'expédition commença seize jours avant l'ouverture de la saison et se poursuivit dix-sept jours après sa clôture. Des gens comme les Prat et les Dodge attachaient une grande importance au fait de jouer avec les lois, lui rappela Tina. Elle le mit en garde, comme elle faisait chaque fois qu'elle sentait qu'il allait trop loin et menaçait de compromettre leur réputation. Il lui répondit qu'en effet il jouait avec les lois ; ses lois à lui. Il riait des réprimandes de sa femme. A bord du *Challenger*, ils n'avaient jamais été aussi proches. Ari ne dissimulait pas que les spectacles cruels l'excitaient : « Quant à Tina, je suis sûr que la chasse crée une sensation de plaisir intense », dira une de ses compagnes de voyage. Ari évoquera la « satisfaction de prédateur » que lui procurait la tiédeur du corps de Tina à travers les douces robes de soirée en crêpe blanc qu'elle portait toujours à bord du *Challenger*.

Chaque soir, tandis que ses hôtes dînaient dans la plus fine porcelaine blanche, il travaillait dur dans la pièce radio. La plupart des échanges sans fil se déroulaient entre l'*Olympic Challenger* et Paris. Car tout en se cachant derrière l'habituel écran de compagnies panaméennes, il achetait tranquillement toutes les actions disponibles de la Société des Bains de Mer et du Cercle des Étrangers qui possédaient depuis la Belle Époque un ensemble de propriétés à Monte-Carlo, dont le casino, le Yacht-Club, l'Hôtel de Paris et un tiers environ des 150 hectares de la principauté. A mi-chemin de Marseille et de Gênes, entre les champs pétrolifères du Moyen-Orient et les acheteurs d'Europe et d'Amérique du Nord, Monte-Carlo offrait une base parfaite pour ses entreprises. Le climat lui plaisait, la vie sociale convenait à Tina et on n'y payait pas d'impôts. Mais ses tentatives de prendre en location le club abandonné avaient échoué et nul n'essaya de lui en dissimuler la raison : le conseil d'administration de la SBM ne considérait pas d'un bon œil son personnage.

Il lui fallut exactement quarante-huit minutes, à l'assemblée générale annuelle de 1953, pour prendre le contrôle de la SBM; une semaine plus tard, son état-major avait déménagé dans le Vieux Sporting Club de l'avenue d'Ostende. Nul général ne se tint jamais sur un rempart conquis avec autant de fierté qu'Ari sur son balcon : presque tout ce qu'il voyait était à lui. Il avait cinquante-trois ans (ou quarante-sept pour la presse) et cela faisait exactement trente ans que, petit émigrant en route pour l'Argentine, il avait aperçu pour la première fois les lumières de Monte-Carlo depuis le pont du *Tommaso di Savoia*.

Le prince Rainier de Monaco accueillit favorablement cette prise de contrôle qui promettait un apport d'hommes nouveaux et d'argent. Disposant d'un droit de veto sur les décisions de la SBM, il n'avait rien à craindre. Sa minuscule principauté du littoral méditerranéen, qui s'était bâti une réputation en un autre temps, celui où les archiducs et les célèbres courtisanes hantaient la Riviera, connaissait un grave déclin depuis des années. Onassis, qui tenait pour certain que les affaires à Monaco devaient être placées sous sa houlette, amènerait ses amis riches, la roulette tournerait de nouveau, et Monte-Carlo serait davantage qu'une photographie sépia dans un album de photos de la Belle Époque, simple détail attendrissant dans la mémoire des aristocrates.

A Washington, les progrès d'Ari étaient suivis de plus près encore que d'habitude. J. Edgar Hoover expliquait dans un mémoire à l'attorney général adjoint (assistant du procureur général) Warren Burger, ce que le FBI avait appris : « L'agent d'Onassis, un certain Charles Simon, a été élu président-directeur général de la Société le 29 juin 1953 et, mis à part le prince de Monaco que les Français considèrent comme un personnage inconséquent qui ne se préoccupe que de disposer d'une source de revenus sûre pour ses plaisirs, on peut donc regarder Onassis comme le véritable maître de Monaco. »

L'été 1953 fut dans la vie d'Ari le plus riche en satisfactions. A Hambourg, il lança le *Tina Onassis*. Christina, qui n'avait pas encore trois ans, cassa le champagne sur la coque. Alexandre pressa le bouton qui fit glisser le plus grand pétrolier du monde (quarante-cinq mille tonnes, la construction ayant coûté six millions de dollars) dans les eaux de l'Elbe. Aux ateliers Howaldt de Kiel, les travaux de reconversion de la frégate canadienne *Stormont* en un yacht personnel étaient en bonne voie, bien que les plans fussent bouleversés de jour en jour, les projets de décoration devenant sans cesse plus grandioses. Il s'appellerait le *Christina*.

115

Ari célébrait sa prise de pouvoir à Monaco avec ses amis français au Café de la Paix à Paris quand on lui apprit que Niarchos était poursuivi pour violation du Ship Sales Act de 1946, la loi sur les ventes de navires, par le ministère de la Justice à Washington. Comme il était accusé d'avoir tourné la loi pour mettre la main sur des pétroliers interdits de vente aux étrangers, la totalité de ses activités aux États-Unis était menacée; s'il était reconnu coupable, il risquait la prison ferme. Un des banquiers qui participait au déjeuner du Café de la Paix se souvient : « Onassis se moquait éperdument des ennuis de Niarchos, mais il s'inquiétait du contenu des réquisitions formulées contre ce dernier. Leurs attendus ne seraient révélés que si Niarchos retournait aux États-Unis. Onassis était convaincu que c'était une ruse pour inciter Niarchos à collaborer à d'autres enquêtes. » Il avait en effet de quoi s'inquiéter, ses propres combinaisons ressemblant fort à celles de Niarchos; ils s'étaient servis l'un et l'autre de certaines personnes à Washington et Niarchos n'ignorait pas grand-chose des affaires d'Aristote Onassis. Ce n'était pas la compassion qui animait Ari quand il dit : « Je n'aime pas l'idée que Niarchos soit mis sur le gril aux États-Unis. »

Le 22 octobre, Hoover informait l'antenne new-yorkaise de son agence que, sur la base de réquisitions déposées le 13 octobre par un grand jury fédéral du district de Columbia, un mandat d'arrestation avait été émis à l'encontre d'Ari, de Nicolas Cokkinis et de Robert L. Berenson. « Le bureau de New York devrait vérifier par des enquêtes discrètes les coordonnées exactes de ces trois individus. On ne doit épargner aucun effort pour déterminer à l'aide de sources confidentielles les itinéraires futurs de ces trois personnes. Toute information recueillie par l'agence de New York quant à leurs coordonnées actuelles devrait être communiquée sans délai au Bureau et au service d'intervention de Washington. On ne procédera à aucune arrestation avant d'avoir obtenu l'aval du Bureau. » Au mémorandum du directeur étaient jointes les instructions du procureur Allen J. Krause qui « ne désirait pas » que Robert L. Berenson soit arrêté au cas où il viendrait dans notre pays de lui-même... En arrêtant Berenson, on serait contraint de faire connaître les réquisitions secrètes et donc de donner l'alerte à Onassis et à Cokkinis, qui, sachant que des réquisitions avaient été prises contre eux, ne reviendraient jamais dans notre pays. »

Ari passa la plus grande partie de l'été dans le Sud de la France entre Monte-Carlo et le château de la Croë. Dans la principauté, il séjourna à l'Hôtel de Paris le temps que les décorateurs aient apporté la dernière touche à son pied-à-terre surplombant ses bureaux de l'Olympic Maritime. L'achat de la SBM lui avait apporté une renommée mondiale. Il était bien davantage qu'un riche Grec parmi d'autres; il était installé dans la conscience publique sous les traits d'un homme immense. Sa richesse faisait couler beaucoup d'encre, les gens le reconnaissaient dans la rue et lui demandaient des autographes ; les femmes s'approchaient pour le contempler et le toucher, comme une vedette de cinéma. Les journalistes racontaient ses recettes pour réussir (« Si vous n'avez pas d'argent, empruntez ; ne demandez pas de petites sommes, empruntez beaucoup d'argent, mais remboursez dans les délais prévus ») et inventaient des histoires sur ses extravagances. « Ma vocation est d'être riche et même la victoire mondiale du communisme n'y changerait rien », proclamait-il. Il arbora des lunettes noires et engagea un attaché de presse ; les journaux à sensation le sacrèrent roi de Monaco (couronnement médiatique qui n'était pas du goût du prince). Il affectait d'être surpris par l'étendue de sa nouvelle célébrité mais chaque semaine les coupures de presse rassemblées lui étaient lues par une secrétaire. Et maintenant, quand il parlait, ses paroles avaient une tonalité quelque peu impériale. « J'aime ce pays, mais c'est une légende sur le déclin. Je vais faire des affaires, et je ferai les vôtres aussi, déclara-t-il aux Monégasques. Je bâtirai, j'embellirai, je rénoverai. La nouvelle administration de la SBM apportera une nouvelle grandeur à Monte-Carlo. J'y veillerai. »

Un soir d'août où il dînait avec Tina au Carlton de Cannes, Spyridon Catapodis vint le saluer. Tina n'appréciait guère le personnage (« un minable », assurait-elle) et elle fut franchement mécontente quand Ari l'invita à se joindre à eux. La première rencontre des deux hommes remontait aux années trente, à Londres. Catapodis avait usé ses fonds de culotte sur les mêmes bancs que Costa Gratsos à Ithaque ; pour le reste , son passé, aussi bien que la plupart de ses affaires, demeurait obscur. Gros mais plus grand qu'Ari, il utilisait des parfums de femme et parlait vite avec des gestes délicats. Comme beaucoup d'hommes forts, il avait le pied léger et se vantait de ses talents de danseur. Tina savait qu'il passait pour avoir des goûts sexuels particuliers, mais elle ignorait lesquels précisément. Elle l'avait vu aussi bien avec des femmes superbes qu'avec de beaux garçons. A une époque, il avait possédé quelques cargos travaillant au coup par coup dans la Méditerranée orientale entre Alexandrie et les ports russes de la mer Noire. C'était avant tout un intermédiaire et un combinard, et aussi un joueur frénétique. Tina savait qu'il avait rendu quelques services autrefois à Ari, mais, pensait-elle, rien de plus que de lui trouver une suite dans un hôtel, quand il n'aurait pas dû y en avoir de disponible.

Elle sous-estimait l'utilité qu'il représentait pour Ari. Une des affaires qu'il venait de monter (l'approvisionnement du gouvernement irakien grâce à une flotte de pétroliers et de Liberty ships) s'était effondrée après un coup d'État à Bagdad qui avait gelé ses contacts. Tout en buvant, ils se lamentèrent sur la perte du contrat irakien. Tandis que leur imagination vagabondait sur les possibilités de cette occasion manquée, la nervosité gagnait Ari. Il avait beau être surchargé de projets, l'excitation des débuts d'une nouvelle affaire lui manquait ; les défis de grande ampleur le stimulaient, un contrat de l'ampleur de celui manqué avec les Irakiens présentait un attrait tout particulier à ce moment : quand il s'était lancé dans son programme massif de construction de pétroliers, il s'appuyait sur des prévisions selon lesquelles la demande mondiale de pétrole croîtrait de 8 p. 100 par an. Ces projections s'étaient avérées trop optimistes. Les tarifs de fret s'étaient effondrés ; plusieurs de ses pétroliers étaient déjà immobilisés et il était en quête d'acheteurs pour d'autres bateaux encore en construction. Il suggéra de relancer la combinaison irakienne quelque part dans le monde arabe.

Nul ne saura jamais avec certitude quel accord fut conclu entre les deux hommes. Ce qui ne fait aucun doute, c'est que chacun d'eux escomptait de juteux bénéfices ; sur ce plan-là ils se comprenaient à merveille. Mais quand ils se séparèrent ce soir-là, Catapodis était convaincu qu'Ari l'avait chargé de monter une affaire pour laquelle il serait rémunéré au pourcentage (le chiffre d'un million de dollars par an net d'impôts avait été mentionné, il en était sûr) ; Ari, quant à lui, était tout aussi persuadé que Catapodis serait rétribué par les Arabes.

Une semaine plus tard, à l'hôtel Martinez à Cannes, Catapodis exposait devant Mohammed Abdullah et Ali Alireza les grandes lignes d'un projet de flotte pétrolière saoudienne fournie et gérée par Onassis. Proches du cheikh Abdullah Al Suleiman Al Hamdan, le puissant ministre des Finances, les deux frères monopolisaient la construction navale saoudienne, contrôlaient le port de Djeddah et détenaient la franchise des Lincoln pour le royaume. Ce n'étaient pas des hommes faciles à impressionner. Catapodis joua beaucoup sur la corde sensible du nationalisme arabe. Il lui fallut aussi « intéresser » ses interlocuteurs. (« Tu n'imagines pas à quel point ces fleurs du désert ont besoin d'être arrosées », raconta-t-il à Ari.) Selon lui, les Alireza voulaient 125 000 livres à la signature du contrat et 75 000 de plus le jour où le premier pétrolier d'Onassis quitterait un port saoudien en application de l'accord. Une « commission » annuelle de 50 000 livres serait versée sur un compte suisse tout le temps que dureraient les activités réglées par ce contrat, à quoi s'ajouteraient 100 livres pour chaque pétrolier d'Onassis quittant un port saoudien.

A ces conditions, les Alireza entameraient des négociations avec le cheikh Abdullah Al Suleiman Al Hamdan. L'accord ne serait pas facile à mettre sur pied. Les coulisses de la politique saoudienne étaient « obscures, glissantes et encombrées », à ce que racontera Catapodis. La mort du vieux roi Ibn Seoud et des troubles sociaux dans les champs pétrolifères compliquaient encore la situation. Lorsqu'il rendit compte à Ari en novembre 1953, Catapodis était fier de sa réussite. Il se souvient de lui avoir annoncé : « Voilà le citron, mon ami. Il ne te reste plus qu'à le presser. »

Les profits potentiels étaient immenses, les implications globales gigantesques. S'il réussissait, Ari deviendrait plus riche et plus puissant que certaines nations. Il était d'importance vitale que l'accord soit conclu rapidement : l'ARAMCO, un consortium dominé par quatre des plus grandes compagnies américaines — la Standard Oil Company of California, Mobil, Exxon et Texaco — avait signé en 1933 avec les Saoudiens un traité qui leur accordait, outre des concessions pétrolières et des autorisations de recherche, le droit de transporter le pétrole. Ari ne sous-estimait pas la fureur qu'il encourrait lorsqu'on découvrirait qu'il était lui aussi dans la course. « J'allais toucher au gâteau américain » — un gâteau qu'un fonctionnaire du Département d'État définit un jour comme « le plus riche butin de l'histoire ».

« Une affaire lourde de tension, la plus grosse de ma vie » : ainsi définit-il ces tractations. Il ne pouvait plus dormir, la migraine le harcelait constamment, ses gencives saignaient. A la mi-novembre, il s'en fut à Dusseldorf demander au Dr Hjalmar Schacht de diriger son équipe de négociateurs. L'ancien président de la Reichsbank de Hitler avait été acquitté du chef de crime de guerre au procès de Nuremberg — « on ne pend pas les banquiers », disaient les cyniques, même avant le début du procès — mais il fut par la suite déclaré coupable par un tribunal allemand de dénazification. « La svastika effacée de sa manche », il était sorti de prison en 1946 et vendait à présent ses conseils de spécialiste du monde musulman. En janvier 1953, le *Spiegel* le baptisa « le sorcier de la haute finance » et raconta que la confiance qu'on lui accordait dans tout le Moyen-Orient avait quelque chose de mystique. Ari était convaincu que c'était l'homme qu'il lui fallait pour démêler l'écheveau des intérêts politiques en jeu au royaume du désert. Dans le bureau de Schacht, 14, Schadowplatz, en moins d'une heure, les deux hommes avaient trouvé un accord parfait.

Ari s'abstint de mettre Catapodis au courant et, quand ce dernier découvrit que l'Allemand avait des entretiens avec de « hauts personnages saoudiens » à Genève (dont le ministre des Finances, le cheikh Suleiman), il soupçonna Ari de vouloir le mettre hors du coup et éviter de verser les « commissions » promises aux frères Alireza.

Ari combattait en dormant une gueule de bois consécutive à une nuit trop arrosée chez Maxim's, lorsque Catapodis fit irruption dans sa chambre de l'avenue Foch. La secousse dut être rude

119

quand il vit se pencher sur lui la massive silhouette de Minotaure et que Catapodis, l'agrippant par le revers de son pyjama de soie, approcha son visage tout contre le sien : « Espèce de pauvre connard, espèce de merde nulle de Smyrne, tu as foutu en l'air toute l'affaire. On devait se faire des couilles en or, et on va l'avoir dans l'os. » La tirade dura plusieurs minutes. Toute la maisonnée était accourue ; personne ne savait exactement comment réagir, aussi personne ne tenta d'intervenir. A la fin, Ari parvint à le calmer, à apaiser ses craintes. Par la suite, il affecta de prendre ce grotesque épisode à la légère (« Il n'y a rien de pire pour vous gâcher la journée que d'être réveillé par un Grec furieux qui a mauvaise haleine »), mais l'incident lui resta sur le cœur comme une cuisante humiliation ; pour finir, il prétendit qu'il n'avait jamais eu lieu.

Mais fin décembre, Schacht avait posé les bases d'un accord qui satisfaisait les Saoudiens et contenait tous les ingrédients susceptibles d'enthousiasmer Ari : ruse, audace, imagination. Connu simplement sous le nom d'accord de Djeddah, son existence était un secret encore jalousement gardé. Ari était invité à fournir des pétroliers pour un tonnage total de cinq cent mille tonneaux, afin de constituer la SAMCO (Saudi Arabian Maritime Company — Compagnie maritime d'Arabie saoudite). Exemptée d'impôts, bien que son siège social fût à Djeddah, la flotte arborerait le pavillon national, ses officiers seraient formés dans une école navale qui serait fondée par Ari. La compagnie aurait des droits prioritaires sur le transport du pétrole, avec une garantie de 10 p. 100 (ou au minimum quatre millions de tonnes) de la production annuelle du pays. Si les pétroliers enregistrés au nom de filiales de l'ARAMCO jusqu'au 31 décembre 1953 n'étaient pas concernés par l'accord, Ari serait libre de prendre le contrôle des bateaux de l'ARAMCO dès qu'ils seraient déclassés. « Une vraie rafle » : c'est ainsi qu'un éminent courtier londonien qualifia l'arrangement qui, dans les dix années à venir, donnerait à Ari un monopole stratégique sur le transport annuel de plus de quarante-cinq millions de tonnes de pétrole saoudien.

Le 18 janvier 1954, Ari et Tina arrivaient à Djeddah à bord du *Tina Onassis*. Nicolas Cokkinis et Spyridon Catapodis (toujours convaincu d'être partie prenante) étaient arrivés par avion quarante-huit heures plus tôt pour vérifier que tout était en bon ordre. L'accord fut signé sans anicroche le 20 janvier dans la villa du ministre des Finances Suleiman. C'était, selon le passeport grec d'Ari, son quarante-huitième anniversaire : journée doublement solennelle. Ari et Tina furent fêtés par les Saoudiens ; il y eut des pique-niques au bord de la mer Rouge et des banquets auxquels assistèrent les doyens de la famille royale. Tina fut invitée à prendre le thé au palais des quatre reines du roi Seoud. Le roi fit don à Ari de deux poneys arabes et d'une paire de cimeterres à fourreau d'or.

Mais personne n'avait encore fait connaître les sensationnelles conditions de l'accord à l'ARAMCO et au reste du monde. Que diraient les gens des grandes compagnies ? L'accord, signé par le cheikh Suleiman au nom de son gouvernement, ne s'était pas encore traduit par un décret royal, et tant que la signature royale ne figurerait pas sur le contrat, Ari savait qu'il n'avait que du vent. Il suggéra qu'on garde l'affaire « à l'intérieur de la famille » tant que ne serait pas paru le décret royal. Soucieux de prendre ses distances avec cette affaire, à présent que les prémices en avaient été posées, Suleiman laissa à Ari le soin de déterminer le moment de la rendre publique.

CHAPITRE 8

Quelle infortune d'être découvert.

HORACE.

En cette fin janvier, l'avenue Foch luisait sous la pluie. Ari traversa son bureau à grands pas, les épaules voûtées. Il s'arrêta devant la croisée, regardant au-dehors, vacillant légèrement sur ses jambes, dans une attitude familière qui rappelait à Randolph Churchill « un poids coq observant dans quel sens son adversaire va bouger ». Gratsos savait que ce n'était pas la nervosité qui le faisait bouger. Ce qui électrisait Ari, c'était la colère, et non la nervosité. Depuis octobre, il subissait les effets des réquisitions secrètes prises contre lui par un *marshal*. Chaque fois qu'un de ses bateaux accostait dans un port des États-Unis, il était saisi et les scellés étaient apposés sur la passerelle par un marshal. Pour une personne ordinaire, être appelée à comparaître devant un grand jury était une disgrâce. Mais Ari avait organisé sa vie en fonction d'autres règles et, suivant ses propres critères, il n'avait rien fait dont il pût avoir honte. Il eut un mouvement des mains et des épaules. « Peu importent les poursuites, je suis fier de ce que j'ai fait », assura-t-il à Gratsos, qui devait plus tard citer la phrase dans le « mémoire en défense » qu'il rédigea pour Ari à l'intention du Département (ministère) de la Justice. Ce n'était vraiment pas le moment. L'accord saoudien devait être ratifié par le roi et une bagarre publique avec le gouvernement des États-Unis était la dernière chose dont il avait besoin.

« Il était particulièrement furieux contre Brownell », raconte Gratsos. Sept ans plus tôt, celui qui était à présent attorney général (procureur général), avait été membre du cabinet qui avait examiné et approuvé son plan d'achat des navires des surplus. Ari m'a dit : « Voilà maintenant ce type qui veut me poursuivre pour escroquerie criminelle parce que j'ai suivi ses conseils. Comment peut-il faire une chose pareille ? Comment cet enfant de salaud peut-il se le permettre ? » Tout en pensant que « la loi est un mystère où les fins logiques disparaissent au profit de l'arbitraire aveugle », Gratsos, doué pour révéler et définir les pensées et les faiblesses des autres, avança que Brownell ne « devait pas se sentir très à l'aise » dans cette situation. Il engagea Ari à aller parler en tête-à-tête avec l'attorney général. « Il risque de ne pas goûter la perspective d'être appelé à la barre pour affronter un avocat malin qui l'interrogera sur les avis et les opinions qu'il avait exprimés avant d'être procureur général. » Ari, assura Gratsos, devait rentrer aux États-Unis et contraindre le Département de la Justice à rendre public le contenu des réquisitions. « Voyons exactement ce qu'il y a là-dedans, parce que, quoi que Brownell et ses gens sachent sur toi, tu sais certainement pas mal de choses sur Brownell. » Il considérait qu'il y avait là « une répartition stabilisatrice de renseignements ».

« Le Département de la Justice est plein de gens malins », rétorqua Onassis. Il rappela à Gratsos que ses avocats lui avaient conseillé de ne pas approcher des États-Unis. L'avis des hommes de loi de Niarchos était le même et il ne quittait plus guère Londres. Gratsos rétorqua : « Brownell était avocat lui aussi, et voilà ce qu'il t'en a coûté de suivre ses conseils ! » Plus d'une dizaine de ses bateaux avaient déjà été saisis et leurs revenus confisqués : il fallait résoudre ce problème rapidement. En rentrant maintenant, il aurait un avantage, assura Gratsos. « Le Département de la Justice ne t'attendra pas, et Brownell ne voudra pas de toi. » Le 1er février 1954, Ari passait sans encombre la douane et le contrôle des passeports à l'aéroport international d'Idlewild. Le mercredi 4 février il télégraphiait au procureur général :

« Je tiens à vous faire savoir qu'arrivé d'Europe ce lundi soir, je me mets à votre disposition durant ma visite dans votre pays pour toute information que vous ou votre ministère seriez soucieux d'obtenir. »

Il aurait pu s'épargner la dépense. Les hommes de Hoover avaient déjà annoncé son retour. « (Il) a voyagé avec un passeport argentin et à son arrivée a indiqué qu'il avait l'intention de séjourner dans notre pays deux mois et que son adresse durant cette période serait Central American Steamship Agency, 655 Madison Avenue, New York, État de New York », expliquait Hoover dans un rapport adressé à l'attorney général adjoint, Warren Olney III. Le manda d'arrêt d'Onassis fut adressé au marshal du District sud de New York pour « faire ce que de droit ».

Son deuxième Gibson l'ayant convaincu définitivement que

Brownell bluffait, Ari déjeunait au Colony le vendredi 5 février lorsqu'un marshal fédéral l'informa qu'il se trouvait en état d'arrestation. « Il a dit qu'il espérait ne pas avoir gâché mon repas. Je lui ai répondu que le moment ne me paraissait pas très bien choisi. Le Colony n'est pas exactement le genre d'endroit où on s'attend à devoir se défendre », raconte Ari à propos de cet épisode. Même le patron du Colony, Gene Cavallero, qui était en train de tourner sa salade spéciale pour Onassis, ne comprit pas ce qui se passait. Ari accompagna le marshal (« Il ressemblait plus à un vendeur de chez Abercrombie & Fitch qu'à un représentant de la loi ») jusqu'au vestiaire où il lui fut permis d'appeler son avocat, Edward J. Ross. Ce dernier s'entretint avec le marshal et s'engagea à présenter son client devant le tribunal de district à Washington à la première heure le lundi suivant. « Je crois que plus rien ne s'oppose à ce que vous retourniez là-bas déjeuner tranquillement », dit le marshal quand l'offre de Ross eut été acceptée par le bureau du shérif. Ari avait perdu l'appétit. « C'était une façon très civilisée de vous mettre la main au collet », racontera-t-il; il savait que Brownell avait gagné la première manche.

Ce week-end-là, quand il prit enfin connaissance des réquisitions, Ari apprit qu'outre sept délits distincts, il était accusé également de conspiration criminelle visant à nuire au gouvernement des États-Unis; les noms de sept individus et de six sociétés étaient avancés. « Bien, quelle va être ma rançon, maintenant ? » demandat-il quand son équipe de juristes eut étudié la situation. Eliot Bailen, jeune avocat qui avait quitté le cabinet d'affaires de Washington traitant l'ensemble du dossier pour devenir conseiller personnel d'Ari, énuméra les peines encourues : emprisonnement pouvant aller jusqu'à cinq ans ou amende de dix mille dollars, ou les deux. « Je suis surpris qu'un homme aussi occupé que vous, M. Onassis, ait trouvé le temps de se faire tant d'ennemis, observa Ed Ross. — Je sais, rétorqua Ari, et ça commence à m'inquiéter sérieusement. »

Il y eut un seul moment de gaieté durant ce week-end. Comme son équipe de juristes examinait à la loupe l'acte d'accusation et que l'ampleur du problème devenait de plus en plus évidente (« On aurait dit que la justice avait la réponse à toutes les questions, avant même qu'ils aient pu les poser », dira Gratsos), Ari demanda : « Est-ce qu'on sait qui suit le dossier au niveau fédéral ? — L'Amiral », lui répondit Ross, faisant allusion à Warren Burger, adjoint de l'attorney général et futur président de la Cour suprême. « Il vous a saisi tellement de bateaux qu'au ministère de la Justice on l'a surnommé l'Amiral. »

L'humeur d'Ari changeait sans cesse : il passait « de déclamations extravagantes sur ses malheurs à une espèce de calme pro-

Le père, Socrate Onassis, a trouvé à son goût le défi que lui lançaient les villes de la côte.

Pénélope, la mère : en perdant l'amour de sa mère, le jeune Aristo perdit ce qu'il avait de plus précieux au monde.

Excellent nageur, rameur et joueur de water-polo, Aristo aimait parader devant les jeunes filles.

Ingeborg et la sœur d'Ari, Artémis, l'adorent littéralement, mais son nouveau beau-frère, Théodore Garofalidès, en demande davantage. Vers 1937, au cours d'un voyage en Italie.

En Nordique dépourvue de tout sentiment de culpabilité dans ses relations sexuelles, Ingeborg taquinait Ari au sujet de ses crises de jalousie... et le menaçait de représailles.

Un bélier... ou bien le diable ?
Théodore affuble Ari d'une paire
de cornes.

FIVE PHOTOS: COLLECTION OF INGEBORG DEDICHEN

Un moment de détente avec ses sœurs Artémis et Callirhoë dans leur maison de Glyfada en 1938.

Le touriste : Ari en compagnie de sa sœur Pénélope et de l'époux de celle-ci, Nicos Konialidis. Ils viennent d'assister à un rodéo à Salinas, en Californie, en 1938.

Claudia Muzio, la prima donna qui donna à Aristo un conseil important pour le reste de sa vie.

Ingeborg Dedichen et son amant, qui se fait appeler désormais Ari, au cours du voyage inaugural de son premier pétrolier, l'*Ariston*, en 1938; la puissance vitale d'Ari la stupéfiait.

L'artiste travesti : à gauche, Ari porte les vêtements d'Ingeborg pour une petite plaisanterie privée dans les années trente ; à droite, vingt-cinq ans plus tard, il s'est glissé dans des vêtements nettement plus confortables pour amuser ses hôtes à bord du *Christina*.

Le macho : Ari pose pour Ingeborg dans le midi de la France.

Le diplomate : il fut nommé vice-consul de Grèce à Buenos Aires. Ses activités n'étaient-elles pas plus proches de l'espionnage ?

Gloria Swanson : une grande dame,
qui dispensa autrefois ses faveurs à
Ari et à Joseph Kennedy.

« A partir de maintenant, écrivit
Ingeborg à Ari à la fin de la guerre,
ne compte plus sur moi... Je reprends
ma liberté. »

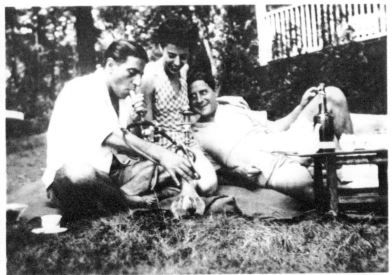

COLLECTION OF INGEBORG DEDICHEN

A Long Island, Ari, Melpomène et Stavros Niarchos goûtent un moment de détente en fumant le narguilé — mais non pas le calumet de la paix.

Le respectable jeune homme d'affaires : New York, 1941... une image qui ne convainquit guère J. Edgar Hoover.

LIAISON/HENRY LERIDON

« De temps en temps, pour plaire aux dames, nous respectons les règles, nous faisons semblant d'être civilisés. » Ainsi Ari résuma-t-il la brillante réception donnée pour son mariage dans la salle des terrasses du Plaza. Il semblait très éloigné de la mentalité d'une épouse qui avait reçu une éducation anglaise. Assis à gauche, la sœur de Tina, Eugénie, et Stavros Niarchos. Debout derrière eux, Stavros Livanos.

Stavros Niarchos avec Eugénie et Tina, les deux sœurs qu'il épousera, puis mènera en terre.

REX FEATURES/GINIES-SIPA

Le *Christina* appareille de Monte-Carlo. Ari dépensa plus de 4 millions de dollars pour transformer cette frégate canadienne de cent mètres de long, et qui avait coûté 50 000 dollars, en un navire que l'ex-roi Farouk appelait « le summum de l'opulence », et qu'un autre convive décrivait comme la « cristallisation du charme d'Ari ».

Les sièges de bar recouverts de prépuces de baleine. « Madame, dit Ari à Greta Garbo, vous êtes assise sur le plus gros pénis du monde. » Si à l'époque le décor du *Christina* était d'un goût douteux, il n'était jamais bon marché.

DESMOND O'NEILL

REX FEATURES/SIPA

Veronika Lake : ils dînèrent chez Romanoff, dansèrent au Mocambo... Miss Lake s'enivra énormément, mais Ari ne la déposa pas dans le bon lit.

Geraldine Spreckles : héritière d'une fortune dans l'industrie du sucre. Pour Ari, à l'époque, c'était la plus belle femme du monde. Après une idylle très convenable, elle l'abandonna au pied de l'autel.

AP/WIDE WORLD

COLLECTION OF GERALDINE FULLER

Ari et Tina dansant joue contre joue à Londres. Mais à l'époque, ils savaient bien tous deux que leur vie commune avait de moins en moins de sens.

Ari et le roi Saoud : leur accord fut pour Washington un grave sujet de préoccupation.

Christina et son frère Alexandre (ici âgés, semble-t-il, de trois et six ans) vivaient dans un monde irréel, où on les négligeait et les choyait tout à la fois. L'affection de leurs parents se manifestait par des cartes postales expédiées de lointaines contrées ou des baisers transmis par des inconnus et des amis de passage.

Ci-contre : Christina, la petite chérie de son père...
...mais la honte secrète de Tina ?

Ski en famille : Ari, Alexandre, Tina et Christina devant leur villa suisse.

Ari aux pieds du maître : J. Paul Getty.

Ci-contre : clichés publicitaires. Ari prenant une pose victorieuse devant le casino et avec un modèle réduit de ses pétroliers au siège de Monte-Carlo. S'il ne lui avait pas été aussi utile, il aurait vraiment été le type même de personnage que Rainier ne daignait pas regarder.

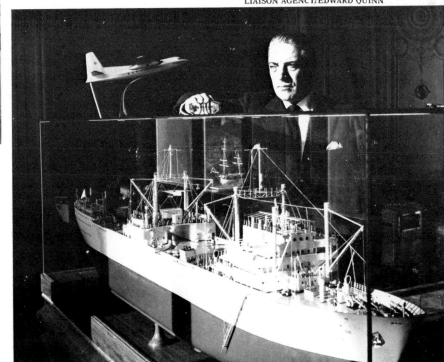

Robert Aimé Maheu, le détective privé qui reçut de Stavros Niarchos 5 000 dollars d'avance pour un boulot : flanquer par terre l'accord avec les Saoudiens.

Imbue de son pouvoir, capable de flatter les vices des uns et de terroriser les autres, l'entremetteuse mondaine Elsa Maxwell dîne avec le patriarche Stavros Livanos à Monte-Carlo.

Ari promène Churchill... mais n'a-t-il pas trahi sa confiance ?

che de l'engourdissement », raconte un avocat qui se trouvait à Long Island durant ce week-end. Le magnat dicta une bonne demi-douzaine de déclarations qu'on le persuada successivement d'abandonner avant d'aboutir à un communiqué de presse d'un millier de mots. C'était un intéressant document, un mélange, dira un de ses collaborateurs « de rapport du conseil d'administration et de divagations d'un tueur non repentant en route vers la chaise électrique ». Les avocats s'efforcèrent de le convaincre de « couper l'étalage des sentiments et de s'en tenir à une courte et digne déclaration selon laquelle il répondrait en temps voulu à toutes les accusations ». Il demanda son opinion à Gratsos. « Je dois dire que je donne raison à ces messieurs », lui rétorqua son plus vieil allié, ajoutant qu'il s'agissait d'un simple communiqué de presse, pas d'un discours sur le mont Parnasse. « Merde, Costa, rétorqua Onassis, il s'agit de propagande », et il leur demanda de publier la déclaration le lendemain matin.

Elle exposait dans le détail comment il était rentré volontairement aux États-Unis dès qu'il avait appris que « plusieurs réquisitions secrètes avaient été obtenues par le Département de la Justice, dans lesquelles (il) pouvait avoir été cité ». Sa femme et leurs deux enfants étaient citoyens américains et son bon renom aux États-Unis avait beaucoup d'importance pour lui. Ses relations avec des hommes d'affaires et le gouvernement américains étaient une source d'orgueil pour lui. Peu après la seconde guerre mondiale, il avait eu la chance d'être en mesure d'empêcher la fermeture de l'un des meilleurs chantiers navals du pays (les chantiers Bethlehem à Sparrows Point) en leur commandant la première flotte de superpétroliers. « Quand la guerre de Corée à éclaté, j'ai offert sans condition la totalité de ma flotte étrangère, ainsi que ma flotte baleinière, et aussi mes services et mes ressources personnels, à la Marine des États-Unis pour la durée du conflit — offre, je crois, sans exemple parmi les autres armateurs, et pour laquelle j'ai été officiellement remercié par la Marine. »

Les paragraphes relatifs aux affaires en cours constituaient un extraordinaire amalgame de révélations et de désinformation. « Les choses sont simples », assura-t-il avant d'exposer une situation rien moins que simple. « La United States Petroleum Carriers, Inc., société américaine, a été fondée en 1947 par un groupe de citoyens américains pour acheter et faire fonctionner des navires. Quelque temps plus tard, une compagnie étrangère, que je représente, sur offre du groupe américain, a acquis 49 p. 100 de la société américaine, comme l'autorisaient les lois maritimes. » Grâce à son savoir-faire dans le secteur, à ses fonds propres et subsidiaires, l'USPC avait acquis plus de vingt bateaux en trois ans. « La compagnie a dégagé des revenus bruts de plus de cinquante millions de dollars et des bénéfices nets de plus de vingt millions... ces activités prospères dans le secteur maritime sont restées pour leur bénéfice sous le contrôle et en la possession des citoyens américains détenant 51 p. 100 du capital. »

Dans les premières heures de la matinée du lundi, il s'envola pour Washington où il alla se présenter, en costume bleu sombre, chemise bleue, cravate et pardessus noirs, au procureur fédéral Leo Rover. « Je crois comprendre que c'est le moment de mettre cartes sur table », dit-il. Rover invita un marshal à l'arrêter officiellement. On lui prit les empreintes, on remplit sa fiche, on le photographia, puis on le mit au dépôt avec des prostitués mâles et un groupe de Porto-Ricains accusés d'avoir la veille tiré des coups de feu sur le Congrès. Bien qu'elle ne durât pas plus de quarante minutes, sa détention l'éprouva profondément car elle lui rappela l'époque de l'emprisonnement de son père. Dans le monde entier, son arrestation le fit passer des rubriques mondaines et financières aux premières pages des journaux. Quand il comparut devant le tribunal du district fédéral et plaida non coupable des huit chefs d'accusation, les journalistes notèrent qu'une pâleur inhabituelle filtrait sous son hâle. Il fut mis en liberté contre une caution de dix mille dollars, avec interdiction de quitter les États-Unis.

Pendant ce temps, à Londres, la rumeur de l'accord de Djeddah était parvenue aux oreilles de Niarchos. (Avec le fastueux Catapodis célébrant sur la Côte d'Azur la réussite de son coup, il est extraordinaire qu'Ari ait pu croire un seul instant que l'affaire resterait secrète.) Comme il figurait parmi les principaux transporteurs de la part de pétrole saoudien qui n'était pas acheminée par l'ARAMCO, Niarchos savait qu'il risquait d'être promptement écarté de ce marché lucratif. Mais il y avait plus grave encore. Ari avait certes des maîtresses avec lesquelles il partageait ses secrets, et des collaborateurs dans ses sociétés en lesquels il avait confiance, mais ses rêves, il n'y avait qu'une personne pour les partager : Niarchos. Ce dernier ne pouvait manquer de voir dans cette affaire un nouvel épisode de leur guerre privée. Nulle histoire n'avait à leurs yeux plus d'importance que l'histoire de cette Grèce qui plaçait si haut l'orgueil et l'ambition, où la valeur et l'estime tenaient aux réussites et aux richesses. Leur beau-père avait dit un jour que l'armement maritime était une sorte de sport sanglant. Stavros Niarchos savait que le moment était venu de faire couler le sang.

Robert Aimé Maheu était dans les affaires pour son propre compte depuis quelques mois à peine lorsqu'on lui offrit une avance de cinq mille dollars pour un travail au profit de Stavros Niarchos ; cinq mille dollars, c'était beaucoup d'argent pour un détective privé qui gagnait normalement cinquante dollars par jour plus les frais. Qu'est-ce que M. Niarchos désirait obtenir pour cinq mille dollars ? demanda Maheu à l'avocat anglais venu le voir dans son petit bureau du 917, 15e Rue, N.W., à Washington. L'avocat exposa dans toute son étendue l'affaire de l'accord entre Onassis et les Saoudiens et la menace qu'il représentait pour les intérêts américains à l'étranger. « M. Niarchos aimerait couler ce contrat. Il veut leur mettre des bâtons dans les roues, M. Maheu. » Son client désirait que Maheu use de ses relations à Washington pour qu'on prenne conscience des répercussions de l'accord de Djeddah « jusqu'au sommet ».

C'était pour Maheu la première mission d'importance dans ce boulot de détective privé. (« Je ne suis pas devenu riche en un soir, dira-t-il, mais je m'en suis très bien tiré. ») A trente-sept ans, Maheu était un homme dont le charme frappait ceux qui le rencontraient. Maheu avait quitté le FBI en 1947 pour se lancer dans la laiterie. Il avait conservé une grande admiration pour Hoover, n'oubliant jamais de lui envoyer une carte de vœux pour son anniversaire. L'une d'elles disait : « Ceux d'entre nous qui comprennent vraiment quelles forces insidieuses vous avez combattues et continuez de combattre, remercient Notre-Seigneur de vous avoir accordé tant d'années de santé physique et mentale. Nous prions pour qu'il daigne continuer. » Quand les affaires de la laiterie tournèrent mal quelque deux années plus tard, le directeur tant encensé lui trouva un boulot à la Small Defense Plants Administration (Administration des petites usines de la Défense) à Washington. En 1954 il fonda la société A. Maheu Associates. Puis, responsable principal des activités de Howard Hughes à Las Vegas (où, catholique dévot, il étonna ses associés en récitant les grâces avant les déjeuners de travail), il préférait évoquer ce travail comme une activité de conseil en gestion, quoique la plupart des collaborateurs, y compris Maheu lui-même, fussent des ex-agents du FBI et des services de renseignement ; dès le début, la CIA exerça un contrôle sur les dépenses de son bureau en lui versant cinq cents dollars par mois. Il lui arriva un jour de produire un film pornographique pour la CIA, qui était censé présenter le président Sukarno lutinant une blonde beauté ; puis il servit d'intermédiaire à l'Agence pour le recrutement d'un personnage de la pègre, Johnny Rosseli, dans un complot visant à assassiner Fidel Castro*.

Il est peu probable que Niarchos ait approché Maheu avec l'intention de lui demander des conseils de gestion. Et peu après que l'avocat londonien eut quitté le bureau de Maheu, un cour-

---

* Sur Maheu et Hughes, Michael Drosnin, voir *Citizen Hughes*, Presses de la Renaissance, 1985.

sier lui apportait des photographies d'Ari et un dossier détaillé sur lui, ses affaires et ses principaux employés.

Environ deux semaines après l'arrestation d'Ari à Washington, des informations sur l'accord de Djeddah — tronquées, incomplètes mais efficaces — parurent dans un journal romain fondé par la CIA par l'intermédiaire de Maheu lui-même. Rome était le centre du programme d'interventions politiques occultes de la CIA ; sous la direction de William Colby, qui devait devenir directeur de l'agence, l'un des objectifs prioritaires de l'antenne était de répliquer aux Soviétiques qui avaient mis au point une technique très élaborée consistant à placer des articles malveillants ou malfaisants dans des publications étrangères, afin qu'ils fussent repris et répandus à travers le monde.

Comme on pouvait s'y attendre, l'ARAMCO exprima sa consternation au gouvernement saoudien ; de tous côtés, des armateurs élevèrent des protestations véhémentes. A Londres, Stavros Niarchos lançait une offensive moins discrète contre son beau-frère, en engageant Alan Campbell-Johnson, vieux spécialiste des relations publiques (collaborateur, pendant la guerre, de Lord Mountbatten, il fut son attaché de presse quand ce dernier devint vice-roi aux derniers jours de l'empire des Indes), pour que l'affaire soit portée devant le Parlement, car il était convaincu que son animosité envers Ari trouverait un écho politique. Ses instructions étaient brèves : « Je veux qu'Onassis soit rappelé à l'ordre. »

Campbell-Johnson, qui s'était présenté à deux reprises au Parlement sous l'étiquette libérale, « reconnut que l'intérêt national était en cause », et organisa une réunion entre Niarchos et Jo Grimond, qui était alors chef du groupe parlementaire et serait bientôt dirigeant du parti libéral, afin que la question soit portée devant les Communes. Bien que Campbell-Johnson estimât que Niarchos était un « misérable personnage sans élan intérieur », il était convaincu qu'il agissait « poussé plus par le chagrin que par la colère » et que ses efforts pour saboter l'entreprise saoudienne visaient à « mettre un terme aux excès d'Onassis, non à détruire l'homme ».

Ari apprit sans étonnement qu'à Londres Niarchos s'employait à lui nuire. Quand Onassis était revenu de Djeddah la signature de Suleiman en poche, Gratsos avait prédit que Stavros allait certainement monter une « espèce d'opération pour tenter de gâcher les choses ». « Il va essayer de sauver ses fesses. On va pas râler pour ça. » Seule Tina, qui avait gardé de l'affection pour son beau-frère (ce qui ne manquait pas, elle le savait, d'exciter la jalousie de son époux) fut sidérée par un comportement qu'elle considérait comme une trahison envers la famille. « Les relations, lui lança Ari, c'est comme les principes, on les oublie quand elles menacent les profits. »

« Au fur et à mesure que les détails de l'affaire de Djeddah trans-
piraient, les gens se sont rendu compte de son ampleur, dira Gratsos. J'ai raconté à Ari que ni Livanos ni Niarchos n'arrivaient à
croire ce qu'il avait fait. "Des types comme ça ne croient pas ce
qui dépasse leur imagination", m'a-t-il rétorqué. » Mais lui-même
était toujours inconscient de l'ampleur de la puissance de feu qui
se rangeait contre lui ; dans son for intérieur, Gratsos considérait que son ami s'était conduit en « visionnaire » mais qu'il était
« mal préparé ».

Maheu ne fut pas long à mettre sur écoutes les bureaux new-
yorkais d'Ari sur Madison Avenue. Des micros furent également
posés dans l'appartement de l'avenue Foch. Il engagea des analystes militaires et économiques pour démêler et prévoir les implications de l'accord de Djeddah, afin de les exposer au
vice-président Richard Nixon et au Conseil national de Sécurité.
Immanquablement, l'influence des États-Unis au Moyen-Orient
serait sérieusement sapée par un tel contrat. La tentative iranienne de nationalisation de l'Anglo-Persan Oil Company (la future
BP) en 1951 était fondée sur le fait que l'Iran ne possédait pas
sa propre flotte pétrolière, ce qui lui aurait permis de faire face
au boycott imposé par les multinationales pétrolières ; l'accord
de Djeddah tournerait toutes les restrictions futures des multinationales et déstabiliserait le monde arabe tout entier. Telle était
la conclusion du dossier que Maheu présenta à Richard Nixon.

Nixon avait siégé à la sous-commission permanente d'enquête
du Sénat qui avait passé des mois à démêler les circonstances
complexes de la vente des pétroliers du surplus. Maheu a dû
découvrir avec plaisir que le vice-président avait très mauvaise
opinion d'Ari et considérait l'accord de Djeddah comme une catastrophe. Ce que les deux hommes se sont dit durant leurs brefs
entretiens au Capitole n'a pas été consigné dans un mémorandum
ou dans des notes. Maheu n'était pas homme à laisser des traces
écrites*. Ce qu'on sait, c'est que face à un problème, à ses yeux
lourd de menaces, Maheu n'envisageait qu'une solution : détruire
la crédibilité d'Ari. Et Nixon semble l'avoir encouragé à foncer.
John Gerrity, un collaborateur de Maheu qui assista à au moins
une rencontre au Capitole, fut impressionné par l'enthousiasme
manifesté par le vice-président à l'idée de s'attaquer à Onassis.
« Nixon nous a tout balancé... C'était une affaire ultra-secrète, une

---

* En 1975, quand il réclama 17,5 millions de dollars à la Summa, une
société de Hughes, dans un procès en diffamation, Maheu fut mis au défi
de produire les factures de ses services à Niarchos. Il expliqua que tout en
ayant rencontré Niarchos à Londres, New York, Washington, Rome, Bey-
routh et Athènes, il ne lui présenta jamais de facture mais lui demanda
durant la période de sa mission des sommes supplémentaires pour ses frais
— sommes qu'il plaçait toujours immédiatement sur son compte en banque.

question de sécurité nationale extrêmement délicate, et si nous nous chargions de cette mission, et qu'on se faisait prendre — eh bien, le gouvernement ne pourrait nous aider en rien. Ils nieraient être impliqués en quoi que ce soit. » Il n'est jamais facile, en politique, de savoir où finit l'intérêt national et où commence la défense de gros intérêts privés, mais comme l'une des importantes fonctions de Nixon était de collecter des fonds pour les républicains, les conséquences de l'accord entre Onassis et les Saoudiens pour les généreuses sociétés pétrolières ont dû constituer un élément d'appréciation important pour le vice-président.

En entraînant Nixon dans la querelle, Maheu avait réussi un joli coup. Car le vice-président était très proche du chef de la CIA. Son amitié avec Allen Dulles remontait à 1947, année où ils avaient participé à la tournée européenne de la commission Herter qui enquêtait sur l'efficacité du plan Marshall. Allen lui présenta son frère aîné et ils devinrent intimes. Les Nixon dînèrent fréquemment à Georgetown avec Janet et John Foster Dulles, alors au sommet de sa puissance. Secrétaire d'État, ce dernier jouissait d'une telle puissance que peu de dirigeants du bloc occidental auraient songé à prendre la moindre initiative importante sans l'avoir d'abord consulté. A travers Nixon, Maheu avait pointé ses antennes jusqu'aux plus hauts échelons de l'État et de la CIA. Et les catastrophes déferlèrent bientôt sur Aristote Socrate Onassis.

Ari se trouvait à Monte-Carlo et s'apprêtait à dîner quand Costa Gratsos l'appela de New York pour lui annoncer que le *Daily News* était entré en possession de la lettre de Hoover à l'Administration de la Marine de guerre qui l'accusait d'être antiaméricain. Gratsos lui lut une copie de la missive vieille de vingt-deux ans, fournie par le journal de New York qui réclamait une réaction d'Ari. « Ce que j'ai à dire c'est qu'ils ne devraient pas publier cette saleté », lança Ari et pendant plusieurs minutes il poursuivit une diatribe contre la presse et contre Hoover. Même s'il ne l'exprimait pas de la même manière, Gratsos éprouvait une fureur guère différente, et il lui dit qu'ils seraient peut-être avisés de faire une réponse quelconque à l'accusation. « Ça n'allait pas s'arrêter. J'en avais déjà discuté avec John Meyer. C'était le genre de choses qu'il pouvait souvent régler par deux coups de fil. Cette fois, il n'y avait rien à faire. Il a dit que le *News* "travaillait pour ceux d'en face" », racontera Gratsos.

Ari était plein d'amertume envers les Américains (« J'ai même dû demander la permission de la cour pour quitter leur putain de pays... Ils veulent m'écorcher vif ») et Gratsos tenait à ne pas se laisser entraîner dans la mythologie « seul contre tous » chère à Ari. C'était Maheu, sans aucun doute, qui avait fait parvenir cette ennuyeuse lettre de Hoover au journal. Gratsos lui aussi voyait là la main de Niarchos (« qui avait plein de comptes à régler et découvrait de nouvelles possibilités de le faire »). Pas plus qu'Ari, son beau-frère n'était au-dessus de tout soupçon. Ils complotaient l'un contre l'autre par habitude et parfois simplement pour l'amour de l'art. Gratsos demanda à Ari comment il comptait faire face. « Si on m'accule, je vais me défendre, rétorqua-t-il. Je suis un homme d'affaires total. Quand il le faut, je gagne. »

Début avril 1954, il retourna à Djeddah pour être reçu en audience par le roi Seoud. Parmi plusieurs amendements apportés à l'accord figurait une clause stipulant : « A. S. Onassis aura le droit d'associer la société, dont la direction sera en Arabie saoudite, à une ou plusieurs autres sociétés dont la majorité des parts lui appartiendrait ou serait aux mains des membres de sa famille d'origine grecque, à condition qu'aucun Juif n'ait d'intérêt direct ou indirect dans l'une de ses compagnies et qu'aucune d'elles ne commerce avec Israël. » Ari, qui avait incité sa maîtresse à se méfier des Juifs et à ne pas se faire « youpiner », n'éprouvait aucun scrupule de conscience en acceptant cette si particulière clause commerciale. Par la suite, il se défendit en prétendant que c'était une demande saoudienne, mais en fait ce codicille était de la plume de Hjalmar Schacht et avait été approuvé par Ari au 14 Schadowplatz plusieurs semaines avant que les Saoudiens abordent la question.

Officiellement ratifié par le roi Seoud le 18 mai, l'accord de Djeddah devint pour Washington un grave motif de préoccupations. John Foster Dulles suivait l'affaire de près à travers les bulletins de ses conseillers du Département d'État, de l'ARAMCO et de la CIA. La situation requérait du doigté et de la diplomatie. George Wadsworth, ambassadeur des États-Unis, invita à ménager la susceptibilité saoudienne : « Les cercles dirigeants saoudiens, expliquait-il dans un câble, manquent manifestement d'expérience pour pouvoir réellement apprécier les questions de principe soulevées par cet accord et, dans leur esprit de fins commerçants, ils pensent que si les étrangers poussent les hauts cris, c'est qu'ils doivent être lésés financièrement et qu'eux-mêmes, par le principe des vases communicants, y gagnent. » Après que l'ambassadeur eut remis personnellement au roi un communiqué qui, en termes énergiques, attirait l'attention sur la menace potentielle que la flotte d'Onassis ferait courir aux intérêts des États-Unis (la vue de Seoud étant très faible, la protestation lui fut lue par son frère Fayçal), le roi répondit, selon Wadsworth, « en s'échauffant quelque peu et, je crois, avec une certaine irritation, non pas tant, me semble-t-il, contre moi, qu'à cause de toute l'affaire qui lui déplaisait beaucoup ».

Ari se précipita aux États-Unis pour porter son dossier au Département d'État, en protestant que l'accord de Djeddah lui avait été imposé. A l'en croire, il avait essayé de ne s'engager que de manière limitée mais les Saoudiens étaient décidés à se constituer une flotte nationale et s'il n'avait pas accepté leurs conditions, il aurait perdu le marché. « Une nouvelle idéologie se répand dans tous les pays, qui prône l'émancipation politique et économique... Tôt ou tard, tous les pays producteurs de pétrole du Moyen-Orient devront mettre sur pied leur propre flotte pétrolière », avançait-il. « Ce marché était disponible depuis près d'un an, attendant seulement que quelqu'un le prenne, assurait-il. C'était comme de regarder un revolver chargé traînant par terre, à la disposition de n'importe qui. J'ai fini par aller le chercher avant que quelqu'un d'autre le ramasse et me rançonne. » D'après un fonctionnaire du service du Moyen-Orient, « il donnait l'impression d'un homme coincé ». Mais les dirigeants des grandes compagnies ne se laissèrent pas fléchir par cette version des événements. On lui annonça que lorsque ses pétroliers se présenteraient aux terminaux saoudiens de l'ARAMCO, on les renverrait. « Ils sont en train de me passer à la moulinette. Je les ai surpris la culotte baissée, et ça ils ne peuvent pas me le pardonner », dit-il après avoir reçu l'intraitable réponse de l'ARAMCO.

On lui avait fait sentir qu'on pouvait se passer de lui et Gratsos se demanda « s'il avait jamais été jusque-là confronté à une telle sensation ». Conscient de ce qu'il se battait pour sa survie pure et simple dans un jeu géopolitique, Gratsos lui dit : « Tu es aux avant-postes. C'est un endroit exposé. » Il n'avait jamais été rassuré par cet accord saoudien et par la nature des gens impliqués ; il avait toujours soupçonné qu'il leur claquerait entre les doigts « à la minute où quelqu'un y regarderait de trop près ».

Ce fut un mois de mai néfaste pour Ari. Ses ennuis culminèrent lors d'une scène à l'aéroport de Nice qui ne fut certes pas pour lui redonner du courage ou améliorer sa réputation. Cinq mois plus tôt, alors qu'il vérifiait certains détails de son contrat, Spyridon Catapodis avait senti le cœur lui manquer. La signature d'Onassis, devait-il affirmer par la suite, avait purement et simplement disparu. « C'était comme si elle n'avait jamais existé. » Il retourna demander des explications à Ari, avenue Foch, accompagné de Leon « Lou » Turrou, un homme qu'il valait mieux avoir avec soi. Ancien agent du FBI, colonel du renseignement, il avait quitté l'armée après la guerre pour entrer à la CIA, travaillant pour une société de Paul Getty servant de couverture aux membres de l'Agence ; ses relations avec Catapodis étaient vagues, bien que le Grec l'eût présenté comme son « conseiller privé ». Sa présence au 88 de l'avenue Foch à l'époque où Maheu a posé des micros chez Ari donne à penser qu'il ait peut-être été aussi un homme dudit Maheu*.

Ari dit que le contrat avait dû être signé avec une encre de mauvaise qualité ! Catapodis réussit assurément à repartir avec un chèque de vingt-cinq mille dollars mais Ari, d'une manière ou d'une autre, parvint à récupérer le contrat original et en dépit de tous ses efforts, Catapodis ne put le reprendre ni remettre la main sur Ari. Jusqu'à ce jour de mai où il le rencontra à l'aéroport international de Nice. Il saisit Ari à la gorge, l'obligea à s'agenouiller et entreprit de l'étrangler. « T'es même pas un vrai Grec, hurla Catapodis, la face congestionnée par la rage et le cognac. T'es rien qu'un foutu *Turc* ! » Puis il lui cracha au visage et s'en alla. Un hall de départ bondé n'est pas vraiment l'endroit idéal pour vider une querelle privée ; quelques heures plus tard, l'épisode était la fable de toute la côte.

La consternation gagnait les collaborateurs d'Ari au fur et à mesure que la pression montait. Son association étroite avec Hjalmar Schacht fut portée à la connaissance du public peu avant qu'on apprenne la clause antisémite de l'accord de Djeddah. Ce fut vers la même époque qu'on parla de ses liens avec Mandl, l'ancien roi autrichien des munitions, et avec le dictateur fasciste Juan Peron. Comme le racontera un employé monégasque d'Onassis : « Ça sentait mauvais. On traitait avec des Juifs chaque jour. Le groupe de pression des Juifs américains avait déjà demandé aux compagnies pétrolières de cesser de traiter avec nous. Je voyais d'avance le contrecoup désastreux que ça aurait pour toutes nos activités. » Ses représentants en Allemagne lui avaient déconseillé d'inviter Alfried Krupp von Bohlen und Halbach (chef de la maison des Krupp, qui avait soutenu Hitler jusqu'au bout) au lancement de l'*Olympic Cloud* à Brême. « Nous lui avons fait remarquer que ce serait la première apparition publique officielle de Krupp depuis qu'il avait été libéré après six ans de prison pour crime de guerre ; cela attirerait l'attention, racontera un collaborateur. Je ne sais pas s'il faisait sa mauvaise tête ou bien s'il était résigné, mais il a insisté pour maintenir l'invitation. » L'un de ses hommes à New York se souvient de l'avoir entendu dire : « Je ne crois pas qu'un nazi de plus ou de moins fera beaucoup de différence maintenant. »

Le 12 juin, il était de retour à Paris et prenait un verre au bar de chez Maxim's quand on lui apprit que Niarchos déjeunait dans un salon particulier du restaurant en compagnie du reporter du *New York Times* C.L. Sulzberger. Qu'est-ce qu'il est en train de

---

* Maheu témoigna qu'« après avoir demandé l'accord de l'Agence, il s'était arrangé pour qu'un système d'écoute soit placé dans l'appartement d'Onassis ». (Congressional Document O.C. 1975.)

comploter, à votre avis ? lui demanda-t-on. Ma chute, répondit-il avec aménité. Quand il avait ingurgité quelques Gibson, il se plaisait dans le rôle du mauvais garçon conduit à l'échafaud.

A l'étage (dans un boudoir mieux fait pour un dîner galant que pour une discussion d'affaires, à en croire Sulzberger) Niarchos était exactement occupé à ce qu'avait imaginé Ari. Pris d'angoisses paranoïaques, craignant d'être espionné, il se levait sans cesse pour aller à la porte vérifier qu'on ne les écoutait pas et, à la quatrième fois, il surprit effectivement un serveur « juste derrière, l'oreille aux aguets ». Niarchos dit à Sulzberger qu'Ari avait acheté Monte-Carlo pour une bouchée de pain — « à peine quelques millions de dollars » — dans le but de « corrompre et de subvertir » les hommes d'affaires et les dirigeants politiques qu'on régalait gratuitement dans la principauté. « Niarchos paraissait s'en offenser et jugeait cela hautement immoral. » Il ne tarda pas à aborder la question de l'accord saoudien, qui était, à l'en croire, « extrêmement peu orthodoxe et heurtait toutes les normes du monde des affaires ». Il insista sur le fait qu'il « n'en était pas personnellement affecté et qu'il avait suffisamment de pain sur la planche pour s'occuper encore plusieurs années ». S'il s'adressait à Sulzberger, assura-t-il, c'était seulement parce qu'il savait que le journaliste serait intéressé par « les aspects moraux de la situation ». Il tendit à l'homme du *Times* une épaisse enveloppe débordant de papiers censés révéler la profondeur des turpitudes d'Ari. En y jetant un coup d'œil, Sulzberger eut l'impression que c'était plutôt maigre (« apparemment il y avait surtout des coupures de journaux et d'autres documents publics », nota-t-il dans son journal intime) et il s'étonna que Niarchos se fiât à de si maigres renseignements dans la conduite de ses affaires. Niarchos était en train de parler d'autres documents qu'il allait fournir quand le maître d'hôtel l'informa qu'Ari était au rez-de-chaussée et serait heureux de lui dire un mot. Sulzberger étouffa un rire. « Pour l'amour de Dieu, invitez-le à se joindre à nous puisqu'il y a peut-être des agents à lui qui ont écouté chaque parole que vous avez prononcée », lança-t-il à son hôte par plaisanterie. Niarchos ne trouva pas l'idée très bonne et descendit lui parler. « Après tout, dit-il avec un haussement d'épaules quand il fut remonté, c'est mon beau-frère ; il a entendu dire que j'étais ici et il voulait seulement me saluer. » Sulzberger trouva que son interlocuteur rougissait beaucoup.

Quelques jours plus tard, Tina appela de Saint-Moritz pour dire à Ari qu'elle s'était cassé une jambe ; sa tendance à avoir des accidents la tracassait. (« Si la vie est riche, je suppose qu'on ne peut pas attendre qu'elle soit en même temps sûre », dit-elle à un ami). Elle n'arrivait pas à comprendre comment c'était arrivé, assurait-elle. « Je ne bougeais même pas. A un moment j'étais là, debout, comme une femme en pleine forme, et un intant après, j'étais assise par terre avec une jambe horriblement cassée. » Quand elle rappela avec coquetterie à Ari qu'elle avait une jambe dans le plâtre la première fois qu'il l'avait vue, il lui rétorqua qu'elle n'était plus une petite fille et lui demanda si elle pourrait venir à Hambourg pour le lancement de son dernier pétrolier, comme s'il s'apprêtait à bousculer chez elle une récente tendance à faire des caprices. Elle lui assura qu'elle serait là. « Mon chéri, je suis déjà hors de moi, pratiquement, tellement je m'ennuie. »

Elle avait eu une année fort occupée, à surveiller l'aménagement intérieur du *Christina*, à skier, à participer à tant de réceptions. Elle vivait loin des besoins et des tracas d'Ari. Elle adorait le caravansérail mondain : elle était à Paris pour la présentation des collections, à Londres pour les courses d'Ascot, à New York pour le gala d'ouverture du Met (le Metropolitan Opera). On était déjà en juin et elle pouvait compter sur les doigts d'une seule main les semaines qu'elle avait entièrement passées cette année avec Ari ; tout comme elle avait appris à vivre dans son ombre, elle apprenait à présent à vivre avec son absence. Cela faisait huit ans qu'ils étaient mariés. Si elle s'adonnait volontiers à des flirts délicats et adorait être entourée d'admirateurs, elle savait rester discrète. Le plus assidu de ses soupirants du moment était le milliardaire du pétrole vénézuélien Renaldito Herrera. Ari se préoccupait peu, semble-t-il, de la vie mondaine de son épouse, de ses dîners en tête-à-tête avec de jeunes et beaux skieurs, ou avec ce genre d'hommes qui gravitent autour des femmes riches et belles. Elle était le prototype même de la mondaine : « C'est ce qu'elle fait le mieux », disait-il. Il avait beaucoup mûri depuis Ingeborg, depuis cette époque où ses jours et ses nuits loin d'elle étaient hantés par la jalousie et le soupçon. A l'inverse d'Ingeborg, Tina avait toujours été sienne, elle était sa propriété, un bien meuble, une vraie femme grecque.

Toutefois elle ne dissimula pas son déplaisir quand elle apprit que le nouveau pétrolier (connu jusque-là sous le seul nom de Baunummer 883 — Numéro de construction 883) ne serait pas baptisé Alexandre. Le plus grand pétrolier du monde — deux mille tonnes de plus que le *Tina Onassis* — serait placé sous le patronage du roi Seoud 1er. Ce serait le navire amiral de la flotte saoudienne et Ari voulait que le monde et l'ARAMCO le sachent. Plus de 120000 Allemands, parmi lesquels les plus grands noms de la haute société, des affaires et de l'industrie d'Allemagne fédérale, assistèrent à la cérémonie dans le chantier naval Howaldt-Hamburg. Gratsos se dit avec un certain malaise que c'était « comme une danse du scalp autour de l'ARAMCO ». La princesse Anne-Marie von Bismarck brisa contre la coque une bouteille remplie d'eau sainte tirée des puits sacrés de Zamzam à La Mecque (comme l'alcool avait été strictement interdit par la délégation de Riyad, la bouteille n'avait pas de pression interne et il fallut s'y reprendre à trois fois pour la casser), et l'*Al Malik Saud Al-Awal*, glissant le long de la rampe de mise à flot, entra dans l'histoire. « Que pensais-tu quand le bateau a été mis à l'eau ? demanda un ami à Ari. — Je pensais : « Dans le cul, l'ARAMCO. »

S'appuyant sur le principe hégélien de la quantité qui devient qualité, Allen Dulles avait échafaudé contre Ari un dossier impressionnant. Le jeudi 1er juillet, le maître-espion américain envoya à son frère, le secrétaire d'État, un rapport de la CIA sur les arrière-plans de l'accord de Djeddah. Dès le début, le ton était hostile envers Ari. « Nous croyons que cette affaire est l'œuvre d'un Grec malin qui a vendu au SAG (Saudi Arabian Government) une facture de marchandises, et d'Arabes affamés de prestige qui se sont jetés sur elle. » L'un des plus enthousiastes a été le cheikh Abdullah Suleiman, ministre des Finances, qui « a empoché environ cent mille dollars pour sa signature », racontait un agent moyen-oriental. Le rapport se poursuivait ainsi : quoique les Saoudiens fussent devenus « plus querelleurs et plus difficiles, nous ne croyons pas que ce soient eux qui aient combiné cet arrangement. Onassis a apparemment des projets de grande ampleur visant à monopoliser l'industrie pétrolière en jouant sur le même thème avec le Koweit, l'Iran et l'Irak ». On suggérait que le voyage de noces de l'*Al Malik* avait été arrangé pour satisfaire « l'ego du SAG et du roi Seoud et peut-être pour inciter d'autres pays du Moyen-Orient à signer des accords semblables avec Onassis ».

La stratégie du Département d'État était d'utiliser les activités pétrolières américaines comme « un instrument de politique étrangère au Moyen-Orient », et Foster Dulles était décidé à annuler l'accord. Toutefois, la crise avait fait apparaître des ambiguïtés embarrassantes dans l'accord originel entre l'ARAMCO et les Saoudiens. Dans une note confidentielle, le conseiller judiciaire du Département d'État émettait des doutes sur la tactique consistant à discuter arbitrairement d'un contrat qui ne lui paraissait pas aussi « bétonné » qu'on l'avait cru en 1933 au moment de sa signature. Les Saoudiens avaient alors garanti au cartel de sociétés pétrolières le droit « d'explorer, prospecter, procéder aux forages, extraire, traiter, manufacturer, transporter, vendre, acheminer et exporter le pétrole ». Mais qu'est-ce que cela signifiait exactement « exporter » ? demandait Metzger avec son attention aiguë pour les détails et arguties juridiques. Selon la définition du *Webster*, « exporter » signifiait « transporter ou envoyer à l'étranger » — mais lequel des deux verbes était le bon ? « Si cela signifie transporter à l'étranger, les droits pourraient recouvrir l'exclusivité du transport par tout moyen que choisirait la compagnie. Si en revanche, ce mot signifie envoyer à l'étranger, les droits ne recouvrent pas nécessairement celui de décider exclusivement de quelle manière sera physiquement transporté le pétrole. » C'était un point délicat et Metzger admettait qu'il n'était en aucune façon certain que la compagnie perdrait dans un arbitrage international. « Par ailleurs, ajoutait-il sur un ton professoral, je n'affirmerais pas non plus qu'elle gagnerait. »

Intraitable artisan de la politique étrangère américaine, Dulles fit savoir clairement qu'il soutiendrait les compagnies pétrolières jusqu'au bout, dans toute confrontation qui se présenterait, et bien qu'il sût qu'une décision de l'ARAMCO risquait d'inciter les Arabes à nationaliser toutes les installations. Le 16 juillet, il câbla à l'ambassadeur Wadsworth un message vigoureux et sans compromis :

« Sur le strict plan économique, les États-Unis croient que le gouvernement saoudien s'exposerait à un grave danger de pertes substantielles en appliquant l'accord Onassis. Les bénéfices financiers pour le gouvernement saoudien seraient immanquablement infinitésimaux en comparaison des pertes potentielles en royalties sur le pétrole. La perte de marchés pour seulement un million de barils de pétrole annulerait sans appel les bénéfices financiers envisagés. Si le contrat était mis à exécution, le mécontentement et la résistance de nombreux acheteurs diminueraient vraisemblablement la production de l'ARAMCO, et donc les royalties des Saoudiens sur une bien plus grande échelle. Il est de plus en plus évident que la résistance sera énorme. Sur les questions de gros sous, il semble que le gouvernement saoudien ait été sérieusement égaré ».

Désigné depuis peu au poste saoudien, Wadsworth était sur le point de mériter son salaire. Il savait que les « questions de gros sous » étaient en fin de compte le fond de l'affaire car les « acheteurs » étaient tout simplement les dirigeants de l'ARAMCO. Et s'il y avait encore eu trace d'un doute dans son esprit, il eût été balayé par la note ultra-confidentielle jointe :

« D'ici il nous semble que cette affaire pourrait parvenir à un point critique dans nos relations avec l'Arabie saoudite et aboutir à une situation similaire à celle de l'Iran en 1950 et 1951. A en juger par le ton des communications des Saoudiens à l'ARAMCO, il semblerait possible que le roi décrète la nationalisation de la concession de l'ARAMCO s'il était confronté à un refus net et ferme de la compagnie de traiter avec Onassis. Pour le roi, une mesure aussi radicale pourrait être fondée sur l'impression erronée qu'il pourrait trouver d'autres opérateurs pour exploiter et vendre son pétrole et sur l'idée qu'en se passant de la collaboration américaine, il se donnerait la stature d'un héros dans le monde arabe.

« Cependant il semble possible que le roi soit engagé dans une espèce de bluff, encouragé par les succès qu'il a remportés dans le passé en soutirant des concessions à l'ARAMCO et par le fait que le gouvernement des États-Unis a acquiescé dans le passé à de telles concessions. Si le roi a décidé de se passer des compagnies américaines, nous devrions bien entendu utiliser tous les moyens pour lui faire comprendre et faire comprendre à ses conseillers quels désastreux effets cela aurait pour sa position, son gouvernement et son pays. »

Le secrétaire d'État donnait pour consigne à Wadsworth de demander au roi et à ses conseillers d'envisager quelle serait leur situation après « seulement une année » sans rente pétrolière ! Et, d'une façon plus menaçante, de l'inciter à ne pas oublier ce qui était arrivé au Dr Mossadegh quand il avait nationalisé l'industrie pétrolière iranienne. (Il fut renversé à la suite d'un coup d'État ourdi par la CIA.) Dulles était convaincu que le roi, informé « des faits » réexaminerait les relations avec Onassis et réconcilierait sa passion de l'indépendance avec le sens des réalités. Il subodorait aussi que, sentant la fureur de l'ARAMCO se tourner vers lui, alors que bon nombre de ses pétroliers étaient immobilisés et que lui-même perdait l'un après l'autre ses contrats habituels avec d'autres compagnies pétrolières à travers le monde, Ari avait déjà perdu son enthousiasme pour la grandiose aventure saoudienne et était « probablement pressé de se tirer de ce guêpier ».

Si Foster Dulles conservait une attitude de moraliste de la chose publique en conduisant les affaires étrangères de l'État, son frère était disposé à « combattre le feu par le feu » dans ce monde imparfait. Il n'est peut-être pas dépourvu d'intérêt de remarquer que l'on invitait Wadsworth à insister sur l'universelle réprobation que s'attirerait l'Arabie saoudite en abrogeant la concession de l'ARAMCO, mais qu'il ne devait pas trop insister non plus sur ce terrain car « la solution de l'affaire Onassis ne doit pas, je répète, ne doit pas dépendre en premier lieu des aspects juridiques mis en jeu ». Peu après ce câble à Riyad, Robert Maheu prenait l'avion pour aller s'entretenir à Londres avec Niarchos.

Les deux hommes se rencontrèrent dans la suite de l'armateur au Claridge. Ce fut une longue discussion, qui commença avec les harengs du petit déjeuner et se termina devant une bouteille de cognac aux petites heures du jour suivant. Niarchos dit qu'il regrettait que l'accord ait éloigné les membres de la famille les uns des autres ; l'éloignement était un mot qu'il utilisait beaucoup, affirme un des collaborateurs qui assistait aux entretiens. « Le chagrin et les tragédies qu'il cause dépassent le temps et changent l'histoire », leur assura-t-il. Alan Campbell-Johnson racontera : « Onassis était comme le frère cadet qui s'échappe du noyau familial pour jouer son jeu personnel ; ils étaient rivaux dans un marché qu'ils s'étaient partagé et l'accord saoudien menaçait de détruire le marché en question. Niarchos défendait l'idée que c'était dangereux aussi bien pour les intérêts d'Onassis que pour les siens propres. » Pendant l'épuisant entretien au Claridge, on passa beaucoup de temps à examiner l'incident Catapodis. « Stavros était convaincu que c'était une chose sur laquelle il fallait nous appuyer ; il voulait liquider Ari avec ça ; la question était comment le tourner à notre avantage », expliquera un collaborateur.

Le 27 septembre, Catapodis remettait un témoignage sur l'honneur, de seize pages, au consulat britannique à Nice — « l'évangile selon saint Spyridon », comme l'appelait Gratsos — accompagné de plus de trente documents : lettres, notes, câbles et photographies d'Ari et de Tina, de Nicolas Cokkinis et de son épouse, de Suleiman et d'Alireza, de lui-même enfin durant les fêtes de Djeddah. Même si ce n'était qu'une partie de la vérité (« J'ai ma vérité et Onassis a la sienne », dit Catapodis à un ami), ses affirmations portaient un coup dur à la réputation d'Ari, déjà compromise. Les accusations de Catapodis, qui dépeignait Ari sous les traits d'un homme d'affaires louche, qui signait ses contrats avec une encre volatile, ne pouvaient manquer de susciter suspicion et méfiance dans les rangs saoudiens ; il donnait en outre le compte spécifique des pots-de-vin versés aux collaborateurs du palais, y compris les 350 000 dollars offerts au ministre des Finances Suleiman. Le bakchich fait partie de la vie des royaumes du désert ; ce fut le sens général de la déposition plus que ses détails qui inquiéta particulièrement Ari. Cet homme ne se bat que pour lui-même et se moque éperdument des Américains comme des Saoudiens : tel était le message sous-entendu à chaque page. Selon Catapodis, même après la signature du contrat, il cherchait encore à traiter avec l'ARAMCO « pour voir s'il n'y avait pas moyen d'obtenir une jolie somme ou d'autres concessions de valeur en échange de l'abandon de l'accord avec le gouvernement d'Arabie saoudite ». Quand lui, Catapodis, avait « vigoureusement protesté » contre ce stratagème, Ari aurait rétorqué qu'il « ne tenait pas beaucoup à faire des affaires avec les Arabes » : c'est pourquoi il avait insisté pour que soit incluse dans l'accord une clause selon laquelle en cas de non-application, aucune pénalité ne serait due.

Il est peut-être vrai que Catapodis ait redouté les répercussions politiques, comme il l'a affirmé, il est peut-être vrai qu'il ait déconseillé à Ari de se lancer dans une intrigue internationale si vaste et de s'acoquiner avec l'ARAMCO, comme il l'a prétendu ; et peut-être Ari avait-il des instincts impérialistes. « Il m'a dit qu'il savait exactement ce qu'il faisait, et qu'il était sûr qu'en fin de compte, il jouerait un rôle important dans le développement des ressources naturelles en Arabie saoudite, ce qui pour finir ferait de lui l'homme le plus riche et le plus puissant du monde. » Et peut-être Bob Maheu croyait-il chaque mot de ce témoignage dont il remettait une copie à Niarchos.

Sans aucun doute, Niarchos huma le parfum de la victoire en lisant le document à bord du *Creole*, sa fine goélette à coque noire ancrée au large d'Athènes. Certaines des affirmations de Catapodis étaient en fait dures à avaler mais d'autres avaient l'accent de la vérité. Ari avait montré sa prudente réticence à frayer avec les gouvernements quand il avait décliné la proposition d'Eva Peron de s'associer avec Mandl et Dodero; il savait que lorsque sa Compagnie maritime d'Arabie saoudite aurait formé les Saoudiens aux tâches de direction, rien ne pourrait les empêcher de rafler la mise, à l'instar de Peron qui s'était emparé de l'empire de Dodero en 1949. Selon un analyste londonien du marché maritime qui a bien connu Ari, « ce qui est probable c'est que Catapodis mettait dans le mille quand il assurait qu'Ari avait signé l'accord en sachant que les Yankees ne l'avaleraient jamais, mais qu'avec cette épée suspendue au-dessus de leur tête, ils seraient forcés de passer un compromis augmentant sa part du marché des contrats de transports pour l'ARAMCO ». Niarchos était d'avis que Maheu devait présenter le témoignage aux Saoudiens et en porter le contenu à la connaissance du roi. Mais il y avait un problème, et fort menaçant : les Saoudiens offraient des visas d'entrée; les visas de sortie, il fallait les demander à Djeddah, et ils étaient délivrés au bon vouloir du roi. Comme certains des puissants de l'Arabie saoudite étaient nommés dans la déposition, Maheu ne tenait pas à traîner longtemps en ville après avoir remis un exemplaire du témoignage au palais royal. Pour accéder plus aisément au palais, il eut recours au géologue américain Karl Twitchell, qui avait contribué à l'entente des compagnies américaines et du roi Seoud en 1933, était toujours un personnage respecté, et inspirait une grande confiance aux Saoudiens. Quoiqu'il eût l'approbation du Département d'État et de la CIA, aucune de ces deux institutions ne soutint ouvertement l'opération; à l'en croire, on lui permit de communiquer avec Niarchos par l'intermédiaire des moyens de liaison des services de renseignement des États-Unis*.

Quelques jours après son arrivée, Maheu était invité à la villa

---

* On sait que Niarchos avait des relations étroites avec la CIA : l'agence le considérait comme un « informateur utile et plein de bonne volonté », à en croire Brian Freemantle, *CIA : The « Honorable » Company*, New York, Stein and Day, 1984.

du ministre des Finances, le cheikh Abdullah al Suleiman, pour « faire un exposé » aux conseillers confidentiels du roi. Les Saoudiens l'écoutèrent poliment en buvant du café, une expression indéchiffrable sur le visage. Leur silence l'inquiéta ; c'était le genre de silence qui règne après un coup de sifflet. Quand il eut fini, on lui dit qu'il serait contacté le lendemain à son hôtel.

Que ses ministres fussent corruptibles ne troublait pas spécialement le roi. Son régime était déjà « miné par la corruption et déchiré par des scandales dont tout le Moyen-Orient résonnait* ». En fait, la mission de Maheu correspondait parfaitement à ses propres objectifs. Quand il avait désigné Mohammed Abdullah Alireza comme ministre du Commerce, il avait consterné beaucoup de monde dans la Maison des Saoud (avec quelque cinq cents princes en ligne directe, le consensus familial était toujours un facteur contraignant) ; il y avait eu des rumeurs de dissensions dans les couloirs des palais de Riyad. Et quoiqu'il fût offensé par l'ingérence du Département d'État dans les affaires intérieures saoudiennes, les sévères critiques de Dulles l'avaient fait beaucoup réfléchir. Comme le témoignage de Catapodis présentait l'avantage de donner deux noms, ceux d'Alireza et de Suleiman, son principal négociateur dans l'accord Onassis, il pourrait faire d'une pierre deux coups. Maheu fut encouragé à remettre à la presse européenne la disposition de Catapodis. « Les Européens prennent la question des backchichs plus au sérieux que nous et nous nous ferons un devoir de respecter leurs sensibilités occidentales », expliqua un secrétaire du palais en remettant à l'Américain son visa de départ et une réservation sur le prochain vol pour Londres.

En octobre, Ari fut convoqué à Riyad par le roi qui lui apprit que Suleiman était révoqué. C'était un représentant de l'ancienne politique (« comme l'a prouvé le fait qu'il se soit fait prendre », dira Ari) et il n'avait pas de rôle à jouer dans l'Arabie saoudite moderne. « L'avenir efface le passé », dit le roi et il ajouta que beaucoup de choses dans l'accord de Djeddah lui déplaisaient et suscitaient une certaine amertume entre son pays et son vieil associé en affaires, l'ARAMCO. Il voulait une « paix juste » et si Ari ne voulait ou ne pouvait renégocier directement l'accord avec l'ARAMCO, l'affaire serait portée devant un arbitrage. Cependant, le président du conseil d'administration du cartel et ses collaborateurs étaient déjà à Djeddah, prêts à discuter sur-le-champ de la situation. Ari fut ébranlé par la tournure des événements. Suleiman écarté, l'enthousiasme du roi pour l'accord refroidi, il n'avait plus de carte maîtresse en main. Il s'efforça encore d'obtenir de nouvelles conditions. Il abandonnerait les clauses monopolisti-

_____

* Leonard Mosley, *Power Play*, Random House, New York, 1973.

ques si l'ARAMCO lui garantissait qu'un pourcentage fixe du pétrole saoudien serait transporté par ses pétroliers. Les Américains le tenaient.

Ce soir-là, Wadsworth câblait au Département d'État : « L'ARAMCO n'a rien cédé en fait ni en principe et a obtenu de solides assurances du roi : quel que soit le résultat de l'arbitrage, les relations entre l'ARAMCO et les Saoudiens continueront sur la base d'une collaboration totale. » L'ambassadeur ajoutait dans un accès de candeur peu diplomatique : « Quand Onassis a été finalement acculé à discuter des questions de taux, il s'est dérobé et s'en est tiré en finesse. »

CHAPITRE 9

Le renard connaît beaucoup de
choses, le hérisson, lui, n'en connaît
qu'une seule d'importance.

ARCHILOQUE.

« Aujourd'hui, avons tué presque uniquement des baleines
bleues » : telle est la mention portée sur son agenda par un membre allemand de l'équipage de l'*Olympic Challenger* qui naviguait
au large des côtes ouest de l'Amérique du Sud, et il ajoutait : « Ce
serait la catastrophe si on l'apprenait », car on était le 7 septembre 1954, soit un mois avant l'ouverture officielle de la saison.
La pêche à la baleine, c'était la vie de Bruno Schlaghecke mais
la féroce avidité de cette expédition, le massacre en masse de
cachalots dont certains n'avaient pas encore toutes leurs dents
provoquaient en lui un sentiment « de stupeur et de vide intérieur ». Le 22 octobre, il notait : « Des lambeaux de la chair des
124 baleines tuées hier gisent encore sur le pont. Pratiquement
aucun adulte. On s'en moque et on tue de sang-froid tout ce qui
passe à portée de fusil. »

Pour Ari, l'hécatombe était seulement synonyme de bénéfices
et d'aventure. Il ne se posa jamais de question morale à propos
de l'expédition; les baleines étaient là pour être prises. Il s'agissait simplement de vaincre les oppositions et de rafler le maximum. En 1950, sa première expédition lui avait rapporté « une
très jolie somme » de 4,2 millions de dollars. « La pêche à la baleine
est le plus grand jeu de dés du monde », assurait-il, sans insister
sur le fait que les dés étaient pipés. Les Norvégiens voyaient derrière son succès la main de Hjalmar Schacht. C'était Schacht qui

143

avait créé la flotte allemande en 1936 quand il avait contraint le groupe anglo-hollandais Unilever, le plus grand acheteur mondial d'huile de baleine, à financer la construction de la flotte nazie en bloquant les bénéfices allemands du groupe, le menaçant d'une réduction exemplaire de ses quotas de margarine. Sa participation à la combine saoudienne ne risquait pas de diminuer la rumeur qui faisait de l'ex-nazi son intendant pour la pêche à la baleine.

Les soupçons qui cernaient Ari étaient décuplés par les controverses soulevées sur ses activités et par leur complexité. « ARAMCO, Monaco, Warren Burger, Catapodis, le roi Seoud... il avait tant de sujets de préoccupation, je crois qu'il trouvait dans les expéditions baleinières une espèce de satisfaction d'une simplicité primitive et brutale », dira un collaborateur. La saison de 1954 présentait une nouvelle sorte de risques. A la Conférence de Santiago sur l'exploitation et la conservation des espèces marines du Pacifique-Sud, le Pérou avait annoncé l'extension à deux cents milles de la limite des eaux territoriales à l'intérieur de laquelle il exercerait sa juridiction « militaire, administrative et physique ». Les États-Unis, la Grande-Bretagne et la Norvège, entre autres nations maritimes, avaient protesté. Hormis quelques criailleries contre les pêcheurs de thon des États-Unis qui s'étaient introduits à l'intérieur de la zone, il paraissait peu vraisemblable que les Péruviens la défendraient très sérieusement.

Alors que la flotte d'Ari était encore en train de passer le canal de Panama pour entrer dans le Pacifique-Sud, la presse péruvienne lança une campagne au vitriol contre « le pirate baleinier Onassis ». Le principal journal de Lima, *La Nación*, prévenait que les projets d'intrusion dans les eaux territoriales péruviennes ne resteraient pas impunis. « S'il persiste, il devra être arrêté et ses bateaux devront être saisis. » Gratsos craignait que ces attaques fussent rien moins que spontanées. « Washington le pourchassait et nous avions eu un avant-goût de ce dont la CIA était capable. Il avait dérangé des gens puissants. » Toutefois, les navires d'Ari battaient pavillon panaméen et Panama était un protégé des États-Unis ; Washington considérait la zone du canal comme son terrain réservé. « Aucun de ces métèques ne va chercher des noises à Panama parce que ce serait chier dans les bottes de l'oncle Sam », assura Ari. « Bien sûr, dira Gratsos, il avait raison, même si je pensais néanmoins que nous devions y aller très doucement dans ce coin, et nous couvrir au maximum. » En dépit de sa confiance affichée, Ari prit bonne note de l'avertissement de Gratsos, et quelques jours plus tard il ordonnait au capitaine Whilhelm Reichert, ancien officier de la marine allemande qui commandait l'*Olympic Challenger* et ses seize barques de chasse, de se tenir hors de la limite des deux cents milles, c'est-à-dire des régions les plus riches, où il avait projeté de chasser jusqu'en janvier, début de la saison arctique.

« La production d'aujourd'hui a dépassé les 60 000 barils, chiffre jamais enregistré jusqu'alors, écrivait le mémorialiste acharné, le 31 octobre. Il nous arrive sans arrêt de plus en plus de baleines, des cachalots, des baleines bleues, des rorquals, des jubartes... » Plus de 50 p. 100 des baleines bleues abattues et 96,4 p. 100 des cachalots étaient en dessous de la taille minimum autorisée ; et la totalité des 580 cétacés capturés l'avaient été à l'intérieur de la zone internationale protégée. « Cette fois rien ne les arrêtera », ajouta Bruno Schlaghecke.

Le 15 novembre, le président Manuel Odria assistait à un cocktail avec des membres de son cabinet et le chef d'état-major de la Marine, l'amiral Guillermo Tirado, au Palacio de Gobierno de Lima, quand on l'informa qu'un journal de Hambourg prétendait que la flotte d'Onassis violait la limite de deux cents milles et que les marins allemands traitaient « avec un mépris amusé » la présence navale péruvienne dans le secteur. Dans les heures qui suivirent, les bateaux de chasse étaient arraisonnés par la marine péruvienne et conduits à Paita, au nord de Lima. Le lendemain, alors que le jour se levait à peine sur le navire-usine (à 380 milles des côtes, devait-on prétendre par la suite, mais comme le journal de bord et les cartes avaient été jetés par le fond dans un sac lesté, nul ne put jamais le prouver) au grand étonnement de Reichert, un bombardier péruvien apparut dans le ciel, et ordonna au bateau de rallier Lima. Le capitaine lança l'ordre « en avant toute » vers la haute mer. La mitrailleuse de l'appareil arrosa le pont et un chapelet de bombes explosa à la proue. « Nous sommes bombardés et mitraillés par des avions péruviens », annonça par radio l'*Olympic Challenger* au quartier général de Panama avant de se rendre, pris à l'abordage par le destroyer *Aguirre*.

A Paris, quatre jours plus tard, Spyridon Catapodis donnait une conférence de presse à l'hôtel George V pour annoncer qu'il avait déposé plainte, devant un juridiction criminelle, à l'encontre d'Aristote Onassis qu'il accusait de l'avoir escroqué « par différentes manœuvres frauduleuses » des commissions et de sa part des bénéfices de l'accord de Djeddah. Ari rejeta les accusation de ce « traficoteur » qui servait de paravent à une cabale de puissants rivaux déterminés à nuire à son nom et à sa réputation : « Ces accusations font partie de la propagande répandue depuis que l'accord (de Djeddah) a été rendu public, dans le seul but de le compromettre », déclara-t-il à New York. Une encre volatile, voyez-vous ça ! Qui peut croire des sornettes pareilles ? Mais on le croyait.

Le 23 novembre, le Département de la Justice citait à comparaître devant le tribunal fédéral du district de New York Ari et neuf de ses associés, dont sa sœur Mérope Konialidis, membre du conseil d'administration d'une des sociétés poursuivies, en lui réclamant vingt millions de dollars, somme correspondant d'après les calculs du plaignant, au revenu des seize bateaux du surplus américain censés avoir été illégalement acquis. Ari commençait à croire que Gratsos avait raison quand il affirmait que le Pérou et Washington avaient agi de concert. Avec une sorte d'orgueil exacerbé, il s'écria : « Ça va devenir une espèce de record, deux pays qui déclarent la guerre à un seul homme. »

Cinq de ses bateaux avaient été saisis et quatre cents de ses marins emprisonnés au Pérou. Le reste de sa flotte s'était repliée à Balboa, à Panama. Cependant, ceux qui le connaissaient bien et le voyaient durant cette période furent déconcertés par sa réaction devant la crise. Il émanait de lui « une sérénité qui est souvent l'apanage des bons joueurs de poker ou de ceux qui détiennent un secret », racontera Graham Stanford, qui écrivit par la suite une version autorisée mais considérablement expurgée de la vie d'Ari pour le *News of the World*, le plus gros tirage des journaux du dimanche en Grande-Bretagne. Ari avait en effet un secret : il avait beau être sous un feu roulant, il allait passer à la caisse. Il avait protégé sa flotte de baleiniers d'une véritable digue de polices d'assurance contre tous les risques possibles. Il disposait entre autres d'une clause du temps de guerre qui lui garantissait en cas de saisie jusqu'à quinze millions de dollars de remboursement. Il s'était également assuré contre toute interruption de l'expédition, au taux de trente mille dollars de dédommagement par jour ; une troisième police le garantissait contre les pertes encourues si sa flotte ne parvenait pas à atteindre l'Antarctique avant l'ouverture de la saison. En passant ces contrats, la Lloyd de Londres s'était réassurée aux États-Unis et sur les marchés étrangers pour seulement dix pour cent du risque. « L'opinion avait prévalu que personne dans cette région n'irait jusqu'à attaquer un bateau battant pavillon panaméen, connaissant la politique de Washington envers Panama. Ce fut une erreur de jugement très néfaste pour nous et très bonne pour M. Onassis », reconnaîtra un assureur de la Lloyd.

L'attaque péruvienne produisit une secousse sismique dans l'opinion : une semaine après avoir été cloué au pilori à Paris comme un fieffé filou et assigné en justice par le Département idoine à New York, Ari se retrouvait dans la peau d'un quasi-héros. A Londres, le *Times* y allait de son analyse : « Les autres armateurs devraient peut-être se montrer reconnaissants envers M. Onassis d'avoir involontairement fait éclater au grand jour une situation contre laquelle la plupart des principales puissances maritimes ont déjà élevé des protestations véhémentes... Ce pavillon (le pavillon panaméen) est-il l'oriflamme de la liberté de naviguer, comme le maintient M. Onassis, ou bien est-ce le pavillon noir des pirates, comme l'affirment les Péruviens ? A l'heure actuelle, cela dépend de l'œil qui se colle au télescope. »

Ari exigea que Tina le rejoigne à Londres pour paraître à son côté. Il savait que la présence de sa femme lui apportait une certaine classe. Ils avaient pourtant reconnu que leur vie commune était de plus en plus dépourvue de sens. A des amis, elle expliqua sa présence à Londres en ces termes : « Je fais seulement partie du décor, je suis la hallebardière dans le dernier drame d'Ari. » Beaucoup de femmes dans sa position auraient été moins accommodantes ; elle semblait sur ce plan-là totalement dépourvue de vanité. A moins qu'elle ne mît tout son orgueil dans ce détachement, dans sa capacité à ne pas le juger ni le rejeter. « Mon rôle était simplement de l'envelopper comme un parfum coûteux », déclarera-t-elle par la suite à Lady Carolyn Townshend sur un ton dépourvu d'amertume. Elle était là quand il donna une conférence de presse dans sa suite du Claridge pour condamner la « folie tropicale » du Pérou. La presse le traitait comme une vedette de cinéma ou comme une célébrité qui risquait fort de se retrouver en prison.

La guerre menée contre Ari avait atteint un tel degré de complexité, elle se menait sur tant de fronts qu'il était impossible d'en détacher les divers éléments. Le 13 décembre, l'Olympic Whaling s'acquittait à Lima d'une amende de cinquante sept millions de sols péruviens, soit près de 2,9 millions de dollars, le chèque étant signé par Ari, les fonds fournis par la Lloyd. Le lendemain, Ari laissait derrière lui ses soucis et s'envolait pour le Sud de la France, avec Tina et les enfants, pour passer leur premier Noël à bord du *Christina*. Il savait que son rêve de création d'une superflotte onasso-saoudienne était envolé. Dans l'année qui venait, le différend avec l'ARAMCO serait arbitré à Zurich mais c'était pure formalité ; Ari avait été contraint de reconnaître les limites du possible ; « J'ai misé gros et j'ai perdu. » Il s'était mis en tête de diversifier ses activités à partir du secteur pétrolier. L'achat de Monte-Carlo n'était qu'un début. Quand son esprit était presque tout entier occupé par l'affaire saoudienne, Monaco était resté au second plan. A présent, il allait transformer cette ville « sinistre en quelque chose de vraiment amusant ». Quand ils levèrent leur verre pour saluer l'année 1955, au bal de l'Hôtel de Paris, Gratsos lui dit : « Ça a été une sacré année, hein, malgré tout ? » Après un long silence, Ari grimaça un sourire : « Il y a eu quelques bons moments. »

Son Altesse sérénissime le prince Rainier III et Aristote Socrate Onassis n'avaient rien de commun. « Si Onassis ne lui avait pas

147

été si utile, ç'aurait été exactement le genre de personne sur laquelle le prince ne daignait pas poser son regard », raconte un écuyer de Rainier. Le prince, qui avait accédé au trône en 1949, à l'âge de vingt-sept ans, avait l'air hautain mais l'apparence dissimulait une vraie timidité. Après des études en Angleterre (à Stowe) et en Suisse (au Rosey) il s'était engagé dans l'armée française en 1944 et avait été décoré de la Croix de guerre. Excellent athlète, amoureux des voitures rapides, il était néanmoins d'un caractère indécis, méfiant, et avait peu d'amis. Avec une liste civile de plus de 150 000 dollars par an, il était toujours en quête de fonds pour satisfaire ses goûts coûteux et ceux de la jolie Gisèle Pascal.

A l'opposé, Ari était un homme sociable et ambitieux, qui n'était plus déjà au mieux de sa forme physique mais toujours aussi sûr de lui et intimidant. (« Quelle que soit la bagarre qu'ils cherchent, je saurai toujours faire face », avait dit Ari à Rainier durant la période difficile de 1954.) L'enthousiasme initial de Rainier pour Ari s'était évanoui, peut-être parce qu'il sentait dans l'arrogance du Grec un narcissisme aussi impérieux que le sien. L'insistance des journaux à parler du roi sans couronne de Monte-Carlo et de l'éminence grise de la principauté agaçait son orgueil princier. Mais si leur lune de miel fut brève, elle fut néanmoins productive. On avait entamé la rénovation de l'Hôtel de Paris et la construction de trois nouveaux étages, avec un spectaculaire restaurant en terrasse ; le port avait été creusé et un fond de béton coulé ; des milliers de tonnes de sable doré avaient été commandés pour embellir des plages étiques.

Jamais totalement refoulée, même si elle fut niée dans les premiers moments de leur tentative de gestion commune, l'opposition entre eux était compliquée par ce qui parut un extraordinaire renversement des rôles : le prince voulait transformer Monte-Carlo en un nouveau Las Vegas ; Ari voulait restaurer la gloire perdue de la ville et créer un domaine réservé pour les riches. Guère plus grand que bien des décors extérieurs qu'il avait connus à Hollywood, Monte-Carlo était à ses yeux une partie d'un patrimoine immobilier qu'il voulait développer au maximum, à grand renfort d'hôtels superbes et de luxueux immeubles d'habitation. Il avait peu de temps à consacrer aux investissements dans le casino ; il considérait « cette sorte de jeu » comme immorale. « Vraiment, M. Onassis, se plaignit Rainier, je n'ai pas besoin de vous pour me dire ce qui est moral ou immoral. » Et Ari lui rétorqua : « Si vous devez devenir une femme de mauvaise réputation sans gagner un sou, autant être une femme honnête. »

C'est quand chacun laissait l'autre tranquille qu'ils s'entendaient le mieux ; mais il n'était pas dans leur nature de se laisser tranquilles. Ari se sentait enchaîné par une administration féo-

148

dale, une équipe de direction dominée par les hommes de Rainier qu'il appelait « la corporation des seigneurs de la guerre ». Mais en dépit de son droit de veto, le prince savait que certains de ses fidèles le considéraient de plus en plus comme une marionnette et colportaient les fréquents écarts verbaux d'Ari, qui manquait de délicatesse et de respect. (Un jour il interrompit le ministre monégasque des Finances en lui lançant : « Vous devez confondre, moi je m'en branle de ça. ») Mais d'une manière ou d'une autre, l'union mal assortie donnait des résultats. Le déficit chronique de l'après-guerre disparut ; en 1955 pour la première fois depuis la seconde guerre mondiale, la SBM versa des dividendes.

Monte-Carlo, se plaisait à dire Ari, serait prospère aussi longtemps que subsisteraient trois mille riches dans le monde. Sa liaison avec Claudia Munzio lui ayant tôt fait découvrir l'avantage d'avoir des amitiés chez les gens du spectacle, il se dépensa personnellement pour attirer à Monte-Carlo quelques-uns de ces trois mille noms. Quoique le prince fît peu de cas des acteurs, il ne pouvait s'empêcher d'être impressionné par la sensation nouvelle d'excitation et de prestige qu'ils apportaient à la principauté. Même s'il ne connaissait pas encore le mot, il appréciait la valeur du battage médiatique. Les réceptions d'Ari, en particulier celles qui se déroulaient à bord du *Christina*, « étaient aussi imposantes que celles de Gatsby », à en croire un habitué, le magnat du cinéma Darryl Zanuck. Il n'était pas rare de voir à bord du yacht une bonne dizaine de célébrités internationales ainsi que des têtes couronnées. Quand les revenus défient le calcul, ce sont en fin de compte les excès des gens très riches qui frappent l'imagination : la rapacité du chah, la frugalité de Getty, la clandestinité de Howard Hughes... et le goût d'Ari pour le spectacle.

Ari n'était nulle part plus heureux qu'à bord de son yacht. Il lui en avait coûté plus de quatre millions de dollars pour convertir sa frégate canadienne de 50 000 dollars et de 98 mètres de long en ce que l'ex-roi Farouk appelait « le summum de l'opulence » et qu'un autre invité décrivit comme « l'incarnation du charme d'Ari ». Le décor du *Christina* était bien parfois d'un goût douteux (sur les panneaux de la salle à manger, les fresques allégoriques de Marcel Vertes mettaient en scène la famille au long des saisons : Tina patinant, Alexandre et Christina pique-niquant dans un pré l'été), parfois même c'était carrément vulgaire (les sièges du bar étaient recouverts de peau de prépuce de baleine blanche : « Madame, annonça Ari à Greta Garbo, en ce moment vous êtes assise sur le plus gros pénis du monde ») mais en tout cas rien jamais n'était bon marché. A travers le bateau la technique moderne formait un réseau, comme un système nerveux : radar, télex et téléphone (42 lignes), air conditionné, bloc opératoire et appareil de radiographie, contrôle électronique de la température maintenant agréablement fraîche — dix degrés en dessous de celle de l'air — l'eau d'une piscine dont le fond, décoré de scènes de la mythologie grecque, pouvait se transformer en piste de danse en s'élevant au niveau du pont. Outre la suite du maître des lieux — quatre chambres sur le pont supérieur, avec baignoire de marbre de Sienne d'un bleu profond (réplique de celle d'un roi minoen) et parois couvertes de miroirs de Venise, le bateau disposait de neuf appartements de luxe portant chacun le nom d'une île grecque — Ithaque, généralement réservé aux hôtes d'honneur, devait être occupé entre autres par Garbo, la Callas et Jackie Kennedy. « Je ne crois pas qu'un seul homme ou une seule femme au monde résisterait à la séduction du pur narcissisme qui s'étale sans vergogne dans ce bateau », disait Richard Burton. « J'ai trouvé qu'il avait raison », racontera Ari. Il avait toujours été attiré par les grands noms. « Pour Ari, les gens célèbres, c'est important, disait Tina à une amie. Tout ce qu'il va imaginer, c'est par rapport à eux. » Il aimait parfois surprendre ses visiteurs en leur montrant qu'il possédait telle information, qu'il avait une connaissance inattendue de leur monde. Margot Fonteyn, épouse de son avocat panaméen, Roberto « Tito » Arias, le trouva charmant, parfait dans son rôle d'hôte, même si elle émettait de graves réserves contre un homme qui « n'était jamais allé au théâtre ou à un spectacle de ballet » et préférait discuter affaires avec son mari dans une boîte de nuit jusqu'à deux heures du matin. A son grand étonnement, un soir, il se mit à lui parler en connaisseur des *élévations*, des *entrechats*, des *fouettés* et des pas *sur les pointes* (en français dans le texte - NdT). *Giselle* était son ballet préféré. Il avait vu la Pavlova le danser à Buenos Aires quand il était jeune, raconta-t-il. Ses yeux avaient été attirés par l'une des danseuses de la compagnie. Il n'en dit pas plus sur ce sujet.

Le lundi 27 juin 1955, une nuit d'été comme les autres à Monte-Carlo. Dans le cinéma en plein air on jouait *A Prize of Gold* ; les roulettes tournaient au casino ; les gens s'attardaient aux terrasses des cafés. Le *Christina* se balançait doucement dans le port. Ari était à New York ; Rainier était injoignable : il se remettait d'une opération de l'appendice dans sa villa de Saint-Jean-Cap-Ferrat. Aucun des deux hommes ne savait qu'une catastrophe était imminente. A 22 heures 30, dans une petite salle rectangulaire d'un bâtiment proche du palais royal, Arthur Crovetto, ministre des Finances, révélait que la principauté était au bord de la banqueroute. Chef de l'une des plus anciennes familles de Monaco, directeur du cabinet de Rainier, il savait qu'à l'instant où il commençait cette déclaration devant le Conseil national réuni d'urgence, sa carrière était finie.

La tradition voulait qu'on investît les fonds gouvernementaux dans treize banques de la principauté. Mais depuis deux ans, dut-il admettre, on n'avait confié l'argent du Trésor qu'à un seul établissement : la Société monégasque de Banque et de Métaux précieux, fondée en 1947 par Constantin Liambey. Liambey avait spéculé massivement dans une société de télévision avec l'argent de Monaco... et la bénédiction de Crovetto. Pour faire face aux difficultés de la société, Crovetto avait mis 900 millions de francs dans la balance ; à la Bourse de Paris, en trois jours, l'action était tombée de 33 000 à 16 000 francs. Les membres du Conseil national écoutaient les explications de Crovetto, ébahis. Les dix-huit éminents hommes d'affaires élus par les 600 électeurs mâles de la principauté ne formaient qu'une assemblée consultative, ouvertement tenue pour quantité négligeable par le prince et son cabinet. A présent, Crovetto leur quémandait 330 000 millions de francs pour éviter la faillite de l'État.

Ils allaient régler la dette mais le prix serait élevé : Crovetto devrait s'en aller, ainsi que les autres membres du cabinet et de l'entourage de Rainier. Celui-ci résista farouchement. *Paris-Match* raconta qu'on pouvait l'entendre crier depuis la rue qui passe devant sa villa. « Il y a cent ans, lui rétorqua Auguste Médecin, distingué biologiste et président du Conseil, ce n'est pas leur démission que nous aurions réclamée, mais leur tête. » Quoiqu'il ait été bien près de l'usurpation, les termes de la déclaration du Conseil obligèrent Rainier à maîtriser son humeur impérieuse. Sa principauté au bord du gouffre, ses plus proches conseillers écartés de leur charge, le souverain de Monaco était en mauvaise posture. « Alors qui a besoin de leçons de morale, maintenant ? » s'écria Ari quand il apprit la nouvelle à New York. Cependant cette crise l'affectait autant que Rainier. Car Monaco avait besoin de bien autre chose que d'une simple transfusion de fonds. « Ce qu'il leur faut, dit Ari à Gratsos, ce n'est pas du fric, c'est du sang neuf. Il faut que Rainier cesse de se tracasser tous les jours pour tirer son coup et qu'il se trouve une princesse pour animer un peu les lieux. »

Début juillet, accompagné de Tina et d'une douzaine d'invités, il embarqua à bord du *Christina* pour une croisière à Venise. Le samedi 16 juillet, rentrant d'une cure dans une station thermale italienne, Ingeborg Dedichen écrivait dans son journal : « ... Venise — le Lido, horrible — atrocement chaud — déprimée, pas d'hôtel — le *Christina* est passé ! Ari marchait sur le pont — possibilité d'appeler — me suis sentie très mal — ai écrit une lettre — déprimée, dîné, rentrée — ah ! ah ! ah ! » Et le lendemain, dans la ville où ils avaient fait l'amour pour la première fois vingt-deux ans plus tôt, elle écrivit ces lignes poignantes : « Pas de nouvelles d'Ari — pas vraiment surprise... » Elle ne le savait pas alors, mais c'était la dernière fois qu'elle le voyait.

151

Ari s'était montré cruel en refusant de tenir compte de la lettre d'Ingeborg, dira un participant à la croisière. « Mais il avait assez d'ennuis comme ça dans la vie. Il travaillait deux fois plus, étant préoccupé par la crise de Monaco, tout en s'employant à distraire ses hôtes. » La présence inattendue de Mamita à Venise — une dame solitaire, d'âge mûr, qui lui avait tant donné, savait tant de choses de lui — dut troubler sa conscience. « Nous devions passer quatre ou cinq jours à Venise mais nous sommes partis plus tôt, très brusquement », raconte un invité. La lettre d'Ingeborg à Venise ne nous est pas parvenue mais on peut imaginer qu'elle était semblable à tant d'autres qu'elle avait écrites, qu'elle lui rappelait ce qu'ils avaient été l'un pour l'autre, ses promesses de toujours prendre soin d'elle, et qu'elle le suppliait d'augmenter sa pension mensuelle.

En dépit du désagréable épisode vénitien, Ari rentra à Monte-Carlo revigoré, plein d'une nouvelle idée excitante. Mais il avait plusieurs affaires à régler d'abord. Selon Sir Lionel Heald, son conseil britannique dans le différend avec l'ARAMCO, parmi les problèmes pressants, il y avait celui de son image publique. Le jour de son retour à Monaco il fit demander Nigel Neilson, un spécialiste de relations publiques que lui recommandait le distingué juriste. Néo-Zélandais, Neilson avait eu une extraordinaire carrière. Il avait été tour à tour comédien, chanteur et soldat. En Syrie, il avait participé à la dernière charge de cavalerie de l'histoire ; durant la seconde guerre mondiale, il s'était battu dans le régiment d'élite du Special Air Service et sa vaillance lui avait valu la Military Cross. Il était à présent responsable de budgets publicitaires (Bureau du fromage, Bourse de Londres) pour le compte de l'agence J. Walter Thompson à Londres. Neilson raconte ainsi son premier entretien avec Ari : « Il m'a demandé de lui raconter comment je pensais qu'on le voyait dans le public. Avant que j'aie eu le temps de répondre, il a levé la main. "Excusez-moi, je suis grossier. Vous êtes mon hôte. Je n'ai pas à vous mettre dans l'embarras. Je vais vous dire ce que moi, je pense que les gens disent de moi. Ils disent que je suis un Grec de merde avec trop d'argent. Je me trompe ?" Je lui ai répondu que c'était en gros la situation. » Ari portait un pantalon blanc, une chemise bleue à manches courtes, des chaussures marron et blanc et des lunettes noires à épaisse monture tout aussi noire. Il était plus petit qu'il ne paraissait sur les photos des journaux ; Neilson pensa que c'était le bureau (« un mélange de salle de musée et d'état-major de guerre ») de l'ancien Sporting Club qui le faisait paraître d'une taille inférieure à la moyenne. Aux murs étaient suspendus des tableaux de ses pétroliers dans des cadres dorés ; derrière son bureau une carte magnétique montrait la disposition de sa flotte à travers le monde. « Les gens ont très mauvaise opinion de vous », expliqua Neilson d'un ton à la fois direct et plein d'humour. Six semaines plus tard, il démissionnait de chez J. Walter Thompson et devenait chef des relations publiques d'Ari.

Neilson ne tarda pas à être éclairé sur ce qu'on attendait exactement de lui. « Boycotté par les Américains à la suite de l'affaire ARAMCO (la moitié de sa flotte était maintenant sans travail), Ari s'intéressait aux sociétés britanniques. Heald m'a dit : « Votre travail consistera à le ramener au bercail, pour qu'il soit persona grata chez vos compatriotes. » Par hasard, Neilson avait des relations intéressantes. Par l'intermédiaire de la femme de son frère, il entra en contact avec Basil Jackson, président de la British Petroleum. Pourquoi, lui demanda-t-il quand ils se rencontrèrent, la BP n'affrète-t-elle aucun pétrolier d'Onassis ? Quelques jours plus tard, Jackson lui rapportait la réponse : « J'en ai parlé avec mes directeurs et ils ont tous dit très franchement que nous ne pouvons traiter avec cette sorte de gens. » Est-ce qu'un seul d'entre eux l'a déjà rencontré personnellement ? s'enquit Neilson. Deux d'entre eux, assura Jackson. « Je lui ai demandé s'il accepterait de rencontrer Ari pour juger l'homme par lui-même, si j'arrangeais une invitation à déjeuner sur le yacht d'Onassis dans le Sud de la France. Il m'a répondu qu'il aimerait beaucoup ça. »

Quelques jours après que Neilson eut entrepris de blanchir sa réputation à Londres, Ari invita le père Tucker à déjeuner à bord du *Christina*. La rencontre s'annonçait délicate — une discussion entre quatre yeux, comme l'appelait Ari — car le chapelain formé au Vatican n'était pas un admirateur d'Ari, qu'il considérait comme « un usurpateur, pressé de planter le drapeau panaméen sur le toit du palais ». Néanmoins, ils partageaient les mêmes inquiétudes devant le triste état de l'économie monégasque ; et ni l'un ni l'autre n'ignorait qu'aux termes du traité de protection, l'absence d'héritier mâle direct entraînerait au moment de la succession l'introduction dans la principauté de la loi française — et donc des impôts français, de la bureaucratie française et du service militaire français. Certes, Rainier, à trente-trois ans, jouissait d'une excellente santé et goûtait les joies du célibat, mais qu'adviendrait-il s'il avait un accident ? En ce moment même, il était en Méditerranée et se montrait peu soucieux de rentrer : le scandale bancaire était encore un sujet brûlant à Monaco.

Le vigoureux sexagénaire américain qui sillonnait sa paroisse en scooter et lézardait l'après-midi sur la plage dans un maillot de bain d'un noir clérical était aussi à l'aise avec les martinis qu'avec les matines et, après quelques Gibson, Ari tira de son chapeau le sujet auquel il songeait depuis la croisière vénitienne. Il dit qu'il pensait que le prince verrait « grandir merveilleusement sa valeur symbolique » s'il avait une princesse. Le peuple dormirait mieux s'il était marié. « Quand Dieu fit le temps, il en fit une grande quantité », répondit le prêtre. « Bien qu'il ait loué mon intérêt pour le peuple, racontera Ari, je lui ai dit que quand mon tour viendrait d'aller au ciel, je n'avais pas l'intention de poireauter. J'ai bien vu qu'il avait été accroché par l'affaire du mariage. On a papoté de choses et d'autres. Eclusé quelques verres. Puis il est revenu sur le sujet en disant qu'il était bien difficile de trouver une fiancée convenable pour Rainier (Tucker avait une influence à la cour qui dépassait largement celle du pasteur, il avait placé des peaux de banane aux endroits adéquats et Gisèle Pascal était tombée en disgrâce). Je lui ai suggéré de chercher dans son pays : une princesse américaine, ce serait romantique et grandiose — comme les rêves doivent être au goût des Américains. J'ai avancé le nom de Marilyn Monroe. » Ce qui fut dit ensuite n'est pas certain, mais il est indubitable qu'Ari sentit qu'il avait l'approbation tacite sinon la bénédiction de Tucker pour sonder les sentiments de Marilyn à l'égard des princes.

Quand elle avait épousé Joe DiMaggio, l'idole du base-ball auquel, à en croire Spyros Skouras, Ari ressemblait physiquement, ce dernier avait câblé à Spyros : « Aimerais être à la place de DiMaggio cette nuit. » Ce mariage était fini et elle avait une liaison avec Arthur Miller. Mais que pesait un auteur dramatique en face d'un prince ? « Les belles femmes ne supportent pas la modération, avait dit un jour Ari. Il leur faut sans cesse de nouveaux excès. » Mais Skouras ne voulut pas s'en mêler ; il avait assez de soucis avec la vie professionnelle de Marilyn sans qu'il ait besoin de s'occuper de sa vie privée. Les trois derniers films de l'actrice avaient rapporté vingt-cinq millions de dollars à la 20th Century Fox ; les actionnaires pressaient le studio de la faire rejouer très vite. Elle était à New York et refusait de rentrer à Hollywood jusqu'à ce qu'elle ait un nouveau contrat.

Ari appela Georges Schlee. L'entrepreneur russe, amant et mentor de Greta Garbo, avait déjà rendu d'utiles services à Ari. Il s'était occupé des invitations et des villas à louer quand Ari avait voulu se servir de personnages prestigieux pour augmenter le décorum de Monte-Carlo. C'était Schlee qui avait présenté Ari à Garbo. Il répercuta l'idée du Grec à Gardner (« Mike ») Cowles Jr, le propriétaire et fondateur du magazine *Look*, ami de Marilyn. Un entretien fut organisé à la ferme de Cowles, dans le Connecticut, non loin de l'endroit où l'actrice vivait avec Arthur Miller. Au bord de la piscine, Schlee et Cowles discutèrent avec elle de la proposition, qui éveilla chez Marilyn un vif intérêt. Elle posa deux questions, se souvient Cowles : est-il riche ? est-il beau garçon ? L'éditeur la soupçonna d'ignorer même où se trouvait Monaco. Il lui demanda si elle pensait que le prince aurait envie

154

de l'épouser. « Donnez-moi deux jours avec lui, et bien sûr qu'il voudra m'épouser », rétorqua-t-elle avec toute l'assurance d'une dame dont le nom figurait toujours en haut de l'affiche. Schlee raconta à son commanditaire qu'à première vue, l'affaire était en bonne voie. Mais sans laisser le temps aux conspirateurs de passer à la phase suivante, Rainier révélait son intention d'épouser une autre actrice de cinéma : Miss Grace Kelly. Sa beauté délicate et sa sensualité subtile en faisaient l'absolue antithèse de Marilyn. Elle avait l'air sortie tout droit du Gotha de Philadelphie mais son père, John B. Kelly, fils d'un garçon de ferme du comté de Mayo, avait été manœuvre et maçon avant de faire fortune dans le bâtiment. Cela faisait à peine cinq ou six ans que Grace était actrice de cinéma et pourtant après onze films, deux nominations à l'Academy Award, un Oscar, elle s'était assuré une place dans l'histoire d'Hollywood avec le film d'Alfred Hitchcock *To Catch a Thief* dans lequel elle incarnait une élégante et froide héritière aux prises avec un voleur de bijoux de la Côte d'Azur, joué par Cary Grant.

Observant depuis le pont du *Christina* l'arrivée de Grace Kelly (suivie de cinq détectives privés, vingt représentants de la MGM, soixante-treize amis, demoiselles d'honneur et parasites et de la presse du monde entier), Ari se tournant vers un ami lui dit : « Un prince et une reine de l'écran. Un vrai conte de fées. » Ce n'était pas une remarque négative. Il comprenait parfaitement qu'une ville comme Monte-Carlo ait besoin de contes de fées, comme Detroit avait besoin de moteurs et l'Iowa de maïs. Mondains et voleurs de bijoux, vedettes du cinéma et resquilleurs, princes et escrocs affluaient sur le terrain de jeu de la Côte d'Azur. Sirènes et avertisseurs sonores se déchaînaient. Sur les remparts du palais les canons tirèrent une salve d'honneur de vingt et un coups et les bateaux-pompes lancèrent leurs jets d'eau. Sur le quai un orchestre jouait *Love and Marriage* tandis que l'avion privé d'Ari répandait sur le port des milliers d'œillets rouges et blancs. « Mais ce dont je me souviens le mieux, raconte un hôte du *Christina* en ce matin de 1956, c'est de Tina qui récitait avec son ton d'Anglaise un petit poème qu'elle avait probablement appris à Heathfield. Deux vers dont je me souviens disaient : "La vie est un voyage : nous passons par bien des scènes de joie et de chagrin." Durant les mois passés, Ari avait certes eu ses moments de joie et de chagrin. »

A la réunion de la commission baleinière internationale à Moscou, les Japonais se répandirent en diatribes contre les méthodes d'abattage illégales d'Ari. Il rejeta leurs attaques comme un ramassis de rumeurs, de sous-entendus et de mensonges inventés par des rivaux jaloux. En janvier, il semblait avoir échappé à la tempête lorsque la *Norwegian Whaling Gazette* publia des preuves irréfutables à l'appui des accusations japonaises. Outre des récits du chimiste et du chef mécanicien de l'*Olympic Challenger*, le journal présentait le témoignage sous serment de sept membres d'équipage; des journaux de bord, des tableaux de chasse, des photographies et des journaux personnels, le tout confortant les accusateurs qui parlaient de massacre écologique dissimulé par des inspecteurs panaméens corrompus. Il était clair que sa flotte avait infligé des dégâts massifs à la population de baleines. Les Norvégiens obtinrent la saisie par décision judiciaire de six mille trois cents tonnes de graisse de baleine qu'un de ses bateaux-citernes venait de décharger à Hambourg; l'*Olympic Challenger* et sa cargaison étaient retenus dans le port de Rotterdam. Quand les tribunaux se furent opposés au transfert en douce du navire usine à l'une de ses sociétés, Ari dit à Gratsos : « Dégageons-nous de ce secteur. » Depuis le coup de force des Péruviens, il avait préparé le terrain. Fin mars, Gratsos se rendit à Tokyo pour s'entretenir avec les représentants de la Kyokuyo Hogei Kaisha Whaling Company. Vingt-quatre heures après, il téléphonait à Ari à Monte-Carlo. Au Japon, il était deux heures du matin et Costa se trouvait dans une boîte de nuit de Ginza, le quartier chaud de Tokyo, quand il parvint à joindre son patron. Il annonça à Ari qu'il avait fait l'affaire pour 8,5 millions de dollars. Plusieurs millions de plus que ce qu'espérait Ari. Ce dernier entendait de la musique en arrière-fond de leur communication. « Bon Dieu, où es-tu, Costa ? » Gratsos répondit qu'il fêtait ça. « Tu es soûl ! » Gratsos avoua qu'il en prenait le chemin. L'aventure baleinière d'Ari, née dans un bar de Hambourg, fut noyée dans un night-club de Tokyo.

Pendant ce temps, le dossier Catapodis, abandonné par Paris faute de preuves, était porté devant les tribunaux de New York. Ari avait confiance : « Il n'y a pas un pays au monde qui ait la moindre prétention à la justice, dans lequel une telle accusation, soutenue par de telles preuves, ne serait pas rejetée avec un éclat de rire. » Au cours de l'audience préliminaire, il fit face à l'accusation de conspiration criminelle. Catapodis tenait beaucoup à confirmer ses affinités avec Stavros Niarchos, qu'il présenta comme un « voisin et ami ». Mais Niarchos était soucieux de marquer ses distances avec un homme qu'Ari avait qualifié de « traficoteur »; un homme qui n'était guère plus qu'un petit entremetteur pour ses riches amis arabes. Le Sud de la France est un village, rétorqua Niarchos : « On voit beaucoup les gens. On peut voir Catapodis au casino. Si jamais je suis allé au casino tous les soirs, il a très bien pu s'y trouver. D'un autre côté, nous n'avons jamais eu de discussion sérieuse. Aujourd'hui beaucoup de gens disent que c'est un ami à moi et ça dépend de ce qu'on appelle un ami. Dans ma théorie, la définition de l'amitié est entièrement différente et sa forme d'esprit à lui est peut-être différente. Pour lui, le fait d'être compatriotes, d'être de la même race, lui a peut-être suffi pour me considérer comme un ami. En ce qui me concerne, il n'était pas de mes amis. Il fallait que ce soit dit. »

Serré de près par les questions de l'avocat d'Ari, Charles Tuttle, Niarchos reconnut que sa société avait embauché Maheu à propos de l'affaire saoudienne et qu'avant de partir en mission pour Djeddah, l'enquêteur de Washington avait reçu une copie de la déposition de Catapodis. Visiblement, le dossier Catapodis se dégonflait. Mais avant que Tuttle ait pu porter l'estocade, Niarchos annonça que de graves questions de sécurité nationale étaient en jeu : « Toute l'affaire mène à un mur, précisa-t-il, et j'aimerais avoir des éclaircissements à Washington pour savoir si je vais répondre ou non à ces questions. » Quatre jours plus tard, Spyridon Catapodis retirait sa plainte.

Ari avait certes gagné, mais il ne se dissimulait pas qu'on s'était joué de lui. Ses pires soupçons avaient été confirmés et il ne pouvait rien y faire. « Jamais, affirma-t-il, dans l'histoire des affaires, tant de pouvoirs n'avaient été rassemblés pour combattre et détruire un individu. » Si le coût psychologique et financier de l'accord de Djeddah était élevé, il était vraisemblable qu'après avoir rappelé qui commandait, les grandes compagnies pétrolières seraient disposées à faire la paix. Une des sociétés membres de l'ARAMCO, la Socony-Vacuum Oil Company, affréta le *Al-Malik Saud Al-Awal* pour transporter le pétrole de ses terminaux du golfe Persique à Philadelphie. (C'était ce genre de chose qu'il avait toujours cherché mais ce marché lui interdit aussi de porter plainte contre l'ARAMCO pour infraction à la loi antitrust.) Et peu après que Nigel Neilson eut persuadé le conseil d'administration de la BP de rencontrer Ari (« Les amis, j'ai entendu dire que vous aviez quelque chose contre moi, leur lança-t-il au cours d'un déjeuner dans sa suite du Savoy. J'aimerais savoir pourquoi exactement vous pensez que je suis un sale type »), le géant du pétrole britannique affréta pour la première fois un navire d'Onassis.

A Washington, les discussions de maquignons avec Warren Burger prirent fin brusquement. « Je ne vais pas reculer, M. Burger. Je plaiderai jusqu'à la fin de mes jours s'il le faut parce que je sais que je gagnerai », avait-il annoncé dès le début au procureur général. Et à présent, en échange du fait que ses sociétés plaideraient coupables, et d'une déclaration à la presse du ministère de la Justice « rédigée pour ressembler à une danse du scalp de l'administration fédérale », on abandonna les poursuites criminelles entamées contre lui. Ari se convainquit qu'il avait remporté au moins une victoire morale contre Warren Burger, qu'il détestait cordialement. Le soir où l'accord fut passé, Ari, entouré de collaborateurs aussi flagorneurs qu'un chœur grec, dînait chez Harvey à Washington. A l'autre bout de la salle étaient assis J. Edgar Hoover et Clyde Tolson. Gratsos l'ayant retenu de foncer à leur table « pour les engueuler », il se contenta de leur jeter un regard glacial. « Voilà une ville bien stupide, dit-il, en Angleterre j'aurais été anobli pour ce que j'ai fait. Ici ces enfants de salauds me poursuivent. » Une grande partie de son dédale de sociétés avait été mis à jour par l'enquête de Burger (quarante agents s'étaient occupés du dossier) et Gratsos craignait que la notoriété d'Ari ne « suscite un intérêt dont on se serait passé » de la part des organismes gouvernementaux d'autres pays. « Je m'en tamponne le coquillard. » Ari avait presque crié, les yeux fixés sur Hoover. « Les plus beaux marchés ne résistent jamais à un examen moral. Tous les hommes d'affaires et tous les politiciens du monde le savent. » Un de ses vieux collaborateurs dira : « Ari a pu s'en tirer au mieux, mais je ne crois pas qu'il se soit jamais débarrassé des séquelles psychologiques de sa guerre avec Washington. »

Dans une note datée du 4 janvier 1956, Burger remerciait Hoover pour la « splendide coopération » du FBI et pour « l'excellent travail d'enquête sur les combinaisons économiques et financières de l'affaire en question » et en résumait ainsi le règlement :

« Aux termes de l'accord de règlement, le gouvernement recevra 7 millions de dollars, dont 6 600 000 comptant et environ 400 000 par le versement des intérêts des créances d'Onassis. Une somme supplémentaire de 500 000 dollars sera versée pour régler les arriérés, intérêt et principal, des hypothèques prises par l'Administration maritime sur certains des navires et pour ramener le paiement des hypothèques à un statut ordinaire. L'accord de règlement prévoit aussi que les sociétés nationales qui possèdent les navires devront être réorganisées de la façon que le Département jugera nécessaire pour assurer à des citoyens américains la propriété et le contrôle des navires. »

Ari mit aux noms de ses deux enfants, américains de naissance, 75 p. 100 du capital de Victory Carriers, United States Petroleum Carriers, Western Tankers et Trafalgar Steamship Company. L'ensemble fut réuni dans un cartel placé jusqu'à la majorité d'Alexandre et de Christina sous la direction de la Grace National Bank de New York. Ari garda pour lui 25 p. 100 par l'intermédiaire de l'Ariona, société de droit panaméen. Aussitôt que le cartel eut été constitué, grâce au « programme échange et construction » de l'Administration maritime, qui permettait aux armateurs de faire passer sous un autre pavillon leurs bateaux américains à condition qu'ils s'engagent à en construire d'autres, vingt et un navires enregistrés aux États-Unis prirent un pavillon de complaisance. En retour, le trust entreprit la construction de trois nouveaux pétroliers et des commandes furent passées à la Bethlehem Steel.

Le paiement de l'amende serait étalé sur cinq ans. Selon un avocat de Washington, « l'ensemble n'était qu'un jeu de miroirs — des jongleries comptables permettant à la justice de faire bonne figure ». C'était certainement ce qu'Ari voulait que le monde crût, car son ego ne l'aurait pas supporté autrement, mais en privé, il reconnaissait sa défaite. L'affaire pour lui se terminait par un abandon. Ses visites aux États-Unis allaient se faire moins fréquentes et plus courtes.

La présence de Tina au printemps de 1956 à Monte-Carlo avait été inhabituelle. Elle aurait dû être en Angleterre : le printemps en Angleterre, l'hiver en Suisse, l'été en Méditerranée, l'automne en Amérique. Ses habitudes très réglées et les voyages imprévisibles d'Ari masquaient le fait qu'ils avaient décidé de vivre séparés en ne se réunissant que pour les occasions où ils devaient jouer les hôtes rayonnants : pure apparence car ils n'avaient souvent que des relations superficielles avec leurs invités. (« J'aime m'entourer de braves types qui n'ont pas fini derniers », ainsi résuma-t-il un jour son idéal du convive.)

Leur conception pragmatique du mariage est certainement antérieure à cet après-midi de 1957 où Tina surprit Ari au château de la Croë dans une position compromettante avec Jean Rhinelander, une de ses vieilles amies d'école qui vivait aux environs de Grasse. Ce fut la fin du château (« Quelque chose de mal, d'on ne peut plus mal, a sali cette merveilleuse maison »), que Niarchos s'empressa d'acquérir pour Eugénie, et le commencement de la fin de leur union. « Il ne m'a jamais donné ma part dans sa vie, dira-t-elle à Lady Carolyn Townshend. Il n'a jamais reconnu ce que j'ai apporté à sa vie. » Son mariage, disait-elle à ses amies, avait été une erreur, commise quand elle était encore très jeune et placée tout entière sous l'influence d'une mère déterminée. Et quand elle avait un peu bu, elle remarquait : « Comme Marc Antoine, Ari est un enfant géant, capable de conquérir le monde, incapable de résister à l'attrait du plaisir. » Avant l'épisode Rhinelander, elle n'ignorait pas qu'il couchait avec d'autres femmes. Elle prétendait qu'à tout coup elle devinait lesquelles. Et elle savait, assura-t-elle, quand cela se passait.

De son père elle avait hérité le goût de l'accumulation (« l'idée qu'elle va assister à une réception, recevoir une robe ou un simple diamant, cela suffit pour rendre Tina heureuse », disait Ari), et désormais elle se vengeait en prenant de la vie tous les plaisirs qu'elle en pouvait tirer. Ses aventures furent innombrables. « Son goût pour les hommes beaux n'était surpassé que par son goût pour les hommes très beaux », dira un ami. Mais à un comédien français sur lequel elle avait jeté son dévolu, elle confia : « Dans ma vie, le manque de bonheur est caché par une abondance de plaisirs. » Les supputations d'Ari reçurent une confirmation éclatante lorsqu'on lui remit un dossier extrêmement détaillé sur la semaine qu'elle avait passée avec un amant à Rio. Cependant, l'infidélité de son épouse ne blessait pas son cœur, mais son amour-propre. Touchant la cinquantaine, buvant beaucoup, il était hanté par toutes les angoisses d'une ménopause masculine. Un sentiment de solitude le gagnait lui aussi. « Nous ne sommes rien que deux personnes vulnérables, Johnny, nous ne sommes rien que deux gamins adultes pleins d'illusions perdues », raconta-t-il à Meyer peu après le drame du château de la Croë. « Les choses terribles que des gens mariés, qui prétendent s'aimer, qui ont des enfants ensemble, se font l'un à l'autre ! » Meyer eut le sentiment que cette situation, plus qu'aucune autre, découvrait la vulnérabilité d'Ari. « Je lui ai dit : "Merde, Ari, tu ne l'as pas épousée pour les qualités que tu attends d'une bonne sœur." J'étais désolé pour tous les deux. Leurs écarts de conduite étaient compréhensibles, ils n'avaient pas beaucoup d'importance. Pour leur bien à tous deux, je ne voulais pas voir leur mariage sombrer. »

Mais rien ne pouvait arrêter le cours des événements. En outre, à certains signes, on sentait qu'Ari était de nouveau la proie de ces inquiétantes explosions de comportements psychopathes apparus pour la première fois avec Ingeborg à New York. Alan Brien fut un des témoins visuels de ces violences. Frais émoulu d'Oxford, débutant dans la carrière journalistique, il avait été invité à séjourner au château de la Croë pour rédiger un article sur Ari à l'intention du magazine anglais aujourd'hui disparu *Illustrated*. Ce travail lui avait été confié à l'instigation de Randolph Churchill pour lui permettre de jouer les nègres de ce dernier. *Life* avait en effet commandé un portrait d'Ari à Randolph. Les deux hommes avaient noué d'étroites relations, dont chacun usait à son avantage. « Il était manifestement difficile à Randolph de questionner Onassis sur un pied d'égalité, il y avait une certaine quantité de protocole entre eux, alors j'étais le tâcheron inconnu qui pouvait poser toutes les questions », raconte Brien.

Durant sa deuxième nuit au château, incapable de dormir, il descendit dans la bibliothèque aux petites heures du jour pour trouver de la lecture. En regagnant sa chambre, il entendit des bruits de coups provenant de l'appartement des Onassis et reconnut la voix d'Ari. Il criait : « Espèce de putain, espèce de putain. » Tina sanglotait éperdument. La porte de l'appartement était entrouverte et Brien vit sur le mur, en ombre chinoise, la silhouette « d'un homme qui frappait à coups redoublés une femme qui tentait de se protéger ». La situation eût été délicate pour n'importe quel convive mais elle l'était tout particulièrement pour un jeune homme qui savait que sa présence n'était tolérée que par égard pour Randolph. « Mais je suppose que mes devoirs d'humanité ont tout balayé. Je savais qu'il fallait que j'arrête ça. J'étais sur le point d'entrer — je m'étais décidé à y aller et à lui dire : "Vous pouvez me jeter hors de chez vous cette nuit si vous voulez, mais je ne peux pas rester là à vous laisser battre une femme" — quand ils se sont jetés dans les bras l'un de l'autre et se sont mis à échanger des baisers passionnés. Ils ont traversé la pièce, et il était manifeste qu'ils allaient au lit pour baiser. Je n'ai jamais oublié cette scène, les ombres menaçantes... on aurait dit un film d'Orson Welles ; même le château aurait pu avoir été bâti sur le modèle du Xanadu de Kane. »

A vingt-sept ans, mère de deux enfants, Tina possédait encore un corps d'une sveltesse adolescente. Son nouveau nez (« je suis un peu comme Pinocchio », songeait-elle) acquis dans une clinique londonienne après un accident de voiture en Suisse lui donnait cet air de *gamine* (en français dans le texte - NdT) qui devenait à la mode. Si en privé elle se montrait enjouée et capricieuse, elle savait aussi être distante et méfiante, comme si l'on avait abusé autrefois de sa confiance et qu'elle était déterminée à ne plus jamais s'y laisser prendre. Une de ses amies dira de son image publique : « Elle avait une espèce de crainte de perdre son *air soigné* en présence d'étrangers. » C'était une défense contre ces dames snobs de la haute société monégasque qui trouvaient que sa position n'était pas si élevée qu'elle semblait le croire. La vie mondaine était sa passion et elle avait une place réservée en son sein aussi bien à Londres ou à Paris qu'à New York ; seule la principauté n'était pas assez grande pour la princesse Grace et pour elle. Monaco devint pour elle « zone interdite, danger de mort — c'est là qu'un jour nous nous apercevrons que notre mariage est enterré », dit-elle à Ari longtemps avant qu'ils vérifient sa prédiction.

Mais alors même qu'elle savait à jamais disparue la perspective d'une vie commune heureuse, Tina voulait encore voir Ari s'imposer aux yeux des gens qu'elle admirait le plus. Elle ne cessa jamais de l'encourager dans son ascension sociale. « Si tu veux qu'on t'estime, fréquente des gens estimables », lui répétait-elle. Au soir du lundi 16 janvier 1956, tandis qu'il roulait à travers les collines de Roquebrune très haut au-dessus du cap Martin, en direction de la Pausa, la villa de l'éditeur millionnaire Emery Reves, Ari se délectait au souvenir de la tête qu'avait faite Rainier quand il avait découvert que l'armateur allait rencontrer l'Anglais le plus célèbre du monde : Sir Winston Churchill.

Churchill était le grand homme d'Ari. Cela faisait des années qu'il cherchait à le rencontrer. A présent, grâce à l'amitié du fils de l'homme d'État, Randolph, il avait enfin obtenu une invitation à dîner avec le vieux lion dans la villa que le duc de Westminster avait bâtie dans les années vingt pour sa maîtresse Coco Chanel. (Ari était amateur de tels détails.) Né en Hongrie, Emery Reves connaissait Churchill depuis les années trente, époque où il s'était occupé des droits d'auteur de ses articles. Après la guerre, il avait acheté les droits pour l'étranger des *Mémoires de guerre* de Churchill et de son *Histoire des peuples anglophones*, et avait gagné beaucoup d'argent pour son client et pour son propre compte. La Pausa abritait une des plus belles collections privées d'impressionnistes du monde. Elle comprenait entre autres neuf Renoir, quatre Cézanne et trois Degas, disposés au milieu de porcelaines, de verreries anciennes, de meubles précieux et de tapis espagnols du XVe siècle comme peu de musées en possédaient. Churchill, accompagné de ses secrétaires, de son maître d'hôtel, d'inspecteurs de Scotland Yard et parfois de membres de sa famille, était un hôte régulier de la maison.

La maîtresse de la Pausa, Wendy Russel, était une femme d'une beauté étonnante, ancien mannequin new-yorkais. Beaucoup plus jeune que Reves, elle allait devenir sa femme. Elle fut étonnée par l'allure d'Ari : un personnage « absolument épouvantable, mal fagoté, qui étreignait un bouquet de roses à longues tiges presque aussi grand que lui ». (Ce n'était pas du tout la chose correcte à faire : il aurait dû envoyer les fleurs soit la veille soit le lendemain ; en l'occurrence, le maître d'hôtel ne savait qu'en faire. Miss Russel finit par lui dire de les donner aux domestiques.) Quand elle lui serra la main, elle lui trouva la paume moite. « Je suis mort d'inquiétude, Mme Reves », lui dit-il. « Je ne suis pas Mme Reves. Je m'appelle Wendy Russel. Vous pouvez m'appeler Wendy. » Elle le conduisit au salon. « Il a avalé deux verres presque coup sur coup » avant l'arrivée de Churchill. Le vieux lion était déprimé. Son épouse Clementine avait été hospitalisée. Sur la suggestion de Randolph et du secrétaire particulier de Churchill, Anthony Montague Browne, un habitué du *Christina*, Wendy Russel avait décidé qu'Ari était peut-être la personne qui saurait dissiper l'humeur sombre de l'« ancien détachement de la marine » (le nom de guerre de Churchill). Elle fut aussi peut-être influencée par le chaleureux portrait d'Onassis écrit par Randolph pour le *London Evening Standard* : « Outre le grec, il parle couramment l'espagnol, le français et l'anglais... c'est un orateur-né, avec le sens de la poésie... A l'instant où son auditeur est sous le charme, il jette par terre tout l'édifice par une chute volontaire du sublime au ridicule. » Ari, contrairement à ses habitudes, s'était employé à plaire à Randolph et comme presque tous les journalistes qui écrivaient sur lui à cette époque, le fils de Churchill fut charmé par son hospitalité généreuse. Il l'avait présenté comme un homme gentil, un hôte et un compagnon charmant*. « Randolph semblait ne pas voir derrière les lunettes noires les airs de gangster, de type brutal », disait sa sœur Sarah, qui suspectait Ari de porter des lunettes noires parce qu'il « détestait les lentilles de contact ». Par la suite, elle exprima aussi des « doutes graves à l'égard d'un homme qui porte des chaussures blanches avec des pans noirs — des chaussures de journaliste ».

La soirée commença mal. Ari salua le grand homme avec des débordements de servilité levantine (« Il a voulu baiser la main de Sir Winston, il utilisait des mots grandiloquents, racontera Wendy Russel : "Je suis tellement trop honoré", etc., etc. ») qui gênèrent Churchill et embarrassèrent les autres invités. Ari buvait beaucoup. On n'apercevait pas l'ombre de son sens poétique. Il riait à tout bout de champ, et même des choses sérieuses : un rire grondant et en même temps curieusement creux, qui agaçait son hôtesse. Par malheur la discussion tomba sur le sujet de Chypre, qui était gouvernée depuis la première guerre mondiale par les Britanniques et était à ce moment déchirée par une campagne terroriste des chypriotes grecs réclamant la réunification avec la Grèce. Ari soutint avec véhémence la cause des insurgés. Ceux-ci avaient la bénédiction et le soutien financier du chef de l'Église orthodoxe de l'île, l'archevêque à la barbe noire, Mgr Makarios**. Devant une telle prise de position, Churchill, qui savait l'importance stratégique des bases militaires britanniques de l'île, et qui s'indignait du meurtre de nombreux soldats britanniques, ne pouvait manquer d'éprouver la plus grande fureur.

Quand il se retira ce soir-là, après que Churchill eut nettement fait sentir qu'il désirait le voir s'en aller, Ari savait qu'il avait tout fait de travers. « Je me suis couvert de ridicule. Je suis vraiment navré », dit-il en s'excusant auprès de Wendy Russel. Mais sa mine déconfite, son ton catastrophé éveillèrent chez son hôtesse un sentiment de compassion. « Quand reviendrez-vous dîner ? » C'était plus une invitation qu'une question ; il la dévisagea sans savoir que répondre. « Pourquoi ne nous inviteriez-vous pas à bord de votre bateau ? » suggéra-t-elle gentiment, car elle comprenait que Churchill inspirait une crainte respectueuse. « Vous viendriez ? » demanda-t-il. Ce serait extrêmement discourtois de ne pas le faire, lui assura-t-elle.

---

* Randolph n'était pas complètement aveuglé par Ari. « C'est un Turc, dit-il à Alan Brien. Il a prétendu être grec parce qu'il voulait être du bon côté. »

** Quand l'exil aux Seychelles de l'archevêque militant fut levé, Ari envoya l'*Olympic Thunder* pour le ramener chez lui en triomphe.

En revenant à la bibliothèque, elle trouva Churchill écumant de rage : « Quel abruti, quel con... » Ce fut un moment difficile. « Très cher monsieur, dit-elle consciente d'avoir commis une erreur de jugement en invitant Ari (elle n'aurait jamais dû faire confiance à Randolph ; personne d'autre ne lui faisait confiance), ne voyez-vous pas qu'il disait ces choses délibérément, pour vous mettre en colère, pour vous secouer... Regardez-vous, cher monsieur, vous n'avez pas été dans une telle forme depuis très longtemps ! »

L'œil avisé d'Emery Reves avait vu ce qui avait échappé à Miss Russel : la ruse d'Ari ; il était convaincu que « l'exubérance truculente du Grec », sa manière de « paraître terriblement mal éduqué et naïf sur les choses de la vie mondaine » était « pure comédie du début à la fin ». Il railla Wendy de s'y être laissé prendre. Comment pouvait-elle imaginer qu'un tel homme fût sincère ! Il soupçonnait Ari d'avoir des dettes dans le monde entier. Les Hongrois ont un proverbe qui dit que si vous empruntez assez, vous pouvez continuer d'emprunter indéfiniment parce qu'on n'osera pas vous refuser de l'argent de peur que la bulle ne crève. Reves était convaincu que c'était ainsi que procédait Ari. Quand arriva l'invitation à lui rendre visite à bord du *Christina*, tous acceptèrent à condition que la presse soit tenue à l'écart, conformément à une règle strictement respectée à la Pausa. Néanmoins, quand Ari descendit la passerelle pour saluer le « plus gros poisson qu'il ait réussi à pêcher jusque-là » (« Oh, mon cher, très cher ami, bienvenue, bienvenue à bord »), une nuée de photographes et de journalistes surgit pour prendre des photos et des notes, ce qui allait lancer la légende d'une extraordinaire amitié. Churchill, qui avait du mal à gravir la passerelle, était visiblement furieux de la présence de tant d'appareils photo. Pour Emery Reves, ce fut une trahison qu'il ne pardonna jamais à Ari, même si le dom pérignon parfaitement frappé et les coupes de caviar obtinrent de Churchill une absolution immédiate. Ari s'agenouilla à ses pieds pour le nourrir à la petite cuillère comme un enfant. Son entrée dans le monde de Churchill s'était faite plus vite et plus aisément qu'il n'avait cru possible.

CHAPITRE 10

Notre pays est le pays dans lequel
nous nous sentons le mieux.

ARISTOPHANE.

Du point de vue de l'ascension sociale, les plus hautes espérances d'Ari étaient réalisées. Il avait pris possession de ce curieux milieu sur lequel il avait jeté son dévolu. La combinaison de bon sens, de charme et de mystère qui avait fait de lui un très efficace milliardaire l'avait aussi imposé comme une des plus fascinantes célébrités du temps. Mais la célébrité avait beaucoup de tracas. Assurément, quand Rainier était rentré de sa lune de miel « avec des airs de croisé », même si son attitude était pittoresque et plaisait au peuple, Ari savait que les ennuis allaient commencer. L'obséquiosité manifestée par les Monégasques envers leur prince n'était pas pour plaire à Ari ; ce n'était que dans les occasions les plus officielles qu'il l'appelait prince Rainier. Dans les circonstances ordinaires, il disait simplement « Rainier ». Quand il était avec son propre personnel, il prenait bien soin de ne le désigner que par son nom de famille, Grimaldi*. Ses investissements dans la SBM donnaient une certaine consistance à sa pré-

---

* Ari était extrêmement attentif aux titres et aux rangs. Il montrait aux visiteurs du château de la Croë une note affichée dans l'ascenseur par le duc et la duchesse de Windsor quand ils vivaient là. Exigeant des serviteurs qu'ils gardent le silence et ne s'aventurent jamais hors de leurs quartiers sans avoir été convoqués, l'avis était signé « Son Altesse royale ». « Regardez-moi ça, avait-il dit au journaliste anglais Alan Brien. Elle n'était pas du tout altesse royale. Le titre n'a jamais été attribué. En France, elle se donnait des airs. »

tention d'être, bien plus que Rainier, la force dominante de la principauté. Leur opposition sur l'avenir et l'identité de Monaco s'était durcie et leur dernier entretien avant le mariage royal avait été le plus aigre de tous. Ari l'accusait d'avarice. « Il ne sera pas satisfait tant que Monte-Carlo ne sera pas d'un bout à l'autre un amas d'hôtels, de touristes et de paradis fiscaux. » « M. Onassis, lui avait dit Rainier, vous êtes mal élevé. Votre argent vous a tout apporté, sauf de l'éducation. » La situation ne s'était pas améliorée quand il avait été proclamé partout qu'Ari et Churchill étaient devenus amis. Le précédent instauré par la cour britannique en n'envoyant aux fêtes nuptiales monégasques qu'un modeste représentant des services diplomatiques avait incité toutes les maisons royales d'Europe à réagir aussi froidement. L'ex-roi d'Égypte Farouk était le membre le plus élevé des familles royales étrangères qui ait assisté aux noces. Cependant leurs disputes paraissaient amuser Ari. Cela lui donnait le sentiment de vivre. « Il vivait suivant ses instincts et l'instinct est impitoyable », disait l'un de ses banquiers français.

Mais pour l'heure, Rainier était le cadet de ses soucis. Le rapprochement avec les compagnies pétrolières ne lui avait pas apporté le surcroît de fret espéré, et plus de la moitié de sa flotte fortement hypothéquée restait sans emploi. Le seul être suffisamment sûr pour qu'il pût lui confier ses angoisses, c'était Costa Gratsos ; seul son vieil ami connaissait ses tourments. Et dans son for intérieur, il craignait que l'instinct des affaires n'ait déserté Ari. « Le flair qu'il avait par moments pour réussir des coups était si parfait », selon Gratsos (dont le talent tenait plutôt à son éducation et à ses études) qu'il le considérait comme une « sorte de magicien ». Mais cette fois, son grand coup avait l'air de rater. Il lui fallait un miracle pour s'en sortir. Par une ironie du sort, l'artisan de ce miracle fut John Foster Dulles.

Le 19 juillet 1956, le secrétaire d'État informait l'ambassadeur égyptien à Washington, le Dr Ahmed Hussein, que le gouvernement des États-Unis, exaspéré par le flirt provocant de Nasser avec les Soviétiques, avait décidé de retirer son soutien financier à la construction du grand barrage d'Assouan. Quelques heures après l'annonce de cette décision, Randolph Churchill téléphonait à Ari en lui prédisant qu'en représailles Nasser essaierait de nationaliser le canal de Suez, principale voie de communication entre Orient et Occident. Et le Premier ministre anglais, Anthony Eden (« cette andouille d'Eden », comme l'appelait Randolph) ne laisserait pas les Égyptiens s'emparer du canal sans combattre. Il était évident qu'en cas de conflit au Proche-Orient, l'approvisionnement en pétrole de l'Europe et des États-Unis passerait forcément par le cap de Bonne-Espérance, ce qui doublait la longueur du voyage.

Randolph Churchill buvait trop et colportait les plus énormes bobards. Ari avait un faible pour ce compagnon de libations (un jour ils se présentèrent dans un tel état d'ébriété à une émission de télévision où ils devaient réaliser une interview que le producteur fit seulement semblant d'enregistrer leur conversation), il jugeait utile ses relations sociales et trouvait amusant son bavardage bien informé, mais « Randolph était devenu assez encombrant : il n'y avait pas moyen de s'en débarrasser », raconte Nigel Neilson. Néanmoins, Ari écouta attentivement ce qu'il lui racontait. Quand la crise de Suez éclata en octobre 1956, les forces anglo-françaises attaquant le canal et les Israéliens se ruant à travers la péninsule du Sinaï, Ari était le seul grand armateur disposant d'une flotte prête à répondre sur-le-champ au besoin de bateaux capables de transporter le pétrole par la route du Cap. Les sociétés pétrolières qui avaient conspiré pour le réduire à néant (« au volume zéro », comme le reconnaîtra un collaborateur du Département d'État), jouaient à présent des coudes pour affréter ses bateaux, en faisant passer le tarif de quatre dollars à près de seize dollars la tonne.

Ari se mit à gagner de l'argent sur une échelle qu'il n'avait jamais imaginée même dans ses rêves les plus grandioses. Il affirmait avec insistance depuis lontemps que c'était du « côté des plus gros pétroliers » qu'on ferait fortune, et maintenant il le prouvait, un seul voyage entre le golfe Persique et l'Europe lui rapportant deux millions de dollars de bénéfice. La guerre fut brève mais comme le canal était encombré d'épaves, il fallait, en contournant l'Afrique, deux fois plus de pétroliers simplement pour maintenir à niveau l'approvisonnement de l'Europe en pétrole brut. « Les compagnies pétrolières ont entrepris de détruire Ari et n'ont réussi qu'à en faire un des hommes les plus riches du monde », dit Costa Konialidis. Mais tandis que le Worldscale Index (sorte d'indice Dow Jones des tarifs de transport maritime) grimpait de 220 à la cote record de 460, Ari restait particulièrement aveugle au fait que cet accès de fièvre ne durerait pas toujours. A la fin de l'année, Gratsos le suppliait de se retirer du marché au comptant et d'accepter quelques-unes des offres à terme, moins lucratives mais plus sûres, des compagnies pétrolières. Difficile de convaincre un homme, qui venait de gagner en moins de six mois entre 75 et 80 millions de dollars sur le marché au comptant, qu'il devait s'écarter dudit marché. « Je tiens le bon bout, Costa. Je suis aux avant-postes. Je suis dans la course, je n'ai même pas à m'en faire. Pourquoi est-ce qu'on se tirerait maintenant ? » En tenant ce discours, il souriait, d'un sourire plein d'une abrupte violence.

Il était convaincu que le canal resterait bloqué pendant longtemps, des années peut-être. Alertés par Gratsos, les fondés de pouvoir de Victory Carriers à New York, désignés par le Département de la Justice en vertu de l'accord de règlement, prirent l'initiative de louer à Esso en 1957 une douzaine de pétroliers sur la base d'un contrat de trente-neuf mois. « Ari a sauté au plafond quand il l'a appris, se souvient un cadre. Costa est resté très calme. Je l'ai entendu dire : "On en reparlera dans trois mois, Ari." Il avait beaucoup de style et tout le bon sens du monde. » Le canal rouvrit en avril 1957. Le Worldscale Index s'effondra en dessous de 100. « Tu avais raison. J'avais tort », admit Ari dans un tête-à-tête avec Gratsos. C'était un peu succinct comme excuses à l'adresse d'un homme qui lui avait sauvé des millions.

L'effondrement des cours de l'après-Suez ne l'affecta pas, « ça fait partie du jeu ». Homme mûr en pleine possession de ses moyens, il était convaincu d'avoir ses meilleures années devant lui ; il était sans cesse en quête de nouveaux défis à relever, de nouveaux combats à mener. Il avait trouvé un nouveau gros gâteau à se mettre sous la dent : TAE, la compagnie aérienne nationale grecque. Le Premier ministre Constantin Caramanlis, dont l'Union nationale radicale, formation de droite, avait accédé au pouvoir aux élections de 1956, était décidé à mettre à contribution le savoir-faire et la richesse des armateurs expatriés et avait encouragé Ari à acheter la petite compagnie aérienne (douze DC-3, un DC-4) déficitaire pour deux millions de dollars. Niarchos avait décroché un contrat pour la construction d'un important chantier naval à Skaramanga aux environs d'Athènes, une affaire qui avait suscité l'envie d'Ari. « Parfois j'ai l'impression que je ne suis poussé en avant que par ma haine de ce fils de pute de Niarchos », avoua-t-il le jour où il apprit l'affaire réussie par son beau-frère. Cependant Skaramanga n'était qu'une déception mineure comparée à la possession d'une compagnie aérienne — qu'il s'empressa de rebaptiser Olympic Airways. Avec une jubilation rentrée, il entreprit de réclamer et de rafler d'extraordinaires concessions d'un gouvernement qui tenait par-dessus tout à encourager les riches expatriés à investir dans l'industrie du pays. On avait prévenu Caramanlis de ce qui l'attendait, mais il n'avait tenu aucun compte de ces mises en garde. Il voulait que la Grèce ait une compagnie aérienne de réputation internationale, et Onassis était l'homme qui pouvait la lui donner. Mais il n'avait jamais négocié avec un homme pareil. Dans des pourparlers à huis clos, Ari arracha une concession après l'autre : compensations gouvernementales pour toute perte consécutive à une grève illégale, droit d'exporter les bénéfices ; exemption des taxes d'aéroport en Grèce ; droit d'importer des moyens de production sans payer de taxes douanières, recours à des prêts gouvernementaux jusqu'à 3,5 millions de dollars à un taux d'intérêt de 2,5 % ; exemption totale de l'impôt sur les sociétés ; interdiction aux autres compagnies

aériennes de proposer des charters transatlantiques. Le monopole de vingt ans sur l'aviation civile grecque et sur la maintenance et le ravitaillement de toutes les compagnies étrangères,
qu'on lui avait originellement accordé, fut étendu jusqu'en l'an
2006.

Ce furent des négociations pénibles pour les hommes politiques.
Par ce chaos qu'Ari semblait préférer à toute autre méthode plus
classique de discussion, ils découvrirent qu'il s'en sortait toujours
au mieux. En un instant il pouvait passer « d'une irrésistible amabilité à une colère inexplicable ». La résistance à ses demandes
ne faisait que renforcer son obstination. « "Qu'est-ce que j'ai à
y gagner ?" c'est la seule question qu'il ait jamais paru prendre
en considération », se plaignit un négociateur gouvernemental.
Karamanlis, lui, ne voyait dans ce comportement que le prix à
payer pour parvenir à un accord.

Mais on ne gère pas une compagnie aérienne comme une société
de navigation. Et tout en accumulant les exigences à Athènes,
Onassis était en quête de toute l'aide disponible. « Je veux que
vous m'aidiez à lancer Olympic Ariways » : ainsi alla-t-il droit au
but avec Francis (« Tom ») Fabre, une vieille relation new-yorkaise
qui dirigeait la société française UTA. La voix douce, avec une
trompeuse apparence d'étourderie et un net penchant pour les
tweeds anglais, Tom Fabre ne connaissait personnellement d'Ari
que son passé de play-boy. C'était la première fois qu'il avait
affaire à l'aspect sérieux de l'homme, et il était impressionné.
« Dans deux ans vous partirez, lui expliqua-t-il. Je n'aurai plus
besoin de vous. Voilà ma proposition. Vous êtes preneur ? » La
franchise directe, la brutalité même de la proposition amusèrent
le Français. Et l'idée de hisser Olympic à la hauteur d'une entreprise internationale était un défi qui stimulait son ego. En outre,
se disait-il à juste titre, deux ans permettraient de vérifier les limites des relations avec un homme comme Ari.

En juin 1957, les activités internationales d'Olympic débutè-
rent par une liaison Londres-Paris-Athènes-Nicosie-Beyrouth, la
flotte désuète ayant été remplacée par trois DC-6B loués à l'UTA
de Fabre, qui fournissait aussi l'infrastructure technique et administrative. Deux ans après le jour où Fabre et Ari s'étaient serré
la main pour sceller leur accord dans le bureau de l'UTA à Paris,
le Français se retira. « Il était intelligent, dira Fabre à propos d'Ari,
mais son intelligence était celle d'un gosse des rues. S'il avait eu
une éducation dans les formes, les règles apprises l'auraient laissé
pieds et poings liés... Il ne s'embarrassait pas de morale conven-
tionnelle, il n'était pas lié par les menus détails de légalité et de
moralité. »

Olympic n'était pas une compagnie prospère. Ari s'en fatigua
vite. Toutefois son orgueil ne lui permettait pas de la laisser tom-

ber, même s'il menaçait sans cesse de le faire, en général pour arracher de nouvelles concessions à Karamanlis, dont la foi en Onassis comme catalyseur financier demeurait inentamée. La compagnie allait de crise en crise, sans chaîne organisationnelle de commandement, sans direction intégrée, sans stratégie d'investissement. Dans une décennie marquée par l'expansion de l'aviation internationale, ses bénéfices stagnaient presque complètement. Mais Aristote Onassis était le seul particulier au monde qui pouvait affirmer posséder une compagnie aérienne.

Il vivait sur un grand pied, même pour une ville comme Monte-Carlo. « Quand on vaut 300 millions de dollars, on ne se met pas à vendre ses voitures et à virer ses domestiques pour économiser quelques milliers de dollars... Ça n'a pas de sens », assura-t-il à des reporters avides de découvrir comment il affrontait la récession du secteur maritime après Suez. Le *Christina* restait le rendez-vous préféré des gens riches et célèbres. Churchill et Garbo figuraient parmi les convives qui dînaient régulièrement à bord du yacht, lequel continuait de dominer le port de la Côte. Le jeune sénateur du Massachusetts John F. Kennedy et sa superbe femme Jacqueline furent invités à un cocktail pour rencontrer Churchill. C'était Winston qui avait eu l'idée de l'invitation, car il avait connu Joe Kennedy quand il était ambassadeur à Londres en 1940. Certes quand le vieux Kennedy avait laissé entendre que la Grande-Bretagne ne pouvait vaincre les nazis et insisté énormément pour que les États-Unis restent à l'écart de la guerre, l'amitié que Churchill lui avait d'abord vouée s'était considérablement amoindrie, mais il avait entendu dire beaucoup de bien du fils. « On m'a affirmé, raconta-t-il, qu'il a l'étoffe d'un président ; j'aimerais rencontrer cette étoffe d'un président. »

Il n'avait rien d'un président en herbe, songea Ari en accueillant John Kennedy à bord, et en l'invitant à ne pas abuser de son hospitalité : « Je dois vous demander de partir vers 19 heures 30. Sir Winston dîne à 20 heures 30 précises. » Il se croyait capable de percer à jour la plupart des hommes et Kennedy ne lui parut pas destiné à accéder à la Maison Blanche. Il aimait bien davantage l'allure de Jacqueline. D'elle, rien ne lui échappa. Elle portait une de ces simples robes blanches, avec l'ourlet au ras du genou et une forme de trapèze que Saint Laurent venait de lancer. Elle était tête nue et la brise du soir jouait dans ses cheveux noirs et courts. Il y avait en elle une retenue qui n'était ni timidité ni ennui. Il admira la façon dont elle s'effaçait devant son mari plutôt qu'elle n'était éclipsée par lui et fut surpris de l'entendre parler à la perfection à des invités français dans leur langue. Ses talents, son allure et sa jeunesse constituaient manifestement

170

un avantage pour Kennedy dans sa vie publique comme dans la sphère privée. Ari montra qu'il ne l'avait pas considérée d'un œil distrait quand il dit plus tard à Gratsos : « Il y a quelque chose de sacrément *prémédité* chez elle, quelque chose de provocant dans cette dame. Elle a une âme charnelle. » (Elle avait aussi un esprit taquin. La rencontre avec Churchill n'avait pas été une réussite ; le vieillard avait un accès de gâtisme. « Il t'a peut-être pris pour un serveur, Jack » dit-elle à son mari en veste du soir.) Ari et Gratsos se donnaient sans cesse mutuellement de bons conseils sur le danger de courir le jupon et tout aussi souvent, ils s'avouaient leurs fautes. Elle est trop jeune pour toi, lui lança Costa, qui sentait la profondeur et la complexité de l'intérêt manifesté par Ari. Jacqueline avait quelques mois de moins que Tina.

Durant l'été 1958, une série d'incidents attira l'attention des journaux sur Ari. La récession des pétroliers avait duré plus longtemps et était allée plus loin qu'on n'aurait cru possible. Il fut contraint d'annuler la commande de nouveaux bateaux — y compris les trois pétroliers qui devaient être construits aux chantiers de Bethlehem Steel en échange du transfert de ses bateaux américains sous pavillon libérien, en vertu du programme « échange et construction » de l'Administration maritime des États-Unis. Il imposa aussi une réduction de 20 p. 100 sur les salaires des marins qu'il n'avait pas débauchés. Ce n'était pas un moment bien choisi pour étaler sa richesse. A la différence de bien des gens fortunés, il était toujours disposé à contribuer à la discussion sur l'étendue de ses richesses personnelles. En mai, au cours d'une interview filmée de la BBC à bord du *Christina* dans le cadre de l'émission « Panorama », alors que les caméras s'attardaient sur la cheminée incrustée de lapis-lazuli pour une valeur d'un dollar le centimètre carré, sur les barres d'appui du bar du plus bel ivoire gravé de scènes de l'*Iliade* et de l'*Odyssée*, sur les icônes rares et l'escalier aux rampes de marbre, Ari expliqua pourquoi il était obligé de réduire la paie des marins : « Après avoir annoncé aux officiers et aux marins notre intention de désarmer les bateaux, ils se sont portés volontaires pour contribuer le plus possible aux économies afin de permettre aux navires de continuer dans l'espoir que les choses s'amélioreraient... Mais en dépit de ces coupes, nous avons dû rentrer et désarmer », raconta-t-il à Woodrow Wyatt. Ce fut un rude entretien ; Ari eut le sentiment de s'en être bien sorti*. Wyatt l'avait

---

* « C'était un homme tout à fait civilisé, même s'il tenait absolument à faire voir à tout le monde les robinets d'or de sa salle de bain. Mais il avait du charme. Le charme de s'intéresser à vous, je suppose. C'était manifestement un dur-à-cuire. Je n'aurais pas aimé être en affaires avec lui. Je crois qu'il avait le don d'avoir toujours un atout dans sa manche », racontera Sir Woodrow Wyatt.

harcelé sur la question des pavillons de complaisance. Pourquoi les utilisait-il ? « Parce que le Libéria et le Panama nous donnent ce que le drapeau britannique offrait avant les deux guerres, en d'autres termes, la libre entreprise, l'initiative, l'absence de restrictions... Du moment que les pavillons de complaisance existent, soit il faut admettre avec complaisance qu'on dispose de vous, soit vous devez disposez du pavillon de complaisance », répondit-il. « Sans sourire, il parlait avec véhémence, parfois presque avec colère », raconta le *Daily Telegraph* du lendemain.

Vers cette époque, Ari fut convoqué en qualité de témoin devant une sous-commission du Congrès qui enquêtait sur la situation de la marine marchande des États-Unis. Herbert Zelenko, démocrate new-yorkais qui comptait parmi les membres influents de la commission, ne faisait pas mystère de son hostilité envers les armateurs recourant aux pavillons de complaisance. « Je me souviens, racontera Meyer, d'avoir averti Ari que Zelenko se vantait d'en savoir assez sur lui pour changer la couleur de son costume pour trois à cinq ans. Ari m'a répondu : "Il n'y a rien qu'on ne puisse affronter avec huit millions de dollars". » (C'était la pénalité prévue en cas de non-construction des navires par le programme d'échange et de construction). Ari avait déjà admis qu'il voulait revenir sur l'accord passé : « Pourquoi ne prenez-vous pas l'argent et au revoir et merci ? » demanda-t-il à l'administrateur maritime, Clarence Morse, qui insistait pour obtenir une date pour le début des constructions. Ce n'était pas la bonne façon de s'y prendre. Morse voulait du travail pour les chantiers américains, non des compensations pour ses livres de comptes. Et tous deux savaient que huit millions seraient une somme dérisoire; les bateaux transférés sous pavillon libérien en 1956 avaient déjà rapporté au trust quelque vingt-cinq millions de dollars.

Mais il y avait probablement plus de surprise sincère que de ruse dans l'attitude d'Ari. « Si ces bateaux, dit-il étaient restés sous pavillon américain, ils auraient été désarmés. Ils seraient revenus sacrément trop cher à l'usage. J'ai fait la seule chose intelligente qu'il y avait à faire. On ne peut pas poursuivre quelqu'un pour avoir agi intelligemment. » Certains à Washington le trouvaient trop malin. Une fois de plus, il revint à Gratsos de lui ouvrir les yeux. « Zelenko n'est pas le seul qui pense que tu t'es fait trop d'argent dans cette affaire pour te laisser annuler l'accord de construction des bateaux. » Mais Ari ne se sentait nullement coupable. Comment peut-on gagner trop d'argent ? Faire de l'argent, c'est le rêve américain, dit-il. Toutefois, les conditions avaient changé. « Ce monde est changeant et je dois changer avec lui ou disparaître. Morse comme n'importe qui n'ignore pas que ça me coûterait trois fois plus cher de construire des bateaux aux États-Unis plutôt qu'en Europe ou au Japon. Huit millions de dollars, ce n'est pas ce que j'appelle annuler un accord. » Il ne lui vint pas à l'esprit qu'à Washington on pouvait voir les choses différemment.

Depuis le premier jour, il était évident que la sous-commission de la Chambre allait secouer le cocotier. Le président Herbert Bonner cassa carrément une carafe d'eau tant il mit de vigueur à manier le marteau (« l'audience continue ») lorsque Ari essaya d'interrompre un autre témoin en assurant que ce qu'il avait à dire ne prendrait « pas plus de dix minutes ». Herbert Zelenko, un homme qui avouait volontiers être « un peu sentimental sur la question de l'emploi des Américains », était décidé à prouver que c'était Ari qui en fait contrôlait le cartel et que c'était lui et lui seul qui était responsable de l'annulation des commandes aux chantiers navals des États-Unis. Ari pensait que la meilleure façon de déjouer l'attaque de Zelenko était d'établir une distinction entre l'intérêt paternel (il possédait 25 p. 100 du capital par le biais de la société panaméenne Ariona) et la prise de contrôle. Dans un discours préparé dans l'avion pour Washington, il avait formulé d'avance une réplique au chauvinisme de Zelenko :

« Oui, j'ai un intérêt qui dépasse et transcende mes vingt-cinq pour cent de participation dans le cartel, et cet intérêt-là est l'œuvre de Dieu, et il n'est aucune loi, aucune constitution faite par l'homme qui puisse influencer ou changer en aucune façon un intérêt qui est l'œuvre de Dieu. Je veux dire par là, M. Zelenko, qu'il se trouve que je suis le père de ces deux enfants (Christina et Alexandre) et que quelle que soit la loi que vous pourrez m'opposer, celle-là est l'œuvre de Dieu. J'appartiens à ces enfants et ces enfants m'appartiennent. C'est pourquoi, oui, mes intérêts dans l'affaire sont très, très importants. »

Zelenko n'avait pas envie d'échanger des remarques profondes sur l'art d'être père. « Permettez-moi de vous poser une question. Vous êtes dans les affaires depuis toujours ?

— Je crois, oui.

— Je crois que vous vous y connaissez. Diriez-vous que l'homme qui tient les cordons de la bourse tient aussi la barre ?

— En d'autres termes, c'est l'argent qui a le dernier mot ? » Ari ne ratait jamais une occasion de parader, même devant une commission d'enquête. « C'est bien ce que vous voulez dire ?

— Vous savez ce que je veux dire. » Zelenko connaissait tous les euphémismes du pouvoir. Il était avocat et rien ne lui plaisait plus que le contre-interrogatoire d'un petit malin tout faraud à la barre des témoins : ces gens-là, il finissait toujours par les coincer. « Je suppose que vous savez le dire de mille façons. » Mais, objecta Ari, l'argent n'a pas toujours le dernier mot. Il pouvait en donner cent exemples. Prenez les banques : « Qu'est-ce qui plus qu'une banque mériterait qu'on lui applique la formule : "C'est

173

l'argent qui a le dernier mot ?" Si une banque me donne cinquante millions de dollars, remboursables sur une période de dix ou quinze ans, demain est-ce que cette banque aura son mot à dire sur ce que je fais ? Pas du tout, aussi longtemps que je ne suis pas en défaut. Ils m'ont mis cinquante millions de dollars dans les mains, mais aussi longtemps que je ne suis pas en défaut, qu'est-ce que cette banque aura à dire ? Rien. Son argent n'a pas le dernier mot. Il ne me dit rien du tout, il est muet comme une carpe. Je peux vous donner des exemples comme celui-là jusqu'à demain matin. » Zelenko dit qu'il cherchait à obtenir des réponses plus directes. Ari rétorqua que les réponses directes pouvaient être une chose dangereuse ; avec des réponses directes, il pouvait se couper la gorge. Zelenko lui répondit que dans un tel dossier, la chose ne lui paraissait pas possible. « Il y a toujours des moments où cela peut arriver, M. Zelenko, alors il faut aussi faire preuve d'un peu de prudence. » Ari gardait son sang-froid. Zelenko était un type rusé mais il posait les mauvaises questions.

L'avocat attaqua sur un autre front. Il désirait des informations sur l'Ariona. Quelle part de capital M. Onassis possédait-il dans la compagnie panaméenne ? Ari ne pouvait répondre avec exactitude ; il pensait en posséder environ 85 p. 100. Est-ce que les actions étaient en son nom propre ? Il n'était pas en mesure de dire si elles étaient à son nom ou si elles étaient au nom d'une société dont il était propriétaire. Zelenko, expliqua Ari, posait des questions très techniques, qui concernaient soixante-dix sociétés aux structures complexes, il était impossible de tout se rappeler en détail. Peut-être, concéda-t-il, les parts étaient-elles au nom de quelqu'un d'autre. Depuis quatre heures qu'il était sur le gril, c'était la première fois que la maîtrise de la conversation lui échappait : « Mais laissez-moi vous dire, ajouta-t-il malencontreusement, que si elles appartiennent à quelqu'un d'autre, ce quelqu'un d'autre m'appartient. »

Voilà qui résonnait comme une douce musique aux oreilles de Zelenko. « Ce quelqu'un d'autre m'appartient » : c'était tout ce qu'il voulait entendre. Cette phrase avait comme un parfum d'auto-accusation. Elle révélait la puissance et l'influence d'Ari. « Onassis, hésitant, a esquissé un petit sourire d'excuse comme s'il se rendait compte tout à coup que sa vantardise risquait de lui coûter cher », racontera un journaliste qui a assisté à l'audience. Zelenko eut l'habileté d'arrêter là. Les petits malins ne lui échappaient jamais. « Ce quelqu'un d'autre m'appartient » : avec ça il était sûr d'avoir battu son adversaire à plate couture. Mais il se trompait. La commission accepta les assurances d'Ari quant à l'indépendance solide du cartel et quant au fait que la récession d'après Suez, aggravée par la décision gouvernementale d'imposer des restrictions sur les importations de pétrole, avait rendu l'annulation du programme de construction navale inévitable. Plus tard, Meyer le félicita : « On dirait que tu t'en es tiré. — Il n'est pas dans ma nature de perdre », répondit Ari.

Même si les choses continuaient d'aller mal entre Ari et Tina, et si leurs déchirements affectaient sa santé (Le *London Evening Standard* racontait que la vie à bord du *Christina* l'avait plongée dans une « espèce de dépression nerveuse »), elle lui apportait toujours un soutien indéfectible dans ses tractations d'affaires. Au printemps 1959, une série de manœuvres de palais chassèrent l'homme d'Ari de la tête de la SBM. Cette « révolution », racontait Sam White dans le *Standard*, faisait de Rainier le « maître incontesté de tout ce qu'il voyait dans sa principauté ». A partir de ce moment, écrit White, « on peut dire que tout le pouvoir de M. Onassis sur les affaires du casino disparaît. Ce pouvoir, fondé sur ses 42 p. 100 de participation dans le capital de la compagnie, était exercé par l'intermédiaire d'un administrateur désigné par lui et responsable en premier lieu devant lui. A présent cet administrateur, M. Charles Simon, a démissionné dans des circonstances qui ont rempli de satisfaction aussi bien le palais que les Français. L'un et les autres ont nettement fait comprendre que plus jamais un homme désigné par Onassis n'occuperait ce poste clef ». Selon White, le prince avait convoqué Ari au palais pour se plaindre de ce que la rénovation de l'Hôtel de Paris était en retard sur le programme et grevait de manière inquiétante le budget. Il reprochait à Ari ses interventions. « M. Onassis a nié être intervenu. Malheureusement M. Simon n'a pas pu le soutenir dans ses dénégations et a démissionné en signe de protestation. »

Tina s'empressa de défendre son mari. Dans un mot manuscrit daté du 15 avril, elle demandait à Lord Beaverbrook (propriétaire du *Standard*) de veiller à l'avenir à ce que White « dispose d'informations véridiques sur les faits avant d'écrire ». (Elle se plaignait aussi de ce que « cet homme tordait délibérément tous les faits nous concernant pour qu'ils nous soient défavorables ».) Elle assurait que les relations d'Ari avec le prince étaient des plus cordiales. Et Ari avait demandé à Charles Simon de démissionner « pour la simple raison qu'il en avait assez de lui ». Et sans rejeter l'information de White selon laquelle elle souffrait d'une espèce de dépression nerveuse, elle ajoutait : « Mon plus grand plaisir dans la vie est d'être sur le yacht, comme vous avez pu vous en rendre compte par vous-même. »

En homme qui adorait semer la zizanie, Beaverbrook était ravi que l'article de White ait mis dans le mille ; il ne fit rien pour dissuader son correspondant à Paris d'écrire des articles susceptibles de déplaire à Ari. Car il comptait au nombre des amis de Churchill qui méprisaient la manière dont Ari semblait s'être glissé dans le cercle intime du grand homme. Mais il avait une affection réelle pour Tina, et il lui répondit avec courtoisie sinon avec une franchise totale, dans une lettre datée du 20 avril :

Chère madame Onassis,
Votre lettre m'a profondément navré.
L'*Evening Standard* désire toujours vous présenter sous un jour favorable. Et de fait il serait impossible que le journal fasse autrement.
Dix mois par an, je suis loin, très loin de Londres. Je ne contrôle plus vraiment les journaux. Mes actions me donnent encore la majorité des voix et dans cette mesure, je suis responsable. Mais c'est mon fils qui dirige l'affaire maintenant et je lui envoie une copie de votre lettre avec ma réponse.
Et avec tous mes meilleurs vœux et ma vive admiration,
je suis,
toujours vôtre
Max Beaverbrook.

La réponse de Beaverbrook n'était pas pour plaire à Ari : « Du baratin de marchand de soupe — il ne promet rien, ne reconnaît rien. Ses journaux vont continuer à me clouer au pilori et ce fils de pute de Canadien se lavera les mains de toute l'affaire. » Il savait que c'était son amitié avec Churchill qui lui valait l'« animosité » des publications de Beaverbrook. Mais il ne ratait jamais une occasion de retourner le couteau dans la plaie et cet été-là, à la fin d'une longue grève de la presse anglaise, il câbla au baron de presse un message qui ne visait qu'à étaler son intimité croissante avec Churchill : « De concert avec Lady Churchill et Sir Winston, nous vous envoyons nos plus sincères félicitations et tous nos vœux. Nous espérons tous que puisque la grève est maintenant terminée, vous pourrez vous envoler pour Athènes d'où notre avion vous emmènera à bord en moins d'une heure. » Beaverbrook, « attaché, ligoté et lié par ses obligations », ne pouvait pas accepter.

CHAPITRE 11

> Si une femme se pare de fanfre-
> luches quand son mari est parti, on
> peut l'accuser de ne pas être fidèle.
>
> EURIPIDE.

Ni Tina ni Ari ne jouaient directement leur rôle de parents. Leur nomadisme international, leurs apparitions et leurs disparitions qui duraient parfois des mois ne leur semblaient pas trop durs : Christina et Alexandre vivaient dans un monde enchanté d'abandon choyé, l'affection de leurs parents leur arrivant sous forme de cartes postales expédiées de lointains pays et d'embrassades par procuration transmises par des amis ou des inconnus de passage. Confiés aux bons soins de nourrices, de secrétaires et de précepteurs, on les laissait souvent prendre leurs repas solitaires ou avec des domestiques, encore qu'à l'occasion ils fussent invités à déjeuner avec quelques-uns des personnages les plus célèbres du monde, pour observer bouche bée Cary Grant ou bavarder avec Churchill. (« Un seul déjeuner avec Sir Winston, dit Ari à son fils, t'en apprendra plus que trois ans à Oxford. ») Leur existence n'était pas celle d'enfants ordinaires. Le *Christina* ne renforçait guère le sens des réalités, et il n'encourageait pas non plus la retenue. Au cours d'une spectaculaire explosion de colère, Alexandre brisa toutes les vitres du château de la Croë, faisant pour plusieurs milliers de dollars de dégâts.

Il avait six ans quand Alan Brien le rencontra. Le journaliste vit en lui « un affreux marmot, très énervant ». Ari l'emmena visiter l'appartement d'Alexandre au château. « Il ouvrit une garderobe. Elle contenait cinquante costumes. Des uniformes militai-

177

res, des costumes marins, des tenues de yachting. Il me demanda : "Qu'est-ce que vous en pensez ? Est-ce que je gâte ce garçon ?" Je lui dis que je croyais que oui, que ce devait être terrible d'avoir tant de choses si jeune, de se voir refusée l'excitation de l'attente. » Avec une brutalité qui surprit Brien, Ari répondit : « Oui, c'est aussi ce que je pense. » Le lendemain matin, en se promenant sur les pelouses, Brien fut quasiment assommé par Alexandre qui fonça droit sur lui avec sa petite voiture de course munie d'un moteur à essence. Lorsqu'Ari apprit l'incident, il remarqua : « Mais ce n'est qu'un jouet. — Un jouet, répondit Brien, furieux, qui va bien à trente kilomètres heure. — Trente-cinq, corrigea Ari. — C'est assez pour me rendre infirme à vie », rétorqua Brien. Ari rit en secouant la tête.

Alexandre n'était jamais allé à l'école, il n'avait pas d'ami de son âge et quoiqu'il ne fût pas doué pour les études, il avait une connaissance des voitures et des moteurs qui impressionna même Gianni Agnelli, directeur de Fiat. Pour son dixième anniversaire, son père, qu'il admirait et craignait tout à la fois, lui offrit un Christ-craft dont il gonfla le moteur lui-même et qu'il ne laissa à personne le soin de conduire. Ses plus proches compagnons étaient des membres du personnel : « Il prenait ses confidents chez les chauffeurs et les domestiques, racontera l'un d'eux. Malgré tout, en grandissant, c'est devenu un bon petit gars. » Ses relations avec sa sœur étaient froides. Christina n'était pas une enfant communicative ; sa timidité était souvent prise pour du dédain et rebutait les bonnes volontés. Durant une brève période, elle refusa même tout à fait de parler. Tina consulta un psychologue de Zurich qui lui dit que c'était seulement une façon d'attirer l'attention, fréquente chez les enfants à la fois surprotégés et inquiets. C'était une manière de sur-réagir typique de Tina, dira un ami de la famille. « Une mère normale aurait dit : "Elle a avalé sa langue" et aurait patienté. Il a fallu que Tina en fasse tout une histoire. Elle aimait les dépenses, y compris les dépenses d'énergie et les explications interminables. Christina a retrouvé au bon moment sa voix. » Durant toute son enfance, elle ne fut jamais seule dans sa chambre ; femmes de chambre, gardes du corps et gouvernantes veillaient sur elle ; tout ce qu'elle faisait était rapporté à Ari. Elle avait le teint et les cheveux (« aile-de-corbeau », disait-elle) levantins de son père, et dans ses yeux il y avait cette ombre qu'on ne peut dissocier des peintures sacrées. Quelque peu rondelette et souvent maladroite, ce n'était pas une jolie petite fille et son père avait beau l'appeler *Chryso mou* (« mon trésor »), il existe au moins un ami proche de la famille qui croyait savoir que Tina avait « presque honte d'avoir donné le jour à un *enfant pareil*... Je ne crois pas, ajoutait-il, qu'il lui ait été donné d'aimer sa fille ». Christina vivait dans son monde à elle, à l'intérieur de celui de son père. Elle voyait tout, et en souffrait. « Je suis une femme depuis l'âge de neuf ans », lança-t-elle sèchement à un ami plus âgé dont les conseils lui paraissaient par trop paternalistes. Elle avait neuf ans quand ses parents divorcèrent.

La dernière année, chaque fois que leurs parents se rencontraient, la trêve et les disputes alternaient. Alexandre et Christina sentaient peser sur eux l'humeur qui s'était emparée de la famille et ils se sentaient abandonnés quand leurs parents se querellaient à mots couverts, lourds de mépris. Un ami intime racontera que Tina, lors d'une réception, disait, un peu pompette : « Je trouve dégoûtant que nous couchions encore ensemble. Je me sens souillée. » Elle parlait comme s'il s'était agi d'autres personnes dont les façons de faire lui auraient déplu. Ari répondit comme s'il adressait des condoléances : « Nous sommes tous souillés. Nous vivons dans une société souillée. » Tina ne s'opposait pas aux infidélités discrètes. Elle avait renoncé à s'y opposer. Mais la nouvelle liaison d'Ari contrevenait à la règle. Il était tombé amoureux de Maria Callas.

Tyrannique prima donna aussi détestée de ses collègues qu'adulée du public, Maria Callas jouissait d'une célébrité qui débordait largement le monde de l'opéra. Maria Anna Sofia Cecilia Kalogeropoulos était née à l'hôpital Flower de la 5e Avenue, dans Manhattan, le 3 décembre 1923, soit trois mois après que ses parents eurent débarqué d'Athènes. Pharmacien diplômé, son père, George Kalogeropoulos prit le nom de Callas en 1926, à l'époque où Maria fut baptisée dans la cathédrale orthodoxe grecque de la 64e Rue Est, et perdit tout à la fois son affaire et presque toute volonté dans le krach de 1929. Myope, grosse et renfermée, Maria avait une voix exceptionnelle ; encouragée par sa mère, Evangelia, elle remportait les concours radio de chanteurs amateurs, et investissait l'argent gagné dans des livrets d'opéra et des leçons de chant, rêvant de succès musicaux grandioses. A quatorze ans, elle alla en visite à Athènes et s'y trouva bloquée par la deuxième guerre mondiale.

Après le conservatoire national, elle commença à jouer dans la compagnie de l'Opéra d'Athènes. Sous la loi de l'Axe, la vie à Athènes était dure, on mourait de faim et quand Maria chantait pour les soldats allemands, elle acceptait volontiers leurs cadeaux de victuailles. C'était moins une façon de collaborer que de survivre. Comme elle n'était pas une vedette de sa compagnie, à la fin de la guerre, ses récitals de « fraternisation » servirent d'excuse pour mettre fin à ses contrats. De retour à New York, elle resta sans travail durant deux ans avant d'être invitée en 1947 à chanter *La Gioconda* (quatre représentations, soixante-trois dollars par représentation, aucun défraiement) au festival de Vérone. Ce fut là qu'elle rencontra Giovanni Battista Meneghini. Corpulent, massif, le cheveu rare et coiffé en arrière, il passait pour un homme à femmes, une entreprise de construction familiale et une dizaine de briqueteries lui fournissant un revenu qui lui permettait de soutenir cette réputation. « J'ai su que ça y était cinq minutes après l'avoir rencontré », racontera-t-elle des années plus tard. A en croire son autobiographie parue en 1981, les souvenirs de Meneghini sont plus prosaïques : « Nous nous sommes levés de table et ce fut à cet instant que j'ai éprouvé mon premier sentiment authentique envers Maria Callas. Assise, elle ne paraissait pas aussi forte, même si elle était solide et bien en chair, mais quand elle se dressa, je fus saisi de pitié. Ses extrémités inférieures étaient déformées. Ses chevilles gonflées avaient la taille de celles de veaux. Elle se déplaçait gauchement et avec effort. »

Vérone, elle en était convaincue, était sa dernière chance. Si elle échouait, lui dit-elle, il n'y aurait pas d'avenir pour elle dans l'opéra. Il la parraina sans réserve, payant ses notes d'hôtel et ses leçons de chant, l'emmenant dans les meilleurs restaurants. Elle n'avait jamais eu d'amant dans sa vie. Et à cinquante-trois ans, il n'avait jamais connu une telle fusion dans l'autre. Sa famille et ses amis pensaient qu'il se ridiculisait et parlaient de Maria avec un mépris profond ; quant à elle, sa famille était également inquiète de l'importance que prenaient ses relations avec un homme de trente ans son aîné. On la supplia de mettre fin à la liaison. En avril 1949, ils se mariaient dans l'église paroissiale des Meneghini à Vérone. Aucun représentant des deux familles n'assista à la cérémonie. Peu après, il vendait ses usines, investissait dans la terre et mettait son sens commercial et toutes ses énergies au service de la carrière de son épouse. Il fut tout à la fois son imprésario personnel et son unique agent, son inspirateur et son mentor, un habile manipulateur des circonstances et un négociateur intraitable. Il fit du beau boulot. En 1956, elle opérait un retour triomphal à New York. Svelte, pleine d'assurance, elle s'était définitivement imposée comme le plus brûlant, le plus tempétueux soprano du monde. Peut-être Meneghini possédait-il un don de clairvoyance, quand il aimait à répéter le vers de John Donne : « L'été était tout... », ou peut-être ignorait-il la suite : « Et pourtant comme elle viendrait vite, la chute de la feuille ! »

Maria rencontra Ari pour la première fois à Venise en 1957, dans un bal donné en son honneur par Elsa Maxwell, reine de la vie mondaine et échotière. Meneghini et elle prirent ensuite un petit déjeuner à bord du *Christina* ancré dans la lagune. Plus tard, aucun d'eux ne se souviendra d'avoir éprouvé pour l'autre plus qu'un intérêt poli : « C'était une curiosité naturelle. Après tout, nous étions les deux Grecs vivants les plus célèbres du monde ! » raconta Ari à Spyros Skouras. Ari avait toujours été attiré par le succès, par ceux qui étaient les meilleurs dans leur partie et dont l'amitié ajoutait du lustre à son propre nom. Et quoiqu'il ne se refusât jamais une occasion de conquête (« Toute femme est pour moi une maîtresse potentielle », se vantait-il souvent), il se passa une année avant qu'il fasse un geste pour approfondir la rencontre vénitienne. « Je crois que ce qui l'a retenu, c'était la terreur d'être invité à assister à tout un opéra », disait Meyer:

Ce fut seulement le 19 décembre 1958 qu'elle nota les premières manifestations de l'intérêt qu'il lui portait. C'était le jour de ses débuts à Paris au théâtre de l'Opéra, pour le gala de la Légion d'honneur, suivi d'un grand souper. Tout ce qui comptait en France serait là : le président René Coty, le duc et la duchesse de Windsor, Brigitte Bardot, Charlie Chaplin, Jean Cocteau, les Rothschild et Ali Khan, Françoise Sagan et Juliette Gréco. Le matin du jour fatidique, il lui fit porter des fleurs à son hôtel. Toute la journée arrivèrent des bouquets de roses accompagnés de messages d'admiration et de souhaits de bonne chance rédigés en grec, mais sans aucune indication de l'expéditeur; ce fut seulement à la dernière livraison qu'arriva la signature d'Aristote Onassis. Et tout comme il avait impressionné Claudia Muzio à Buenos Aires quelque trente-cinq ans plus tôt, il impressionna et provoqua Maria Callas à Paris. Meneghini, jaloux de tempérament, était furieux. C'était la première fois depuis leur mariage qu'une chose pareille arrivait. Car ces fleurs n'étaient pas l'habituel hommage à son talent d'artiste, présenté avec correction et en toute innocence; la façon dont elles avaient été offertes avait éveillé trop de plaisir et trop de curiosité dans cette femme qui avait conquis le monde.

Cette année-là, Ari et Tina passèrent leur premier Noël séparés. A présent qu'elle était photographiée avec le millionnaire vénézuélien Renaldito Herrera plus souvent qu'avec son époux, Tina s'envolait pour New York où elle allait rejoindre ostensiblement sa sœur Eugénie, qui venait d'avoir un bébé. Ari n'apprécia guère ce rapprochement avec « la femme de Niarchos », comme il appelait sa belle-sœur. Aux reporters qui le questionnaient sur cette séparation pendant la période des fêtes, il dit que d'importantes affaires le retenaient à Monte-Carlo. Tina en était arrivée à détester la principauté. « L'endroit est devenu d'une vulgarité vraiment pétrifiante », expliquait-elle à ses amis, qui n'étaient plus ceux d'Ari. Au bal annuel de la comtesse Castelbarco à Venise, qui ouvrit la saison d'été 1959, ils se retrouvèrent tous quatre : Tina et Ari, Maria et Meneghini. Depuis le début il était manifeste que la Callas adorait l'autorité virile d'Ari. C'était la meilleure époque de sa vie, tout lui souriait (Elsa Maxwell la surnommait « divine diva, prima donna du monde ») et tout allait s'améliorer encore. On n'a pas de mal à imaginer les sentiments de Tina tandis qu'elle regardait Ari qui déployait tous ses charmes et toute son astuce pour la Callas. Poussé par les besoins impérieux de l'âge mûr, il était pressé, il demandait à la vie de lui donner promptement les plaisirs qu'elle gardait encore en réserve. Et il a dû aussi exister dans l'esprit de Maria une aspiration d'impatience à l'abandon, une volonté de ne plus réfléchir. Car ces deux êtres remarquables, bien faits pour s'exciter mutuellement, l'étaient aussi à la perfection pour se faire souffrir.

Dans sa robe-fourreau de Jean Dessès (le styliste qui avait habillé toutes les femmes d'Ari depuis l'époque où Ingeborg partageait sa couche et lui inculquait quelques rudiments de bon goût), couverte de bijoux sans prix, Tina avait beau être une des plus jeunes et des plus belles femmes présentes, elle a dû éprouver plus qu'à aucun autre moment de leurs relations la vérité de cette sentence d'Ari : « Mes femmes n'atteignent jamais le plus grand bonheur que connaissent les femmes. » Quand le visage de Meneghini apparut tout près du sien et que l'époux de Maria lui demanda d'une voix anxieuse quelle sorte d'homme était son mari, elle répondit : « Il lui faut de la place dans le monde. S'il n'a pas assez de place, il cause des dégâts aux choses et aux gens. — Vous n'avez pas l'air d'avoir subi trop de dégâts », observa Meneghini, charmeur lui aussi à sa façon. Mais ce qu'elle pensait, ce qu'elle ressentait, s'effaça dans la fragilité de son sourire tandis qu'elle contemplait Ari et Maria dansant dans la salle de bal du somptueux palais de la comtesse Castelbarco.

La taille d'Ari était légèrement inférieure à celle de Maria et à l'avenir elle songerait à mettre des chaussures moins hautes. Mais ce dont elle se souviendrait surtout, ce serait, dira-t-elle, « nos mains, le contact de nos peaux, si plaisant au toucher ». Ce fut sans aucun doute un extraordinaire moment que celui où elle accepta pour la première fois que son bonheur ne dépende plus entièrement d'elle. Ari aurait voulu que la soirée ne s'arrête jamais et Tina avait pris l'habitude de sa manie « d'aller faire un tour », mais quand il invita Maria à une collation d'œufs brouillés et de champagne à bord du *Christina*, Meneghini s'y opposa. Maria devait partir le lendemain à Madrid pour un concert. Ari suggéra qu'ils se joignent à eux pour une croisière d'été. La Callas avait un emploi du temps très chargé. Quand ils se quittèrent, elle leur dit qu'elle penserait à eux, sur leur superbe yacht, quand elle chanterait *Médée* en juin à Covent Garden. Ari jura qu'il y serait.

« Meneghini crevait de rage à l'idée que tu prennes le train de Maria en marche », raconta Johnny Meyer à Ari le jour où la Callas devait donner la première de *Médée*. C'était l'événement de l'année à l'Opéra de Londres et Meyer avait passé des semaines à collecter des tickets sur le marché noir pour les cinquante amis qu'Ari avait invités à Covent Garden. Après le spectacle, Maria serait l'invitée d'honneur d'un souper de 170 couverts qu'il avait commandé au Dorchester. « J'ai averti Ari que Meneghini proclamait partout qu'ils s'abstiendraient d'aller à la réception, racontera Meyer. Ari m'a dit : "Meneghini est un pisse-vinaigre." Il était sûr que la Callas serait là. Il s'était arrangé pour avoir une assistance de premier choix : les Churchill (mais pas Sir Winston), Gary Cooper, une cargaison de têtes couronnées. Tout le monde voyait qu'il se mettait en frais pour la Callas, et il ne le démentait pas. Je me souviens que quand un type de son équipe a fait une plaisanterie là-dessus, il a simplement rétorqué : "J'ai entendu dire que Meneghini aimait tirer un petit coup à gauche et à droite, de temps en temps. En tout cas, il n'assure pas, alors..." »

Tina savait que la Callas ne pouvait se comparer aux autres femmes d'Ari. (« Il parlait trop d'elle ; il ne m'a jamais parlé des autres », dira-t-elle à une amie.) Leur intimité échappait à Tina qui avait vécu dans le luxe depuis sa naissance. Ils avaient en commun des expériences qu'elle ignorerait toujours. Tous deux avaient connu les duretés de la guerre, tous deux avaient surmonté les pires difficultés pour atteindre la richesse et une extraordinaire célébrité. A la réception du Dorchester, Tina eut le sentiment qu'ils se conduisaient comme des inconnus qui se rencontrent en terre étrangère et qui tombent mutuellement amoureux de leur passé. Maria Callas, née à New York et citoyenne italienne, était la seule femme qui pouvait donner l'impression à Tina, née à Londres et citoyenne américaine, qu'elle n'était pas européenne.

La Callas avait eu droit à une bonne dizaine de rappels. Elle arriva à la réception à une heure du matin et fut saluée par les applaudissements spontanés des hôtes réunis dans la salle de bal éclairée aux chandelles. Ari n'essaya pas de dissimuler qu'il ne pensait qu'à elle. Comme elle exprimait, au détour de la conversation, son regret que plus personne ne joue du tango, il ordonna aux musiciens de ne plus faire entendre que cette musique pendant le reste de la soirée (caprice qui mit à rude épreuve le répertoire de l'orchestre hongrois et l'imagination des danseurs). Seule Tina paraissait préoccupée. Tout en suivant des yeux le manège d'Ari marchant dans les pas de la Callas, elle avoua à l'intention d'un échotier : « Parfois j'aimerais qu'on ne soit pas obligé de se déplacer et que l'opéra vienne à nous au lieu que ce soit nous qui allions à l'Opéra. »

Il était plus de trois heures quand la Callas quitta la soirée, suivie de près par Ari et Meneghini. Au vestiaire, les photographes la surprirent dans une double embrassade qui préfigurait l'avenir, Onassis d'un côté, Meneghini de l'autre. « Je n'oublierai jamais le chaud parfum de ses fourrures quand nous nous sommes dit bonsoir », avouera Ari.

Ses engagements à Londres prirent fin dans les derniers jours de juin et après quelques concerts à Amsterdam et à Bruxelles, elle retourna dans sa villa italienne de Sirmione, sur les rives du lac de Garde. Le 16 juillet, Ari téléphonait à la villa en les pressant d'accepter, son époux et elle, une invitation à bord du *Christina*. A en croire les mémoires de Meneghini, la Callas était réticente et dit à leur intendant d'informer Ari qu'ils « n'étaient absolument pas là ». Comme il appelait sans cesse, elle finit par accepter. Son mari assure lui avoir dit : « Cette invitation tombe juste à point. Le docteur t'a recommandé l'air marin. On dit que le yacht du Grec est très confortable. Faisons un essai. Si tu ne l'aimes pas, nous pourrons rentrer chez nous au premier port. »

L'ennui est que Maria et Ari avaient mis au point ces retrouvailles lors de leurs rendez-vous secrets pendant sa saison à Londres, quand ils étaient devenus amants. « Ses réticences correspondaient peut-être simplement à un désir de titiller Ari, à moins qu'elles aient fait partie de la comédie mise au point pour rassurer Meneghini », dit un ancien collaborateur d'Ari au courant de leurs rencontres clandestines dans un cottage londonien. Il est certain que non contente d'avoir trompé Meneghini, à la veille du départ pour Amsterdam, elle prit des dispositions pour pouvoir lui être infidèle de manière régulière. Le cachet de son concert au festival de Hollande ne devait pas être versé sur le compte commun du ménage en Suisse, mais gardé en réserve jusqu'à ce qu'elle ait pris de nouveaux arrangements bancaires. A Milan elle dépensa des millions de lires dans l'achat de ce qu'un esprit soupçonneux aurait pu prendre pour un trousseau. Aux yeux de Meneghini, ces courses avaient un caractère très inhabituel ; il ne l'avait jamais vue jusque-là s'intéresser à la lingerie.

Le 21 juillet, ils atterrissaient à Nice, prenaient un taxi pour Monte-Carlo où ils descendaient à l'hôtel de l'Hermitage. Le soir même, ils dînaient à l'Hôtel de Paris avec Ari, Tina et Elsa Maxwell. Cette dernière n'avait pas été invitée à la croisière, ce qui blessait profondément la vieille intrigante. Elle estimait qu'on lui devait bien cela pour les avoir présentés l'un à l'autre au cours du bal vénitien en 1957. Dans un insidieux mot d'adieu remis à la Callas avant le dîner, elle faisait comprendre qu'elle n'ignorait rien de ce qui était en jeu, laissait entendre que Maria prenait à présent la place de Garbo (« trop vieille désormais... ») à bord du *Christina* et ajoutait ces encouragements : « *Prenez* tout... et *donnez* tout ce que vous pouvez vous permettre de donner. »

Ce fut une soirée pénible. Maxwell éprouvait les plus graves appréhensions. Elle revenait sans cesse sur le sujet de la sexualité d'Ari, affirmant à Tina qu'elle avait beaucoup de chance d'être mariée à un homme aussi brillant. Les hommes riches, disait Maxwell, fiers de leur pouvoir de corruption et de terreur, sont toujours excitants — et dangereux. Les maris riches sont toujours en chasse, insistait-elle tandis que ses petits yeux perçants glissaient de Tina à la Callas avant de s'arrêter sur Ari. Meneghini, qui ne parlait pas anglais et à peine français, comprenait parfaitement ce qui se passait ; il méprisait Maxwell et ses sous-entendus malveillants. Aux yeux de l'Italien, la rance virginité de cette femme qui se vantait de n'avoir jamais eu d'expérience sexuelle de sa vie rendait quelque peu obscène son intérêt obsessionnel pour la vie sexuelle de ses amis. A la fin de la soirée, Tina embrassa Maxwell sur les joues en lui disant : « Tu sais, Elsa, ma chérie, il n'y a vraiment pas beaucoup de différence entre être mariée à un homme modérément riche et à un homme très riche... Si seulement tu pouvais comprendre cela, tu aurais beaucoup plus de jugeote. »

Le *Christina* quitta Monte-Carlo le 22 juillet peu avant minuit. Outre les Churchill (et Toby, le canari de Sir Winston), les Meneghini-Callas, Ari et Tina, la liste des passagers comprenait Diana Sandys, fille de Churchill, son médecin, Lord Moran, son secrétaire privé Anthony Montague Browne et l'épouse de celui-ci, Nonie ; Umberto Agnelli, le président de la Fiat ; Artémis et son mari le Dr Théodore Garofalidès*. En présence d'une société si illustre — Churchill, la Callas, Onassis, Agnelli : des gens qui ne devaient leur fortune qu'à eux-mêmes, Meneghini devait se percevoir comme un balourd qui sans sa femme n'aurait pas été grand-chose ; en tout cas, il réagit en se cantonnant d'instinct dans une mélancolie dont il ne s'arrachait que pour de hasardeuses tentatives d'entraîner la séduisante épouse de Montague dans des jeux de pieds sous la table du dîner.

Ari goûtait fort la rivalité sexuelle qu'engendraient les yachts et les belles femmes, et selon une habituée du *Christina*, il y régnait une atmosphère « de jalousie et d'intrigue — c'était ce qui faisait en partie son charme ». Durant les premiers jours, tandis qu'ils faisaient route vers la mer Egée, il ne se passa rien qui contredît les dehors d'une stricte correction. Cependant, à l'instar des jeux de pieds de Meneghini, sous la surface lisse de l'ordre et de la normalité, les passions bouillonnaient sourdement. A Portofino, ils coururent les boîtes de nuit ; à Capri, Gracie Fields, célèbre vedette de music-hall anglaise des années trente, fut invitée à dîner à bord et au dessert chanta quelques-uns de ses airs les plus connus pour Sir Winston. Ari continuait de dorloter Churchill,

---

* Au grand soulagement de tous, Lord Moran étant « un peu trop vieux », Garofalidès voyageait avec sa trousse, à ce que raconte Lady Sargant, à l'époque Mme Nonie Montague Browne.

à la limite de la niaiserie. Ils jouaient ensemble à des jeux de mots. « Si vous étiez un animal, quel animal seriez-vous ? demandait Ari. — Un tigre, grommelait le grand vieillard. — Et vous Ari, quel animal choisiriez-vous d'être ? — Votre canari, Toby. » Au fur et à mesure que les invités devenaient des compagnons de voyage et que ces compagnons formaient des coteries, il était inévitable qu'on s'observe et qu'on spécule, mais même aux yeux de ceux qui s'entendaient à détecter les conspirations, la Callas n'avait pas l'air d'une femme qui cache une liaison avec son hôte. Si les tromperies récentes et celles qui devaient encore venir troublaient sa conscience, elle ne le montrait pas. « Maria et Battista semblent très proches l'un de l'autre », notait Montague Browne dans son journal intime.

En dépit des apparences, Meneghini (Méningite, comme l'appelait Tina en privé) n'était pas heureux et il voulut quitter la croisière le 25 juillet à Capri ; la Callas assura qu'il serait par trop discourtois de débarquer si tôt. Meneghini qui n'avait pas le pied marin passa la plus grande partie de la croisière confiné dans leur cabine. Le 26 juillet, il était trop malade pour sortir sur le pont et contempler le Stromboli fumant ; il était encore enfermé dans ses quartiers le 28 quand ils traversèrent le golfe de Corinthe et accostèrent pour une visite de Delphes. Isolé par la barrière de la langue, par son tempérament et par son estomac fragile, il remâchait sa rancœur, et en dépit de la salutaire présence des Churchill, son imagination s'enflammait à la vue des femmes en tenue de bain et il se mit à soupçonner toutes sortes de débauches et de bacchanales. Il fit des remarques acides sur le torse velu et noir d'Ari, qu'il trouvait assez semblable à celui d'un gorille, et se lança dans une comparaison déplaisante entre le corps de son épouse et celui de Tina. Mme Onassis avait une silhouette de mannequin, elle le savait et le montrait presque sans retenue.

Au moment où ils approchaient de Chio, Meneghini avait renoncé à essayer de dissimuler son mécontentement. « C'était triste de voir leur mariage se désintégrer, leur tendresse s'évanouir, observa Nonie Montague Browne dans son journal intime. Tina est toujours merveilleuse dans son rôle d'hôtesse, mais on sent une tension bien contrôlée... j'ai l'impression d'être prise entre deux feux. » Tina et Maria la considéraient toutes deux comme une amie et une confidente. Et tout en continuant de coiffer la longue chevelure brune et brillante de la Callas (c'était un des passe-temps favoris de Maria, une façon pour elle de se détendre en bavardant et d'oublier ses tracas aussi bien que le livret de Bellini qu'elle avait emporté pour l'étudier), Nonie apprit à « garder bouche cousue » — et à se garder des entreprises pédestres de Battista !

Cependant le calme précaire s'éternisait. Le Premier ministre grec, Constantin Caramanlis, et son épouse vinrent déjeuner ; l'ambassadeur britannique en Grèce, Sir Roger Allen, leur rendit visite. « Onassis était fier de ses superbes verres à vin, ils étaient si minces qu'il se vantait qu'on pouvait les déformer en les pressant, raconte Nonie Montague Browne. Diana Sandys a essayé avec le sien et non seulement le verre a cassé, mais en plus le vin rouge a largement éclaboussé la veste blanche de l'ambassadeur. On a immédiatement fait disparaître la veste pour la nettoyer à sec et l'ambassadeur s'est drapé dans l'étole de fourrure de Lady Churchill. Et très vite, pour mettre Diana à l'aise, Onassis a cassé son propre verre, mais il a bien pris soin de le faire avec un verre à eau et non avec un des précieux verres à vin. Plus tard, l'ambassadeur est rentré chez lui avec un veston impeccable. » Churchill continuait de projeter sur eux l'ombre géante de son destin et la déférence d'Ari pour le grand homme était authentique et profonde*. Ari fit des prouesses à ski nautique ; Maria mit les lits en portefeuille dans toutes les chambres (sauf, bien sûr, celle des Churchill) et Nonie, qui l'avait aidée, nota, lugubre, dans son journal : « Ça n'a pas été très bien pris ! »

Le 4 août, le *Christina* mouillait dans le vieux port de Smyrne. Ari emmena ses hôtes visiter la ville, et leur décrivit, tourné particulièrement vers la Callas, comment était la vie en ces lieux au temps de son enfance, avant le grand incendie, avant le tremblement de terre. Il les conduisit à Karatass, où s'était dressée sa demeure, dans les endroits où il avait joué enfant, à l'emplacement des bureaux et des entrepôts de son père, et dans le cimetière où sa mère gisait.

Ce soir-là, après que l'« ancien détachement de marine » se fut retiré, Ari persuada Meneghini et la Callas de retourner avec lui en ville voir les lieux les moins convenables de sa jeunesse. S'il avait fréquemment raconté des boniments sur ses origines dans ses entretiens avec la presse et dans ses conversations amicales, il joua franc jeu avec la Callas. Il les guida à travers le quartier chaud en leur racontant ses nuits dans les grands lits de cuivre des bordels

---

* Moins authentique était le Greco du salon du *Christina* : ce n'est que devant un connaisseur, Emery Reves, qui mettait en question son authenticité qu'il admit qu'il faisait croire que c'était un original : « Si les gens veulent croire qu'il est authentique, pourquoi gâcher leur plaisir ! » Onassis possédait deux prétendus Greco : *Jeune homme allumant une chandelle* et *Madone soutenue par un ange*, le dernier ayant soulevé les doutes de Reves à bord du *Christina*. Ces deux tableaux sont considérés par Harold E. Wethey (*El Greco and his School*, 2 vol., Princeton University Press, 1962) comme d'attribution douteuse. A propos d'une autre œuvre qu'il déclare « douteuse, sans aucun rapport avec le Greco », Wethey ajoute : « Le même commentaire vaut pour la *Madone soutenue par un ange* qui se trouve à bord du yacht *Christina* de A.S. Onassis » (vol. 2, p. 192).

187

de Demitri Yolu. Il leur parla de ces putains turques qui lui avaient enseigné la sagesse avec l'amour (« D'une manière ou d'une autre, mon chéri, toutes les dames font ça pour de l'argent. ») L'argent et le sexe, philosophait-il, se rejoignent toujours quelque part, dans toutes les sociétés. Il s'enivra énormément. « Nous nous sommes amusés toute la nuit en compagnie de dealers, de prostituées et d'autres personnages peu recommandables », se souvient Meneghini. Ils remontèrent à bord du *Christina* à cinq heures du matin. Ari avait commis une erreur en se soûlant. Meneghini jubilait. « Il était bourré comme une vache. Il ne tenait plus debout, ne pouvait plus parler. » L'Italien chantait victoire. Pour la première fois depuis le départ, il se sentait revivre. Ce fut pour Giovanni Battista Meneghini le meilleur moment de la croisière. Ce serait peut-être l'un des derniers moments heureux de sa vie.

Le lendemain, Ari leur présenta des excuses. Et à l'intention de la Callas, il ajouta en grec : « Pour traiter avec le méchant, les dieux d'abord le rendent fou. — Es-tu méchant ? lui demanda-t-elle dans la même langue. — La plupart des hommes sont des fripouilles », répondit-il. Tous deux savaient que Meneghini ne comprenait rien à leur conversation. Ils n'avaient plus fait l'amour depuis la fin du mois de juin à Londres, depuis ce jour où, à en croire les vantardises d'Ari, elle lui avait fait une gâterie buccale à l'arrière de sa Rolls Royce tandis qu'ils roulaient sur Park Lane. A présent, alors qu'ils traversaient le détroit des Dardanelles en direction d'Istanbul, on était le 5 août et peut-être l'abstinence la tracassait-elle.

Dans l'histoire des intrigues, il est peu de cités qui ont joué un rôle plus grand et plus éminent que l'ancienne capitale byzantine, l'âme de l'empire ottoman, Istanbul. La ville que les Grecs orthodoxes appellent encore Constantinople allait influer de façon décisive sur le drame de Maria et d'Ari. Au matin du 6 août, alors qu'il était encore à l'ancre dans le Bosphore, le *Christina* reçut la visite du patriarche Athênagoras. Invité à bord pour rencontrer Churchill, l'ecclésiastique finit par accorder sa bénédiction aux deux amants agenouillés côte à côte sur le pont verni. Il les appela « La plus grande chanteuse du monde et le plus célèbre marin du monde moderne, un Ulysse moderne », et offrit ses prières pour remercier Dieu de l'honneur qu'ils avaient apporté à la Grèce. Après quoi, tous les non-Grecs, y compris Meneghini mais non compris les Churchill, furent envoyés à terre pendant qu'un déjeuner était offert au patriarche*.

* Artémis, la « petite sœur » d'Ari, amie de Tina, avait été troublée par les tensions très visibles qui régnaient à bord du *Christina* et par la cérémonie de la passerelle. Durant ce déjeuner, elle fut un peu trop « franche » au goût d'Ari. Répugnant à provoquer une scène, il lui fit porter un télégramme qui lui ordonnait d'aller dans sa chambre, où elle resta confinée jusqu'au départ du patriarche.

Ce soir-là, une réception fut organisée au Hilton d'Istanbul. Meneghini, encore éprouvé par la cérémonie byzantine qui s'était déroulée le matin sur le pont du *Christina* (il ne pouvait se débarrasser de l'impression que c'était une espèce de rite nuptial), affaibli par le mal de mer, n'était pas d'humeur à passer une nouvelle nuit blanche en compagnie d'Ari. Cela faisait bien longtemps qu'il n'avait vu Maria aussi séduisante, avec cet air d'exaltation heureuse. Elle dansa presque toute la soirée, et presque toujours avec Ari. Quand un homme épouse une femme de vingt-huit ans sa cadette, il lui faut bien tolérer de tels moments. Aucun calcul ne lui avait échappé : quand j'aurai soixante-dix ans, elle en aura quarante-deux ; quand je serai vieux, elle sera encore jeune. Dans le passé, elle l'avait grondé d'avoir de telles idées. Mais maintenant, quand il lui suggéra de se retirer, elle refusa de rentrer avec lui. « Je m'amuse », lui rétorqua-t-elle sans lui manifester plus rien de l'attention qu'un amant est en droit d'attendre de sa maîtresse. « Fais ce que tu veux... oh, et Titta, ne touche pas l'air conditionné, tu sais que c'est mauvais pour ma gorge. » C'était le pire rejet public qu'il eût jamais connu. Il avouera plus tard qu'à cet instant, il aurait voulu casser des objets comme il avait vu Ari casser des assiettes dans les cafés du bord de mer durant leur nuit smyrnoise. Mais ce n'était pas dans sa nature. Par la suite, il raconta des histoires infamantes sur la croisière et les gens qui y participaient. A Istanbul, montrant du doigt les saletés qui flottaient dans l'eau du port, il s'était plaint au capitaine du *Christina* : « Nous naviguons sur de la merde. » Il apprécia fort la réponse du capitaine : « La vraie merde, c'est ce qu'il y a à bord. » Raconter cette histoire, c'était sa façon à lui de casser les assiettes.

Le changement d'attitude de la Callas envers lui fut si abrupt que la surprise excéda presque la souffrance. Quand ils étaient partis pour cette croisière, leur relation avait paru aussi bonne que durant les douze années qu'ils avaient passées ensemble. Meneghini avait le sentiment de maîtriser la situation et en dépit de son mauvais caractère et de son acrimonie naturelle, en dépit même des prédictions malveillantes d'Elsa Maxwell, il n'avait trouvé aucune raison de douter de la loyauté de son épouse. Il n'y avait eu aucune rupture dans le rythme de leurs vies, aucune expression alarmante, aucun ton de voix inquiétant. « Encore que si elle avait changé lentement à son égard, petit à petit, jour après jour, s'il avait su leur mariage menacé, il aurait peut-être plus souffert », dira un ami du ménage. Et maintenant l'orage était sur lui, et ce qui avait commencé comme une liaison secrète à Londres allait brusquement devenir à Istanbul un sujet de spéculations pour les échotiers.

Et le voilà attendant le retour de la Callas. A soixante-trois ans, il ne trouvait aucun attrait romantique au désespoir. Elle ne rentra qu'au petit matin, pour lui dire ce qu'il aurait déjà dû deviner. Elle était tombée amoureuse d'Ari.

Dans les jours qui suivirent, alors que le *Christina* naviguait dans l'ombre du mont Athos ou faisait route vers Délos et Mykonos, la tension gagna le reste de la compagnie. Seul Churchill semblait inconscient de la situation; il affectionnait toujours les petites séances de chansons avec Ari, à l'heure du déjeuner (*Daisy, Daisy* était une de ses favorites) et plus rarement, se laissait aller à une partie de bésigue ou à quelque conversation sérieuse. « Ari aimait parler des choses fondamentales, surtout à une heure avancée de la nuit, racontait un habitué du *Christina*, il aimait parler de morale et de conscience, de pouvoir et de liberté, de vertu et d'honneur, d'amour et de mort. » Comme Nonie, Lord Moran tenait un journal. Un passage en est particulièrement éclairant. Churchill et Ari avaient débattu d'un scandale survenu à Washington, qui s'était terminé par le renvoi de Sherman Adams, assistant d'Eisenhower, accusé d'avoir reçu des cadeaux (y compris un manteau de vigogne qui devait servir à désigner l'affaire) en échange de son intervention en faveur de l'industriel Bernard Goldfine, engagé dans des tractations avec des agences gouvernementales. Le président s'était arrangé pour tirer son épingle du jeu. Churchill le désapprouvait avec force : « Il faut frapper durement, ou bien couvrir. » Ari, qui ne faisait jamais confiance à un homme qui refusait un pot-de-vin, rétorqua : « Ceux qui vous sont le plus proches et le plus chers, il faut les envoyer au diable quand ils ne vous servent plus. » C'était un parfait résumé du conseil qu'il avait donné à la Callas.

Ari et Maria continuaient sans se cacher à rechercher les occasions d'être seuls. L'amour de la Callas avait pour elle toute la force et l'impétuosité de la première liaison amoureuse de sa vie, pour Ari, cette relation satisfaisait un homme qui n'était plus de la première jeunesse (« Je me disais que c'était terrible d'avoir un demi-siècle en sachant que rien de mieux ne m'arriverait plus jamais : comme je me trompais », racontera-t-il) et qui gagnait le cœur et l'esprit de la plus grande prima donna du monde. Le 9 août, le yacht arrivait à Athènes. Artémis et Théodore donnèrent une réception dans leur demeure de Glyfada. De nouveau, ils ne se quittèrent pratiquement pas. La Callas posait sur lui le regard de ses yeux lourdement maquillés. Un ami se souvient qu'« elle disait qu'il lui faisait penser à un gigolo qui ne serait plus très jeune, mais encore carnassier, encore sexy, encore majestueux ». Au poignet, elle portait un simple bracelet d'or. A l'intérieur étaient gravées les lettres : TMWL — To Maria With Love (A Maria avec amour).

Meneghini retourna au yacht à quatre heures du matin et se coucha aussitôt. La Callas ne rentra dans leur cabine qu'à neuf heures. Une dispute éclata, leurs voix, celle de Maria en particulier résonnant avec une clarté gênante dans le silence fragile de ce début de matinée. Il était trop possessif, trop balourd, un bourgeois ; il n'avait aucune allure, il ne parlait aucune langue, il était déplacé dans cette société cosmopolite. Avec elle, il ne se conduisait pas comme un mari, mais comme un gardien (« un surveillant pleurnicheur », dit-elle exactement). Elle était ingrate, sans égards pour les autres, dévergondée. Il l'avait tirée de rien et elle l'en remerciait en se conduisant « comme la chose de ce cupide petit Grec ». Ni les convives ni l'équipage ne perdirent grand-chose de leur échange d'amabilités. Un steward paria à cinq contre deux qu'ils ne termineraient pas ensemble la croisière.

Si la suite avait dépendu d'Ari, l'affaire aurait continué jusqu'à sa fin naturelle. Ses aventures étaient presque toujours éphémères et se terminaient généralement par la remise d'une babiole de chez Cartier en cadeau d'adieu. Mais au petit matin du 12, Tina, incapable de trouver le sommeil, sortit faire un tour et aperçut son mari et la Callas qui faisaient l'amour dans le salon. Elle s'en fut réveiller Meneghini et lui raconter ce qui se passait. « J'ai vu à son visage qu'il n'était plus capable d'intervenir », raconterat-elle à un amant. Pris dans une hasardeuse alliance, ils échangèrent quelques aveux et leurs sentiments de commisération. Elle était « presque nue », à en croire l'Italien, qui fit de ces moments un récit suggérant un rapprochement sexuel mais il est peu vraisemblable qu'elle ait été troublée au point d'inspirer à l'homme qu'elle appelait Méningite plus d'intérêt qu'elle n'en voulait susciter. Ça va casser, assura-t-il en se raccrochant à l'espoir que ce n'était une idylle de croisière. Il lui paraissait inconcevable que son mariage ait tourné si mal : ils s'étaient tant de fois « agenouillés pour remercier Dieu » de leur bonheur et pour demander dans leurs prières que les choses continuent simplement comme elles étaient. Si Maria ne respectait plus les obligations morales de leur mariage, il était néanmoins persuadé qu'elle ne désavouerait jamais leurs liens sacrés. Tina était plus réaliste et plus coriace. « Il vous l'a enlevée, Battista », lui dit-elle. Son mariage aussi était fini ; pour elle, ça n'avait plus d'importance désormais. Elle était sincèrement désolée pour Meneghini et aussi « pour la pauvre Maria... elle apprendra bien assez tôt quelle sorte d'homme il est ». (Dans ses Mémoires, Meneghini raconte qu'elle lui a dit : « C'est un ivrogne brutal », en avançant qu'elle voulait peut-être qu'il passe le message à Maria, « pour lui ouvrir les yeux ».)

Le 13 août, le *Christina* arrivait à Monte-Carlo, la Callas et son époux débarquaient en hâte. Le soir même ils étaient de retour dans leur appartement milanais. Meneghini dut rapidement abandonner tout espoir de retour à la normale. Maria mit fin au silence prolongé des gens gravement préoccupés en méditant à haute voix sur une séparation. « Je me demande parfois quelle différence cela ferait dans nos vies, si nous n'étions plus ensemble. » Meneghini répondit qu'il ne voulait même pas y songer. Mais la Callas insista : « Il faut que j'y pense, c'est une nécessité. Tu n'es pas immortel, Battista. Le jour viendra où je devrai chanter seule. »

Pendant ce temps, Stavros Livanos avait pris l'avion pour le Midi de la France pour voir par lui-même ce qu'« Ari pouvait bien avoir en tête ». Les feuilles à scandale européennes étaient remplies d'articles sur son amitié croissante pour la Callas. Ari dit à son beau-père d'aller se faire voir. « J'ai cinquante-quatre ans, je suis plus riche que vous et je n'ai jamais été aussi heureux de ma vie. Ne me dites pas comment je dois conduire mes affaires. » C'est ainsi qu'Ari raconte leur conversation. Le lendemain, le *Christina* appareillait pour Venise avec Tina et les enfants à bord. Ari savait qu'il était confronté là à un problème qui ne se résoudrait pas du jour au lendemain.

Sur la suggestion de Maria, Meneghini retourna à Sirmione tandis qu'elle restait dans leur maison de Milan ; elle avait besoin « d'être tranquille, d'y voir clair dans (ses) sentiments ». Le vendredi 14 août, Ari s'envola pour Milan dans son Piaggio privé. Le premier soir, ils échappèrent aux papparazzi, peut-être parce qu'ils s'attendaient à voir le couple fameux partout sauf chez Maria. Il voulait qu'elle quitte immédiatement Meneghini. « C'est un vieux, imagine comment ce sera dans quelques années ! » insistait-il. Le lendemain matin, elle appelait Meneghini pour lui demander de revenir à Milan tout de suite afin qu'ils « trouvent une solution civilisée à tout ce gâchis ».

Ce fut une extraordinaire réunion, plus proche d'une discussion de conseil d'administration que d'un affrontement entre un homme trompé, une femme infidèle et son amant. Ari parla presque tout le temps — « il parlait comme un homme incapable de s'arrêter, racontera Meneghini à un ami, comme s'il avait eu peur qu'en se taisant ne fût-ce qu'une minute, tout s'effrite ». Meneghini dit qu'il n'avait aucune expérience de ces situations et demanda : « Comment suis-je censé me conduire ? » Ari répondit qu'ils devaient faire en sorte que Maria « soit embarrassée et souffre le moins possible ». Meneghini assura qu'il ferait ce qui serait le mieux pour Maria (« Je ne faisais pas le poids devant le nouvel Ulysse », dira-t-il plus tard en revenant sur la bénédiction patriarcale à Istanbul) ; il s'entendrait avec son avocat de Turin pour qu'il prépare leur séparation dans le détail. « Je vous faciliterai les choses à tous les deux ; ce qui est beaucoup plus que ce que vous avez fait pour Tina et moi. » Ils discutèrent fort avant dans la nuit. Ari annonça sans vergogne qu'il avait l'intention de construire un opéra pour la Callas à Monte-Carlo. Il ingurgita beaucoup de whisky mais sut garder une apparence de sobriété, interrompant fréquemment son discours pour passer un coup de fil à Londres ou à New York. La Callas adorait le voir en action. Son pouvoir et sa sexualité étaient inséparables. Il lui paraissait incroyable qu'il n'eût que neuf ans de moins que son mari. Sa chevelure coiffée en arrière était encore épaisse, même si elle grisonnait. Son corps avait une sorte de « force de bandit » qu'elle aimait. Il était presque quatre heures du matin et le jour commençait à poindre dans le ciel de Milan quand Meneghini se retira dans la chambre d'ami, laissant seuls l'épouse et l'amant. A trente-six ans, elle se conduisait « comme une donzelle, une adolescente avec des étoiles dans les yeux ». Meneghini se leva quelques heures plus tard, prit son petit déjeuner seul et rentra à Sirmione avant qu'elle s'éveille.

Dans les jours qui suivirent, l'intérêt du public pour leur idylle prit une ampleur que nul n'aurait crue possible. Les amants ne pouvaient plus semer les papparazzi et ils furent photographiés à leur entrée dans l'hôtel Principe e Savoia de Milan. Il était quelque peu gênant d'être vus se tenant ainsi par la main, à cette heure-là dans le hall d'un hôtel : il était trop tard pour le dîner et trop tôt pour le petit déjeuner. On racontait qu'à Venise Tina avait dansé joue contre joue avec le comte Brando d'Adda au bal annuel d'Elsa Maxwell. Elle ne se comportait pas comme une femme plongée dans les affres d'une crise sentimentale ; pourtant il était clair qu'un savoureux scandale mondain se mijotait. Meneghini et Ari, chacun de leur côté, se laissèrent aller à des remarques indiscrètes. « Cet homme a des milliards. J'ai été ratiboisé par cet homme. Qu'est-ce que je suis censé faire ? Qu'est-ce que je peux faire, en fait ? » demanda Meneghini à ses amis. Il était intimidé par l'ampleur du dommage qu'on lui avait infligé. Ari, quant à lui, prit un ton plus léger avec les reporters : « Je suis un marin et ce sont des choses qui arrivent quelquefois aux marins. »

Toutefois, alors même que tout paraissait réglé après la confrontation de Milan, la séparation progressait de manière plutôt cahotique. La discorde éclata au cours d'une réunion prévue pour discuter de la carrière de la Callas, à laquelle Ari et elle arrivèrent en retard et passablement éméchés. Ari avait bu whisky sur whisky durant le voyage à Milan. La boisson le rendait volubile et agressif. Ses réactions et sa tolérance à l'alcool étaient toujours imprévisibles. Il exultait à l'idée d'avoir gagné la Callas et de guider désormais sa carrière. Maria avait revêtu pour le dîner une robe de mousseline de soie noire sans bretelles comme si elle allait assister à un grand bal. Mais son collier de perles attirait l'attention sur les rides de son cou (elle était passée de 100 à 60 kilos). Ari arborait ses habituelles lunettes noires et une veste de soirée, mélange de genres qui lui donnait aux yeux de Meneghini « un air décadent ». D'une gravité affichée, Maria semblait déconnectée de la réalité ; elle demanda qu'on allume un feu en dépit de la tiédeur d'un soir de fin d'été. Emporté par ses propres idées, indifférent à la réprobation de Meneghini, inattentif à l'air absent de Maria, Ari continua de boire tout au long du dîner et après, tout en discourant d'abord sur l'avenir de la Callas puis sur ses ambitieux projets concernant Monte-Carlo. L'alcool et les vantardises de son interlocuteur finirent par avoir raison des bonnes résolutions de Meneghini. Il perdit son calme et les deux hommes commencèrent à se quereller : un Grec et un Italien, stimulés par l'alcool et la rivalité, leurs voix s'élevèrent de plus en plus, leur langage (en italien, seule langue que connaissait Meneghini) devint grossier. Plus que par la colère, Meneghini était poussé par le désir de livrer un dernier combat qui lui restitue sa dignité. Ari le provoqua : « Je suis un sale type mais je suis plus riche que tu ne seras jamais et je suis un meilleur amant que tu n'as jamais été... Je fais ce que je veux et je prends ce que je veux. » Sa richesse était un sujet qu'il ne laissait jamais de côté. Il demanda combien Meneghini voulait pour Maria. « Cinq millions de dollars ? Ils sont à toi. Dix ? Prends-les. Mais ne nous casse pas les pieds. » (« Je lui ai dit de se carrer son fric dans le cul. » Meneghini racontera plus tard sa riposte avec satisfaction même si ses Mémoires sont moins précis sur l'échange : « Je lui ai rétorqué : "Vous êtes un pauvre ivrogne et vous me donnez envie de vomir. Je vous giflerais volontiers mais je ne vous toucherai pas parce que vous ne tenez même pas debout." ») Consciente peut-être qu'on la convoitait plus qu'on ne l'aimait, Maria, hystérique, accusa son mari de lui refuser « cette dernière chance » de bonheur. Meneghini les maudit tous deux : « Ce que vous m'avez fait, vous le paierez encore et encore jusqu'à la fin de vos jours. Vous ne connaîtrez jamais le bonheur ; vous me faites pitié parce que vous allez payer cher tout ça. Tous les deux. »

Le 8 septembre, la Callas confirmait dans une déclaration officielle que son mariage était fini et que ses avocats s'occupaient en détail de la séparation. La rupture était dans l'air depuis longtemps, affirma-t-elle, et la croisière du *Christina* était une simple coïncidence. « Je suis à présent mon propre agent. Je demande la compréhension de tous dans cette douloureuse situation personnelle. Entre M. Onassis et moi-même existe une profonde amitié qui remonte à quelque temps. Je suis aussi en relations d'affaires avec lui. J'ai reçu des offres de l'Opéra de Monte-Carlo et il existe aussi un projet de film. Quand j'aurai d'autres choses à dire, je le ferai au moment opportun, mais je n'ai pas l'intention de convoquer une conférence de presse. » Meneghini confirma la rupture dans un communiqué qui reconnaissait l'existence d'un « lien sentimental » entre son épouse et Ari ; ses amis virent là une façon bien contournée de décrire un adultère reconnu. « Je n'éprouve aucune amertume envers Maria qui m'a honnêtement avoué la vérité mais je ne puis pardonner à Onassis », disait-il.

Les reporters réussirent à repérer Ari au Harry's Bar de Venise. Ce n'est pas le meilleur endroit pour boire si l'on veut éviter la presse. « Bien sûr, comment ne pas être flatté qu'une femme comme la Callas tombe amoureuse d'un homme comme moi ? Qui ne le serait à ma place ? » demanda-t-il, en allant ainsi plus loin que Maria qui n'avait parlé que d'une profonde amitié.

Quoique Tina fût blessée par la rapidité avec laquelle les membres de l'entourage de son mari se mettaient à faire la cour à la Callas, elle continua de garder ses distances, affectant d'ignorer tout ce tapage. Prenant avec elle Christina et Alexandre sans avertir Ari, elle gagna la maison de famille des Livanos à Paris. Quand il l'eut retrouvée, elle refusa de le voir. Ce même soir, il reçut un petit paquet contenant un bracelet d'or sur lequel était gravé : Samedi 17 avril 1943, 7 heures du soir, TILY. En réponse, il partit pour une autre croisière en mer Egée ; cette fois, il n'y avait qu'une seule passagère à bord du *Christina* : Maria Callas.

Début octobre, Meneghini entamait une procédure de séparation à Brescia, en Italie. Les attendus de son assignation ne nommaient pas Ari, mentionnant seulement la transformation abrupte de la Callas « loyale et reconnaissante épouse » en une femme dont le comportement était « incompatible avec la décence la plus élémentaire » à la suite d'une croisière avec des « personnes qui sont reconnues comme les plus puissantes de notre temps ». Le tribunal effectua le rituel simulacre d'une tentative de conciliation mais le 14 novembre, après une audience en règlement de six heures, il prononça la séparation juridique. Maria gardait la maison milanaise, la plupart des bijoux et le revenu de tous ses droits d'enregistrement ; Meneghini obtenait Sirmione et tous leurs biens immobiliers. Onze jours plus tard, Tina demandait le divorce pour adultère devant le tribunal suprême de l'État de New York (le seul motif accepté dans l'État à l'époque) et demandait aussi la garde d'Alexandre et de Christina. Le même soir, les journalistes furent convoqués dans sa maison de Sutton Square et son avocat leur lut un texte préparé :

« Cela fait presque treize ans que M. Onassis et moi nous nous sommes mariés dans la ville de New York. Depuis il est devenu l'un des hommes les plus riches du monde, mais sa fortune immense ne m'a pas apporté le bonheur et ne lui a pas non plus, comme le monde le sait, permis d'être heureux avec moi. Après que nous nous sommes séparés cet été à Venise, j'avais espéré que M. Onassis aimerait assez ses enfants et respecterait suffisamment notre vie privée pour me rencontrer — ou pour que ses avocats rencontrent les miens — pour régler nos problèmes. Mais cela n'a pas été le cas.

« M. Onassis sait parfaitement que je ne veux rien de sa fortune et que je ne me préoccupe que du bien-être de nos enfants.

« Je regrette profondément que M. Onassis ne me laisse pas d'autre solution qu'une demande de divorce à New York.

« Pour ma part, je souhaiterai toujours du bien à M. Onassis et j'espère qu'après la conclusion de cette procédure, il continuera de profiter de la sorte de vie qu'il désire apparemment mener mais dans laquelle je n'ai pas réellement ma place. Je n'aurai rien d'autre à dire et j'espère qu'on me laissera en paix avec mes enfants. »

Ari se trouvait à bord du *Christina* à Monte-Carlo quand la déclaration parut dans les journaux de New York. Costa Gratsos la lui lut au téléphone. « Ce truc a été écrit par les avocats et arrangé par Jascha Heifetz », dit Gratsos en terminant. Les conseillers d'Ari lui firent remarquer que ce serait « bon pour les relations publiques » si la Callas quittait le yacht un moment ; elle s'installa dans une suite de l'hôtel Hermitage. Cela n'abusa personne, et surtout pas la petite armée de photographes et de reporters qui les suivaient partout. Mais à la surprise générale, Tina cita une certaine « Mlle J. R. » comme la personne avec laquelle il était censé avoir entretenu des rapports adultères « sur terre et sur mer, aux États-Unis, en France, à Monte-Carlo, en Grèce et en Turquie depuis 1957 jusqu'à la période actuelle ». Tina avait une bonne mémoire, et des dossiers détaillés. La mystérieuse Mlle J.R. se révéla bientôt être son ancienne camarade de classe Jeanne Rhinelander. « Je ne vais pas donner à ce canari la satisfaction d'être désignée comme l'autre femme », déclara-t-elle à des amis new-yorkais avec l'orgueil des Livanos et aussi une certaine dose de leur ruse. Car si elle avait cité la Callas, Ari aurait eu des arguments pour contre-attaquer en affirmant qu'elle avait eu quelques moments d'égarement avec ses propres admirateurs longtemps avant que Maria Callas entre en scène.

Mlle Rhinelander, quoiqu'elle ne fût pas sans reproche, prit très mal cette violation de sa vie intime et menaça de poursuivre Tina en diffamation. Ari s'inquiétait du tempérament inconstant de son ancienne maîtresse. Il confia à ses amis qu'il l'avait déjà emmenée dans une ou deux croisières « pour l'aider à surmonter ses problèmes sentimentaux et son penchant pour la drogue ». Des poursuites en diffamation, c'était la dernière chose au monde qu'il pût désirer. « Mettez Jeannie à la barre des témoins et elle est capable de tout déballer, tout ! » gémissait-il. Il tenait aussi beaucoup à empêcher Mlle Rhinelander, longue beauté divorcée de New York qu'on voyait parfois dans les pages mondaines des journaux, de parler à la presse. Dès que son identité fut révélée, il fonça à Grasse pour la persuader de prendre la situation avec plus de calme ; quelques heures après, elle publiait une déclaration exprimant son étonnement de ce que son nom ait été mêlé à un scandale dans lequel elle affirmait n'avoir joué aucun rôle. « Je suis une vieille amie de M. et Mme Onassis. Je suis étonné qu'après tant d'années d'une amitié connue de tous, ici et aux États-Unis, Mme Onassis ait besoin de se servir d'elle pour obtenir sa liberté... Je répète que je connais M. Onassis et que je reste une amie sincère. »

La déclaration qu'il fit lui-même déçut Maria Callas. « Je viens à peine d'apprendre que ma femme a entamé une procédure de divorce. Je ne suis pas surpris, la situation évoluait très rapidement. Mais je n'ai pas été averti. Évidemment, il faudra que je fasse ce qu'elle désire, et que je prenne les arrangements qui conviennent. » Il y avait quelque chose de troublant, d'irrésolu, de menaçant presque dans son ton. La Callas avait espéré bien davantage : elle avait attendu une déclaration d'amour pour elle, un engagement public sur leur avenir. La forme de leurs relations pour les huit années à venir était fixée.

CHAPITRE 12

> Nous découvrons la valeur d'une
> chose quand nous l'avons perdue.
>
> SÉNÈQUE.

Ari passa les mois qui suivirent entre la colère et l'apitoiement sur lui-même. Dans la suite de Spyros Skouras au Claridge, il téléphona plus d'une heure durant à Tina, qui se trouvait à New York. Après quoi, il s'effondra et « pleura comme un gosse ». Ses relations avec la Callas avaient totalement changé. Le temps où il ne la quittait pas d'une semelle était bien fini. Ses déplacements devinrent erratiques, ses absences inexpliquées. Optimiste, la Callas pensait qu'il était accaparé par les affaires. Le marasme du transport maritime après la crise de Suez ne semblait pas près de s'arrêter, et il n'y avait pas un armateur au monde qui ne fût en difficulté.

En avril 1960, il revit Tina à Paris pour discuter des conditions du divorce et la supplia encore de revenir. On les photographia dînant ensemble et il encouragea les spéculations de la presse sur les possibilités d'une réconciliation. Mais ils ne renoncèrent pas un instant à la prudence de règle entre époux séparés (« Même en amour, dira plus tard Tina, il ne pouvait s'empêcher de marchander ») et il n'y eut pas de nouveau départ. Elle ne voulait pas d'argent pour elle-même, pas même ce qui lui appartenait légalement ; il faudrait seulement garantir un revenu à Alexandre et Christina, dont ils auraient la garde conjointe, grâce au trust américain. Comme le père de Tina craignait qu'un divorce scandaleux ne cause du tort à sa fille et à ses petits-enfants et ne choque les grands patrons du transport maritime, elle accepta de renoncer à la procédure entamée à New York, qui nécessitait le dépôt d'une plainte pour adultère. En juin, en Alabama, après treize extraordinaires années de vie commune, il lui était accordé sans opposition un divorce « express » pour cruauté mentale de son conjoint. A l'avenir, elle s'appellerait Tina Livanos. Elle n'avait « ni désir ni besoin » de garder le nom de son mari ; celui des Livanos avait sa propre valeur et un passé bien plus prestigieux que celui des Onassis. « C'est toujours triste quand un mariage et un foyer se brisent, déclara son ex-époux à des reporters qui l'interrogeaient à Londres. Il n'y a jamais eu d'idylle entre la Callas et moi. Nous sommes bons amis, voilà tout. » Situation humiliante pour la cantatrice. Mais un sentiment de résignation la gagnait. « Je ne veux plus chanter. Je veux simplement vivre comme une personne ordinaire, avec une famille, un foyer, un chien. » Elle annula au dernier moment un concert en Belgique en prétendant qu'elle avait perdu sa voix. Ses ennemis et la critique la jugeaient perdue pour l'art.

Durant l'été, les sentiments d'Ari changèrent et il se montra de nouveau aussi attentionné, aussi prévenant qu'aux premiers jours de leurs amours à Londres. Leur lieu de rendez-vous favori était une boîte de nuit de Monte-Carlo, le Maona, où les spécialistes des potins journalistiques guettaient les signes d'intimité amoureuse. « Il leur est impossible de danser joue contre joue car Miss Callas est légèrement plus grande que M. Onassis, racontait William Hickey dans le *London Daily Express*. Mais pendant qu'ils dansaient, elle a incliné la tête pour lui mordiller l'oreille et il a souri aux anges. » Des bruits couraient sur leur mariage imminent, pour le plus grand plaisir de la Callas. Toutefois, quand Tina se cassa une jambe en skiant à Saint-Moritz et fut transportée dans une clinique anglaise, Ari se précipita à son chevet, ce qui relança les rumeurs. Ces spéculations se poursuivirent jusqu'à ce que, seize mois après son divorce, Tina épouse un homme de trente-cinq ans, le marquis de Blandford, fils du duc de Marlborough et parent de Churchill, au cours d'une cérémonie grecque orthodoxe à Paris. Niarchos, qui ne ratait jamais une occasion d'irriter Ari, mit son avion privé à la disposition des nouveaux mariés pour les conduire en Grèce où ils commencèrent leur lune de miel par une croisière en mer Egée.

Si Ari n'était toujours pas pressé d'épouser Maria Callas, pour l'équipage du *Christina* elle était *la patronne* (en français dans le texte — NdT). « La vérité, c'est que les enfants la haïssaient. S'il n'y avait pas eu les gosses, ç'aurait été réglé à l'instant où Tina s'est offert la marche nuptiale avec le marquis », explique Meyer. Ce n'était un secret pour personne qu'Alexandre et Christina en voulaient à Maria d'avoir brisé le mariage de leurs parents. Ils ne renoncèrent jamais à l'espoir que leur mère et leur père renouent. Le remariage de leur mère ne leur avait pas autant déplu qu'à Ari mais, dans leur esprit d'enfants, c'était la présence de la Callas qui faisait obstacle à une heureuse réconciliation familiale. En dépit de ses élans maternels, la Callas ne savait pas s'y prendre avec les gosses, elle ne savait pas leur parler. (« La fin de quelque chose, dit-elle à Christina, neuf ans, c'est une espèce de commencement. ») Ils ne voulaient pas l'appeler Mme Callas, ni Maria ; le résultat fut que pendant longtemps ils ne l'appelèrent pas du tout. Alexandre la nommait en secret la Chanteuse, comme il surnommerait plus tard sa belle-mère la Veuve. Quand il lui parlait, il y avait toujours une nuance d'insolence dans son ton, ce qui la mettait en rage, mais c'était toujours trop subtil pour qu'elle pût s'en plaindre à son père ; c'était un jeu qu'il pratiquait pour amuser Christina. Enfants secrets et précoces, leur vie était paradoxale : beaucoup de monde s'occupait d'eux, mais pour les relations d'affection ils n'avaient à peu près personne. Être salués par l'équipage en montant à bord du yacht, dira Alexandre, ne compensait pas l'absence des parents ou, quand ils étaient là, le fait qu'ils soient « si absorbés par leurs propres personnes que leurs enfants auraient très bien pu ne pas être là ». Quand la Callas tentait de les gagner par des éloges ou des cadeaux, les éloges étaient négligés et les cadeaux restaient empaquetés. Christina avait déjà l'air de ce qu'elle serait très bientôt : quelqu'un qui n'en fait qu'à sa tête. Il y avait « quelque chose d'inaccessible dans son visage », qui mettait la Callas mal à l'aise quand elle se retrouvait seule avec elle. « Elle a l'air d'une fille destinée à prendre le voile », dit-elle à Ari.

Il ne permettait pas à Maria de se joindre à eux à bord du *Christina* quand les Churchill s'y trouvaient car, affirmait-il, sa présence « embarrasserait Winston » qui avait une affection sincère pour Tina. Cela lui fit mesurer « tout ce qu'elle avait perdu en renonçant à Meneghini et à l'amour éperdu qu'il lui vouait », expliquait un ami. « Ce n'est pas difficile de s'emballer pour quelqu'un. En supporter les conséquences, c'est le plus difficile », avoua-t-elle un jour à son ami Panaghis Vergottis. Mais à l'opéra elle avait joué le rôle d'héroïnes mourant d'amour et, assura-t-elle, « c'est quelque chose que je peux comprendre ». Son quarantième anniversaire approchait et elle reconnaissait que dans sa vie privée, comme dans sa vie professionnelle, ses meilleures années étaient derrière elle. Il lui paraissait de plus en plus évident qu'Ari avait toujours considéré leur liaison comme une simple aventure autorisée par la faiblesse de Meneghini et la licence de Tina. Et pourtant elle savait bien que si c'était à refaire, elle agirait de même.

Quand elle fit un retour triomphal en Grèce où elle chanta *Norma* dans le théâtre classique d'Epidaure, il se réjouit de la voir environnée de gloire. Mais il n'appréciait pas son talent et quand il était obligé d'assister à ses représentations, il l'écoutait avec l'ennui poli qui transparaissait aussi sous ses éloges. Il voulait en faire une vedette de cinéma parce que selon Meyer, « dans son livre de comptes, une vedette de cinéma, ça comptait plus qu'une cantatrice célèbre ». Il fit tout ce qui était en son pouvoir pour persuader le producteur Carl Foreman de la mettre au générique à côté d'Anthony Quinn dans les *Canons de Navarone*. Foreman n'était pas sûr qu'elle soit à la hauteur d'un rôle court mais important, mais il était assez perspicace pour apprécier la valeur publicitaire de la présence de la Callas dans le film (« s'il avait fallu acheter tant de pub, on n'en aurait pas eu les moyens »). Après un séjour de quelques jours, et de nombreux repas bien arrosés à bord du *Christina*, Ari dit au producteur : « Mettez-la à l'essai pour une dizaine de jours et si elle n'est pas bonne, d'accord, virez-la, prenez quelqu'un d'autre... et je règle la note. — Ça peut représenter beaucoup d'argent, M. Onassis, avertit Foreman. — De l'argent, ce n'est pas ça qui me manque, M. Foreman. » Mais la Callas eut peur et le rôle échut à Irène Papas. « Chaque jour de ma vie, je me lève pour gagner ! hurla-t-il à l'adresse de Maria quand elle eut repoussé l'offre du producteur. Je me demande pourquoi tu prends la peine de te lever ! »

Leur relation se refroidit, redevint passionnée, se refroidit de nouveau. Ils ne parlaient plus grec entre eux, ils ne conspiraient plus, mais ils restaient ensemble. Il ne cessa jamais d'essayer de la façonner à sa guise, de se prouver le pouvoir qu'il avait sur elle. Il lui fit porter plus souvent du noir, sa couleur préférée. Comme pour la soumettre à un rite de possession, il demanda au coiffeur Alexandre de tailler sa célèbre chevelure. Selon un journaliste de mode, sa nouvelle coupe « la vieillissait de dix ans et privait son visage de toute séduction ». Mais très souvent, quand elle se disputait avec lui, la passion était encore assez forte pour le ramener à Athènes dans ses bars favoris, pour boire de l'ouzo et du cognac grec, manger avec les doigts, danser le bouzouki et casser les assiettes jusqu'à ce que sa colère l'ait quitté. Ce n'est qu'en Grèce, au milieu de son peuple, qu'il pouvait se laisser aller. « En Grèce, raconte son ami le professeur Yannis Georgakis, il se conduisait comme un Grec, en Angleterre, comme un Anglais. Il avait cette facilité d'adaptation. En Grèce parmi les Grecs il se conduisait comme un homme de la rue. »

A présent il se passait des mois sans que la Callas fasse des vocalises ; même Ari semblait avoir ralenti le rythme haletant des premières années. Il avait mis sur pied une excellente équipe pour s'occuper de la gestion quotidienne de ses quelque soixante-dix sociétés à travers le monde. Outre l'indispensable Meyer et Costa Gratsos, son ministre sans portefeuille à New York, il avait placé à la tête du service juridique de son organisation Thomas R. Lincoln, le fils de ce Leroy Lincoln qui présidait aux destinées de la Metropolitan Life à l'époque où lui-même avait débuté dans les grandes opérations financières ; son cousin Costa Gratsos dirigeait Olympic Airways ; Nicolas Cokkinis, rejeton d'une famille d'armateurs, les Embiricos, veillait sur Victory Carriers ; divers cousins et avocats s'occupaient de ses intérêts à Monaco ; Roberto Arias était à la barre de ses sociétés panaméennes ; et Nigel Neilson continuait de soigner son image auprès des grandes compagnies pétrolières à Londres. Tous savaient qu'Ari n'était jamais loin : il s'arrangeait pour que tout le monde soit toujours en alerte, affirme Meyer. « Quand on est arrivé à un certain point, assurait Ari, ce n'est pas seulement que l'argent cesse d'être un problème, il cesse aussi d'être important. Ce qui compte c'est d'être heureux et satisfait. »

Ce qui comptait encore plus était d'être remarqué, admiré, envié. Il eut le sentiment d'avoir réussi tout ce qu'il voulait quand il s'acheta une île de la mer Ionienne, Skorpios (elle avait la forme d'un scorpion), parfaite incarnation de son opulence féodale. Au début, il n'y avait que des oliviers sur l'île ; il y ajouta « tous les arbres et les arbustes de la Bible » — amandiers, ronces, pins, lauriers-roses, figuiers. Parfois il se mettait en short et plantait lui-même des arbres, transpirant au soleil, se mêlant aux ouvriers auxquels il contait les histoires de sa grand-mère à propos des fleurs, des fruits et des arbres qu'ils étaient en train de manipuler : dès janvier, l'amandier fleurit en Terre sainte... le figuier est le premier des fruits mentionnés dans la Bible, il fournit une ombre superbe, s'asseoir au pied d'un figuier est pour le Juif l'incarnation de l'idéal de paix et de prospérité... une pomme de pin coupée dans la longueur présente un dessin qui évoque la main du Christ, ce qui est le signe qu'Il a béni l'arbre pour avoir protégé de son ombre la Vierge Marie fuyant avec son époux et son fils les soldats d'Hérode. Il était heureux ainsi, plantant des arbres dans sa terre.

Parmi les nouvelles têtes de son entourage qui étaient là pour prouver au monde sa réussite sociale et lui conférer une stature encore plus grande, il y avait le prince et la princesse Stanislas Radziwill. Ce n'était pas tant le titre de noblesse polonais qui attirait Ari (Radziwill ignorait qu'il avait perdu ses droits au principat en devenant sujet britannique), que la famille de l'épouse de Stanislas, Lee, qui était la belle-sœur de l'homme le plus puissant du monde, « le type à qui je n'ai pas demandé de rester pour dîner ». La princesse Radziwill, sœur cadette de Jacqueline Kennedy, s'éloignait déjà quelque peu de son deuxième époux quand le couple entra dans la ménagerie d'Ari au début de l'année 1963. Vingt-neuf ans, avec ce bon ton d'un pur produit des écoles de la Côte Est (Farmington, trois trimestres à Sarah Lawrence), Lee ne pouvait que fasciner un homme comme Ari. Il admirait « son aisance dans la richesse, la façon dont elle prenait le luxe comme une chose normale ». Elle était née avec le goût de l'argent : rien de plus chic au monde.

Leurs relations prirent vite une tournure plus intime et quoiqu'il confessât fréquemment la trouver « très sexy » et que Lee fût à une époque très vulnérable de sa vie, il fallut un certain temps avant que la Callas reconnût en elle une rivale potentielle (alors même qu'Ari s'était remis à la traiter plus mal que jamais). Lors d'un dîner, comme quelqu'un rappelait que Puccini avouait un penchant immodéré pour les belles femmes et pour les bons livrets d'opéra, il donna un grand coup de poing sur la table et rugit : « Le fils de pute, tout comme moi ! Sauf que je me fous des livrets d'opéra ! » Les amis de la Callas continuaient de l'inciter à le quitter. « Quand les affronts se sont accumulés et que l'insulte s'est ajoutée à l'insulte, l'amour qui demeure est souvent illogique mais il est aussi indestructible, répondit-elle. C'est une espèce de folie et nul ne choisit d'être fou. »

Elle chercha de nouveau des consolations dans son travail et partit pour une tournée de trois semaines à travers l'Europe. Ce ne fut pas un succès. Sans doute songea-t-elle à Luchino Visconti qui avait déclaré qu'elle n'était plus au sommet de son art ; pour Maria, le metteur en scène italien était un génie, presque un dieu, et son opinion avait ébranlé la fragile confiance qu'elle avait en elle-même. (« Comme femme, elle est encore jeune, mais comme chanteuse, elle n'est plus si jeune et la voix change avec l'âge, avait-il dit. De plus, elle est maintenant prise par des affaires privées, ce qui n'est pas bon pour elle. ») Et pourtant quand la tournée s'acheva, le 9 juin, elle ne put s'empêcher de courir retrouver Ari, et ses destructrices « affaires privées ».

La liaison d'Onassis avec Miss Radziwill fut portée à la connaissance du public avec une soudaineté inattendue durant l'été 1963 aux États-Unis. « L'ambitieux magnat grec espère-t-il devenir le beau-frère du président américain ? » demandait Drew Pearson, dans sa chronique du *Washington Post*. A Milan, Meneghini ne perdit pas de temps en interrogations. Il assura aux reporters qu'Ari avait déjà congédié Maria au profit de la princesse. Il avait toujours su que ça finirait mal et n'avait jamais abandonné l'espoir qu'un jour Maria lui reviendrait.

L'article de Pearson était doublement embarrassant pour le président qui se trouvait en pleine préparation de la campagne électorale de 1964. Car, non content d'avoir été poursuivi pour fraude par le gouvernement des États-Unis, Ari était un divorcé qui avait déjà une aventure très voyante avec une vedette d'opéra mariée. L'influence des Kennedy avait sûrement pesé de façon décisive sur la décision du Vatican. Les autorités catholiques avaient en effet autorisé Lee, déjà divorcée de l'éditeur Michael Canfield, à épouser religieusement Radziwill. Et alors même que Pearson publiait un article où il s'interrogeait sur l'avenir de la jeune femme, le sacré tribunal de la Rote, au Vatican, examinait encore la question de l'annulation de son premier mariage. « L'été dernier c'était Castro et la crise des missiles, dit un collaborateur de la Maison Blanche, cet été, c'est Onassis et la crise du mariage. »

C'est à ce moment-là que Jackie accoucha prématurément d'un garçon, Patrick, qui ne survécut que quelques heures. Dînant avec Ari à Athènes peu après avoir assisté aux funérailles, Lee lui confia que sa sœur avait très mal supporté la mort du bébé. Ari offrit immédiatement de mettre le *Christina* à sa disposition pour une croisière de convalescence. Lee appela Washington sur-le-champ. « Dis à John que Stas et moi nous serons tes chaperons. Ce sera parfaitement correct, et on va bien s'amuser. Oh, Jacks, s'exclamat-elle en utilisant le surnom enfantin de sa sœur, tu n'imagines pas à quel point le yacht d'Ari est formidable. Ça te ferait beaucoup de bien de partir un moment. » En dépit des réticences du président, Jackie accepta l'invitation. Bob Kennedy essaya de tirer avantage de la situation : « A propos de cette histoire entre Lee et Onassis, dit-il à Jackie en la prenant à part peu avant son départ, dis à Lee de se calmer, d'accord ? »

Le *Christina* embarqua dans ses réserves huit variétés de caviar, les vins les plus fins et des fruits exotiques apportés du monde entier avec les compliments d'Olympic Airways ; l'équipage de soixante personnes fut renforcé par deux coiffeurs, trois maîtresqueux, une masseuse suédoise et un petit orchestre pour les soirées dansantes. Le navire appareilla début octobre pour un voyage dont l'itinéraire était entièrement à la discrétion de la Première Dame (qui occupait la cabine principale, Chio) : « C'est elle le capitaine », expliqua Ari à la meute de reporters rassemblés sur un quai du Pirée pour dresser la liste des invités et inventorier les richesses du yacht. « C'est Mme Kennedy le seul maître à bord. »

Maria Callas, abandonnée à Paris, apprit par les journaux le nom des participants et la présence d'Ari. (Il avait offert de se retirer mais Jackie n'avait pas voulu en entendre parler : « Comment pourrions-nous partir sans notre hôte ? ») A bord se trouvaient les Radziwill, la princesse Irène Galitzine, styliste ; Artémis et Théodore Garofalidès ; Accardi Gurney, un ami de Lee ; Franklin D. Roosevelt Jr, sous-secrétaire au Commerce de Kennedy et son épouse Susan. (Kennedy n'était guère rassuré par la promesse de Lee de jouer les chaperons et il avait chargé les Roosevelt d'accompagner Jacky : « Votre présence ajoutera un peu de respectabilité à l'ensemble. ») Ari se fit discret. Au grand désappointement de la presse, il resta invisible quand le *Christina* mouilla à Lesbos, puis en Crète. Mais quand le yacht atteignit Smyrne,

Jackie lui demanda une visite guidée. Vite débarrassé de sa timidité, il la prit par la main pour lui montrer les lieux de son passé. Les photographies de la Première Dame, l'air extraordinairement heureuse et détendue, visitant avec Ari les recoins de sa ville natale, parurent dans le monde entier. A Paris les photos de première page emplirent la Callas de tristesse et de regret. (« Il y a quatre ans, dit-elle à Panaghis Vergottis, c'était moi qui étais à ses côtés, c'était moi qu'il séduisait avec l'histoire de sa vie... bien que je sois sûre qu'il en a inventé la plus grande partie. Les souvenirs, c'est trop fatigant. ») A Washington, un membre républicain du Congrès fustigea la croisière, et jugea incorrecte l'attitude de l'épouse du président. Il demanda quels motifs avaient poussé Roosevelt à accepter l'hospitalité d'un étranger qui avait tant à gagner de l'influence du sous-secrétaire sur l'Administration de la Marine des États-Unis. Le président téléphona au *Christina* pour avertir son épouse de l'attention suscitée par la croisière. Selon Roosevelt, le président ne donna pas positivement l'ordre à son épouse de rentrer à Washington, mais il n'est pas douteux que c'était ce que Kennedy avait à l'esprit, tout au long d'une conversation rendue difficile par la mauvaise communication radio. « Je crois que Jackie trouvait qu'il prenait trop au tragique les calomnies d'un membre du Congrès qui cherchait la petite bête, dira Meyer. En tout cas, le résultat, c'est qu'elle est rentrée le 17, comme prévu. »

Que Lee s'en fût ou non aperçue, la croisière fut une étape décisive de ses relations avec Ari. Ce n'était pas la première fois qu'il s'était senti proche de deux sœurs, ni qu'il changeait son fusil d'épaule sans crier gare. En quelques jours, la « sensation de vulnérabilité » que lui causait la Première Dame lui avait tourné la tête. « J'ai fait des affaires avec beaucoup de gens, et ce n'était pas toujours des boys-scouts », avoua-t-il un soir. Il n'ignorait pas l'hostilité du président à son égard et éprouvait le besoin de s'expliquer, en dépit des mises en garde de Tina qui lui avait dit qu'il se découvrait vraiment beaucoup quand il se laissait aller ainsi. « Il est impossible à un dirigeant d'entreprise, à un homme comme moi, de ne pas marcher sur les pieds des autres. Tout profit est une injustice pour quelqu'un d'autre. Je me suis fait beaucoup d'ennemis... mais, merde ! s'exclama-t-il, en renonçant au ton conciliant. Il n'y a pas à s'excuser. Je suis aussi riche que je sais l'être, je sais ce que c'est d'être riche. »

Pendant ce temps, un de ses ennemis à Washington « indiquait qu'il aimerait avoir un rapport » sur Aristote « à partir d'informations d'agence et de données publiques ». Mais il n'y avait pas grand-chose que J. Edgar Hoover ignorât sur le compte d'un homme qu'il avait soupçonné d'être un espion et un criminel et qui à présent plaisait tant à la femme du président. « Hoover détes-

205

tait d'instinct Ari. Il croyait beaucoup à la théorie "pas de fumée sans feu" et il était convaincu que le Grec dissimulait quelque chose. En même temps, il était ravi de voir le président embarrassé. C'était exactement le genre de situation qui stimulait son sens du mal », dira l'un des agents qui a participé à la rédaction du mémorandum du 16 octobre.

Au dernier soir de la croisière, Ari fit aux femmes des présents de grand prix. Lee reçut trois bracelets ; Jackie un somptueux collier de diamants et de rubis. Dans une lettre au président fort révélatrice, Lee se plaignait : « Ari a bombardé Jackie de cadeaux. Il y a de quoi être jalouse. Tout ce que j'ai eu, ce sont trois mignons petits bracelets que Caroline ne porterait même pas pour son anniversaire. » Elle plaisantait, et elle était injuste. (« Tout ce que tu comprends des femmes, tu as dû le trouver dans un catalogue Van Cleef & Arpels », avait dit un jour la Callas, grondeuse, à Ari.)

Jackie retourna à Washington le 17, comme promis. Quelques jours plus tard, lors d'un dîner privé avec Ben et Toni Bradlee, des intimes du président (Ben Bradlee était aussi le correspondant de *Newsweek* à la Maison Blanche), Jackie exprima ses regrets pour l'inopportune publicité suscitée par la croisière, et pour le mal qu'elle avait causé à la réputation de Roosevelt. Mais si Washington l'avait ramenée à la raison, et donc à une docilité réconfortante, elle persistait courageusement à défendre Ari, « un être plein de vie et de vitalité qui est arrivé où il est en partant de rien ». Kennedy dit qu'il fallait faire savoir à Ari que sa présence aux États-Unis serait encore malvenue jusqu'aux élections de 1964. En homme politique toujours à l'affût de nouvelles possibilités de manipuler les autres, il savait que les « sentiments de culpabilité » de Jackie sur l'ensemble de l'affaire pourraient être tournés à son avantage à lui. « Maintenant, lui dit-il, tu vas peut-être venir au Texas avec nous le mois prochain. — Bien sûr, Jack », répondit-elle.

Le 22 novembre 1963, Ari se trouvait à Hambourg pour le lancement de l'*Olympic Chivalry* quand il apprit l'assassinat de Kennedy à Dallas. Il appela aussitôt Lee dans sa maison londonienne sur la place de Buckingham. Elle lui demanda de les accompagner, Stas et elle, pour l'enterrement. Il lui rappela qu'on lui avait demandé de ne pas mettre les pieds aux États-Unis pendant au moins un an. « Je ne crois pas que ça ait beaucoup d'importance maintenant », lui répondit-elle. Le lendemain, il recevait d'Angier Biddle, chef du protocole, une invitation officielle, non seulement à assister aux funérailles, mais aussi à séjourner à la Maison Blanche pendant son séjour à Washington. Quoique en dehors de la famille proche, il n'y eût qu'une dizaine de personnes à bénéficier de cet honneur, sa présence passa presque inaperçue dans cette période de deuil que connaissait une Amérique encore sous le choc.

L'atmosphère qui régnait à la Maison Blanche le surprit. C'était une veillée funèbre à l'irlandaise, comme il les avait toujours imaginées. Les hommes s'enivrèrent en chantant des airs sentimentaux et en racontant des histoires scabreuses sur les aventures de Jack, ses hauts faits et les moments où il s'était retrouvé en fâcheuse posture. Personne ne parlait du président défunt au passé. Ari découvrit promptement le rôle qui lui était dévolu : celui de fou du roi. C'était une position qu'il avait déjà adoptée auprès de Churchill, et il était disposé à la prendre aussi auprès des Kennedy.

Dimanche 24 novembre : Rose Kennedy dînait à l'étage avec Stas Radziwill ; Jacqueline et Lee se faisaient servir avec Robert Kennedy dans le salon ; les autres Kennedy dînèrent en famille avec leurs hôtes, note l'historien William Manchester : Robert McNamara, secrétaire à la Défense ; Phyllis Dillon, femme du secrétaire au Trésor ; David Powers, familier des Kennedy depuis la campagne de Jack pour l'élection au Congrès en 1946 ; et Aristote Socrate Onassis. Après le dîner, Ari devint bientôt le centre d'intérêt. Robert Kennedy donna le ton, en insistant sur son image d'« homme mystérieux », et bientôt tout le monde s'y mit. On ironisa sans pitié au sujet de son yacht (les sièges du bar étaient-ils vraiment recouverts de scrotum de baleine ?), de sa richesse, de sa compagnie aérienne, de son royaume (Monte-Carlo) et de son passé. Le ministre de la Justice était particulièrement intéressé par son passé. Ari savait que les gens qui ne l'aimaient pas (et quelques semaines plus tôt à peine, Bobby Kennedy avait encouragé le président à lui interdire de rentrer aux États-Unis) ne manquaient jamais de l'interroger sur son passé. « Je n'ai jamais commis l'erreur de croire que c'est un péché de gagner de l'argent », dit-il. Au bout d'un moment, Bobby disparut et revint un peu plus tard avec un document d'apparence sérieuse par lequel Ari cédait la moitié de sa fortune aux pauvres d'Amérique latine. C'était le moins qu'il pût faire, lui dit le ministre de la Justice, puisque c'était là qu'il avait gagné son premier million. Ari signa solennellement l'étrange contrat, en grec.

Le 3 décembre, il était de retour en France pour le quarantième anniversaire de Maria. Le froid très net qui avait suivi la croisière d'octobre avec Jackie semblait oublié. Ils fêtèrent leurs retrouvailles par une réception brillante chez Maxim's. « Quand le printemps revient, le berger ne songe plus à l'hiver enfui », dit-elle à Panaghis Vergottis ce soir-là. Peut-être jouait-elle la comédie. Il savait en tout cas que son immense orgueil avait été mis à rude épreuve ; le vieil armateur grec était dérouté de la voir à présent sans méfiance. Il connaissait Ari depuis les années trente, il savait comment son esprit fonctionnait et même s'il ne pouvait prévoir qu'Ari se partagerait entre deux femmes dans les années à venir, il savait que l'intérêt qu'il avait manifesté pour Jacqueline Bouvier Kennedy n'était pas près de s'éteindre. « Maria, dit doucement Panaghis, quand le printemps revient, c'est parfois le meilleur moment pour penser au froid à venir. »

Le regain d'affection d'Ari ne pouvait effacer totalement la souffrance et l'humiliation qu'il lui avait infligées. Il y avait déjà dix-huit mois qu'elle n'était pas apparue dans une grande production. Elle annonça néanmoins à David Webster, l'administrateur général de Covent Garden, qu'elle chanterait la *Tosca* à condition qu'elle soit donnée dans la saison et mise en scène par Zeffirelli. La date fut fixée (au 21 juin 1964) et le contrat signé avant qu'elle eût trouvé le courage d'en parler à Ari. « J'en ai besoin, Ari. J'ai besoin de me retrouver. » Il ne lui chercha pas querelle. « C'est très court, dit-il. Ce n'est pas un peu risqué ? — J'ai quarante ans, Ari, rétorqua-t-elle. Ma vie tout entière est un risque. »

Vivre n'était pas moins risqué pour les magnats vieillissants. La dégradation des relations entre Ari et Rainier avait atteint une phase critique. La crise avait sa source au Quai d'Orsay. Plus de la moitié des trois mille compagnies enregistrées à Monaco étaient de simples boîtes aux lettres servant à éviter les impôts français. Quand la principauté lança une campagne de publicité intensive sur le thème : « Ce que Monaco peut faire pour vous », De Gaulle commença à se demander ce que Monaco pourrait faire pour lui. Quand Rainier refusa d'introduire l'impôt sur les sociétés pour arrêter l'afflux de celles-ci dans la principauté, De Gaulle menaça de couper l'eau et l'électricité et de dresser des postes de contrôle sur toutes les voies d'accès. Rainier capitula bien vite. Les demandes d'autorisation d'installations de siège social en provenance de sociétés étrangères connurent une chute verticale et l'expansion immobilière qu'elles avaient suscitée s'arrêta. Rainier accentua sa pression pour qu'Ari investisse les profits de la SBM dans la construction d'hôtels de tourisme. Le Grec finit par accepter de construire un immeuble d'appartements de luxe et deux hôtels mais il voulait qu'on lui garantît l'interdiction de construire des hôtels rivaux. Mis en fureur par cette clause monopolistique, Rainier opposa son veto à l'ensemble du projet avant d'attaquer à la télévision la SBM pour sa « léthargie et sa mauvaise foi ». Dans un article envoyé à New York, Elizabeth Peer raconte qu'Ari « interrogé sur ses réactions devant l'étonnante attaque publique du prince, a explosé à l'autre bout du fil en criant : "Vous devez vraiment manquer d'informations pour me demander ça !" Il affirme avec insistance que le discours ne le concernait nullement puisque Rainier s'en est pris à la SBM et non à lui. D'un point de vue technique, Onassis a raison, ce qui lui donne un bon prétexte pour éluder la question. »

Pendant ce temps, la Callas préparait son retour. Sa première à Covent Garden fut un triomphe ; elle signa immédiatement un engagement pour chanter *Norma* à Paris en mai. Ari n'assista pas à la première à l'Opéra, mais à la quatrième représentation, le samedi 6 juin. Pour le vingtième anniversaire du débarquement en Normandie, la cohorte des célébrités présentes (Charlie et Oona Chaplin, la Bégum, Yves Saint-Laurent, Jean-Paul Belmondo, la princesse Grace, Jean Seberg, David Niven, Rudolf Bing, gens du monde et des cabinets ministériels) transforma la soirée en une espèce de *fête nationale* (en français dans le texte - NdT). Les critiques français furent nettement plus réservés que pour la *Tosca* de Londres. A Paris, elle avait perdu son phrasé et son sens du rythme ; elle peinait, sautant une note ici, un vers là. Au dernier acte, elle buta sur un contre-ut. Ce fut le signal d'une cabale. Au milieu des sifflets, elle fit taire l'orchestre et demanda au chef de reprendre. C'était le genre de risque que la Callas à son apogée aurait pris avec désinvolture. A présent, c'était de la folie. Le brusque silence — « l'espèce de calme qui s'abattait probablement sur la populace quand la guillotine vibrait avant de tomber », selon Rudolf Bing — était irréel. Elle atteignit la note et la tint avec une maîtrise parfaite. Mais ce n'était pas suffisant pour ses détracteurs. Des bagarres éclatèrent entre ceux qui applaudissaient son geste et ceux qui le tournaient en dérision. Il y eut un temps où cette sorte d'incident l'aurait emplie d'un plaisir féroce. « Aussi longtemps que je les entendrai s'agiter et siffler comme des serpents autour de moi, je saurai que je suis au sommet. Si je n'ai plus de nouvelle de mes ennemis, je saurai que je me suis endormie. Je saurai qu'ils n'ont plus peur de moi », avait-elle déclaré sept ans auparavant quand elle était la plus grande prima donna du monde. Elle détestait qu'on s'apitoie sur elle, disait-elle quand elle avait le monde de l'opéra à ses pieds. Elle ne s'était jamais apitoyée sur personne.

Ari, lui, n'avait jamais été aussi fier d'elle. A ses yeux, gagner, c'était tout, aussi fut-ce en ce moment où la défaite de Maria était absolue qu'il l'admira le plus. « Tu as montré beaucoup de courage là-bas cette nuit, lui dit-il. — C'était surtout de l'insolence », rétorqua-t-elle, peut-être parce qu'elle était incapable de décrire ce qu'elle avait ressenti, ni d'admettre la force de sa propre volonté. Pour la première fois, les serpents l'avaient mordue. Le reconnaître n'était pas une petite défaite, et il savait qu'il en était en partie responsable. « Je crois qu'il faut que nous nous trouvions du temps pour être ensemble », lui annonça-t-il. Ainsi revint-il dans sa vie. Ce fut leur premier été entier sur Skorpios, et le plus intime de leur histoire.

Panaghis Vergottis fut du nombre de leurs visiteurs estivaux et ils discutèrent souvent de la question des investissements de Maria. Suivant leurs critères, elle était dans une situation financière catastrophique. Elle ne pourrait maintenir son train de vie si elle n'avait pas plus d'argent et ses ressources ne devaient pas dépendre de celles de sa voix. Quand des armateurs parlent investissement, cela signifie inévitablement qu'ils parlent bateaux. On s'accorda sur le fait qu'elle devait devenir propriétaire. (Dans leur enthousiasme, ils baptisèrent leur entreprise Opération Prima Donna.) Le 2 septembre, Vergottis apprit à Londres que le chantier naval espagnol Astilleros y Talleres del Noroeste n'avait pu livrer à temps un vraquier de vingt-huit mille tonnes et que l'armateur en avait profité pour faire jouer la clause d'annulation du contrat et se retirer d'un marché en déclin. Le navire était en vente pour 4,2 millions de dollars. Vergottis en offrit 3,6, dont un quart au comptant et le reste sur huit ans.

Il prit le vol de nuit pour Athènes. Le lendemain matin, il appelait le *Christina* de l'hôtel de Grande-Bretagne et racontait à Ari ce qu'il avait fait. Comme il était en route pour la demeure familiale sur l'île de Céphalonie, il suggéra de faire une escale spéciale pour discuter de la situation. « Il nous faut examiner ça attentivement, dit Ari à Maria. Depuis cette foutue histoire de bateaux américains, je me suis donné pour principe de ne jamais acheter les restes de quelqu'un. »

Les conditions étaient déjà fixées : la Callas achèterait 25 p. 100 du capital de la société (Overseas Bulk Carriers, compagnie libérienne formée à New York avec un capital réparti en cent parts au porteur), Vergottis acquerrait 25 p. 100 et Ari 50. Ce dernier ferait cadeau de 26 p. 100 de ses titres à Maria, ce qui garantirait à cette dernière une participation de 51 p. 100 dans un navire géré par Vergottis. Selon Ari, la répartition avait été suggérée par Vergottis, qui était poussé par le désir, raconte Onassis, « de la protéger au cas où je mourrais, par rapport aux héritiers, aux complications, etc. » Tout cela un jour serait la matière d'un scandale qu'un tribunal anglais serait chargé d'éclaircir. A présent, il s'agissait seulement de décider s'ils devaient foncer au cas où l'offre serait acceptée.

Vergottis arriva le lendemain, accompagné de Charles Graves, un écrivain auteur d'une histoire de Monte-Carlo. Tout le monde était de bonne humeur. Ari, dont l'antipathie envers Rainier tournait à l'obsession, abreuva Graves d'histoires déplaisantes sur son compte et, selon l'écrivain, le défia « de manger un de ces yeux d'agneau qui constituent une sorte de hors-d'œuvre grec ». Il fut décidé de maintenir l'offre de Vergottis et le 9 septembre le chantier naval fit une contre-proposition, supérieure aux 3,6 millions mais nettement inférieure au prix original. Vergottis réduisit son offre à 3 millions et les pourparlers tournèrent court. Quelques semaines plus tard, il retrouvait Ari à Londres. « Tu sais que le bateau est toujours à prendre. Personne n'en veut. Si on essayait encore un coup ? » Ari lui dit d'en offrir 3,4 millions « et pas un penny de plus. S'ils acceptent, tant mieux. Sinon, laisse tomber ». La vente fut signée le 27 octobre, aux conditions d'Ari. Trois jours plus tard, les nouveaux associés fêtaient chez Maxim's le lancement de leur entreprise commune. Quoique la répartition des parts de l'*Artemision II* (comme s'appelait à présent le navire) n'ait pas encore été mise par écrit, on but à la « triomphale » Opération Prima Donna, et l'on souhaita la bienvenue à Maria dans le cercle des armateurs. C'était un monde et un rôle qui lui plaisaient. Elle était fascinée par les discussions financières et elle écoutait pendant des heures Ari et Panaghis analyser les marchés et discuter des possibilités d'affaires.

Malgré ses professeurs avisés et son vif intérêt pour ce qui touchait à l'augmentation de sa cagnotte, Maria s'embrouillait souvent dans ses affaires et se perdait dans les détails. En route vers le Japon, l'*Artemision* subit une avarie de moteur, ce qui apparemment convainquit Vergottis que c'était « un bateau malchanceux ». Le 8 janvier 1965, au cours d'un autre dîner chez Maxim's, alors qu'Ari était à Athènes, il proposa à la Callas de changer les termes de leur association en convertissant les 168 000 dollars d'investissement dans la Overseas Bulk Carriers en prêt pur et simple, à 6,5 p. 100 d'intérêt. Elle se réjouit à l'idée de « gagner plus que ce qu'elle recevait à l'époque pour ses dépôts dans les banques suisses ». Elle pourrait, bien entendu, retrouver les 25 p. 100 d'actions quand elle le désirerait. Plus tard, elle racontera qu'il lui avait déclaré : « Comme je t'aime beaucoup, je crois que c'est la meilleure façon de s'y prendre... si, ce dont je doute, le navire ne rapportait pas, tu pourras toujours te retirer, et tu auras gagné les intérêts. » Elle répondit : « Merci beaucoup, Panaghis, c'est très gentil à toi. »

Ari avait déjà transféré vingt-six de ses parts dans la compagnie libérienne au nom de son amie ; les 24 p. 100 restants furent répartis entre quatre de ses neveux. Même si, sur le papier du moins, il n'avait plus aucun intérêt dans l'*Artemision II* et dans Overseas Bulk Carriers, il fut très mécontent quand Maria lui parla le lendemain à Athènes des derniers changements. « Je ne savais pas très bien m'expliquer — d'un point de vue technique, je ne sais pas expliquer ces choses, Votre Honneur », racontera la Callas à un juge anglais, en reconstruisant la conversation dans un style plus guindé. « Je me souviens de la réaction de M. Onassis. Il n'aimait pas cela, mais il a dit : "Pourquoi M. Vergottis a-t-il fait cela ? Ce n'est pas utile. — Peu importe, M. Onassis, ai-je dit, ne blessons pas les sentiments de M. Vergottis. Il fait de son mieux pour me rendre service. Au bout du compte, je gagne 6,5 p. 100, alors n'est-ce pas, il n'y a pas de problème et quand vous irez là-bas, vous lui en parlerez.'' » Malgré la curieuse réaction d'Ari à cet arrangement, il est peu probable que Vergottis ait cherché à abuser la cantatrice : immensément riche, il avait lancé l'affaire par affection pour elle. Il n'y avait pas de motif rationnel à un comportement qui lui aurait inévitablement fait perdre l'amitié de Maria et celle d'Ari, qui lui faisait confiance depuis trente ans.

Plusieurs mois passèrent. La bagarre d'Ari avec Rainier continuait et la question des actions de l'*Artemision II* était le cadet de ses soucis. En mars, Maria alla donner deux représentations de la *Tosca* au Metropolitan Opera, et quoique la présence de Jackie Kennedy fît l'essentiel des titres consacrés à ces soirées, le public fut transporté par la prestation de la cantatrice*. Mais comme le mois de mai approchait et avec lui la première de *Norma* à l'Opéra de Paris, des pressentiments funestes l'assaillirent. Plus le temps passait et plus elle craignait que les parts que lui avait données Ari sur l'*Artemision* fussent une sorte de cadeau d'adieu —ce qu'elles étaient en fait, même s'il ne voulait pas encore l'admettre. Elle était incapable de se dégager des mauvais souvenirs laissés par sa dernière représentation à l'Opéra un an auparavant. Son angoisse se transforma en terreur pure le soir de la première. Bourrée de vitamines et de tranquillisants, elle vint à bout de la première représentation. Après, ce fut une lente dégringolade. Sa loge était pleine des fleurs d'Ari, mais cette fois, il ne vint pas. Le 29 mai, pour la dernière, elle alla jusqu'au bout de son courage. A la fin du troisième acte, elle s'effondra et fut transportée inconsciente dans sa loge. Quatre-vingt-dix minutes plus tard, dans un état de stupeur, elle dit à la foule de ses admirateurs rassemblés dans les coulisses : « Je sais que je vous ai laissés tomber. Je suis infiniment navrée. Je vous promets à tous qu'un jour je reviendrai gagner mon pardon et justifier votre affection. »

Elle partit pour la retraite de Skorpios. Elle avait besoin d'un autre été comme celui de 1964. Mais elle ne l'aurait pas. L'attitude d'Ari envers elle n'avait jamais été aussi odieuse. «La plupart du temps, raconte un ami présent à l'époque, il l'ignorait totalement, comme si elle n'avait pas été là. Puis tout à coup il

---

* Les critiques étaient plus mitigées. « Son soprano, qui à aucun moment n'est apparu comme un instrument savoureux, n'était la semaine dernière qu'un écho faible et souvent vacillant de la voix qui (a électrisé) le Met en 1958. Ses aigus étaient stridents et douloureusement incertains... La Callas comptait plus sur des effets dramatiques que sur sa virtuosité vocale pour réussir sa prestation », écrivait le *Time Magazine* du 26 mars 1965.

explosait dans une rage terrible contre elle pour une raison que personne ne pouvait deviner. » Plusieurs invités s'enfuirent sous divers prétextes, pour ne pas être témoins de la détresse de Maria. « Mais on savait qu'ils avaient toujours du plaisir à coucher ensemble, même quand ils se disputaient. Rien qu'à les regarder, on savait qu'ils faisaient bien l'amour. Mais maintenant Ari se conduisait comme s'il ne supportait plus sa présence », raconte un visiteur qui quitta l'île dès le début de l'été.

Mais tandis que certains s'indignaient et s'effrayaient de la manière dont il traitait la Callas, d'autres continuaient d'être sensibles au côté séducteur et délicat de sa nature. La mort de Sir Winston Churchill au début de l'année 1965 le bouleversa profondément. Il avait certes utilisé le vieil homme d'État à ses propres fins, mais il s'était pris d'une amitié sincère et sans calcul pour lui. Lors des funérailles, pendant le service religieux à la cathédrale Saint-Paul, son chagrin était si visible (son mouchoir de soie était trempé longtemps avant le début du service) que Nonie Montague Browne tenta de le calmer en lui faisant prendre un tranquillisant qu'il eut de la difficulté à avaler. « Il sanglotait comme un gosse », dira un éminent diplomate du Foreign Office, qui trouva ses démonstrations « un peu vulgaires... il n'y a pas d'autre mot ». Après le service, Nonie, dont le mari accompagnait le cortège jusqu'à Bladaon, accepta l'invitation d'Ari qui lui proposait de la raccompagner. Il ordonna au chauffeur de s'arrêter au premier pub sur le Strand et insista pour qu'ils y aillent tous, le chauffeur compris, prendre un cognac. Tandis qu'ils parlaient des moments qu'ils avaient partagés avec le grand homme, Nonie songea qu'Ari était devenu pour elle « un vrai ami, chaleureux et compréhensif ». Quand elle l'avait rencontré, dix ans plus tôt, dans un night-club de Monte-Carlo, il avait « à peine fait attention à elle » déployant tous ses charmes pour M. Montague : à l'époque, il « courait après » Churchill, se rappela-t-elle avec un pauvre sourire. Depuis lors, elle avait révisé la pauvre opinion qu'elle avait eue de lui. Elle se souvenait d'un voyage au Maroc au cours duquel on avait apporté à bord d'antiques caftans offerts à la convoitise des passagers. Après avoir jeté un coup d'œil aux prix, les Montague Browne s'écartèrent discrètement. Plus tard, Ari, s'écria, d'un air surpris : « Oh, mon Dieu, nous avons acheté trop de ces robes... Oh, Nonie, il y en a peut-être une qui vous irait ? » C'était, songea-t-elle, typique de sa gentillesse, de sa sensibilité.

Cependant, depuis Skorpios, il continuait de guerroyer contre Rainier. « Il se conduisait comme un souverain féodal qui croyait que les complots contre lui seraient aisément déjoués pourvu que le palais soit tenu à l'écart et qu'il puisse surveiller de près les allées et venues de ses courtisans », dira un banquier parisien qui, en trois mois, « au plus fort de la bataille », fut convoqué vingt-trois fois à Skorpios. « Si Rainier s'imaginait qu'Ari était hors du coup, enterré dans sa citadelle insulaire, il se trompait. Ari possédait le meilleur réseau de renseignement qu'on pouvait avoir avec de l'argent. Rainier ne bougeait pas le petit doigt sans qu'Ari en soit averti. »

Rainier faisait maintenant cavalier seul et se révélait fin politique. Mais quarante-huit heures après qu'il eut donné son accord pour l'émission au nom de la principauté, de six cent mille actions non cessibles de la SBM, opération qui réduisait en fait les 52 p. 100 d'Ari à moins d'un tiers, ce dernier avait sur son bureau de Skorpios un rapport exposant tous les détails de l'entreprise. Ce fut la Callas qui essuya le plus gros de sa colère. Il lui fallut plusieurs jours avant de se calmer assez pour réfléchir à une contre-attaque. Le « gambit de Lausanne » (l'affaire avait été mise au point par un professeur de droit de Lausanne) était soigneusement pensé pour éviter toute assimilation à une nationalisation, ce qui aurait fait mauvais effet de la part d'un prince. « Nous avons calculé que le transfert de valeurs pour la création d'actions avait mis la trésorerie de Rainier dans le rouge, ou tout près, vraiment tout près. C'était un coup de poker très très gros, a raconté un banquier français de l'équipe d'Ari. Cela rendait le prince très vulnérable. Ari nous a demandé de répandre la rumeur que Rainier s'apprêtait à exproprier les 450 000 parts originales encore aux mains de personnes privées, et d'inciter les porteurs de parts à organiser des comités d'action et des groupes de pression. C'était monstrueux, répréhensible et salement efficace. »

La Callas ne songeait qu'au film que Franco Zeffirelli voulait tourner avec elle sur *La Tosca*. Exactement ce dont elle avait besoin « pour exorciser ses démons », comme lui dit Vergottis (elle l'avait vu en août à Londres, quand il enterrait son frère). Les producteurs allemands étaient emballés, l'argent était là, Tito Gobbi partagerait l'affiche avec elle. Encouragée par l'enthousiasme de Vergottis pour le projet et provisoirement hors de l'influence d'Ari, elle pressa le mouvement. Mais à la dernière réunion avec les producteurs, elle déclara qu'elle voulait qu'Ari examine les conditions de l'accord. Et alors qu'il semblait désirer par-dessus tout se libérer d'elle, Ari manifesta la plus grande détermination à saboter l'affaire. Ses exigences, son refus de tout compromis, sa propension à faire des scènes anéantirent tout espoir d'aboutir à un accord sérieux. Un moment, il offrit de racheter les droits aux Allemands et de produire lui-même le film avec la Callas et son agent Sander Gorlinsky. Fatigués de toute l'affaire, les producteurs acceptèrent et une nouvelle série de pourparlers débuta. Et échoua. En octobre, Maria annonçait qu'elle n'était plus intéressée par l'idée de faire un film.

La déception de Vergottis, à la fois en tant qu'ami et en tant que mélomane, fut cuisante. L'idée que Maria n'avait pas tenu compte de ses conseils le blessait profondément. Il la supplia de changer d'avis ; il croyait que cette *Tosca* serait le couronnement de la carrière de la cantatrice. Il avait soixante-quinze ans et « priait chaque soir pour vivre assez pour voir la réalisation » de ce film. Quoique en surface rien n'eût changé entre les trois amis, Vergottis était consterné par le comportement d'Ari. Il ne pouvait comprendre pourquoi il s'était donné tant de peine pour flanquer la pagaille. (Par la suite, il en viendrait à penser que, Maria ayant rejeté le film qu'Ari avait mis sur pied avec Carl Foreman, Ari était décidé à empêcher tout autre film.) On n'a jamais su ce que Vergottis avait pu dire ensuite à Maria ; ce qui est certain, c'est qu'il ne devait jamais lui pardonner sa réponse. (« En procédant uniquement par allusions et insinuations, l'un des avocats anglais de la cantatrice suggère qu'elle avait fait une remarque qui revenait à « une violente accusation d'intimité homosexuelle entre Onassis et Vergottis dans les années trente. ») Elle écrivit immédiatement une longue lettre à Panaghis pour lui expliquer qu'elle était soumise à une terrible tension et qu'elle avait beaucoup de chagrin quand elle voyait le mal qu'elle avait fait à leur amitié. (« Veut-on une lettre dans laquelle Mme Callas a fait amende honorable pour le mal qu'elle aurait pu causer à M. Vergottis ? Alors, c'est cette lettre-là. L'amende honorable y est bel et bien », observera un juge britannique.) Vergottis ne répondit pas. Il refusa de la prendre au téléphone quand elle l'appela de Paris. Il était inconsolable. Aigri par l'âge, les ennuis de santé et le sentiment d'une trahison, il retira les photos de la Callas et d'Ari de sa suite du Ritz de Londres.

Le 25 novembre, un an après le dîner de fête célébrant leur association et six jours après avoir reçu un chèque de 5 460 dollars représentant le deuxième versement des intérêts de son prêt à la Overseas Bulk Carriers Corporation, Maria décida de convertir ce prêt en 25 parts et pour ce faire, câbla à Vergottis Ltd à Londres : « Par la présente je vous notifie que j'ai décidé ce jour de vous demander de convertir le prêt non garanti de 60 000 livres (168 000 dollars) que je vous ai consenti, en 25 p. 100 de parts du *M/S Artemision* suivant l'option accordée verbalement par votre président, M. P. Vergottis, eu égard au prêt accordé. Veuillez émettre le certificat correspondant à ces 25 parts et me l'adresser 44, avenue Foch, Paris. Maria Callas. »

La réponse de Vergottis fut brève : « Suite votre télégramme rejetons votre demande comme totalement sans fondement. »

Les réactions d'Ari à la plupart des événements étaient intuitives, rapides et directes mais quand la Callas lui raconta ce qui était arrivé, il lui conseilla la patience. Il n'avait aucun intérêt légal en l'affaire et il tenait beaucoup à garder ses distances avec la Callas. Quand il finit par intervenir, ce ne fut pas tant pour obéir à sa conscience qu'à son orgueil. Pendant plusieurs semaines, il avait fait pression sur Vergottis pour qu'il porte le différend devant l'arbitrage de quelques personnages bien connus du milieu londonien des armateurs grecs, ou à défaut, d'un groupe d'avocats indépendants. « Je crois que nous devrions éviter la publicité d'un procès, tu ne penses pas ? » répétait-il à Vergottis, car il savait que la publicité était ce que les Grecs de l'ancienne génération détestaient par-dessus tout. Mais il perdit tout espoir d'éviter un règlement judiciaire le soir où il rencontra par hasard Vergottis dans la salle à manger du Claridge. Ce dernier finit par brandir une bouteille de cognac en criant : « Va-t'en d'ici ou je te la balance ! » Le décor était planté pour un drame qui, suivant le mot d'un juge, avait « nombre d'éléments d'une tragédie de Sophocle ».

« Perdre ou non la face : c'était cela qui se trouvait à la racine de l'affaire — non pas le bateau, l'argent, les actions. Rien de cela ne comptait. C'était une sorte de catharsis, au fond une affaire de sexe. C'était la bonne bagarre sportive que tout procès devrait être. Et ils pouvaient tous se l'offrir. Il n'y avait pas de loi qui s'appliquât à ce cas. Le juge devait simplement décider qui était le plus crédible », dira plus tard un éminent juriste. « Notre vieux gentleman était convaincu qu'ils lui avaient fait un sale coup », expliquera l'un des avocats de Vergottis, mais je devais être aussi prudent avec ce que me disait un armateur grec que je l'aurais été avec le dernier habitant du sous-continent indien. Je lui ai assuré que si sa version était acceptée, il gagnerait, c'était aussi simple que cela. Malheureusement, Vergottis n'avait aucun charme. Onassis n'était que charme. Le milieu des armateurs n'aimait pas du tout Onassis. Il respectait profondément notre vieux gentleman. »

L'affaire fut examinée le 17 avril 1967 par M. Roskill, présidant un tribunal royal londonien. L'audience tombait mal, alors qu'Ari se remettait à peine de la défaite finale qu'il avait subie à Monaco. Au motif que la manœuvre était anticonstitutionnelle, il avait attaqué devant la Cour suprême de la principauté la décision de Rainier de créer six cent mille parts de la SBM. En mars, le tribunal avait rendu un arrêt en faveur du prince. Pour Ari les jeux étaient faits. Il avait été l'homme le plus puissant de la principauté, le roi de Monte-Carlo, et maintenant il n'était qu'un gros ponte parmi d'autres. Il revendit à Monaco sa participation pour 9,5 millions de dollars en criant qu'on l'avait volé comme au coin d'un bois et partit vers d'autres horizons. Claude de Kemoularia, principal négociateur et tacticien du prince, recruté d'urgence auprès du Trésor français, ne tenta même pas de dissimuler sa jubilation. « S'il avait accepté notre offre six mois plus tôt, il serait bien plus riche aujourd'hui, et drôlement plus content. Mais le vrai plaisir est de le battre. Personne n'avait jamais réussi à le coincer jusqu'à maintenant. » Dans son for intérieur, Ari prit fort mal la perte de Monte-Carlo. Mais il avait toujours surmonté ses déceptions grâce à de nouvelles confrontations, de nouvelles lois à manipuler, de nouvelles personnes à charmer et à conquérir. Tout cela il le trouva dans un tribunal anglais.

Les journalistes de la presse à sensation avaient du pain sur la planche. Dans la sèche terminologie des recueils de jurisprudence anglaise, l'affaire fut enregistrée ainsi :

« Onassis et Calogeropoulos C/V. Vergottis.

« Contrat. Option. Parts d'un navire. L'une des parties a-t-elle fourni de l'argent à titre de prêt ou pour l'achat de parts dans le navire ? »

Portant une robe écarlate et un turban blanc des années vingt, le visage lourdement maquillé, la Callas fit son entrée au bras d'Ari. On aurait dit qu'ils allaient assister à une première élégante. La déclaration préliminaire de l'avocat des plaignants, Sir Milner Holland, donnait un avant-goût du drame à venir. « Je suis au regret de dire que M. Vergottis a déclaré que si M. Onassis ou Mme Callas (elle avait beau avoir porté plainte sous son vrai nom*, on l'appela tout au long du procès Mme Callas) osaient apparaître dans le box des témoins, ils seraient confrontés à un énorme scandale, au tribunal et dans la presse. Il est peut-être naturel que M. Onassis ait traité cette menace de chantage et peu naturel que M. Vergottis en ait ri. La brèche entre ces deux gentlemen et entre Mme Callas et M. Vergottis n'a pas été comblée depuis lors. »

M. Peter Bristow, conseil de Vergottis, venait tout juste de prendre la soie** et l'affaire remplissait les pages des journaux, du *Times* aux gazettes populaires . « Onassis et la cantatrice attaquent un contrat de plus d'un million de livres » ; « Une histoire de chantage jouée par la Callas ». C'était pour lui une occasion en or de s'illustrer. Devant les allégations de fraude, de trahison et de crime qui hantaient l'affaire, et le parfum troublant des histoires de sexe et de jalousie à l'origine de la procédure, Bristow (futur juge de la Haute Cour) s'employa à établir la nature exacte des relations entre Ari et la Callas. Il y eut de nombreux échanges semblables à celui-ci :

---

* Mal orthographié dans tous les documents du procès.
** Terme du jargon judiciaire anglais qui indique qu'un avocat (*barrister*) jouit de la haute estime de ses pairs et est autorisé à porter une robe de soie, étape d'une carrière qui aboutit au titre de conseiller de la reine.

« Après que vous avez fait la connaissance de Mme Callas, vous êtes-vous séparé de votre épouse et Mme Callas s'est-elle séparée de son mari ? — Oui, monsieur. Rien à voir avec notre rencontre. Pure coïncidence. — Considérez-vous qu'elle aurait auprès de vous une position équivalente à celle d'une épouse, si elle était libre ? — Non. Si tel était le cas, je l'épouserais sans difficulté, comme elle n'aurait aucune difficulté à m'épouser. — Est-ce que vous estimez avoir envers elle d'autres obligations que celles d'une simple amitié ? — Aucunement. »

Quand on lui suggéra qu'il avait dressé la Callas contre Vergottis (un homme qui, reconnut-elle, avait été « plus qu'un père » pour elle), Ari répondit du tac au tac : « Mme Callas n'est pas un véhicule que je conduirais. Elle a ses propres freins et sa propre direction. » Maria reconnaissait la nécessité d'être prudents et de répondre de manière opportune, et nul ne savait être plus fuyant qu'Ari quand il le voulait. Mais sa désinvolture tranquille vis-à-vis de leurs relations porta un nouveau coup à son orgueil. Le rejet de toute obligation envers elle allait plus loin que la discrétion de rigueur en matière judiciaire : il effaçait le passé, c'était une déclaration d'intention publique. (« Ce ne fut pas un procès, dira-t-elle plus tard, mais un service funèbre. ») Quand ils étaient amants, tout était possible. L'avenir s'annonçait bien plus triste. Et pourtant elle était toujours incapable de le quitter. Ce fut une faiblesse que l'avocat de Vergottis exploita : « Vous nous avez dit que vous êtes toujours mariée à votre époux, qui est en Italie ? » D'après la loi italienne, répondit-elle, elle était toujours « tout à fait mariée » à Meneghini. Mais on lui faisait perdre son sang-froid, avec ces questions : « Nous sommes ici à cause de vingt-cinq actions que j'ai payées, non pas à cause de mes relations avec un autre homme. »

Sa popularité diminuait un peu plus chaque jour tandis que, sous les regards du monde entier, elle détruisait, de concert avec un amant riche et puissant, un vieil homme malade (son médecin ne le quittait pas) qui avait été un ami et presque un père pour elle. Mais Maria était un témoin convaincant, au contraire de Vergottis. La santé visiblement défaillante, éprouvant la conviction amère d'avoir été victime d'une conspiration, il suivait le procès avec des émotions désordonnées, et ses éclats incontrôlables (il se répandait alors en insinuations et en remarques venimeuses avant que son avocat ou le juge aient pu le faire taire) n'étaient pas pour arranger les choses. « Est-ce pure coïncidence si les 60000 livres qui à vous en croire sont un prêt, correspondent exactement à la somme nécessaire pour l'achat de 25 actions ? » demanda Sir Milner Holland, conseil de la Callas et d'Ari. Ce n'était nullement une coïncidence, répondit Vergottis. « Je suis coinvaincu que c'est ce qu'il (Onassis) avait en tête pour me piéger. J'ai entendu tant d'histoires après cela, à vous faire dresser les cheveux sur la tête... des choses qu'il a faites et comment il a démarré. J'ai été en Grèce et j'ai enquêté sur beaucoup de choses. Son âme est noire comme le charbon. »

Au terme des dix jours d'audience, Ari était sûr que la Callas et lui « gagneraient avec un kilomètre d'avance », alors que les avocats des deux côtés savaient que le vainqueur l'emporterait bien plutôt d'un cheveu : « Le juge devait simplement décider qui arrivait en deuxième position », dira un des praticiens du barreau. M. Roskill alla au cœur de la question en résumant l'affaire : « Il n'y a pas moyen d'échapper — on eût aimé qu'il existât un tel moyen — au fait qu'un faux témoignage a été commis soit d'un côté, soit de l'autre. Si la défense a raison, il n'est pas douteux que M. Onassis et Mme Callas se sont concertés pour, qu'on me pardonne le terme, "monter un coup" contre M. Vergottis. » Si Onassis et la Callas disaient la vérité, poursuivit-il, alors il était clair que Vergottis avait « menti et menti plus d'une fois ».

Le verdict donnait tort à Vergottis. Il lui fut ordonné de transférer les actions contestées au nom de Mme Callas. Il était condamné aux dépens, soit quelque quatre-vingt-sept mille dollars. Contre l'avis de son défenseur, Vergottis fit appel et gagna. Lord Denning, président, et ses assesseurs Lord Salmon et Lord Edmund Davies, jugèrent que M. Roskill « s'était abusé » en acceptant l'idée que la rapacité et l'avarice avaient poussé Vergottis. L'affaire devait être rejugée. La Callas et Ari firent immédiatement appel contre cette décision devant la plus haute juridiction anglaise, la Chambre des lords. Le jour où l'on apprit cette démarche, Ari téléphona à Vergottis au Ritz : « Il y a peu de gens de ton âge, Pan, qui sont obligés de s'inquiéter pour deux Jugements derniers. — Je m'occupe du deuxième, rétorqua Vergottis, toujours alerte à soixante-dix-huit ans, le premier, c'est toi qui dois t'en inquiéter. »

« Personne ne gagne jamais devant un tribunal. Quand on a de la chance, on est moins blessé que l'adversaire », dira Ari. Il lui faudrait attendre dix-huit mois pour savoir « s'il arrivait deuxième ».

Cet été-là, la Callas et Ari retournèrent à Skorpios, bien qu'ils ne fussent pas dans les meilleurs termes. Portés par une volonté commune contre Vergottis, leurs esprits avaient partagé un moment d'unité ; leurs cœurs n'avaient jamais été aussi éloignés. A la veille de leur retour à Paris, au cours du dîner, ils se parlèrent comme s'ils savaient tous deux qu'ils avaient passé ensemble leur dernier été. « Le seul moyen d'être libre, c'est de n'aimer personne », dit Ari. Elle pensait que « c'était trop cher payer » sa liberté. Selon un des cinq ou six invités de ce dîner, il lui demanda à quoi elle aspirait le plus. « Je désire seulement être en accord avec moi-même », répondit-elle. Dans les mois qui suivirent, ils se virent très peu. Elle passait des semaines entières cloîtrée dans son nouvel appartement de l'avenue Georges-Mandel.

CHAPITRE 13

L'amour est riche de miel et de
fiel à la fois.

PLAUTE.

Le secret était au cœur des plus sérieuses ambitions d'Ari (« Il a réussi plus de coups en cachant ses intentions qu'en essayant de découvrir ce que ses adversaires avaient dans la caboche », disait Meyer) et ce fut dans le plus profond et le plus durable des secrets qu'il continua de voir Jackie Kennedy durant ses années de deuil. Considérée toujours par le public comme la veuve de Kennedy, elle le recevait dans son duplex de la 5e Avenue. Les voyages de Jackie avec le veuf David Ormsby-Gore, avec Lord Harlech, vieil ami de la famille et ancien ambassadeur britannique aux États-Unis, et avec Roswell Gilpatric, ancien sous-secrétaire d'État à la Défense dans le gouvernement Kennedy, ses sorties avec des hommes comme Arthur Schlesinger Jr, Mike Nichols et des homosexuels chic comme Truman Capote, ses déjeuners sur la côte basque avec différents aristocrates, banquiers et hommes politiques, tout cela avait certes suscité bien des spéculations et alimenté les potins journalistiques, mais ce furent ses tête-à-tête clandestins avec Ari, ces rencontres que nul n'observait, nul ne remarquait, ces entrevues *impensables* qui prirent la tournure d'une relation solide. (« Elle s'y entendait dans l'art de plaire à des hommes comme Ari et le flirt faisait certainement partie de sa tactique, dira un collaborateur de la société Olympic. Je suis sûr qu'ils n'étaient pas encore amants. ») Le soir où elle lui rendit visite avenue Foch, il consigna ses domestiques dans leurs quartiers et servit lui-même le dîner. « Ari adorait tout ça, la clandestinité de l'aventure avec quelqu'un d'aussi important que Jackie, » dira un ancien dirigeant d'Olympic à Paris. S'il tenait au secret, c'était aussi parce qu'il craignait qu'avertis de son intimité croissante avec Jackie et de la profondeur de la gratitude qu'elle lui manifestait pour sa gentillesse, les Kennedy ne mettent fin sans tarder à la relation. Il savait que c'était sans la moindre trace d'affection que Bobby Kennedy l'appelait « le Grec » et le décrivait comme un « fieffé escroc de haut vol ». Il savait qu'il ne gagnerait pas dans une confrontation ouverte avec Bobby, qui avait pris la direction du clan Kennedy après la mort de son frère et qui avait consacré tant de temps à consoler et à conseiller Jackie que l'on avait commencé à cancaner. « C'est terrible, le temps qu'il passe avec la veuve », avait fait observer Eunice Kennedy Shriver à la femme de Bobby, Ethel.

Avec l'instinct de l'homme politique, Bobby avait vu le danger que représentait Jackie : il n'était pas raisonnable d'attendre d'une femme de trente-sept ans qu'elle se voue éternellement à un pur et vertueux veuvage et cette inquiétude le rendait de plus en plus nerveux au fur et à mesure qu'approchaient les primaires démocrates de 1968 et qu'il hésitait à déclarer sa candidature. Jackie avait certes fait de son mieux pour se tenir à l'écart du reste de la famille, pour mener sa vie et élever ses enfants hors de l'emprise du clan Kennedy, mais l'influence de Bobby sur elle restait considérable. Elle était une Kennedy. Elle ne pouvait avoir de liaisons privées sans conséquences publiques.

Ari tenait par-dessus tout à éviter une révélation prématurée de ce qui se passait entre Jackie et lui. Il est remarquable que Bobby n'ait pas découvert l'importance de l'attachement de sa belle-sœur pour « le Grec ». « Je suppose que la seule incongruité de la chose leur a été bien utile pour dissimuler si longtemps ce qui se passait, observera un ancien membre de l'appareil Onassis. Comment est-on censé deviner ce qui est par nature incompréhensible ? »

Jackie se trouvait à Mexico quand elle apprit que Bobby se lançait dans la course à la présidence. Cela réveilla ses vieux pressentiments ; elle était convaincue que s'il parvenait à la Maison Blanche, il mourrait de la même manière que son mari. (« Sais-tu ce que je pense qui va arriver à Bobby ? demanda-t-elle à Arthur Schlesinger Jr. La même chose que ce qui est arrivé à Jack... Je l'ai dit à Bobby, mais il n'est pas fataliste, comme moi. ») Elle prépara consciencieusement la déclaration nécessaire à la presse : « Je serai toujours avec lui de tout mon cœur. Je le soutiendrai toujours. » Elle savait qu'elle ne pourrait plus longtemps s'abstenir de lui raconter où en étaient désormais ses relations avec Ari, et où elles allaient. On avait rapporté ses dîners avec « le Grec », parfois en compagnie de Rudolf Noureev et Margot Fon-

222

teyn ; parfois avec Christina — au El Morocco et au 21, au Dionysos et au Mykonos à New York. « Tout ce que vous faites doit être publié dans le monde entier maintenant, dit Noureev. Etre à ce point public n'est pas bon pour l'âme. — Oh, répondit-elle, ce sont toujours des constructions fantaisistes. L'essentiel reste hors de portée. »

En mars, quelques jours après que Bobby eut annoncé une candidature qui l'enfonçait jusqu'au cou dans les luttes de factions entre conservateurs soutenant l'escalade de Johnson au Viêt-nam et libéraux opposés à la guerre et divisés, Ari décida que « maintenant que le garçon avait d'autres chats à fouetter », il était temps de découvrir un peu plus aux yeux du monde son intérêt pour Jackie. Lors d'un cocktail au George V à Paris, il avoua que toute sa vie il avait cherché la femme idéale et qu'il avait toujours été déçu. Et Garbo ? Eva Peron ? La Callas ? Il répondait par un sourire, un haussement d'épaules, un sourire encore. Et Jacqueline Kennedy ? « C'est une femme totalement incomprise. Peut-être même ne se comprend-elle pas elle-même. On la présente comme un modèle de dame convenable, pleine de constance et de toutes ces ennuyeuses vertus de la femme américaine. La voilà totalement dépourvue de mystère. Elle a besoin d'un brin de scandale pour retrouver l'élan vital. Une peccadille, un écart de conduite. Il faudrait qu'il lui arrive quelque chose qui réveille notre compassion. Le monde aime s'apitoyer sur la grandeur déchue. » En rentrant chez lui à la fin de la soirée, il dit à Meyer : « Voilà qui devrait mettre un peu d'animation à Hickory Hill*. »

En apprenant les propos d'Ari, Bobby comprit ce qu'ils sous-entendaient et fit ce geste du poing droit frappant la paume gauche, qui était chez lui le signe d'une grande fureur. Mais il retrouva son calme quand Jackie mit les choses au point, de cette voix qu'un jour la Callas avait malicieusement décrite à Ari comme celle d'une « Marilyn Monroe jouant Ophélie ». « Jackie n'est pas quelqu'un chez qui la passion est une force irrépressible », remarquait une amie qui pensait aussi que la « grandeur déchue » était une notion qui lui échappait. Dans sa conversation avec Bobby, elle lui donna à entendre que le mariage n'était pas imminent mais que c'était une possibilité qu'elle ne rejetait pas. Chacun d'eux possédait quelque chose qui manquait à l'autre. « Je suppose que c'est de famille », observa Bobby, faisant allusion à l'ancienne liaison de Lee Radzwill. « Je pense que tu sais que ça pourrait me coûter cinq États », ajouta-t-il. L'idée que la Première Veuve du pays allait devenir la deuxième femme de M. Onassis était infini-

_____
* Demeure de Bobby sise à McLean, en Virginie, et achetée à John en 1947.

ment inquiétante. C'était une union lourde de conséquences embarrassantes, mais il savait que l'intransigeance serait une erreur et qu'il ne fallait pas courir le risque de s'aliéner la sympathie de Jackie à ce moment crucial de la campagne. Le soutien de la veuve de John Kennedy avait beaucoup d'importance. Et il était sincèrement ému par la situation de sa belle-sœur. Plus vulnérable et plus inquiète que ne le croyaient même ses intimes, elle était la proie d'une mélancolie que rien ne pouvait dissiper. L'assassinat avait été pour elle une expérience décisive ; la nuit elle rêvait qu'on la tuait et elle était hantée par la crainte que ses enfants soient enlevés ou qu'on leur fasse du mal. Aristote Socrate Onassis avait beaucoup à lui offrir, outre l'amour, le pain et des nuits sans cauchemars.

Avant d'épouser John Kennedy en 1953 et de devenir le parangon de la dame de Washington (avec une tendance à collectionner les factures de couturiers), Jackie s'était imposée comme membre de l'aristocratie américaine. Depuis le berceau, elle savait que l'argent a une odeur, car elle imprégnait l'atmosphère de son monde. Son père, John V. Bouvier III, dit « Jack le noir », agent de change de Long Island, ancien de l'université huppée de Yale, ne cessa jamais de mener sa vie à grandes guides, même quand l'argent et la santé lui firent presque totalement défaut. Il la gâtait terriblement. Les Bouvier divorcèrent en 1938, et quatre ans plus tard, Janet Bouvier épousait Hugh Auchincloss, un nom prestigieux depuis plus de sept générations dans la société new-yorkaise. Grâce aux relations d'Auchinclos et à la générosité de son beau-père (la participation de la famille au capital de la Standard Oil avait permis l'achat d'un domaine à McLean, en Virginie, et d'un autre à Newport), Jackie connut une vie peuplée de bals, de régates, de sports d'hiver et de voitures rapides. Avec l'élégante indifférence qui est l'apanage des riches jeunes filles, elle ne manifesta aucune surprise quand la chroniqueuse mondaine Cholly Knickerbocker lui décerna le titre de reine des débutantes 1947. Pour reprendre les paroles d'une amie qui assista à ce même « bal des debs » donné au Clambake Club de Newport, « elle était presque totalement inconsciente de la possibilité qu'il existe une autre façon de vivre que la sienne ». Après Dallas, si elle ne laissa jamais transparaître en public son désespoir, une aura de tristesse l'environnait, la sombre conscience de ce qui lui était arrivé. Dans le monde d'Ari, on eût dit qu'elle retrouvait un sol familier sous ses pieds : elle était de retour en des temps plus sûrs, dans une époque de splendeur.

Bobby indiqua qu'il lui serait plus facile d'accepter l'idée qu'Ari l'épouse une fois les tensions de la campagne terminées. Même si cette réponse restait dans les limites du réalisme politique — Ari n'était décidément pas présentable : trop levantin, trop vulgaire, trop proche du colonel George Papadopoulos, le dictateur de la Grèce —, c'était plus encourageant que Jackie ne l'avait espéré, et elle lui offrit avec reconnaissance de revenir provisoirement à la vie publique pour participer à la campagne. Elle promit d'attendre que les élections de novembre soient passées pour parler publiquement de ses projets d'avenir. Les intimes qui savaient à quel point on avait frôlé la catastrophe dans la « crise grecque » poussèrent un soupir de soulagement car même les femmes Kennedy qui ne l'aimaient pas reconnaissaient l'importance symbolique de la présence de Jackie. Aux fêtes de Pâques, elle prit l'avion privé d'Ari pour aller passer les vacances à Palm Beach avec ses enfants.

En mai, Jackie avait rendez-vous avec le *Christina* dans les îles Vierges. Aucun des hôtes d'Ari ne connaissait l'identité de la VIP attendue : « Nous avions seulement été prévenus que celui ou celle qui allait venir avait le pouvoir de faire partir quiconque ne lui convenait pas. » (Mais c'était purement théorique, puisqu'il était convenu que tous les invités, à une seule exception près, quitteraient la croisière à St. John pour rentrer à New York la veille de l'arrivée de l'inconnu.) Ari était depuis plusieurs jours sur les nerfs, « transpirant encore plus abondamment que d'habitude, selon un des invités. J'ai pensé qu'il y avait un énorme coup en préparation. Avant, quelle que soit l'importance de ce qu'il avait en tête, il était capable de le mettre de côté pour se concentrer sur les choses les plus futiles, dès qu'il était à bord du *Christina* ». Sa vanité finit par l'emporter sur sa discrétion. Peu avant l'heure du départ de ses invités, leurs spéculations s'arrêtèrent. Des photographies de Jackie et de John Kennedy avaient fait soudain leur apparition dans le salon et le fumoir ainsi que sur le bureau Louis XV de son cabinet de travail lambrissé de teck. « C'était toujours amusant de voir Ari opérer. Il avait un tel charme pervers, un flair impitoyable de chasseur. C'était sacrément efficace », raconte la seule invitée restée à bord, Joan Stafford. Elle s'appelait alors Joan Thring et était l'assistante personnelle de Noureev. L'humour froid et cinglant de cette séduisante Australienne, son naturel plaisaient à Ari. « Il pensait que c'était une femme formidable, le contraire d'une idiote. Il avait du respect pour la façon dont elle se débrouillait avec Rudi, qui pouvait donner du fil à retordre, racontera Meyer. Elle disait toujours à Ari ce qu'elle pensait, il n'y avait pas grand monde autour de lui pour en faire autant. »

Jackie arriva au petit matin, sans son garde du corps du Service secret. Elle portait une robe marron de chez Valentino et des lunettes noires relevées sur la tête. Selon le mot d'un steward qui assista à son arrivée, « elle avait l'air d'une dame qui prendrait rendez-vous chez sa manucure le jour du Jugement dernier ».

« Pour l'amour de Dieu, dit Ari à Joan, restez près d'elle. Ne la quittez pas d'une semelle. » Ari et Jackie ne seraient jamais libérés de la curiosité du monde. « Je ne veux pas qu'un enfant de salaud de voyeur aille prendre une photo où on ne verrait que nous deux, avec l'air d'être livrés à nous-mêmes. » Joan le soupçonnait de s'inquiéter davantage des difficultés qu'un cliché de couple lui attirerait du côté de la Callas que du mauvais effet que cela ferait sur le reste du monde.

Si Jackie songeait au mariage, « ils n'étaient certainement pas encore amants », dira Joan. Les femmes obtiennent parfois leurs informations par des voies surprenantes, mais ce sont les petits détails qui souvent fondent les plus fortes convictions. Un soir où Jackie avait commandé une bouillabaisse (Ari aimait raconter que c'était un plat inventé par Vénus pour régaler le beau Vulcain*) il apparut que la soupe n'était pas très bonne, et elle fut très malade. Son embarras était extrême. « Une femme qui a des relations sexuelles avec un homme n'a pas honte à ce point-là d'un malaise aussi humain et ordinaire qu'une nausée, commente Joan. Elle était suffisamment angoissée par ailleurs pour ne pas s'inquiéter de la légère intimité qui était née entre eux. C'était plutôt agréable en fait. Un peu d'innocence authentique à bord du *Christina*, c'était une chose rare. »

Chaque après-midi, à l'heure du thé, seul moment de la journée où ils étaient seuls, Jackie et Ari débattaient de la question du mariage. En mettant de côté les disparités potentiellement embarrassantes d'âge, de personnalité et de milieu, il leur fallait encore affronter quelques autres casse-tête. La question de la religion n'était pas l'un des moindres : une catholique romaine désireuse d'épouser un non-catholique, adultère aux yeux de tous et divorcé, cela créait plus que des problèmes spirituels pour Jackie. Ironie du sort, ce fut une sentence énoncée par John Kennedy lui-même qui aida sa veuve à vaincre le plus grave obstacle à l'entreprise : « Quand on met cartes sur table, avait-il dit un jour, l'argent compte plus que la religion. » Un des intimes des Kennedy dira : « Cette remarque a suffi à résoudre le dilemme théologique de Jackie, si elle en a jamais eu un. Plus qu'une excuse, c'était une *raison*, toute une philosophie. »

L'accord passé entre Bobby et Jackie laissait Ari sceptique. « Il a été bougrement trop arrangeant », s'inquiétait Ari. Il était convaincu que Jackie ne serait jamais maîtresse de son propre sort tant que Bobby aurait la passion de la politique « chevillée au corps ». Les Kennedy étaient bien incapables de mettre entre

---

* En fait, dans la mythologie classique, Vulcain-Héphaïstos était si vilain qu'Héra sa mère le précipita du haut de l'Olympe (*NdT*).

parenthèses leurs sentiments et leurs préjugés. Enfermé par John dans le rôle du méchant, Ari savait que l'opinion de Bobby ne pouvait que s'être détériorée depuis la mort du président. « Pour lui je ne suis qu'un salopard qui a soulevé la bonne femme de son frère décédé. Tôt ou tard, ça tournera au combat de coqs », dit-il à Meyer. Toutefois, à en croire Gratsos, si à la fin de la croisière Jackie refusa de donner une réponse claire et nette, ce fut moins par crainte des Kennedy que par coquetterie naturelle : « Elle savait bien qu'ils étaient d'accord mais elle avait promis à Bobby qu'elle ne ferait pas de vagues jusqu'à l'élection. Je pense qu'elle trouvait que ce serait intéressant de voir la lueur de l'incertitude dans les yeux d'Ari. C'était charmant. Le faire attendre, le maintenir sur des charbons ardents. »

Le jour même où Jackie rentrait à New York, Ari invitait Joan Thring à partager sa couche; elle déclina l'invite. « Il me pressait de questions au sujet de Jackie, en particulier au sujet de ses rapports avec David Harlech. Est-ce que je croyais qu'ils avaient été amants ? (C'était l'amourette n° 1 que lui prêtaient les gazettes pour l'année de l'élection — « le plus grandiose feuilleton romantique depuis Taylor et Burton, ou peut-être même depuis que le roi Edouard VIII a abdiqué en 1936 pour épouser Wally Simpson... Jackie va-t-elle se marier avec David ? » Ainsi *Esquire* commença-t-il un article au mois de novembre de cette même année...) Qui d'autre, demandait encore Ari, voyait-elle ? Qu'est-ce que Joan pensait des hommes qui l'entouraient ? Pourquoi était-elle attirée par les homosexuels ? C'était sur le ton d'un bavardage banal, où on échange des potins, le genre de conversation qu'il adorait. Il était fasciné par le scandale. » Mais cette fois sa curiosité avait un objet plus sérieux. « Je savais, racontera Joan, que le moindre de mes propos aurait de l'importance à ses yeux. Obtenir la main de Jackie, c'était tout pour lui. C'est la seule fois où j'ai senti de la vulnérabilité en cet homme. C'était une nouvelle dimension intéressante. »

En dépit des précautions prises, le voyage de Jackie n'était pas passé inaperçu à Washington. Le 17 mai, Hoover répondait personnellement à une « demande de renseignements concernant Aristote Socrate Onassis » qui émanait de la Maison Blanche. Bien qu'il eût déjà annoncé qu'il ne serait pas candidat aux présidentielles de 1968, Johnson continuait de surveiller de près tout ce qui touchait Bobby qu'il « détestait cordialement et vice versa ». Mais l'intérêt qu'éprouvait le président pour l'hôte de Jackie aux îles Vierges allait sans doute au-delà de son penchant pour la vendetta et ne pouvait non plus se réduire au fait qu'il « aimait lire les dossiers du FBI ». Le 3 avril au soir, Johnson goûtait un moment de détente avec deux vieux amis, Drew Pearson et David Karr. Ce dernier annonça qu'Ari lui avait demandé d'informer le président qu'il était en train de négocier un énorme marché secret avec les colonels grecs. Le Projet Oméga, tel était son nom de code, comportait entre autres la construction d'une raffinerie près d'Athènes. D'après Karr, Ari envisageait d'acheter son pétrole brut aux Soviétiques. Cette information aiguisa sans aucun doute l'intérêt de Johnson quant à la présence de Jackie en mai à bord du *Christina*. Né d'une mère originaire de Russie, Karr (de son ancien nom : Katz) s'était fait connaître d'abord en travaillant au *New York Daily Mirror*, puis il avait été reporter indépendant pour le *Daily Worker* communiste, et chroniqueur des chiens écrasés en même temps que dénicheur d'histoires compromettantes pour Drew Pearson. En 1948, il s'était lancé dans les relations publiques et le spectacle (il produisit une pièce à Broadway et deux films, dont *Welcome to Hard Times* de E. L. Doctorow) avant de s'installer à Paris comme conseiller financier spécialiste de l'Union soviétique et de l'Europe de l'Est. « Il avait tendance à s'impliquer des deux côtés, dira Samuel Pisar, avocat américain vivant à Paris et expert en commerce Est-Ouest. Mais il arrivait toujours à fournir les ingrédients manquants pour faire l'affaire. » Dans ses pourparlers avec les Russes comme dans toutes les affaires qu'il a brassées, écrivit Roy Rowan après la mort de Karr à Paris en 1979, il était toujours difficile de savoir avec certitude de quel côté était Karr. Il était inévitable qu'on parle de liens avec le KGB, et il est presque sûr qu'on ne se trompait pas. Karr allait continuer à nuire aux affaires d'Ari, même après la mort de ce dernier.

Le 5 juin 1968, à l'Ambassador Hotel de Los Angeles, Robert F. Kennedy était abattu. Le 6, à Londres, peu après dix heures, c'est-à-dire quelques minutes après que Frank Mankiewicz eut annoncé en Californie la mort du sénateur, Ari téléphonait à Gratsos. « Elle est libérée des Kennedy. Le dernier lien est brisé », dit-il. Il ne manifesta pas l'ombre d'un regret, pas la moindre surprise, simplement « une sorte de satisfaction, comme si sa principale cause de migraine avait été éliminée », dit un collaborateur londonien. Gratsos était consterné par l'assassinat ; la réaction d'Ari ne l'étonna pas. « Il a toujours pris tout ce qu'il voulait et pour la première fois de sa vie il était opposé à un homme plus jeune et aussi coriace, combatif et déterminé que lui. Et voilà que cet homme était mort. » Le soir où, à la lueur des cierges, Bobby fut enterré aux côtés de son frère au cimetière d'Arlington, Ari dit à Meyer : « Il me semble que ce garçon a tout eu, sauf de la chance. » Mais l'homme qui avait été l'hôte de la Maison Blanche pour les funérailles de John F. Kennedy ne figurait pas dans la liste des invités au service funèbre de Robert Kennedy, qui se tint le 8 juin dans la cathédrale Saint-Patrick. « Dans ces circonstances, sa présence aurait été de très mauvais goût », dira David Harlech, un des dix hommes qui tenaient les cordons du poêle.

Après avoir, dans un premier temps, pensé que la mort de Robert « supprimait le problème », Ari ne tarda pas à redouter qu'elle n'attache encore plus profondément Jackie au clan Kennedy et ne renforce la loi non écrite qui lui interdisait d'ébranler le prestige de la famille par un mariage désapprouvé. Mort, Bobby risquait d'exercer plus encore que de son vivant ses droits à la loyauté de Jackie. Mais Ari se trompait en pensant que le deuxième assassinat ne ferait que « doubler le droit de veto sur Jackie » des Kennedy. Plus que jamais elle voulait s'en aller. Si après la mort de Jack, elle devait une vie à l'Amérique, sa dette était maintenant couverte. « Je hais ce pays. Je méprise l'Amérique et je ne veux plus que mes enfants y vivent. S'ils continuent à tuer les Kennedy, mes enfants sont maintenant leur cible numéro un... Je veux quitter ce pays. » Elle succombait à la souffrance, au sentiment d'hostilité et à la panique qui l'avaient submergée derrière les airs glacials qu'elle arborait comme un bouclier pour résister à la pression. A l'hôpital de Los Angeles, pendant les quelques heures que dura le combat ultime de Bobby, alors qu'elle n'avait pas encore été confrontée au vide qu'il allait laisser, elle avait eu une conversation révélatrice avec Frank Mankiewicz, l'un des collaborateurs de Robert au Sénat. Elle lui avait raconté ce qu'elle avait éprouvé lors des funérailles de Martin Luther King à Atlanta au mois d'avril précédent. Les Noirs et les catholiques, lui assura-t-elle, comprennent la mort : « En fait, s'il n'y avait pas les enfants, nous l'accueillerions à bras ouverts. »

Désormais, Jackie aspirait par-dessus tout à vivre retirée du monde, et nul mieux qu'Ari ne saurait lui offrir une telle vie, que ce fût sur son yacht, dans son île privée, au milieu des splendeurs bien gardées de ses demeures de Paris et d'Athènes ou dans l'une des suites permanentes qu'il conservait dans des hôtels, de Londres à Buenos Aires : autant d'adresses derrière lesquelles elle pourrait abriter ses déplacements. Elle entreprit une campagne auprès de sa famille et de ses amis pour les convaincre qu'Ari n'était pas un monstre, mais un homme de qualité qui méritait la sympathie. Ce fut néanmoins une erreur de sa part de le présenter aux très raffinés Auchincloss si tôt après les funérailles de Bobby. Et si une trace d'animosité supplémentaire était perceptible derrière l'attitude glacée de Janet Auchincloss lorsqu'on les reçut en ce week-end de juin dans le domaine familial de Newport, la raison en était que leurs chemins s'étaient déjà croisés une fois. Quelques années plus tôt, alors qu'elle séjournait au Claridge, on lui avait annoncé que Lee était en visite chez Onassis dans ce même hôtel. Désireuse de la voir, Janet s'était présentée à la porte de la suite d'Ari, qui la reçut en robe de chambre. « Elle a été choquée de le voir en cette tenue négligée à l'heure où un gentleman correct aurait dû être en train de savourer un martini avant d'aller déjeuner », racontera une des relations de la sourcilleuse dame. Elle demanda à voir sa fille. « Et qui donc exactement est votre fille, si je puis me permettre ? » s'enquit Ari. Quand elle lui appprit qu'elle était la princesse Radziwill, il répondit : « En ce cas, madame, vous l'avez manquée de peu. » Rarement un homme a été présenté à sa future belle-mère en étant aussi certain de lui déplaire.

Tout l'été, Jackie poursuivit son entreprise de promotion visant à accroître la crédibilité d'Ari. Elle fit la navette entre Cape Cod et Newport pour le familiariser avec les gens qui comptaient pour elle ; elle habituait Caroline et John à sa présence. Il avait beaucoup à apprendre : bien qu'il eût vécu dans le monde de Jackie, ce ne serait jamais le sien : il y est à moitié comme un maître d'hôtel, persifla l'un des homosexuels de l'entourage de la Veuve. Et si la plupart des amis de celle-ci acceptèrent sa présence, peu l'accueillirent avec une chaleur sincère. L'un des membres de leur caste disait : « Ce n'est pas l'un de nous. » Sa liaison avec la Callas, son allure de Levantin, la complexité souterraine de ses affaires, tout cela leur donnait l'impression d'être en face d'un personnage véreux. Et s'il était manifeste aux yeux de beaucoup d'entre eux qu'une liaison était dans l'air, il y avait une telle disparité entre les origines de leur amie et celles de son soupirant qu'il leur fallait beaucoup d'imagination pour envisager autre chose qu'une aventure éphémère.

Les Kennedy auraient toujours des intérêts propres (une nouvelle élection, un nouveau candidat...) en contradiction avec ses simples intérêts de femme. Mais cela ne la retenait plus. Seul l'amour de ses enfants l'incita à passer la plus grande partie de l'été à Hyannis Port. Elle emmena Ari en visite chez Rose et Joe Kennedy. Elle avait une profonde et sincère affection pour son beau-père. Victime d'une attaque en 1961, le fondateur de la dynastie était paralysé du côté droit, de la tête aux pieds. Dans le cerveau, le siège du langage était touché. Nul ne sait ce que Joe Kennedy pensa d'Ari. Tandis qu'il observait ce vieillard qui ne pouvait pratiquement plus rien émettre de compréhensible, le Grec avait du mal à admettre que, il y avait de cela fort longtemps, son vis-à-vis et lui avaient partagé les faveurs éphémères de la même femme, Gloria Swanson. « Onassis est resté perché sur l'une de nos chaises d'osier hautes et blanches, à dossier en éventail, racontera Rose. Nous étions répartis sur d'autres chaises d'osier, et le reste de la compagnie était assis, couché ou vautré sur des coussins qui avaient été mis à rude épreuve par le soleil de l'été, l'humidité, les grenouilles et les jeux énergiques des petits-enfants. La peinture blanche de l'osier commençait à s'écailler, comme toujours. Tout était plaisant, charmant, pratique, mais ce n'était vraiment pas élégant. Et connaissant la fabuleuse richesse et le style de vie d'Onassis... je me suis demandé s'il ne pouvait trouver un peu étrange d'être placé dans un environnement sans façons comme le nôtre. Si c'était le cas, il n'en montra rien. Il était d'un abord simple et agréable, disert, intelligent, avec de l'humour et une bonne réserve d'anecdotes à raconter. » Il lui plut, affirme-t-elle. C'était avant que quiconque lui apprenne ce que sa bru avait en tête.

Le 28 juillet, Jackie passa son trente-neuvième anniversaire à Hyannis Port. La matriarcale Rose (Jackie l'appelait affectueusement « ma *belle-mère* », en français) organisa un dîner de famille après lequel on regarda *L'affaire Thomas Crown*, film dans lequel Steve McQueen incarne un milliardaire insatiable qui attaque des banques. Un peu plus tard, Jackie annonça à Teddy sa détermination d'épouser Ari. Aîné des frères survivants, il était de fait le chef de la famille et le souci de l'avenir lui revenait. « Il savait, dit un ami de la famille, qu'il n'était pas question d'espérer qu'elle se montre aussi accommodante avec lui qu'elle l'avait été avec Bobby, ou qu'elle soit plus loyale envers la famille qu'elle n'en avait envie. Pourtant une certaine intervention des Kennedy était nécessaire et sans doute la demandait-elle. » Début août, Teddy appela Ari pour lui suggérer une rencontre ; Ari l'invita à Skorpios.

« On m'a dit qu'il est exactement comme John », raconta Ari à Meyer, qui l'aidait à organiser une réception pour Teddy. « Ari, raconte Meyer, m'a demandé de voir si on pouvait trouver quelques belles nanas dans le coin. Il ne voulait pas que ce garçon s'ennuie. » Dans le groupe de *bouzouki* qu'on avait fait venir d'Athènes figurait Nicos Mastorakis, journaliste grec dont les notes donnent une idée de l'ambiance de la soirée. (« Teddy serre de près une déesse blonde... Teddy boit de l'ouzo sans arrêt. Jackie préfère d'abord de la vodka... la musique *bouzouki* atteint un paroxysme et Teddy se lève pour essayer de danser... Teddy retourne à son ouzo. ») Jackie portait une longue jupe paysanne et un corsage de soie écarlate. Teddy arborait une chemise rose avec foulard assorti. Ari dansa le sirtaki et chanta une sombre ballade grecque d'amour perdu. Il avait un bon répertoire de ballades, ce dont il était extraordinairement fier. « Et alors, je ne suis pas un fils du peuple, moi aussi ? » lança-t-il à ses invités qui applaudissaient une démonstration faite d'une voix passablement éraillée. « Oui, mais un fils qui a de l'argent », répondit le chef de l'orchestre. La soirée se termina mal pour Mastorakis. Surpris en train de prendre des photos, il se fit confisquer la pellicule. « Kennedy lui a dit : "Si vous publiez un seul mot sur ça, si vous me faites du mal, j'aurai votre peau", racontera Meyer. Je ne sais pas ce qu'il croyait pouvoir faire, lui, un sénateur du

Massachusetts, à ce garçon grec. Mais il avait raison de s'inquiéter. Il pouvait bien le prendre de haut, il ne s'était pas vraiment conduit comme un petit saint pendant toute la soirée. » Ari fit jouer son influence auprès des colonels et Mastorakis fut intercepté en arrivant à Athènes. « Je pense qu'ils lui ont flanqué la frousse parce que son compte rendu a été correct, mais par la suite Ari m'a montré une copie de l'article original qui avait été abondamment caviardé par les censeurs militaires. S'il n'y avait pas eu Jackie, Ari s'en serait éperdument foutu. Il n'avait pas de temps à perdre pour Teddy. »

Il n'était jamais facile de forcer l'entrée à Skorpios ; dans une occasion si importante et si intime, c'était une entreprise formidable, et l'infiltration de Mastorakis éveilla le soupçon : Ari voulait-il créer une situation compromettante pour Teddy ? Ce fut seulement par la suite, après le mariage, quand l'hostilité profonde d'Ari envers les Kennedy eut fait surface, que Meyer fut pris de doute et se demanda si Ari ne connaissait pas depuis le début l'identité de Mastorakis et n'avait pas délibérément enivré Teddy. (« Ce n'est pas à un vieux singe comme Ari qu'on apprend à faire la grimace », reconnaissait à ce propos Gratsos, en rappelant comment son patron avait soûlé à mort le super-Américain-propre-sur-lui qui flirtait avec Geraldine Spreckles.) Des photographies et le récit d'un témoin des festivités auraient certainement rendu Teddy plus nerveux à la veille des négociations avec Ari — « C'était le genre de coup qui l'amusait, en accord avec sa stratégie "coincez-cet-enfant-de-salaud", reconnaît un des subordonnés immédiats d'Onassis. Beaucoup de gens croyaient voir clair en lui. Ils se trompaient. Il se présentait comme un modèle de type régulier mais il manipulait tout le monde, il manipulait comme il respirait. »

Ari aborda les pourparlers avec Teddy dans un esprit serein. « Je ne courais pas après une dot, raconta-t-il plus tard à Willi Frischauer, pourquoi me serais-je inquiété ? » Teddy avait le rôle le plus difficile. Il lui fallait mettre de côté les sentiments personnels devant la tâche que le destin lui assignait. Défenseur des valeurs des Kennedy, il était tout à la fois le protecteur des intérêts politiques de la famille en même temps qu'un négociant chargé de trouver le meilleur accord possible pour Jackie. Il débuta à des hauteurs cosmiques ; pour des millions d'Américains, Jackie était pratiquement un symbole religieux. Ari, qui devait par la suite comparer le rôle de Teddy à celui « d'un prêtre débrouillard trafiquant des indulgences », déclara qu'il comprenait combien la situation était délicate, mais qu'il était sûr que Jackie et lui sauraient y faire face. Quoiqu'un homme valant des millions de dollars après avoir commencé si bas parût l'incarnation de l'idéal américain, les citoyens des États-Unis n'avaient jamais nourri beaucoup de sympathie pour Ari, et Teddy lui rappela qu'il allait devenir beau-père des enfants du président défunt, ce qui risquait de susciter une indignation particulière. Au minimum, on s'intéresserait de très près à ses faits et gestes. Ari sourit. Le FBI et la CIA américains, le KYP grec, la DST française, le MI5 britannique le surveillaient depuis vingt ans. « Je sais ce que c'est que d'être observé », conclut-il en retirant ses lunettes. Il les essuya longuement à l'aide d'un grand mouchoir de soie bleue, les examina à la lumière avant de les remettre en place. C'était un geste familier, à usage multiple : il s'en servait pour irriter, pour gagner du temps, pour montrer son mépris ou exprimer son ennui.

Teddy fit durer la partie. Religion, politique, loyautés et craintes familiales : autant de jetons dont il se servit pour faire augmenter la mise. Mais il avait aussi une claire conscience de ses limites. Au bout de plusieurs heures d'entretien, il était évident qu'Ari n'était pas près d'en rabattre. Brisant un silence, Teddy assura : « Nous aimons Jackie. — Moi aussi, je l'aime et je veux lui assurer une vie tranquille et heureuse », répondit Ari en le fixant d'un air dur derrière son bureau. Teddy observa que si le mariage se faisait, Jackie perdrait automatiquement le bénéfice des 150 000 dollars par an que lui versait le trust Kennedy et même sa pension de veuve. L'essentiel désormais, ce n'était plus la politique, mais les finances. La discussion sérieuse commençait*.

Ari, qui savait mieux que personne passer un marché, s'entendait aussi à merveille à clarifier et à synthétiser les choses d'une façon perspicace. Il exposa ses propositions sans hésiter, avec précision, car il avait réfléchi à l'affaire, comme à toute transaction, depuis bien des semaines et des mois. Voici quelles étaient ses conditions à lui. Il serait certes généreux, mais ses largesses n'affecteraient en rien l'avenir de ses propres enfants. Les arrangements pris à Skorpios, qui devaient se retrouver en partie dans un contrat de mariage signé à New York, révélaient la solidité de son sens du devoir paternel aussi bien que l'ambivalence de ses sentiments envers sa future épouse : Jackie recevrait trois millions de dollars pour elle-même et un million de dollars pour cha-

---

* « Voilà qui est en accord avec l'esprit du temps », selon Thomas Wiseman, qui écrit dans son livre, *The Money Motive* : « Si l'argent est la mesure universelle de l'excellence dans notre société, ne pas être payé est une insulte. Des femmes prestigieuses voudront une paie prestigieuse pour ce qu'elles font. Il leur faut le tribut de l'argent ; et non pas être estimées, chéries, choyées et correctement vêtues. Jackie O. reçoit la preuve monétaire de sa valeur de femme... Si cela signifie être évaluée comme un troupeau de vaches ou un yacht, cela vaut bien mieux que d'être sous-évaluée. Sur le marché, l'horreur n'est pas d'être vendu, mais vendu bon marché. »

cun de ses enfants. Il prendrait en charge ses dépenses aussi long-temps que leur mariage durerait. En échange, elle renoncerait au *nominos mira*, disposition de la loi grecque qui oblige l'homme à mettre au nom de sa femme 12,5 p. 100 de sa fortune et 37,5 p. 100 au nom de ses enfants*. Tandis qu'Ari et Teddy discutaient à Skorpios, Jackie s'était diplomatiquement repliée sur Athènes. Elle ne participa jamais directement aux discussions. Ari l'accueillit à son retour sur l'île avec un bracelet d'argent sur lequel étaient gravées les lettres : J.I.L.Y.

Le lendemain matin, il envoya à Athènes un brouillon manuscrit de l'accord pour qu'on le tape à la machine et qu'on l'expédie à André Meyer, conseiller financier de Jackie à New York. Mais aux yeux du légendaire directeur de la banque d'investissement Lazard Frères, les conditions parurent moins acceptables qu'à Teddy. Meyer, qui désapprouvait profondément le projet de mariage (« Il pensait que ce n'était pas une bonne fusion de sociétés », plaisantait un associé), s'empressa de faire une contre-proposition qui comportait le versement de vingt millions de dollars au comptant. Le soir du 25 septembre, Ari s'envola pour New York et rencontra Meyer dans son somptueux appartement du Carlyle Hotel. Convaincu que Jackie était « tout aussi pressée » de l'épouser qu'il était pressé d'épouser Jackie, il s'irritait violemment contre l'« ingérence » de Meyer, bien qu'il fût peu probable que même ce dernier eût osé agir unilatéralement dans cette affaire**. Il y eut des discussions pénibles et acharnées au cours desquelles Meyer justifia sa réputation d'homme capable de se battre bec et ongles « jusqu'au dernier sou ». Il insista pour examiner l'accord paragraphe par paragraphe, changeant un mot ici, un autre là, remettant en question chaque clause. Ari resta de marbre mais selon sa secrétaire privée Lynn Alpha, il revint de l'entretien « drôlement secoué » et d'une humeur massacrante. « Où est la bouteille qu'on garde en réserve ici ? » demanda-t-il en rentrant à son bureau. Elle sortit la fiasque de Johnnie Walker Black Label et lui en servit une solide ration. Il lui dit d'en remettre autant. Tout en buvant le scotch, il dicta le contrat révisé, qui fut renvoyé à André Meyer le soir même.

Même ainsi, il était encore convaincu d'avoir fait une affaire ; dans cette partie de son cerveau où les additions s'opéraient, le

---

* Il prétendit par la suite avoir persuadé de gouvernement grec de changer la loi pour reconnaître de tels arrangements privés. Affirmation qui, comme beaucoup d'autres, n'a jamais été confirmée.

** Dans sa biographie *Men, Money and Magic*, l'ancienne propriétaire du *New York Post* Dorothy Schiff, qui avait déjeuné plusieurs fois en 1968 avec Jackie, écrit : « Jackie tenait plus à épouser Onassis qu'Onassis ne tenait à épouser Jackie. »

marché était plus important que la marchandise. Par la suite, quand un ancien steward du *Christina* prétendit qu'il existait un contrat de mariage secret comportant 168 clauses intimes, dont la possibilité de faire chambre à part, le droit pour Jackie de ne pas avoir d'enfant, etc., il s'inquiéta seulement de ce qu'on pût croire qu'il « s'était fait avoir ». Celui qui était à l'origine de cette information se nommait Christian Cafarakis et avait démissionné de son poste en 1968. « Grâce à un héritage que je n'attendais pas, expliqua-t-il, je me suis trouvé soudain à la tête d'une fortune. » Mais quand Johnny Meyer proposa de « repérer la source » de la rumeur, Ari réfléchit une minute puis lui dit de laisser tomber : « Ceux qui croient ces saletés n'ont qu'à aller se faire foutre. » Par la suite il revint souvent sur le sujet de son contrat de mariage, au grand embarras ou au grand amusement de ses amis. Parfois la fantaisie lui prenait de distiller des confidences et ses histoires illustraient très crûment ses capacités viriles : « Cinq fois dans une nuit... elle surpasse toutes les femmes que j'ai connues », raconta-t-il à un ami athénien peu après le mariage. Pierre Salinger, ancien attaché de presse de Kennedy et chef du bureau de l'ABC à Paris, trouvait sa franchise déconcertante : « Il savait faire des descriptions très vivantes de ses relations physiques avec elle. »

Les semaines suivantes furent à la fois remplies d'activités et parsemées de moments d'angoisse. Tandis qu'Ari parvenait à l'étape finale de transactions avec le nouveau régime militaire grec portant sur cinq cents millions de dollars, Jackie conférait à Boston avec le cardinal Cushing. Grand homme simple, fils d'émigrants irlandais, Son Éminence était un ami intime des Kennedy. Jackie le considérait depuis longtemps comme son conseiller spirituel et son confident. Il l'avait mariée, il avait prié pour la prestation de serment du président Kennedy, il avait célébré la messe d'enterrement de son fils Patrick; il avait officié aux funérailles de John. Souffrant d'emphysème, manifestement près du terme de son séjour terrestre, il avait toujours son franc-parler. S'il n'était pas homme à redouter la controverse, ses nerfs durent être soumis à rude épreuve quand Jackie lui dit qu'elle avait l'intention d'épouser un divorcé, un fidèle de l'Église grecque orthodoxe dont la première femme vivait toujours. Elle ne savait pas que les Kennedy l'avaient déjà pressé « d'empêcher que tout cela se réalise ». Il aimait et admirait les Kennedy mais, peut-être parce qu'il y aurait toujours en lui un rebelle, il détestait leur verbe haut; on eût dit que tout leur était dû. Par-dessus tout, il n'aimait pas la façon dont ils s'étaient ligués contre la veuve de John.

Le jour de leur rencontre, dans l'appartement du cardinal, sur Commonwealth Avenue, Jackie était dans ses petits souliers. Elle ne comptait pas sur sa bénédiction mais elle avait besoin de sa compréhension. Ses enfants, expliqua-t-elle, conserveraient leur foi, leur nom et leurs relations étroites avec la famille de leur père : toutes leurs ressources émotionnelles et leur sens de la continuité venaient de ces liens. Mais après cinq années de veuvage, elle avait besoin de se libérer du passé. Son humilité et la simplicité de ses paroles formaient un contraste frappant avec la hargne des Kennedy. Quelques jours après sa visite, il lui annonça que, sans préjuger de l'attitude du Vatican, il ne se prononcerait pas quant à lui contre le mariage. Ce n'était rien de plus qu'un engagement à limiter les dégâts. Mais il était sans doute le plus connu et le plus aimé des dignitaires de l'Église catholique romaine en Amérique et ce qu'il ne disait pas serait plus important que la condamnation d'une foule d'archevêques.

Trop de gens maintenant connaissaient la situation pour que des rumeurs ne se mettent pas à circuler. Doris Lily, chroniqueuse mondaine du *New York Post*, fut huée au cours de la populaire émission télévisée « The Merv Griffin Show », lorsqu'elle prédit que Jackie et Ari allaient se marier. Les admirateurs de Jackie la prirent à partie quand elle quitta le studio en lui demandant « où elle allait pêcher ces ordures ». L'hostilité que soulevait la seule suggestion d'un mariage électrisait Ari. Il dit à Earl Wilson que « Lily se plantait complètement ». (Il pensait, avec quelque raison, qu'il y avait toujours moyen de manipuler les échotiers : « Il suffit de leur faire du charme » ; il n'aimait pas les reporters fouineurs.) Le lendemain Wilson écrivit dans sa chronique : « Nous croyons être en mesure de vous dire, avec une certaine assurance, qu'Aristote Onassis n'est pas sur le point d'épouser Jackie Kennedy ou toute autre dame... Ses amis sont un peu agacés de voir les journalistes revenir sans cesse sur son amitié avec Jackie et essayer d'en faire une idylle. L'amitié qui le lie à la famille Kennedy remonte à plusieurs années. En outre il dit à ses amis qu'il ne compte pas se marier pour une raison assez simple : il est déjà marié ! »

Au milieu des rumeurs, les dénégations de Wilson ne firent qu'accroître les spéculations. En ce week-end du 1er mai où ils se réunirent dans le domaine de Hyannis Port, les nerfs des Kennedy étaient soumis à rude épreuve. Comment répondraient-ils quand les rumeurs seraient confirmées ? Et quand le seraient-elles ? Ils l'ignoraient et Jackie ne le leur disait pas. Mais les événements se précipitaient et la décision allait leur échapper. Le *Boston Herald-Traveler* avait eu un tuyau d'une source généralement bien informée : elle avait une relation « sérieuse avec un riche Argentin ». Les journalistes considérèrent la liste de tous les Argentins susceptibles de correspondre à cette définition. L'affaire paraissait près d'être enterrée lorsqu'un confrère préparant un article sur Ari leur signala qu'il était citoyen argentin. Les journalistes retournèrent interroger leur informateur chez les Kennedy et la vérité peu à peu apparut ; quelqu'un suggéra d'interroger Cushing : « C'est le cardinal qui connaît le fin mot de l'histoire. » Il fut discret mais se refusa à mentir. Le 15 octobre 1968, le *Herald-Traveler* faisait passer un potin de commère mondaine, un bavardage d'émission télévisée au rang d'article de première page. Ce journal assurait que la veuve de John F. Kennedy et Aristote Onassis projetaient de se marier bientôt.

Au matin du jour où le *Herald-Traveler* commençait à répandre la nouvelle dans les rues de Washington, Pierre Salinger reçut un appel à son bureau de Washington. C'était Steve Smith : petit-fils de William Cleary, immigrant irlandais qui fonda la compagnie de transports new-yorkaise, Smith avait épousé Jean Kennedy en 1956 et était connu comme « le beau-frère de la bande ». Il dit à Salinger qu'il voulait le voir d'urgence. Salinger partit pour New York immédiatement. « Tu sais ce qui se passe ? » lui lança le petit Smith à l'instant où son visiteur franchissait le seuil de la porte. « Jackie va se marier avec Onassis. » Sa belle-sœur, expliqua-t-il, avait demandé à Jean d'annoncer la nouvelle à Rose Kennedy avant qu'elle-même l'appelle dans la soirée. « Il nous faut mettre au point une espèce de déclaration de la famille », poursuivit Smith. « As-tu une idée de ce que tu veux dire ? » lui demanda Salinger, en allumant un de ses cigares habituels. La nouvelle ne le surprenait pas : Stas Radziwill lui avait parlé du projet de mariage deux semaines plus tôt à Londres. Smith, qui avait étudié la philosophie à Georgetown, suggéra : « Et si on déclarait seulement : Oh merde ! »

La mécanique était lancée. A Athènes, le professeur Yannis Georgakis, président d'Olympic Airways (ancien directeur de l'École supérieure des Études politiques Panteios, il occupait la chaire de criminologie et de sociologie criminelle à l'université d'Athènes), convoqué à la villa de Glyfada, se vit expliquer la situation par Ari. Le secret, dit ce dernier, ne pouvait plus longtemps être gardé et Jackie voulait aller vite. Comme les Kennedy tenaient par-dessus tout à ce que la cérémonie n'ait pas lieu aux États-Unis, il fallait que Georgakis se renseigne sur la possiblité qu'elle se déroule à l'ambassade américaine à Athènes. Sans citer de nom, le professeur exposa le mieux possible la situation à un représentant de l'ambassade. (« Disons qu'un Grec très important désire épouser une très importante veuve américaine. Pour des raisons de discrétion et en signe de respect pour cette dame très importante, la cérémonie pourrait-elle avoir lieu à l'ambassade ? ») On l'invita avec insistance à être plus précis. Le fonctionnaire pâlit en entendant le nom de la veuve ; en termes peu usités dans les cercles diplomatiques, il dit que c'était hors de question. Georgakis fit son rapport à Ari et suggéra d'utiliser la chapelle de Skorpios. Ari donna son accord. Craignant que la *bizarrerie* d'un service nuptial grec orthodoxe n'impressionne les enfants Kennedy, il demanda à Georgakis de trouver un prêtre « qui comprenne l'anglais et ne ressemble pas à Raspoutine ».

Un milliardaire âgé saisi par l'amour est une source naturelle d'inquiétude pour les héritiers. Alexandre et Christina furent bouleversés par la nouvelle. L'idée que leurs parents se remarieraient leur avait semblé (mais ils étaient bien les seuls) prendre de la consistance quand l'intérêt de leur père pour la Callas s'était évanoui. Christina pleura. Alexandre quitta la maison et, au volant de sa Ferrari, roula à tombeau ouvert dans la nuit en se demandant s'il irait ou non aux noces. C'était une époque difficile pour Alexandre. Il ne s'était jamais entendu avec son père (« Je l'admire. J'admire aussi Howard Hughes », avait-il déclaré un jour, révélant ainsi l'ambivalence de ses sentiments envers lui) et maintenant il y avait entre eux une tension qui allait bien au-delà des tiraillements habituels entre un père à la puissante volonté et un fils cherchant à affirmer son indépendance.

Alexandre était tombé amoureux de la baronne Thyssen-Bornemisza, belle femme à la personnalité complexe qui avait accédé à la célébrité internationale comme mannequin. (Née Fiona Campbell-Walter, fille d'un contre-amiral, elle avait été un jour désignée par le peintre italien Annigoni comme l'une des trois plus belles femmes du monde). Elle avait épousé le baron Heinrich Thyssen en 1955. Divorcée neuf ans plus tard, mère de deux enfants, de seize ans plus âgée qu'Alexandre, elle était devenue sa « maîtresse, sa mère et son confesseur ». Dans l'impossibilité de mettre le holà à cette liaison, Ari avait fait de son mieux pour l'ignorer.

Pendant ce temps, à New York, Meyer recevait une mission particulièrement délicate : trouver Gloria Swanson, la dame dont Ari et Joseph Kennedy avaient un jour partagé les faveurs, et s'assurer de sa discrétion. Il lui fallut quelque temps pour convaincre l'ancienne reine des écrans qu'Ari allait réellement épouser la bru de Joe. « Et ce qui inquiète M. Onassis, conclut-elle, c'est que notre brève amitié qui remonte à si longtemps est un sujet sur lequel je pourrais m'étendre et cancaner ? » Vous direz à Ari, lança-t-elle à Meyer que sa demande de discrétion « est un compliment à ma mémoire et une insulte à mon intégrité ». Meyer ne s'était à aucun moment aventuré à mentionner la somme considérable qu'il était autorisé à lui offrir en échange de son silence. « C'était une vraie dame », conclut-il. Dans ses Mémoires, publiées peu de temps après la mort des deux hommes, elle ne fit aucune allusion à Ari.

Quand Jean lui apprit la nouvelle, Rose Kennedy fut « étonnée ». Elle pensait à la différence d'âge et de religion, et se demandait avec inquiétude si Caroline et John Jr accepteraient Ari dans le rôle du beau-père. Les pensées « se bousculaient dans sa tête » tandis qu'elle attendait l'appel de Jackie. Quand enfin elle fut au bout du fil, elle était parvenue à la conclusion que sa belle-fille « n'était pas du genre à se précipiter n'importe comment dans une affaire aussi importante, elle devait donc avoir de bonnes raisons pour agir ainsi ». Elle lui dit de faire « comme elle l'entendait ».

Le 17 octobre, à 15 h 30, quarante-huit heures après les révélations du *Herald-Traveler*, l'attachée de presse de Jackie, Nancy Tuckerman, déclarait à New York : « Mrs Hugh D. Auchincloss m'a demandé de vous dire que sa fille, Mme John F. Kennedy, a l'intention d'épouser Aristote Onassis dans le courant de la semaine prochaine. Ni le lieu ni la date n'ont encore été fixés. » Au même moment Donald McGregor, un vieux pilote d'Olympic qui devait prendre les commandes de l'avion censé s'envoler à vingt heures pour Athènes, reçut l'ordre de réunir l'équipage pour « quelque chose de spécial ». Le vol du 707 fut annulé (ce qui laissait sur le carreau quatre-vingt-dix passagers) et le pilote fut prêt à partir à dix-huit heures pour Andravida, une base militaire grecque. « Personne ne savait ce qui pouvait bien se passer », racontera McGregor, qui insista pour remplir en tout cas un plan de vol pour Athènes : « Nous le modifierons en vol si nécessaire. » (Ancien capitaine de la BOAC, McGregor s'était habitué aux façon désinvoltes de l'Olympic et aux fréquents changements de direction : « Je me pointais en disant : "Bonjour, monsieur" à celui qui était là ; je ne savais pas qui allait être mon patron d'un jour sur l'autre. ») A 17 heures 30, avec Caroline et John, leur gouvernante et les gardes du corps du service secret, Jackie quittait son quinze-pièces de la 5e Avenue pour rejoindre à l'aéroport international John-Fitzgerald-Kennedy sa mère, son beau-père et ses belles-sœurs du clan Kennedy, Jean Smith et Pat Lawford. « Ils étaient onze », dit McGregor, qui pilota le 707 jusqu'à la base militaire, où le Piaggio d'Ari les attendait pour les emmener à Skorpios. (Le lendemain matin, Richard Burton téléphonait du Plaza-Athénée à Rex Harrison pour lui demander d'inviter Maria Callas à la réception qu'il allait donner à Paris pour la première de son film *La Puce à l'oreille*. Burton et Elizabeth Taylor avaient souvent profité de son hospitalité quand elle jouait les hôtesses chez Ari. « Je viens d'apprendre les nouvelles de New York, dit-il à Harrisson. Elle va avoir besoin de se distraire, je suppose. »)

Il pleuvait le 20 octobre à Skorpios, de cette pluie fine qui s'abat par intermittence sur les îles de la mer Ionienne. Artémis Garofalidès dit que la pluie était un heureux présage un jour de noces. Plus tard elle placerait des talismans sous le matelas nuptial. Jackie avait un air solennel et renfermé dans sa robe ivoire à longues manches de chez Valentino, un ruban assorti barrant sa chevelure châtain qui lui tombait sur les épaules. Le fiancé, dix centimètres de moins que sa future épouse, semblait légèrement déplacé en costume bleu, chemise blanche et cravate rouge. Caroline et John, qui tenaient les cierges de cérémonie, flanquaient le couple. Alexandre et Christina étaient assis côte à côte, d'humeur morose. Alexandre, qui ne s'était décidé à assister à la cérémonie que sur les instances de Fiona pour qui cette « marque de respect » était due à Ari, laissa tomber : « C'est un couple parfait. Mon père aime les noms prestigieux et Jackie aime l'argent. »

A 17 heures 15, tandis qu'à l'extérieur la brise du soir se levait, faisant frissonner les bougainvillées et les jasmins, l'archimandrite barbu Polykarpos Athanassiou, dans sa tunique de brocart doré, commençait le service dans la minuscule chapelle bondée de Panatyitsa (Petite Vierge). Il traduisait les passages essentiels du rituel pour la fiancée. (« Le serviteur de Dieu Aristote est uni par les liens du mariage à la servante de Dieu Jacqueline, au nom du Père, du Fils et du Saint-Esprit. ») La marraine Artémis plaça des couronnes de rubans blancs et de fleurs de citronnier sur le front des mariés et fit trois fois le signe de croix au-dessus d'elles. D'une voix extrêmement calme, Jackie répéta les prières. C'était délicieusement exotique et la moitié des invités n'avaient jamais vu une telle cérémonie. Mais pour bon nombre de ceux qui se serraient dans cette minuscule église, le sentiment de ce que Jackie avait perdu effaçait la joie du moment. Le couple échangea les anneaux (les deux anneaux furent d'abord passés au doigt d'Ari, puis au doigt de Jackie, puis un anneau revint à chacun des époux) et burent un peu de vin rouge dans un gobelet d'or. Puis ce fut la danse d'Esaïe, le prêtre faisant tourner trois fois les époux autour de l'autel tandis que le chœur chantait. Les larmes de Christina n'étaient pas des larmes de joie. Elle prenait les choses bien plus mal qu'Alexandre, qui reniflait comme s'il sentait dans l'air, derrière le parfum d'encens, l'odeur de la trahison. L'agent du service secret chargé de la sécurité de Jackie arborait à sa cravate un insigne souvenir de la péniche de débarquement commandée autrefois par Kennedy. Son visage était dépourvu de toute expression.

Ari entra dans la vie maritale avec d'aussi grandes espérances de bonheur que son épouse, et dans les débuts, la tendresse qui les unissait était visible. Jackie lui donna un surnom de son cru, Telis ; il essaya d'obtenir qu'elle arrête de fumer. Il lui confisquait ses L&M quand elle tendait la main vers le paquet. Quelques jours après leur mariage, Jackie appela Billy Baldwin pour qu'il vienne transformer l'aménagement intérieur de la maison. Ce vieil ami

240

qui lui avait décoré ses appartements de Washington et de New York n'avait jamais vu Jackie aussi « libre ». Elle paraissait détendue et radieuse, avec une espèce d'énergie de garçon manqué, nullement déçue par la froideur des Kennedy envers leur mariage. (La déclaration de Teddy qui leur exprimait ses vœux de bonheur était « glaciale dans son formalisme et sa brièveté », notait le *Time Magazine*.) « Billy, lui dit-elle le jour où il arriva, vous êtes sur le point d'avoir votre première expérience de déjeuner grec. Si vous faites semblant d'aimer ça, je vous tue. » Épuisé par les neuf heures d'avion, suivies d'un voyage en hélicoptère à partir d'Athènes, le petit et frêle designer se coucha tôt pour sa première soirée à bord du *Christina*. Le yacht lui était apparu comme « un summum de vulgarité et de mauvais goût ». Seul le bureau d'Ari lui plut ; son charme masculin et ses livres reliés de cuir « effaçaient presque les horreurs du reste du bateau ». Il s'éveilla tôt le lendemain matin pour trouver un plateau de pâtisseries grecques posé devant la porte de sa cabine avec un mot de Jackie : « Billy, vous avez raté les délices de minuit — et les houris avaient malaxé les onguents toute la journée... après le zénith de la lune et nos prières du soir, qui ont été adoucies par des pâtisseries turques, nous avons eu un festin de friandises et comme, ô cruel Allah, vous n'avez pu le partager avec nous, avant que nous rejoignions la *Belle au Bois Dormant* (en français dans le texte — *NdT*), nous avons déposé ces pâtisseries auprès de votre couche, pour que l'aube vous soit voluptueuse. Mme Suleiman *le Brillant* (en français dans le texte — *NdT*). » Ari donna carte blanche au décorateur : « Je veux que cette maison me surprenne totalement. Je vous fais confiance, à vous et à Jackie. Je ne veux m'occuper de rien. » Son seul désir était de disposer d'un long sofa devant le feu « pour que je puisse m'y étendre et lire, faire un somme ou regarder les flammes ».

C'était une belle idée, et cela faisait partie de cette vie imaginaire à laquelle il aspirait depuis qu'il avait acquis Jackie. Mais ce n'était pas son genre. Il avait besoin de passer des marchés, de faire des affaires. Une telle activité avait toujours été essentielle pour lui, c'était un besoin psychologique. Un marché, cela signifiait un adversaire, et donc une confrontation, et la confrontation était à la source de sa force. Il ne pouvait vivre sans adversaires non plus qu'un arbre sans sol ; comme les palétuviers qui fabriquent leur propre humus, il pouvait se créer des ennemis à partir de lui-même. Et voilà que quatre jours après la cérémonie sur Skorpios, il était assis à côté du colonel George Papadopoulos au fond d'une Mercedes-Benz blindée. Flanqué des gardes du corps personnel du colonel, entourés eux-mêmes de 350 policiers armés jusqu'aux dents, le véhicule sortit à toute vitesse du Vieux Palais d'Athènes et prit la direction de la villa du dictateur, à Neo Psychico. Le colonel ne voulait courir aucun risque depuis qu'une mine avait explosé sous un pont quelques secondes après qu'il l'eut traversé. Les deux hommes jubilaient en préparant le communiqué commun annonçant le projet Oméga. Ce fut un moment inoubliable pour Ari. L'*Odyssée* était devenue son mythe intime : il était désormais hanté par l'idée de revenir en grande pompe au pays. (On croyait qu'Homère était né à Smyrne, rappelait souvent Ari à ses amis.) Dans la villa du colonel, ils levèrent leur verre de cognac grec en l'honneur de l'accord, sous l'œil attentif de la maîtresse de Papadopoulos, qui veillait à ce que la boisson provienne du thermos « sûr ». Ce qu'Ari allait appeler « le plus gros marché de l'histoire de la Grèce », le Projet Oméga, était impressionnant même en regard de ses critères à lui : un programme d'investissement de quatre cents millions de dollars, comprenant la construction de la troisième raffinerie de pétrole de la Grèce, une raffinerie d'alumine, une fonderie d'aluminium, une centrale électrique, des chantiers navals et un terminal aérien.

Même si la First National City, la banque d'Ari, proposait une garantie de sept millions de dollars, il est peu vraisemblable qu'il ait jamais envisagé d'investir un sou en Grèce. L'intérêt principal de l'affaire était qu'elle lui permettrait de garder en activité sa flotte tout entière à une époque où l'on désarmait de plus en plus de pétroliers. Outre la concession de la construction de la troisième raffinerie, il avait obtenu le droit de traiter le pétrole du début à la fin : il achèterait le brut aux producteurs, le transporterait dans ses pétroliers, le raffinerait dans son usine et le distribuerait à travers son propre réseau. Et en mettant sa raffinerie dans le même lot que l'usine d'alumine (et la centrale électrique attenante fonctionnant au pétrole que sa flotte apporterait et sa raffinerie traiterait), il était convaincu d'être en mesure de trouver un accord avec l'un des géants américains de l'aluminium (Reynolds Metals, Alcoa) qui lui fournirait les fonds d'investissement nécessaires à l'ensemble du complexe.

Les pires craintes des Kennedy furent sans doute dépassées lorsqu'Ari convola avec les colonels quatre jours après avoir épousé Jackie. La plaisanterie favorite dans le personnel athénien d'Ari était : « Le patron est le seul homme au monde capable de vivre deux lunes de miel à la fois, une avec Jackie et l'autre avec Papadopoulos. » Le dictateur et ses acolytes étaient tous nés dans des familles paysannes ou des petites villes ; tous étaient entrés à l'académie militaire à la fin des années 30 quand le général Metaxas s'efforçait de recréer l'idéal héroïque de l'hellénisme sur le modèle fasciste. S'ils avaient promulgué une nouvelle constitution et organisé un plébiscite pour l'approuver, les dispositions essentielles en étaient suspendues, y compris celles garantissant les droits du citoyen.

Ari apparut à un moment important pour les colonels : il donnait à leur coup d'État un surcroît de crédibilité ; le projet Oméga ajoutait à leur image de soldats professionnels celle d'hommes d'affaires avisés. Et sa publication quelques jours à peine après le mariage avec Jackie était utilement bénéfique pour les relations publiques à une époque où beaucoup de gouvernements européens et d'opinions publiques se préoccupaient sérieusement du traitement brutal que le régime infligeait à ses opposants politiques. Ari n'éprouvait aucun scrupule de conscience à propos de ses associés. « Il vaut mieux être avec les colonels qu'être avec les perdants », déclara-t-il. Par la suite, il prétendit avoir simplement repris à son compte une remarque faite en privé par Dean Rusk, le secrétaire d'État des États-Unis.

L'accord Oméga n'impressionna pas tout le monde en Grèce. Helen Vlachos, directrice d'un journal athénien, qui se trouvait alors aux arrêts domiciliaires, couchait ces réflexions furieuses sur le papier : « Avec la venue des colonels, les pires traits de deux des grands armateurs vedettes et de toute la tribu qui les suit discrètement sont apparus au grand jour. Leur instinct de rapine a été aiguisé par la Grande Braderie de la Junte. La Grèce a été vendue à bas prix, de superbes affaires ont été offertes en échange d'une tape amicale sur l'épaule galonnée, la valeur du drapeau grec est tombée en dessous de celle des pavillons panaméen ou libérien, les impôts ont été abandonnés, les lois oubliées. »

Cela faisait plus d'un an qu'Ari cultivait l'amitié de Papadopoulos. D'une façon ou d'une autre, en général grâce à un ensemble de gentillesses et de faveurs, il savait mettre les gens en position de débiteurs. Il laissa à Papadopoulos de manière permanente l'usage de sa villa de trois cent mille dollars sise à Lagonissi, station réservée à quarante-cinq kilomètres d'Athènes ; quand le colonel, renonçant aux antiques vertus de simplicité qu'il prônait, commanda quarante robes à mille dollars chacune pour son épouse, Ari régla la facture. Même s'ils s'utilisaient mutuellement (« Colonel, lui dit-il au début, nous utilisons les gens, tous les deux. Alors faisons-le au mieux et on verra ce qui arrive »), ils éprouvaient l'un pour l'autre de l'admiration. Né dans un pauvre village du nord du Péloponnèse en 1919, Papadopoulos était attiré par le monde d'Ari. « Il était terriblement impressionné par le faste et le style d'un milliardaire qui avait été autrefois aussi pauvre que lui », dira l'un de ses officiers. Et Ari était impressionné par la fréquentation du vrai pouvoir. La domination sans partage qu'exerçait Papadopoulos sur son pays — il n'était responsable devant aucun Parlement, encombré d'aucune nécessité électorale, et avait une armée entière à sa disposition — captivait son imagination.

Durant l'occupation, Papadopoulos avait commandé une

compagnie dans un des bataillons de sécurité allemands de sinistre mémoire ; après la guerre il était allé aux États-Unis pour étudier la guerre psychologique dans une école de l'OTAN. A son retour en Grèce, le bruit avait couru qu'il travaillait désormais pour la CIA* et il avait réussi à modérer les tendances extrémistes de certains de ses colonels après le coup d'État. Ce fut au bénéfice de Papadopoulos qu'Ari déploya toutes les ressources de son charme et de sa générosité ; ce fut au colonel Nicholaos Makarezos, troisième homme du triumvirat militaire qui avait pris le pouvoir, qu'incomba la tâche de préciser les termes de cet accord Oméga, qui avait été passé dans l'euphorie mais à des conditions d'un vague inquiétant. Quoiqu'il n'eût jamais étudié l'économie (il expulsa un expert envoyé par l'Organisation de la coopération économique et du développement qui avait remis en question ses données statistiques), Makarezos avait été nommé ministre de la Coordination économique. Après avoir été attaché militaire à l'ambassade grecque à Bonn, il était entré au KYP (la CIA grecque) ; rien ne l'avait préparé à traiter avec un homme comme Ari.

« Nous mettions une semaine à nous mettre d'accord sur un seul point, puis il en concédait brusquement plusieurs sans aucune difficulté, et à l'instant où on croyait être au bout de nos peines, il revenait au premier point et demandait à insérer une nouvelle disposition ou à ajouter une clause qui contredisait tout le reste », dira l'un des membres de l'équipe de Makarezos. S'il s'entourait de conseillers expérimentés et très bien payés, Ari restait le principal artisan de ses accords ; il tenait lui-même un livre de bord des négociations en prenant des notes abondantes sur le carnet qu'il conservait par-devers lui (quand il traitait avec les Anglais ou les Américains, il écrivait en grec ; à Athènes, il utilisait le français). Au terme d'une séance de discussions particulièrement épuisante, l'un des membres de son équipe fit remarquer à Ari qu'une donnée mentionnée par lui était en contradiction complète avec les informations fournies par ses propres experts. « Mon vieux, lui rétorqua Ari, deux et deux ne font pas nécessairement quatre quand vos intérêts dépendent de ce résultat. »

Les pourparlers dérivaient d'une crise à l'autre. Le nœud du problème était qu'Ari n'avait pas réussi à convaincre les puissan-

---

* Aucune preuve sérieuse n'a jamais été fournie à l'appui de cette allégation. Dans *The Rise and Fall of the Greek Colonels* (Londres, Granada, 1985), C.M. Woodhouse écrit : « Lors du deuxième grand procès de 1975, Papadopoulos a dit qu'il n'avait jamais été formé ni employé par la CIA et "qu'il ne connaissait les États-Unis que par la télé et le cinéma". Sa déclaration ne fut pas contredite. Des investigations ultérieures conduites par des membres du Congrès hostiles à la dictature et à la CIA ont corroboré ses dires.

tes sociétés d'aluminium des États-Unis de soutenir le projet à ses conditions. En dépit des privilèges coloniaux offerts par la junte aux capitaux étrangers (exemption d'impôts, dotations ou mises à disposition de toute sorte au bénéfice des sociétés ou de leur personnel, aucun livre de comptes...), sa détermination à conserver 51 p. 100 de participation dans l'usine d'aluminium paraissait totalement inacceptable aux Américains. Un cadre supérieur d'Alcoa explique : « Après son mariage, il a perdu tout sens des proportions. Son acharnement à gagner à tout prix a tourné à la mégalomanie pure. Ses conditions n'en étaient pas, c'était des ordres. On ne pouvait pas raisonner ce type. Il semblait croire qu'avec une invitation à dîner à bord du *Christina* avec Jackie et lui, nous serions d'accord pour tout. On voyait bien que ce mariage était pour lui un excellent tremplin de carrière. » « Nous avons eu quelques discussions, expliquera un directeur de chez Reynolds ; il était trop gourmand. Il nous a menacés d'aller chez Pechiney (la compagnie française était déjà bien implantée dans l'aluminium en Grèce), mais nous savions que personne ne marcherait. »

Dès l'origine, Papadopoulos avait supposé que son prodigue héros homérique allait revenir au pays les bras chargés de butin ; il pensait que tel serait le résumé de l'affaire. Quant aux soudaines exigences d'Ari, qui demandait au gouvernement de financer le projet Oméga et de forcer les banques grecques à consentir des prêts à des taux extrêmement favorables, c'était au colonel Makarezos de s'en occuper. Le dictateur refusait de critiquer son ami et bienfaiteur ; peut-être Papadopoulos ne pouvait-il voir que c'était la conception même de l'accord qui était viciée. Les pourparlers traînèrent donc. Ari brandissait la menace de se retirer. Il savait que le régime ne pouvait s'offrir un échec dans le projet Oméga. Vingt-quatre heures après le putsch du 21 avril 1967, la junte avait signé un contrat de 250 millions de dollars avec Litton Industries et il s'en était beaucoup vanté, mais l'accord avait capoté. Les colonels avaient misé leur prestige sur Oméga. « On en vint au point que chaque jour on avait beau travailler dur, préparer longtemps les discussions, il nous semblait à la fin nous être enfoncés encore plus que la veille », dira un fonctionnaire du ministère de la Coordination économique. « Il avait des gens extrêmement compétents dans son équipe, des hommes comme le professeur Georgakis, et Nicolas Cokkinis, des hommes d'expérience qui apportaient des idées réalisables. Onassis disparaissait à Skorpios pour quelques jours et nous parvenions avec eux à un accord ; puis il revenait et en cinq minutes flanquait par terre tout ce que nous avions accompli. Makarezos en devenait dingue. »

Onze jours après la cérémonie de Skorpios, Ari reçut selon ses termes « le plus beau cadeau de noce qu'il ait pu rêver ». Il avait enfin gagné en appel devant la Chambre des lords contre Panaghis Vergottis. Mais la victoire n'avait été acquise que d'un cheveu : les lords avaient entériné le jugement originel de M. Roskill par trois voix contre deux. Exposant le point de vue de la majorité, Lord Dilhorne déclara que le juge avait eu raison en disant que la décision dépendait pour l'essentiel de la crédibilité des témoins et qu'il avait rempli sa tâche avec « beaucoup de soin et d'inquiétude ». Considérant que « les découvertes du juge qui voit et entend les témoins ont le plus grand poids », les lords avaient déclaré l'appel recevable. Lord Pearce avait défendu une position différente, favorable à Vergottis : la situation du juge qui capte l'atmosphère de l'affaire présente des avantages et des inconvénients. Le dossier lui avait été présenté dans une ambiance dramatique. Le jugement avait été rendu au milieu d'une tempête d'émotions agitant de vieux amis devenus les pires ennemis. Dans une affaire où l'amour s'était transformé en haine, où de vieux amis se demandaient avec ébahissement comment ils avaient pu avoir de l'affection l'un pour l'autre, le juge était confronté à des difficultés particulières, insistait Lord Pearce qui avait peut-être perçu le professionnalisme dont la Callas et Ari avaient su faire preuve dans le box — leur capacité à sourire, à divertir, à se donner en spectacle. En foi de quoi, il estimait que « lorsqu'il est question de crédibilité, les documents contemporains des faits sont d'une importance extrême ». Et à son avis les pièces donnaient raison à Vergottis. Lord Wilberforce l'avait soutenu. Piètre consolation pour Vergottis. Ari avait gagné.

Jackie était beaucoup laissée à elle-même ; elle avait tout loisir de se familiariser avec la villa et avec l'île et de songer aux changements intervenus dans sa vie. Les réactions publiques au mariage étaient l'occasion de déplaisantes lectures pendant qu'elle attendait sur Skorpios qu'Ari revînt de ses fréquentes excursions à Athènes ou à Paris. Moins d'un mois après avoir épousé Jackie, il avait dîné dans la capitale française avec la Callas pour célébrer leur victoire sur Vergottis. De source vaticane on déclarait que « le dossier de l'ex-Mme Jacqueline Kennedy était clos pour ce qui concernait l'Église catholique romaine. Elle était interdite de sacrements aussi longtemps qu'elle resterait mariée avec M. Onassis. » Harcelé de lettres anonymes à la suite de son refus de condamner l'union, le cardinal Cushing fut contraint d'annoncer qu'il prendrait sa retraite à la fin de l'année, neuf mois plus tôt que prévu. En public, Jackie n'en paraissait pas affectée ; en privé elle ne cachait pas sa tristesse, parfois même son désespoir. Comme le temps passait, Billy Baldwyn sentit que pendant les absences d'Ari, elle s'inquiétait de « la direction qu'elle avait prise ». Elle épanchait son angoisse dans de longues lettres aux amis qui lui étaient restés attachés. « J'ai reçu une lettre d'elle qui pourrait valoir des milliers de dollars si j'autorisais n'importe quel magazine séculier du pays à la publier, disait le cardinal Cushing. J'ai brûlé cette lettre. Elle me remerciait de la compréhension que je lui manifestais. »

A son ancien chevalier servant Roswell Gilpatric, elle écrivait simplement :

« Très cher Ros — J'aurais voulu te parler avant de partir — mais alors tout s'est passé tellement plus vite que je n'avais prévu. J'ai vu quelque part ce que tu as dit et j'en ai été touchée — cher Ros — J'espère que tu sais tout ce que tu as été, ce que tu es et ce que tu seras toujours pour moi — Avec mon amour, Jackie. »

Au lieu de s'éteindre, la rumeur publique se faisait plus hargneuse. « Allons, soyez honnêtes, lançait la fantaisiste Joan Rivers à son public de Las Vegas. Vous aimeriez, vous, coucher avec Onassis ? Vous croyez qu'elle le fait ? Bon, il faut bien qu'elle fasse quelque chose. Je veux dire, on ne peut pas rester toute la journée à faire du shopping au Bergsdorf. » Quand Ari sut que Jackie avait été bouleversée par cette histoire, il dit à Meyer : « Il faut qu'elle apprenne à admettre qu'elle est Mme Onassis parce que maintenant le seul endroit où on la recevra volontiers, ce sera dans le dictionnaire, quelque part entre saleté et syphilis. » Il sous-estimait la loyauté et la compréhension des amis de sa femme. Pierre Salinger lui envoya une longue lettre manuscrite pour lui dire que sa vie lui appartenait et qu'elle devait continuer à faire ce qui lui chantait... à la fin, ça s'arrangerait : elle ne devait pas l'oublier. Par la suite, elle lui avouera que cette lettre a beaucoup compté pour elle. « Elle était très critiquée, explique-t-il. Pas tant aux États-Unis, en fait, qu'en Europe. J'étais à Paris à l'époque et chaque fois que je sortais la nuit les gens venaient me voir et me disaient : "Qu'est-ce qui lui a pris de faire une chose pareille ? C'est terrible. Comment cette femme merveilleuse peut-elle trahir la mémoire de John Kennedy et épouser un marchand grec ?" Les Grecs ne sont pas très bien vus en France. Aux États-Unis, il y avait un peu de mauvaise humeur, mais ce n'était en rien comparable aux attaques qu'elle subissait ici », racontera Salinger quinze ans plus tard à Paris.

Trois jours après la cérémonie sur Skorpios, Clyde Tolson, meilleur ami de Hoover, au FBI comme à l'extérieur, ordonnait qu'on examine de nouveau les dossiers d'Ari. Et trois jours après, Hoover avait sur son bureau le genre de rapport qu'il chérissait :

« Comme vous l'avez peut-être noté, de récents articles concernant son mariage avec Mrs. Jacqueline Kennedy attribuaient à Aristote Onassis 62 ans. J'ai pensé que vous apprendriez peut-être avec intérêt que les informations fournies au Département d'État par la fille et le fils d'Onassis, Christina et Alexandre, révèlent qu'il est né en 1900. Les fichiers du bureau des passeports montrent que Christina Onassis, née le 12/11/50 à New York City, NY, a reçu son dernier passeport à l'ambassade de Londres le 27/10/67. Il portait le numéro Z-762056. Dans sa déclaration, elle disait que son père était Aristote S. Onassis, né à Smyrne, Turquie, le 20 janvier 1900. Le fichier des passeports révèle également qu'Alexandre Socrate Onassis, né le 30/4/48 à New York City a reçu son dernier passeport, n° Z-578696, au consulat de Nice, en France, le 18/10/66. Dans le formulaire nécessaire pour l'obtention de passeport, il déclarait que son père, Aristote Onassis, né à Salonique, en Grèce, le 21 janvier 1900. »

Selon un subordonné immédiat de Hoover, le chef du Bureau fédéral « buvait du petit-lait » à la lecture de ce rapport banal. « Le fait que les propres enfants d'Onassis ne soient même pas d'accord sur la date et le lieu de naissance de leur père le convainquait encore plus qu'Onassis était un escroc sur toute la ligne, un menteur, un homme qui ne savait même pas faire confiance aux membres de sa propre famille, au point de ne pas leur dire la vérité sur lui-même. »

Le 8 mars 1969, Stavros Niarchos proposait aux colonels un dispositif d'investissement de cinq cents millions de dollars dont cent cinquante millions sous forme d'un prêt à long terme et faible taux d'intérêt, payable immédiatement, afin de contribuer au redressement de la balance des paiements grecque, en déficit chronique... à condition que ce soit lui, et non Ari, qui obtienne la concession de la troisième raffinerie de pétrole. Le colonel Makarezos, qui ne faisait pas mystère de sa haine pour Ari et cachait mal sa jalousie des relations privilégiées qu'il entretenait avec Papadopoulos, s'empressa de soutenir la proposition de Niarchos, qui constituait en tous les cas un progrès pour le projet Oméga. « Si Onassis emporte le morceau pour la raffinerie, il faut qu'il livre le reste » disait-il à Papadopoulos. Jusque-là, insistait-il, tout ce qu'ils avaient obtenu de lui c'était des promesses non tenues et des menaces. Manifestement, le dictateur, lui, avait déjà obtenu bien davantage. Il eut un entretien avec son bienfaiteur. Deux jours après, on annonçait que l'offre de Niarchos était arrivée trop tard pour annuler l'accord Onassis : les contrats étaient déjà à l'imprimerie. C'était un mensonge éhonté ; la lenteur des négociations était un grave sujet d'inquiétude à l'intérieur de la junte. Le conflit entre Papadopoulos et Makarezos était tout à coup dangereusement exposé au public. Makarezos ne lâcha pas le morceau et Papadopoulos dut charger le vice-ministre de la Coordination économique d'étudier les deux offres et de présenter un rapport indépendant.

Comme Makarezos, le vice-ministre Orlandos Rodinos était un

homme de Niarchos. C'était aussi un pragmatique. Avant d'écrire les premières lignes du rapport, il demanda à Ari s'il désirait faire une suggestion qui pourrait lui donner « un nouveau point de vue » sur la situation. Ari vit là une proposition et répondit avec colère. Il avait le Premier ministre avec lui, quel besoin aurait-il d'acheter aussi un vice-ministre ? Que ce fût parce que son offre avait été repoussée ou parce qu'on l'avait mal compris, le rapport de Rodinos était en tout cas un modèle de règlement de compte politique. Il commençait par un résumé des « interminables et laborieuses » négociations du projet Oméga, tout au long desquelles le ministère de la Coordination économique avait été en butte à « l'entêtement bien connu de l'un des principaux hommes d'affaires grecs ». L'intervention de Niarchos instaurait un nouveau climat. Dès l'abord, on remarquait une différence de cent millions de dollars entre les deux offres. Mais ce n'était pas tout. Niarchos proposait de vendre au gouvernement le pétrole brut à 11,80 dollars la tonne, au lieu de 14,32 dollars qu'en demandait Onassis. Cela signifiait que l'application du plan Oméga dans sa version initiale entraînerait pour le Trésor une perte de cent millions de dollars sur dix ans. La différence entre les frais de transport s'élevait à cent millions de dollars, soit autant de pertes supplémentaires. Le rapporteur affirmait : « Outre les aspects économiques, légaux et éthiques de la question, les considérations politiques plaident aussi en faveur de l'examen de la prise en compte de la nouvelle offre. »

La conviction de Rodinos était que cette affaire allait bien au-delà d'un affrontement d'orgueils entre deux puissants armateurs luttant comme les dieux pour la suprématie sur l'Olympe : c'était une bataille pour la domination du marché grec entre les géants pétroliers britanniques et leurs homologues américains, Onassis et Niarchos, dans leur rôle « d'hommes de paille » déployant à la fois leurs navires et de considérables sentiments de rancune. (Ari, estimait-il, était soutenu par British Petroleum ; Niarchos travaillait probablement pour la Standard Oil of New Jersey.) « Il est particulièrement utile que nous soyons conscients des dimensions possibles du conflit, et que nous connaissions le moyen d'y mettre définitivement fin. J'estime, M. le Premier Ministre, que l'instrument de règlement de toute l'affaire nous est offert par M. Niarchos. » Sa conclusion : la proposition d'Ari devait être rejetée et un nouvel appel d'offres pour la construction de la raffinerie et d'autres installations devait être lancé.

« Finalement, il me semble que j'aurais dû faire affaire avec cet idiot », dit Ari à Papadopoulos après avoir lu le rapport ; il expliqua la conversation qu'il avait eue avec Rodinos. Papadopoulos envoya chercher le vice-ministre sur-le-champ et demanda une explication. Rodinos se défendit en assurant qu'il n'avait jamais proposé un tel marché, au contraire d'Ari. Alors pourquoi ne pas en avoir averti le Premier ministre immédiatement ? Rodinos répondit qu'il n'avait pas voulu attirer des ennuis à M. Onassis... un ami du Premier ministre, un homme important qui jouait un rôle irremplaçable dans l'économie grecque. Négligeant l'incompatibilité fondamentale des deux versions, Ari attaqua la question sous l'angle des principes moraux. « Dites donc, vous ! Je suis un homme d'affaires et je suis libre d'employer tous les moyens pour réussir dans mes affaires. Mais vous, vous êtes un ministre du gouvernement ! » En parlant, il s'excitait de plus en plus. Rodinos lança à l'adresse du Premier ministre : « Alors, vous voyez maintenant pourquoi nous sommes encore en train de discuter du projet Oméga. » La situation était délicate pour Papadopoulos. Conscient d'être l'objet de l'attention internationale à la suite de la multiplication des critiques contre son régime, ignorant quelles puissances exactement étaient derrière Niarchos, il ne tenait pas à imposer sa volonté dictatoriale. Le 20 mai, il annonçait sa décision de lancer un nouvel appel d'offres. Il ordonnait également au procureur général près la Cour suprême d'entamer une enquête sur les « circonstances qui avaient entraîné la rupture des négociations » avec Ari. Orlandos Rodinos annonça qu'il démissionnait.

Ari et Niarchos échangeaient des arguments, des accusations et des contre-accusations (Ari avait une attitude simple et invariable à l'endroit de son beau-frère : « Il faut l'avoir avant de se faire avoir par lui »). Papadopoulos et le clan pro-Niarchos au sein de la junte ne savaient plus manifestement à quel saint se vouer. La presse reçut pour consigne de ne rien publier sur la crise et de ne faire paraître aucune autre information contraire « à l'intérêt économique du pays ». Pour finir, les colonels rendirent un jugement de Salomon : on offrirait une raffinerie à chacun des rivaux en échange d'engagements d'investissements. Niarchos reprit la raffinerie nationalisée d'Aspropyrgos (il en avait eu précédemment la concession jusqu'en août 1968) et annonça un impressionnant programme de construction de deux cents millions de dollars destinés à accroître sa capacité. Il investirait encore cent millions de dollars dans d'autres projets, dont le redéveloppement de ses chantiers navals de Skaramanga. Le 13 mars 1970, Ari promit d'engager six cents millions de dollars dans des projets industriels spécifiques en échange d'une concession de quinze ans sur les activités de la nouvelle raffinerie qui devait ouvrir en 1973, bien que les conditions fussent bien moins intéressantes pour lui que celles de l'accord passé à l'origine avec Papadopoulos. En fin de compte, tout cela n'était que rhétorique. Ses tentatives de réviser les contrats n'aboutirent jamais. Un haut fonctionnaire se plaignait d'Ari en ces termes : « Sa méthode était de sourire et de signer tous les accords qu'on lui présentait... et puis il commençait à en retirer tout ce qui n'était pas profitable. » Quelles que fussent l'importance et la complexité d'une affaire, il lui appliquait toujours « la logique labyrinthique du bazar », dira un ancien coordinateur du projet Oméga à Athènes. « Le monde entier était devenu beaucoup plus compliqué, et la technicité des structures du marché ne cessait de croître et pourtant, curieusement, l'attitude de marchand de tapis roublard qu'il avait en affaires continuait de donner des résultats dans le transport maritime. Mais il était totalement hors de question de tolérer ce comportement dans les énormes plans d'investissements qu'il discutait avec le gouvernement. Il y avait quelque chose de triste à le regarder faire son numéro et griffonner ses notes dans son petit carnet. C'était un dinosaure. Il était totalement hors du coup. Même Papadopoulos commençait à se convaincre que tout ce qu'Ari touchait allait tourner au gâchis, au désastre. »

CHAPITRE 14

Le désir du bonheur est l'aiguillon qui nous pousse dans toutes nos entreprises.

ARISTOTE.

Quand il avait douze ans, Alexandre Onassis l'avait vue au milieu d'une tempête de neige. C'était à Saint-Moritz et elle descendait d'une voiture de sport. Vêtue d'un long manteau de cuir à col de fourrure, elle lui était apparue comme la plus excitante des femmes qu'il eût jamais aperçue. Quand il eut dix-huit ans, comme sa mère désirait qu'il assiste à un dîner qu'elle donnait à Saint-Moritz, il lui avait dit : « Je viendrai si tu demandes à Fiona Thyssen de venir aussi. » Tina connaissait le penchant de son fils pour les femmes « plus âgées » et la baronne Thyssen-Bornemisza était, à trente-trois ans, selon les propres paroles d'Alexandre, « d'une torturante beauté ». Plus amusée qu'étonnée par l'idée d'inviter une de ses amies à l'intention de son fils, Tina accepta.

La fascination qu'il éprouvait pour les femmes plus âgées n'était un secret pour personne. Lorsqu'il avait quatorze ans, l'un des assistants de son père, chargé de s'occuper de lui pendant les fréquentes absences de ses parents, lui avait présenté bon nombre de ses amies, qui avaient presque toutes la trentaine et étaient des habituées de certaines boîtes de nuit, parmi les plus « chaudes » de la capitale. « Elles étaient payées très cher pour s'occuper d'Alexandre, parce que le secrétaire était payé encore plus cher pour prendre soin de lui », raconte Jacinto Rosa, chauffeur d'Ari, qui connaissait Alexandre depuis l'âge de douze ans. Il lui avait appris à conduire et était particulièrement fier de son enthou-

252

siasme pour les voitures et de ses connaissances en mécanique. L'intérêt précoce d'Alexandre pour des talents plus charnels tracassait le chauffeur. « A de nombreuses reprises, il m'a demandé de le conduire au bois de Boulogne, où il aimait observer les prostituées en action avec des clients dans leurs voitures », dit Rosa, qui craignait que le voyeurisme d'Alexandre ne soit malsain autant que dangereux. Cela, peut-être plus que tout, révèle la solitude de son existence ; il n'avait pas d'ami authentique, seulement des employés. « Parfois, raconte Rosa, j'essayais de lui dire ce qu'il valait mieux faire et ce qu'il valait mieux ne pas faire, mais je devais me montrer diplomate parce qu'il n'aurait accepté aucune espèce de réprimande de la part des employés de son père. »

Bien qu'il ait disposé d'un précepteur et d'un appartement privé à l'hôtel Baltimore, il rata à seize ans ses examens après avoir passé plusieurs jours avec une maîtresse dans le Sud de la France. Ari était fier des aventures sexuelles de son fils (« bon sang ne peut mentir ») mais furieux de ses mauvais résultats scolaires. Refusant de gaspiller « du bel et bon argent pour un gamin paresseux », il mit Alexandre au travail dans son quartier général de Monaco. Rosa observait ses progrès avec un mélange d'appréhension et d'amusement. « Il trouvait les jeunes filles de son âge ennuyeuses. Il préférait démonter un moteur que sortir avec des "gosses sans aucun intérêt". » Son premier amour sérieux, sans aucun doute, à été Odile Rodin — même si personne n'était censé le savoir. Il avait dans les dix-sept ans quand il a vécu avec elle à Monte-Carlo (peu après la mort, en 1965, de Porfirio Rubirosa, l'époux d'Odile). Ils s'installaient dans l'appartement de Tina à Paris quand elle n'y était pas. Il donnait de gros pourboires aux domestiques pour leur clore le bec. Onassis était au courant. Il était au courant de tout. (« Il avait toujours l'air d'en savoir plus sur vous que vous n'en saviez sur lui », dira Costa Gratsos.) Il avait l'air heureux que son fils se débrouille si bien de ce côté-là.

Si Ari se préoccupait discrètement de l'éducation virile de son fils, il le traitait devant le personnel comme une sorte de garçon de bureau supérieur (à douze mille dollars par an plus les frais). « C'était simplement un gentil garçon timide qui apprenait les ficelles du métier, raconte un des directeurs des entreprises monégasques de son père, il ne semblait pas pressé de faire la preuve qu'il était un Onassis. » Plus tard, Alexandre devait avouer qu'il n'y avait pas eu un jour où il n'avait été « intimidé par la richesse du vieux ». Et quoiqu'il commençât à apprécier le miracle accompli par son père en créant cet extraordinaire empire, sa désaffection se transformait peu à peu en hostilité. La nuit, seul au volant de sa Ferrari, il roulait à tombeau ouvert dans les virages de la corniche entre Cannes et Monte-Carlo pour chasser la colère et le sentiment de malaise qui le tourmentaient. Quand une personne de sa connaissance lui dit qu'il devait caresser un désir de mort, il rétorqua qu'il ne voyait pas d'autre moyen d'échapper à la tyrannie de son père.

Tel était le jeune homme que Fiona Thyssen rencontra au dîner donné par Tina à Saint-Moritz. Toujours à l'aise avec les hommes (elle fréquentait des milliardaires et des hommes de pouvoir quasiment depuis toujours), elle ignorait qu'Alexandre attendait cette soirée depuis six ans et que ce moment devait être l'un des plus cruciaux de leur vie à tous deux. Elle fut surprise de découvrir qu'il comprenait beaucoup de choses, car elle avait cru que les jeunes gens de sa génération « étaient gauches, incapables de tenir une conversation ». En général, les premiers mots échangés par de futurs amants sont à la fois banals et inoubliables. Les premières paroles que Fiona se souvient d'avoir adressées à Alexandre sont : « Mon Dieu, mais vous savez parler ! »

Plus tard dans la soirée, à la discothèque du Palace Hotel, l'homme avec qui Fiona dansait se plaignit de ce qu'elle avait passé trop de temps avec Alexandre et lui suggéra qu'elle « ne lui aurait sûrement pas accordé la moindre attention si son père n'avait pas été si riche ». Elle le gifla si violemment qu'il tomba à terre. « S'il y a une chose dont on ne m'avait jamais accusée jusque-là — et c'était sans doute la seule —, c'est bien d'être intéressée. » Elle quitta la piste de danse en larmes, poursuivie par Alexandre. « J'ai découvert qu'il était étonnamment tendre et attentionné... C'était une immense surprise », raconte-t-elle. Il n'avait pas un physique particulièrement avantageux. Il portait le cheveu noir et court, avec une raie qui s'accordait aux coûteux costumes trois-pièces qu'il affectionnait ; d'épaisses lunettes à monture d'écaille, souvent noires comme celles de son père, donnaient à son visage à peine olivâtre une force solennelle. Il était d'une taille légèrement supérieure à celle de son père et avait ce nez Onassis, qu'il ferait rectifier sur les instances de Fiona.

Surprise et embarrassée, elle se laissa entraîner dans une liaison avec lui : « J'avais seize ans de plus, je me demandais si j'étais un substitut de mère. » Convaincue au départ que cela ne durerait pas (« rien qu'une fois peut-être »), elle découvrit bientôt qu'il avait d'autres projets. Dès le départ il réclama une vraie relation, un *engagement* de sa part. Comme il avait passé la plus grande partie de sa vie presque sans amis, il était assoiffé d'affections durables. Même si elle l'amusait, leur aventure ne correspondait pas à l'image que Fiona avait d'elle-même et elle menaçait son avenir. Trois ans auparavant, elle avait divorcé de l'un des hommes les plus riches du monde ; elle était encore jeune, extraordinairement belle ; elle avait de l'argent et une place dans le monde. « J'étais bien pensante, à mourir d'ennui », dit-elle aujourd'hui.

Elle voulait se remarier et avec Alexandre, il n'en était pas question. Trop jeune pour elle. En outre, elle connaissait suffisamment la politique des dynasties de la fortune pour savoir que la fiancée du jeune homme serait forcément une riche vierge grecque issue d'un lignage respecté d'armateurs. Elle fit de son mieux pour reprendre sa liberté. Alexandre refusa d'abandonner. Ils eurent bientôt tous deux très nettement conscience que leur relation, qui avait des allures de combat au bord de l'abîme, était très sérieuse. « Il m'a fallu longtemps, avoue-t-elle, pour cesser de résister et admettre que nous étions devenus indispensables l'un pour l'autre et que nous devions essayer de survivre ensemble au jour le jour. Et que cela doive durer une semaine ou un mois, nous devions en profiter et nous en réjouir. »

L'indifférence qu'elle manifestait à l'égard de sa richesse le troublait. Il avait été élevé dans la croyance qu'il pourrait impressionner n'importe quelle femme avec ses voitures rapides et ses avions privés, avec l'île ensoleillée de son père et les mille commodités de sa vie. Au début, elle s'amusa de son incapacité à comprendre un monde « si opposé au sien ». Mais cette incompréhension fut finalement à l'origine de leur première dispute. « Quand tu étais encore dans les langes, j'avais déjà mon propre avion privé et mes quarante domestiques et deux, cinq, dix voitures, et des maisons. Je suis bien la dernière personne que tu pourras impressionner à ce niveau. » Selon les critères de Fiona, les Onassis n'étaient que des « paysans sans éducation ». Elle lui apprit quelques principes qu'il avait toujours ignorés : que les fleurs artificielles (on en voyait souvent chez les Onassis) étaient de la pacotille (Wendy Reves avait un jour suggéré à Tina de retirer les housses de plastique des tentures de la maison de New York et elle s'était entendu répondre : « Ari n'aimerait pas cela »); un gentleman ne porte pas de cravate blanche avec une chemise blanche. Tel était le sujet de leurs querelles d'amoureux; à un autre niveau, cela accentua le fossé qui les séparait. Elle lui avait fait faire un médaillon sur lequel était gravée la dédicace : *A mon sauvage bien-aimé.* Censée exprimer l'affection de Fiona et l'opposition de leurs mondes, l'inscription le fit fondre en larmes. « J'ai pensé : "Mon Dieu, je suis vraiment méchante." » Les pleurs d'Alexandre anéantirent sa détermination de le quitter.

Plus leur liaison durait et s'approfondissait, et plus Tina se démenait pour y mettre fin. Elle mit son fils en garde : Fiona avait été une putain de grand luxe, elle connaissait un homme à Londres qui l'avait payée cinquante livres pour coucher avec elle quand elle avait à peine dix-sept ans.

Ses récits devenaient de plus en plus extravagants et lubriques. Alexandre et Fiona inventèrent un jeu consistant à essayer de deviner son prochain bobard. « Nous n'arrivions jamais à la hauteur des histoires qu'elle nous débitait, dit Fiona. Elle réussissait toujours à nous surprendre. »

Les efforts d'Ari pour mettre fin à leur liaison furent plus subtils. Il exerçait sa domination sans partage. Alexandre ne possédait presque rien qui n'appartînt en fin de compte à son père, ou qui ne fût contrôlé par lui. Son appartement au-dessus des bureaux de Monte-Carlo, ses voitures, ses cartes de crédit et ses comptes dans certains restaurants, tout était au nom d'une des sociétés Onassis. Au début de l'année 1970, il acheta pour son fils une villa de deux millions de dollars près d'Athènes. Elle n'était pas au nom d'une société, mais d'Alexandre. Fiona comprenait le plaisir qu'il éprouvait à se retrouver ainsi propriétaire, et en partie libéré de l'emprise d'Ari. Il ne perçut pas d'abord l'ambivalence des félicitations de son amie, mais il ne put bientôt plus se méprendre sur ses sentiments quand elle lui annonça qu'elle allait chercher une maison à louer dans les environs pour qu'ils passent l'été ensemble. « Louer une maison ? Qu'est-ce que tu racontes ? Tu vivras avec moi, lui dit-il. — Mon cher ami, je ne mettrai pas les pieds dans cette maison. Ton père ne t'a pas acheté cette maison seulement pour te faire plaisir. Il l'a aussi achetée pour ta maîtresse. Il veut prouver qu'on peut acheter tout le monde. » Si elle devait s'installer dans la villa, estimait-elle avec sa finesse écossaise, elle ne serait plus qu'un objet Onassis comme un autre, une chose « à manipuler, à brutaliser et à traiter au niveau et dans les conditions qu'il choisirait ».

Finalement convaincu par le raisonnement de son amie, il annonça à son père qu'il ne voulait pas de la villa. Fiona supposa qu'Ari avait poussé un soupir de soulagement en constatant qu'elle avait vu clair dans son jeu. « J'ai peur qu'il n'y ait pas eu grand monde dans sa vie pour lui dire d'aller se faire voir mais mon intention n'était pas simplement de lui dire ça ; je ne pouvais me permettre d'être simplement la maîtresse de son fils, qu'il achetait comme il voulait. » Fiona et Alexandre n'habitèrent jamais ensemble. Il travaillait à Monte-Carlo et elle gardait sa maison à Morges, près de Lausanne. Par la suite, elle loua un appartement à Londres. Ils passaient ensemble presque chaque week-end. Elle avait son amour-propre : pour ses enfants, Francesca et Lorne, Alexandre était simplement un ami de la famille ; peu de gens soupçonnaient la vérité. Quand il venait à Saint-Moritz, elle allait le chercher à l'aéroport dans une Volkswagen qui avait connu des jours meilleurs et pour laquelle elle éprouvait une affection particulière tandis qu'il en avait particulièrement honte. Ses pannes fréquentes offensaient son goût pour la mécanique. « Je vais t'acheter une voiture correcte », annonçait-il chaque fois que l'engin dans lequel ils s'étaient insérés partait à l'assaut des routes montant vers leur maison. « Très bien, répondait Fiona, si tu économises à partir de maintenant sur ton argent de poche, on aura une jolie voiture fiable d'ici cinq ans. » Elle refusait tout ce qui venait de lui et qu'il ne payait pas sur ses économies. Chaque fois qu'ils voyageaient ensemble, chacun payait sa place, sauf quand ils utilisaient les lignes d'Olympic Airways, gratuites pour eux. Peu à peu elle le convainquait que « tous les hommes n'étaient pas à vendre, toutes les femmes n'étaient pas des intrigantes en quête de fortune ». Peu à peu, il se dégageait de la misanthropie que lui avait inculquée son père. Mais elle savait qu'elle ne changerait pas certains traits de famille : elle était depuis longtemps une intime des Niarchos, mais placée devant un ultimatum d'Alexandre, chez qui la logique « c'est eux ou moi » était innée, elle écrivit à Eugénie Niarchos — « l'une de mes plus chères, une de mes meilleures amies, le seul être humain civilisé de toute la bande » — pour lui expliquer qu'elle était amoureuse et qu'elle choisissait Alexandre. Elles ne se revirent ni ne se reparlèrent jamais.

« Son aventure avec Fiona aggravait la tension entre son père et lui mais il se sentait mieux », dira un ami qui était au courant de la liaison. La confiance qu'elle lui témoignait affermit sa volonté de réussir. Au bureau on commençait à lui demander son avis, à tenir compte de ses opinions. Il avait ce sens de la mesure qui manquait souvent à son père. Sa présence était utile quand il fallait calmer les syndicats. Il finit par se retrouver à la tête d'Olympic Aviation. C'était une petite entreprise, filiale d'Olympic Airways qui assurait le service des îles grecques, proposait des charters et des avions-taxis. Sa mauvaise vue lui barrait l'accès au diplôme de pilote de ligne, mais il détenait une licence de pilote commercial qui lui permettait de conduire des avions-taxis et d'assurer les transports non réguliers de passagers ; il avait son propre avion et montrait une grande habileté aux commandes d'un hélicoptère. « Dans les pires conditions météo, raconte Fiona, quand d'autres pilotes n'auraient même pas songé à décoller, il n'hésitait jamais s'il s'agissait de transporter d'urgence un malade à l'hôpital sur le continent. Il était en train de devenir une espèce de héros populaire sur les îles. » Alexandre dirigeait la société avec beaucoup de flair, s'il n'avait pas encore démontré qu'il possédait la capacité « onassienne » à monter des grandes affaires. Ari, qui avait moins de succès avec sa compagnie nationale, lui rappela son principe : « Les avions sont les feuilles de l'arbre. Les racines, ce sont les bateaux. » (« Ari, raconte un ami de la famille, avait pour ses bateaux un sentiment d'affection qui faisait souvent défaut dans ses relations humaines ; les bateaux incarnaient probablement pour lui la nostalgie de sa jeunesse. »)

Ari, qui avait à présent la soixantaine, n'était pas disposé à lâcher une miette de son autorité ni à accorder une ombre de crédit à son fils. Il en serait ainsi, selon Fiona, jusqu'à la fin de ses jours. C'était une question dont Alexandre et elle débattaient souvent. « Ari ne voulait pas d'un fils qui le menace, à aucun niveau, il était jaloux de la séduction et du charme que son garçon exerçait. Ses réactions devant les succès d'Alexandre n'étaient pas les réactions normales d'un père envers son fils. Il faisait tout pour l'humilier, pour le rabaisser... Tout se passait comme s'il avait gâché son éducation en le retirant de l'école sous le plus futile prétexte. La vérité, c'est qu'il ne voulait pas qu'Alexandre soit plus intelligent, plus avisé ou plus instruit que lui. »

Au soir du 3 mai 1970, sur Spetsopoula, l'île privée des Niarchos sur la mer Égée, Eugénie Niarchos se déshabilla, enfila une chemise de nuit et avala vingt-cinq comprimés de Seconal. Au stylo rouge, elle écrivit en anglais à l'intention de Stavros : « Pour la première fois de toute notre vie commune, je t'ai supplié de m'aider. Je t'ai imploré. C'est moi qui ai commis une erreur. Mais parfois il faut pardonner et oublier. » Tandis que, suivant les paroles d'un de ses poèmes préférés depuis les bancs de l'école, elle attendait d'accéder à « des cieux plus cléments et des soleils plus doux, et des mers pacifiques comme l'âme qui les cherche », elle saisit un stylo à bille et, d'une écriture presque indéchiffrable, ajouta ce post-scriptum sibyllin : « 26 est un chiffre qui porte malheur. C'est le double de 12, 10 b de whisky. » Le 4 mai, à 0 h 25, le décès était constaté. Elle avait quarante ans.

Eugénie avait sombré dans ce désespoir fatal quand elle avait découvert que Stavros avait l'intention de recevoir cet été-là à Spetsopoula sa fille de quatre ans, Elena, et la mère de celle-ci. Elena avait été conçue durant un bizarre interlude dans la vie de Stavros et d'Eugénie. En 1965, le milliardaire avait épousé Charlotte Ford, fille d'Henry, dans une des suites d'un motel de Juarez, deux jours après qu'Eugénie eut obtenu le divorce pour incompatibilité d'humeur dans la même ville mexicaine. En 1967, Charlotte revint à Juarez pour divorcer de Stavros* et ce dernier reprit la vie commune avec Eugénie et leurs quatre enfants. Ils ne s'étaient jamais remariés puisque, assurait-on, aux yeux de l'Église orthodoxe, le mariage avec Charlotte n'existait pas.

Les milliardaires font peu de concessions aux lois et aux conceptions de la société ordinaire, leurs réactions dans les crises humaines sont imprévisibles et le comportement de Niarchos entre le moment où il découvrit Eugénie inconsciente dans sa chambre — à 22 heures 25 le 3 mai — et celui où elle fut décla-

---

* « Il me rendait dingue, a-t-elle raconté au biographe de Ford, Booton Herndon. J'ai découvert que j'étais mariée avec un téléscripteur. »

rée morte, a donné prise à des rumeurs sinistres, qui ont persisté longtemps. Comprenant tout de suite qu'elle avait pris trop de somnifères, ce qui lui était déjà arrivé, il se mit à la secouer et à la gifler pour tenter de la ramener à la vie ; quand elle tomba à terre, il la tira par le cou pour la remettre sur pied. Elle tomba plusieurs fois et il la ramena tant bien que mal sur le lit. Il demanda du café noir et avec l'aide de son valet de chambre, Angelo Marchini, essaya de lui en faire ingurgiter de force. Il s'était passé plus d'une demi-heure quand il téléphona à sa sœur, Maria Dracopoulos, à Athènes, pour lui demander d'envoyer le médecin de la société. Le Dr Panayotis Arnautis arriva en hélicoptère environ une heure et demie plus tard — trop tard. Comme le décès n'était pas dû à des causes naturelles, le Dr Arnautis refusa le permis d'inhumer et le corps fut transporté à Athènes pour l'autopsie.

Le rapport du médecin légiste faisait état de multiples blessures sur le corps d'Eugénie. Il signalait notamment un hématome de cinq centimètres sur l'abdomen avec hémorragie interne et une hémorragie derrière le diaphragme dans la région de la quatrième et de la cinquième vertèbre ; un hématome sur l'œil gauche et un gonflement de la tempe gauche ; une brève hémorragie sur le côté droit du cou ; une hémorragie sur le côté droit du larynx, avec des petites contusions au-dessus de la clavicule sur le côté gauche du cou ; il y avait aussi un hématome au bras gauche, à la cheville et sur le devant de la jambe gauche. Le Dr Georgios Agioutantis, professeur de médecine légale à l'université d'Athènes, et le Dr Demetrios Kapsakis, directeur du département de médecine légale au ministère de la Justice, conclurent que toutes ces blessures étaient compatibles avec d'énergiques tentatives de réanimation. La mort, selon leur opinion d'experts, était due à une surdose de barbituriques. « Elle avait beaucoup de blessures ; plus qu'on en voit d'ordinaire dans ce genre d'affaire », a déclaré un technicien de la morgue qui s'est occupé du corps à Athènes. « En même temps, j'ai remarqué que ce n'était pas des blessures de quelqu'un qui s'est défendu, le genre de blessures qu'on voit quand quelqu'un a subi une agression. C'était visiblement une femme fragile et on s'était occupé d'elle très énergiquement. Mais un type qui panique ne connaît pas toujours sa force. Et les gens qui essaient de sauver un suicidé, en particulier quelqu'un de proche, peuvent se mettre dans de sacrées colères. Elle avait l'air d'avoir été giflée à tour de bras ; je crois toujours qu'Agiougantis et Kapsakis ne se sont pas trompés. »

Tout le monde n'était pas satisfait des conclusions des médecins. Ari était loin d'être convaincu et il le faisait savoir. « Bon Dieu, pourquoi Stavros a-t-il attendu si longtemps ? Pourquoi a-t-il fallu qu'il envoie chercher un médecin à Athènes alors qu'il y en avait un à quelques minutes, sur Spetsai ? Il ne s'apercevait pas que sa femme était en train de mourir ? » La tragédie de Spetsopoula dépassait les limites d'un drame privé. Elle avait aussi des retombées politiques. Ari savait qu'aussi longtemps qu'il y aurait un parfum de scandale dans l'air, le colonel Papadopoulos, ce vieux comploteur, ne serait que trop heureux de repousser la ratification de la concession de la raffinerie à Niarchos, puisque le principal allié de ce dernier était son adversaire, le colonel Makarezos. Mais en regard des deux mille prisonniers politiques enfermés sur les îles arides de la mer Egée, et des sinistres rumeurs qui circulaient à Athènes et dans le reste du monde*, faisant état de centaines de prisonniers politiques torturés et assassinés, les prétendus scrupules de Papadopoulos à l'idée de passer des accords avec un homme soupçonné d'une seule mort étaient rien moins que convaincants.

Le 20 mai, le *London Times* revenait sur le « mystère » du long délai qu'on avait laissé s'écouler avant d'appeler le médecin. Le lendemain, le journal publiait une lettre expliquant que le praticien de l'île voisine n'avait pas été alerté parce qu'on savait à la suite d'une « expérience précédente » qu'il ne disposait pas de l'équipement spécial nécessaire. M. Zervudachi, qui écrivait sur la requête de Niarchos, poursuivait en ces termes : « Comme un hélicoptère était déjà à Athènes, un médecin muni de l'équipement adéquat est venu de cette ville en une heure et demie environ ; en tous les cas, le médecin de Spetsai n'aurait pu arriver plus tôt, car il souffre d'arthrite et pour cette raison a refusé dans le passé de faire la traversée en vedette et ne voulait se déplacer qu'avec un petit caïque. » Dans une brève mise au point publiée par *Eleftheros Kosmos* (« Monde libre », journal de la dictature à Athènes), le ministre des Affaires sociales rejetait l'explication de Niarchos comme « injustifiée ». Le médecin installé à Spetsai, assurait-il, « répondait aux besoins des habitants de manière satisfaisante ».

La balle était dans le camp de Niarchos. Enfermé dans l'affrontement psychologique avec Ari, qui transcendait ses chagrins privés, il rappela ses contributions à la nation grecque. « Mes adversaires déversent actuellement sur moi des accusations et des ragots, déclara-t-il. Ils essaient de détruire ce que j'ai fait pour le bien de la Grèce et moi je redis : "En avant pour le bien de la Grèce." »

Mais la brève déclaration ministérielle dans l'organe officiel de la junte fut perçue comme un signe évident par le procureur

---

* La junte confirma implicitement ces informations en se retirant du Conseil de l'Europe plutôt que de le laisser enquêter.

du Pirée : Niarchos ne devait pas bénéficier de privilèges spéciaux. Une contre-expertise fut demandée. Cette fois, les médecins qui pratiquèrent l'autopsie décidèrent que le Seconal découvert dans le corps d'Eugénie (deux milligrames de barbiturique pour cent centimètres cubes de sang) ne s'y trouvait pas à dose mortelle et que la mort résultait de blessures physiques.

Les divisions internes de la junte, exaspérées par l'affaire de la mort de Spetsopoula, étaient maintenant exposées au grand jour. Peu de temps après le deuxième examen, Fafoutis s'estima contraint d'ordonner une troisième expertise, confiée aux quatre médecins dont les verdicts s'affrontaient, ainsi qu'à deux professeurs d'anatomie morbide de l'université d'Athènes et deux pathologistes expérimentés nommés par Niarchos. Cette fois, leur compte rendu fut unanime : « Les blessures découvertes sur le corps étaient légères. La défunte était déjà dans un état comateux quand elle les a reçues et elles n'ont pas contribué à l'issue fatale, due en partie aux effets du Seconal et en partie à l'action destinée à ranimer la défunte. »

Papadopoulos persista néanmoins à utiliser la mort d'Eugénie pour nuire à la faction Makarezos. « A ce niveau, il faut bien se salir les mains », dit Ari à un de ses proches collaborateurs, en reconnaissant son intervention dans l'affaire. Le 21 août, soit cent dix jours après la mort d'Eugénie, le procureur général au terme de ses réquisitions concluait que Niarchos devait être poursuivi pour les blessures qui avaient entraîné la mort de son épouse. Il retenait contre l'armateur de soixante ans l'article 311 du Code pénal grec sur l'homicide involontaire qui entraîne une condamnation maximum à dix-huit ans de prison. Les réquisitions furent transmises à la Haute Cour. Les juges décidèrent que l'enquête avait simplement confirmé qu'Eugénie Niarchos s'était donné la mort dans la nuit du 3 au 4 mai, et le dossier fut précipitamment classé. La junte ratifia l'accord Niarchos. Le colonel Makarezos fut l'invité d'honneur des cérémonies d'inauguration d'une nouvelle cale sèche à Skarmanga, baptisée Eugénie. Le colonel déclara aux ouvriers : « Nous sommes sûrs que le créateur et inspirateur de ce chantier naval fera face aux coups du sort avec le courage qui permit aux anciens Grecs de triompher des puissances de mort. »

On fut aussi déçu sur Skorpios que soulagé sur Spetsopoula par l'arrêt de la Haute Cour. « Ari voulait s'acharner sur l'affaire de la mort d'Eugénie, dira Meyer qui, plus peut-être que quiconque dans l'entourage immédiat d'Ari, avait vu sa haine en action. Hormis Christina, il était le seul de la famille qui blâmait sérieusement Niarchos pour ce qui était arrivé cette nuit-là à Spetsopoula, même si je suppose que Niarchos lui-même éprouvait un sentiment de culpabilité, l'impression d'avoir une certaine responsabilité dans la tragédie. Même Arietta le soutenait. Tina a pris les deux plus jeunes des gosses Niarchos avec elle en Angleterre. C'est Alexandre qui a fini par convaincre son père de laisser tomber toute l'affaire. Il lui a dit d'abandonner parce qu'il ne réussissait qu'à faire du mal aux enfants : "Leur mère est morte et la seule chose que tu as en tête c'est de prendre ta revanche sur leur père." En fin de compte Ari a renoncé. »

Ari avait bien d'autres problèmes en tête. D'abord dans le projet Oméga, les colonels n'avaient pas réussi à persuader les banques de lui consentir un prêt à long terme à des conditions favorables, et ensuite les tarifs de fret avait plus que doublé depuis qu'il avait fixé à 3,30 dollars le prix de la tonne de pétrole qu'il devait acheminer en exclusivité à la raffinerie pendant les quinze ans de la concession. Il y avait eu là de sa part un pari, eu égard aux fluctuations du prix du pétrole, mais dans un marché de pétroliers menacé de surcapacité, le pari paraissait tenable. Pourtant, devant ses tentatives maladroites pour attirer Alcoa et Reynolds dans le projet Oméga, devant son incapacité à obtenir que les Américains fournissent les investissements de base, ses collaborateurs les plus loyaux se convainquirent qu'il n'était plus dans le coup, même s'il conservait sa ruse de pirate. Peu après l'échec des négociations avec les géants de l'aluminium, dans un entretien avec ses avocats grecs, il suggéra d'« intéresser Moscou » dans le projet Oméga. Les Russes, dit-il, n'avaient « ni remords ni scrupule de conscience » à commercer avec la junte et étaient disposés à parler affaires sur-le-champ. Un cadre en visite sur le *Christina* pour une raison quelconque entendit les mêmes propos. Peu après, Ari envoyait Yannis Georgakis à Moscou pour préparer le terrain*.

L'initiative d'Ari en direction des Soviétiques préoccupait gravement le Département d'État. Par sa position stratégique sur la route des champs pétrolifères du Moyen-Orient et en raison de la présence des bases militaires et de renseignement pour la Méditerranée orientale, la Grèce constituait un enjeu vital pour les

---

* David Karr a soutenu avoir été mêlé de très près, sur la demande d'Ari, aux pourparlers avec les Soviétiques dans le projet Oméga. Il a raconté qu'Ari l'interrogea sur les Russes : « Comment est-ce qu'on traite avec ces gens ? — Comme on mange un éléphant, lui répondit Karr, morceau par morceau. » Quand, en 1971, son yacht, à l'ancre dans le port de Cannes, prit feu, explosa et coula, Karr donna à entendre à ses amis qu'il s'agissait de représailles de la CIA pour sa participation au projet Oméga. Mais quatre mois après qu'on l'eut trouvé mort dans son appartement de l'avenue Foch, le magazine *Fortune*, dans un article intitulé « La mort de Dave Karr et autres mystères », suggérait que ses relations avec les Russes s'étaient développées à partir de 1972, quand il s'était associé en affaires avec Armand Hammer, président de l'Occidental Petroleum.

États-Unis. L'accord offrirait aux Russes une prise solide sur un pays clef dans le dispositif de défense de l'OTAN. Heureusement, Ari traitait avec les Russes de la même manière qu'avec les colonels et les pourparlers traînèrent. En octobre 1971, le vice-président Spiro Agnew effectua une visite d'État dans la patrie de ses ancêtres. Il était le premier dirigeant occidental de haut rang à mettre les pieds en Grèce depuis le putsch de 1967. Au cours de trois jours d'entretiens privés, il rappela au sens des réalités le Premier ministre et ses colonels qui, redoutant l'effondrement du projet Oméga et aspirant désespérément aux prestiges du succès, se montraient d'une ambiguïté inquiétante en face de l'initiative soviétique d'Ari. D'après Gratsos, l'un des rares membres de l'entourage d'Ari à avoir pris position contre l'alliance avec Moscou, « Ari cherchait les ennuis, et il en a eu un beau paquet. Il n'est pas difficile d'imaginer ce qu'Agnew a dit à Papadopoulos. Je suppose qu'il lui a simplement rappelé à quel point il dépendait de l'aide économique et militaire des États-Unis... et : "Au fait, George, si tu ne veux pas que Nixon coupe les vivres, il faut balancer Onassis." » Il ne fait aucun doute qu'une espèce de marché fut passé à Athènes. Pendant le dîner d'adieu dans l'immeuble de l'ancien Parlement, au moment des toasts, Agnew et Papadopoulos parlèrent avec mépris des « sophistes » — de tels hommes, dit le premier, « anéantissaient tout effort pour défendre notre civilisation ». Plus tard, Agnew dit aux journalistes qui l'accompagnaient que la poursuite de l'aide militaire à la Grèce était « d'importance capitale pour les États-Unis ». Et à peine avait-il retrouvé le sol de son pays que les colonels annonçaient l'abandon du projet Oméga. Ari vit là un coup de Nixon. « Il doit se frotter les mains ce soir, d'avoir réussi à me faire tondre par un Grec, dit-il, amer. Et après tout ce que j'ai fait pour Agnew, ce fils de pute grecque*. »

Ari n'était pas disposé à abandonner le projet Oméga sans combattre. En 1972, quand il y eut un nouvel appel d'offres pour la raffinerie, il se porta de nouveau candidat. Son insistance embarrassait les colonels, et Papadopoulos en particulier. Ari le savait. « S'il croit qu'il peut me mettre sur la touche maintenant, il ferait mieux d'y réfléchir à deux fois », dit-il à un avocat athénien qui

---

* En 1966, quand Agnew se présenta aux élections de gouverneur du Maryland, Spyros Skouras invita Ari à verser une contribution à sa campagne, apparemment avec plus de succès qu'en 1942, quand il l'avait incité à verser de l'argent au Fonds de soutien de guerre grec. Jack Anderson, le chroniqueur de Washington, plaçait le nom d'Ari dans une liste d'éminents Grecs et Américains d'origine grecque qui assistèrent à un déjeuner de soutien à Agnew dans la campagne de 1966.

l'avait aidé à mettre sa nouvelle offre au point. Deux semaines plus tard, le 18 février, le jet privé d'Ari, le SX-ASO, s'écrasa dans la mer au large du cap d'Antibes et ses pilotes personnels, les frères Kouris, trouvèrent la mort dans l'accident. Ari était convaincu qu'il s'agissait d'un sabotage, mais moins sûr de lui quant à l'identité des assassins. Il attribuait tour à tour la responsabilité de l'accident à la CIA, à Papadopoulos, à des rivaux en affaires et au KGB. « Il pouvait présenter des accusations très convaincantes contre chacun d'eux, dit son ami Willy Frischauer, et il le faisait fréquemment. Mais ce n'était que conjectures, sous-entendus, théorie. Il n'avait aucun élément solide, pas l'ombre d'un. »

L'accident, qui s'était produit durant une approche à vue de l'aéroport de Nice, était probablement dû à une erreur de pilotage. « Je ne sais pas ce qui est arrivé, dira le successeur des deux frères, Don McGregor. Est-ce que le capitaine a demandé de mettre les volets d'atterrissage et que le copilote a déclenché les aérofreins ? Ou alors, autre chose... ? On ne m'a pas dit grand bien des capacités du frère cadet. » Mike Jerram, pilote émérite et auteur de livres sur l'aviation, explique : « Ils ont peut-être perdu leurs repères visuels pendant la descente, sont arrivés trop bas et ont heurté la flotte. L'aéroport de Nice est assez traître, parfois, en particulier de nuit. » Ari refusa de considérer toute autre explication que celle du sabotage. Il parla d'embaucher des gardes du corps permanents, en plus des vigiles chargés de la sécurité de ses différentes maisons et du *Christina*. « Ari, si quelqu'un peut aller jusqu'à abattre un avion pour t'avoir, je ne crois pas qu'une armée entière de gorilles sera d'une grande utilité », lui déclara Meyer avec raison.

Alexandre avait de l'affection pour les frères Kouris et leur mort le toucha. Il passa plusieurs semaines à fouiller la côte, étudiant les marées et le régime des vents, cherchant des débris de l'accident. Il ne trouva rien. Ni lui ni personne. Son intérêt pour le sort des Kouris n'avait rien à voir avec la paranoïa de son père. « Je suppose que c'est un accident comme un autre. La fatalité », dit-il finalement à Fiona, qui avait arpenté les plages avec lui.

Depuis son mariage avec Jackie et son triomphe devant la Chambre des lords sur Panaghis Vergottis, il n'y avait pas eu beaucoup d'événements positifs dans la vie d'Ari. Une fois le projet Oméga parti en fumée, il ne lui restait plus de but important. Et pourtant il ne cessa pas de comploter. Il avait le besoin compulsif de manipuler les gens et d'exercer son influence sur eux, ces gens dussent-ils être les membres de la famille. Durant l'été 1970, alors qu'Oméga commençait à se désintégrer, il trouva du temps pour s'occuper de nouveau des liaisons de Christina. Il décida qu'elle

devait épouser Peter Goulandris. Héritier d'une lignée d'armateurs, Goulandris avait vingt-trois ans, une beauté ténébreuse et
il était épris de Christina. La famille Goulandris possédait quatre lignes maritimes, soit 135 navires pour une valeur de plus de
1,35 milliard. Sa mère était issue d'une famille distinguée et
encore plus riche, les Lemos. Ari estimait que ce serait une union
parfaite. « Certains mariages sont faits sous le signe du démon,
les meilleurs le sont sous le signe de Scorpios », dit-il. Christina
fut assez sage pour voir l'insignifiance de la remarque, assez avisée pour ne pas l'accepter sans interrogations. « L'amour est une
quête, pas une affaire », remarqua-t-elle devant un ami venu à
Skorpios cet été-là, peu avant qu'elle fuie l'île et le fiancé qu'on
lui avait choisi. Elle souffre de dyspepsie nerveuse, assura Ari
pour expliquer son départ en toute hâte la veille de ses fiançailles. Jackie pensait que « c'était un petit coup de cafard ».
   La vérité, c'était tout simplement qu'elle s'estimait capable de
décider elle-même de sa vie. L'époque où elle vouait une confiance
sans borne à son père, où elle était sûre de pouvoir compter sur
son dévouement, approchait de la fin. Il avait toujours été le pivot
de son univers riche et instable (pour son dix-septième anniversaire, elle avait reçu en cadeau un châle de paysanne grecque
décoré de colifichets d'or pour une valeur de cinquante mille dollars) mais à présent, partagé entre ses affaires et Jackie, Ari la
négligeait de plus en plus. Un ami invité sur l'île de Skorpios cet
été-là dira : « Je ne crois pas qu'il ait compris combien une jeune
fille de dix-neuf ans peut être mélancolique, pleine d'élans
métaphysiques. Elle avait désespérément besoin de son affection,
ou plutôt qu'il la lui manifeste. » Pourtant, elle n'était pas totalement surprise par le comportement de son père. Obsédé par le
pouvoir, n'aimant rien tant que l'excitation des affaires, le jeu
des magnats en quête de revanche, de fortunes et de grandeur
dynastique, il lui avait dit un jour : « Commencer à penser, c'est
commencer à faire des affaires. » C'était une sagesse pour le moins
lacunaire au service d'une éducation imparfaite. « J'ai appris toute
seule que commencer à sentir, c'est commencer à souffrir », disait-
elle à ses amis.
   Alexandre avait peu de temps à consacrer à sa petite sœur ; il
y avait entre eux une distance plus grande que n'impliquait le
besoin de vivre séparément. « Il était terriblement jaloux d'elle
parce que c'était une enfant gâtée et qu'elle avait tout ce qu'elle
voulait », dit Fiona Thyssen qui estime à deux cent mille dollars
par an les sommes que Christina dépensait en vêtements, bijoux,
appartements et voyages, à une époque où Alexandre s'en tirait
tant bien que mal avec les douze mille dollars qu'il gagnait chez
Olympic ; cependant il partageait les préoccupations de sa sœur
au sujet de Jackie (la Veuve, comme il l'appelait en privé) qui acca-

parait l'attention de leur père et empiétait sur leur territoire. Il pensait que Christina était prête à attirer l'attention d'Ari sur elle, « à tout prix... ». « Nous nous battons tous en fin de compte pour notre propre peau. »

Christina rencontra Joseph Bolker dans la piscine intérieure de l'Hôtel de Paris à Monte-Carlo. Il avait quarante-huit ans. Tennis, ski, plongée sous-marine et gymnastique quotidienne lui conservaient un corps mince et ferme ; toujours ébouriffés, ses cheveux gris avaient quelque chose de juvénile. Il ne buvait ni ne fumait. Sa courtoisie discrète se révélait efficace dans les activités civiques et culturelles auxquelles il se consacrait dans sa ville de Los Angeles. Il y avait un écho de son Nebraska natal derrière les douces intonations de son accent de la Californie du Sud. Il s'intéressait aux autres, c'était un fanatique de la vie associative (« Force d'intervention républicaine », « Américains pour le changement », « Commission pour la beauté de Los Angeles », « Amis américains du Musée d'Israël », « Ligue marine des États-Unis ») et il connaissait la vie (deux fois divorcé, il avait quatre filles). C'était enfin, suivant le mot de Christina qui jugeait sa richesse à l'aune des Onassis, « un gentil petit millionnaire dans l'immobilier ».

Comme il se trouvait à Monte-Carlo pour la convention de l'Organisation des jeunes Présidents, Bolker s'était lié avec Christina, comme il arrive au bord d'une piscine, et leur intimité n'était pas allée plus loin que le fait de s'appeler par leurs prénoms. D'après elle, il parlait peu mais était toujours plaisant et disponible. Quand vint pour lui le moment du départ (il rentrait à Los Angeles via l'Allemagne et Londres), elle l'invita à passer la voir à Londres et écrivit sur une feuille de carnet son nom et le numéro de téléphone de Reeves Mews, son appartement près de Grosvenor Square. Ce fut seulement quand elle déchira la feuille et qu'elle la lui tendit qu'il comprit à qui il avait affaire. Il lui téléphona d'Allemagne et ils prirent rendez-vous. « Nous nous sommes bien amusés, raconta-t-il. C'était une personne très brillante, séduisante et intéressante. » Il s'étonna qu'elle n'ait que dix-neuf ans.

Après son retour à Los Angeles, il revint plusieurs fois en Europe dans les mois qui suivirent, pour la retrouver à Paris, à Londres et dans des hôtels discrets de la côte sud de l'Angleterre. L'affection de Christina s'approfondit, prenant la tournure d'une relation de dépendance, comme le démontraient ses coups de fil et ses lettres. Bolker s'en inquiéta. Elle lui raconta que son père lui faisait passer « des moments particulièrement pénibles, et qu'elle était très malheureuse ». Clouée dix jours au lit par une grippe, elle avait acheté un téléviseur à installer dans sa chambre de malade ; quand il reçut la facture, Ari piqua une colère et refusa de payer. « Pourtant une semaine auparavant, il lui avait offert un collier d'émeraude et un bracelet, le tout valant peut-être trois cent mille dollars. Elle ne comprenait pas. Je lui ai dit : « Christina, c'est évident, la télévision, il n'y a que les domestiques, ou ceux qui viennent dans ta chambre, qui peuvent la voir. Quand tu portes ces bijoux, le monde entier peut les voir, ils sont le reflet de sa richesse à lui et de son image à lui, et voilà pourquoi il se conduit de cette façon. »

Bolker n'aimait pas Ari : « Il s'est servi de ses enfants, de sa famille, il s'est servi de tout le monde : en public, il disait : "J'aime ma fille, j'aime mon fils", mais il n'y avait pas trace d'amour, il n'avait ni sentiments ni conscience. Il utilisait tout le monde. » Le Californien comprenait aussi à quel point le mariage d'Ari avec Jackie avait perturbé Christina. Il avait des filles et sa première femme, Janice Taper, avait été l'héritière d'un père tyrannique ; il savait à quelles pressions, à quels tiraillements sont soumises des jeunes filles transportées dans un monde d'émotions plus fortes et plus complexes que tout ce qu'elles ont connu jusque-là. Et malgré ses appréhensions devant la direction que prenaient ses relations avec Christina, il voulait l'aider. Ce n'était pas une personne facile à atteindre ; il perdit le compte des heures de communication ratée qu'ils passèrent au téléphone, dans des conversations par-dessus l'Atlantique. Son désespoir était authentique mais elle en rajoutait souvent dans la macération pour se donner un air de vulnérabilité émouvant. La violence de ses sautes d'humeur, qui mettaient à rude épreuve les réserves d'énergie et de patience de son amant, atteignait les hauteurs de la désespérance. « Elle voulait se donner des airs émancipés mais en réalité, elle était prête à se jeter dans les bras de tous ceux qui trouvaient le déclic », racontera un ami sur cette période.

En la voyant débarquer à l'improviste à Los Angeles, Joseph Bolker n'était pas vraiment content. L'appartement qu'il possédait au vingt-quatrième étage des Century Towers était un parfait nid de célibataire. Il ne faisait pas mystère de son goût des belles femmes : « J'aime les femmes et j'ai connu quelques-unes des plus ravissantes et des plus intéressantes femmes du monde, je ne vois pas où est le mal. » Après deux divorces, il n'avait aucune envie de modifier son mode de vie pour habiter avec une maîtresse lunatique qu'il n'avait pas invitée, même si elle s'appelait Christina Onassis et qu'elle était la fille d'un des hommes les plus riches du monde, époux de la veuve du trente-cinquième président des États-Unis.

« Ta mère sait où tu es ? » demanda-t-il. Christina répondit par la négative et il insista pour qu'elle l'appelle immédiatement. La réponse de la marquise, qui se trouvait dans le Sud de la France, fut assez extraordinaire : « Je ne veux pas que ma fille vive avec un homme avec lequel elle n'est pas mariée. » Christina, dit-elle, devait rentrer immédiatement en Europe « ou légaliser la situation ». Bolker protesta. En premier lieu, Ari n'approuverait jamais. En second lieu, il ne voulait pas se marier. Tina lui répondit que sa fille l'aimait beaucoup et que si elle comptait si peu pour lui, il n'avait plus qu'à la mettre dans le prochain avion pour l'Europe. Cette conversation bouleversa Christina. En entendant Bolker résister à Tina qui l'encourageait au mariage, en l'écoutant faire poliment remarquer qu'il avait vingt-sept ans de plus que Christina et qu'il n'était pas amoureux d'elle, la fille d'Onassis pensa qu'il ne la trouvait pas assez désirable. L'accès de paranoïa qui suivit aurait dû avertir Bolker qu'elle ne réfléchissait pas rationnellement : « Qu'est-ce que j'ai qui ne va pas ? Pourquoi ne veux-tu pas m'épouser ? Je ne suis pas assez bonne pour toi ? »

Puis elle s'enferma dans la chambre. Bolker demeura dans le salon. Au bout d'un moment, il commença à s'inquiéter. « Je n'entendais plus rien, alors je suis entré dans la chambre, et elle était couchée là. Elle avait pris des cachets. J'ai pensé : "Bon Dieu, qu'est-ce que tu as fait ?" Il y avait un jeune médecin dans l'immeuble de l'autre côté du couloir, et je suis allé le chercher. Il a commencé à s'occuper d'elle, à lui faire ingurgiter des breuvages et il a fini par la ranimer. » Elle ne regrettait rien. « Si tu ne m'épouses pas, je continuerai jusqu'à ce que tu acceptes, lui annonça-t-elle. — Bon, si tu en as envie à ce point, dit Bolker, nous nous marierons. » Elle n'osa pas un instant songer à ce que son père penserait, à ce qu'il ressentirait, à ce qu'il ferait, quand il apprendrait la nouvelle.

Ari fêtait sur Skorpios le quarante-deuxième anniversaire de Jackie quand arriva le câble de Las Vegas : *Chryso mou* avait épousé Joe Bolker. « Ari a flippé, raconte Meyer. Je l'avais déjà vu bien des fois se mettre dans tous ses états mais jamais de cette façon. Il était déchaîné, hors de lui à se bouffer les ongles. Un jour comme celui-là, je n'aimerais pas le revivre. » Bien entendu, Ari n'ignorait rien de Joseph Robert Bolker. Depuis un certain temps, le téléphone de Christina à Londres était sur écoutes. (L'un de ses collaborateurs londoniens qui a vu une transcription d'une conversation entre Alexandre et Christina — « du bavardage sans intérêt, des considérations domestiques sur la maison que Fiona allait louer sur Wilton Place, le désappointement d'Alexandre au sujet de Saint-Moritz » — s'interrogeait sur « la psychopathie d'un homme qui n'hésite pas à mettre sur écoutes sa propre famille ».) L'idée que Christina pût tomber amoureuse de cet étranger à leur race et à leur pays n'avait jamais traversé l'esprit d'Ari. Voilà qui donnait une indication sur la distance qui s'était creusée entre eux. « Quelques années plus tôt, dit Gratsos, il aurait prévu le danger que représentait pour une fille comme Christina une fascination si peu habituelle. »

DESMOND O NEILL

Entrée de Maria Callas.

Les mensonges récents et à venir trou-
blaient-ils la conscience de Maria? Elle
ne le montrait pas en buvant du dom
pérignon pendant qu'Ari l'étourdissait
d'histoires.

AP/LONDON CAMERA PRESS/PATRICK LICHFIELD

Ci-contre : trois heures du matin. Les photographes surprennent une triple embrassade préfigurant l'avenir : la Callas entre son époux et Ari, qui n'oubliera jamais le parfum de ses fourrures.

Jeanne Rhinelander, la « Mrs. J.R. » de la demande de divorce. Tina refusait de donner à la Callas la satisfaction d'être considérée comme la femme qui lui avait volé l'affection de son mari. « Mrs. J.R. » menaça de la poursuivre en diffamation, au grand dam. d'Ari, avec qui elle avait eu une relation « sur terre et sur mer ».

Seize mois après son divorce, Tina épousa le marquis de Blandford, fils du duc de Marlborough, un parent de Churchill, au cours d'une cérémonie grecque orthodoxe à Paris. Elle affirma à ses amis qu'elle était en pleine forme.

Ci-contre et ci-dessous : Ari n'était nullement pressé d'épouser la Callas, même si l'équipage du *Christina* l'appelait la patronne, et si la princesse Grace et le prince Rainier considéraient qu'elle remplaçait très bien Tina.

AP/LONDON

LIAISON/GAMMA

Ari fit un effort pour se rapprocher de Christina et d'Alexandre. Ce n'était un secret pour personne qu'ils en voulaient à Maria d'avoir brisé le mariage de leurs parents.

Alexandre ne s'est jamais senti à l'aise avec son père. « Je l'admire, j'admire aussi Howard Hughes », déclara-t-il, révélant ainsi l'ambiguïté de ses sentiments.

La baronne Fiona Thyssen-Bornemisza, « maîtresse, mère et confesseur » d'Alexandre.

CAMERA PRESS

La flotte d'Ari, lourdement hypothéquée, était immobilisée. Seuls ses amis les plus proches savaient à quel point il souffrait. Il lui fallait un miracle pour s'en sortir.

Ari tenait par-dessus tout à éviter qu'on découvre prématurément qu'il était de plus en plus intime avec Jackie. L'incongruité même de leur liaison les aida considérablement à garder le secret.

CECIL BEATON/CAMERA PRESS

Ci-contre : Maria. Elle passa plusieurs semaines claquemurée dans son appartement.

Un vieux milliardaire saisi par l'amour est une source naturelle d'inquiétude pour ses héritiers. La nouvelle du prochain mariage de Jackie et d'Ari bouleversa Alexandre et Christina.

Ci-contre : le jour du mariage. Caroline Kennedy sur les genoux de sa mère, Ari au volant.

Les mariés à Skorpios.

CHRIST
Y. C. M

Au début de leur mariage, une certaine tendresse conjugale était perceptible.

Il s'était glissé dans la peau d'Ulysse : il ne rêvait plus que de revenir au pays sous les acclamations et les louanges.

I N A

A l'avocat Roy Cohn, il raconta : « Notre mariage s'est réduit à ça : chaque mois, on me présente la facture. »

Ari, Christina et deux amis proches, Richard Burton et Elizabeth Taylor, à un bal masqué à Venise.

Dans cette page : Christina et Peter Goulandris : pour Ari, un couple parfait.

Avec son mari numéro un, Joseph Bolker. « Qu'est-ce que j'ai qui ne va pas? Pourquoi ne veux-tu pas m'épouser? Je ne suis pas assez bien pour toi? » lui demanda-t-elle.

Ci-contre, avec le mari numéro deux : Alexandre Andreadis. C'était apparemment une meilleure idée. Mais elle découvrit bientôt que l'urgence de la passion n'est pas forcément la meilleure introduction à la paix domestique.

Le mari numéro trois : Sergueï Kauzov. Leur liaison fut découverte par les services secrets français. Travaillait-il pour le KGB?

Le mari numéro quatre : Thierry Roussel. Leur union a survécu à des débuts difficiles.

REX FEATURES/SETTIMIO GARRITANO

CAMERA PRESS/BENOIT GYSEMBERGH

CAMERA PRESS/MICHAEL STAFYLAS

Ci-contre : quand les paupières d'Ari devinrent trop faibles pour qu'il pût les tenir ouvertes, Christina les lui colla avec des bouts de sparadrap pour les empêcher de tomber et lui fit porter des lunettes noires pour les dissimuler.

La curiosité de la presse confirmait ce que Christina et Jackie savaient déjà au fond de leur cœur : Ari était revenu à Paris pour mourir.

Dans cette page : un rapprochement semblait s'être dessiné entre Christina et la veuve de son père.

En route pour les funérailles à Skorpios, les sœurs d'Ari, Artémis Garofalidès et Calirrhoë Ionnalidès, partagent une limousine avec Jackie. Mais celle-ci a déjà commis une grave erreur en ne rentrant pas à Paris quarante-huit heures plus tôt.

TWO PHOTOS: REX FEATURES/SIPA

Le dernier voyage d'Ari... et le chemin du retour sera long pour Jackie.

Le « problème Christina », comme on s'était mis à l'appeler dans l'entourage d'Ari, lui rendit son énergie. Il aimait se battre. Quand il n'avait pas une bataille à sa portée, son esprit se laissait gagner par l'ennui et le cafard. « De temps en temps, il avait besoin de vérifier son mordant sur d'autres sortes de gens simplement pour s'assurer qu'il n'avait pas perdu la main », dira un collaborateur. Les difficultés avec Jackie étaient encore mineures, même s'il était évident que son goût du voyage avait été stimulé par la brusque augmentation de ses revenus. Ari avait déjà éprouvé la nécessité d'expliquer aux reporters leurs fréquentes séparations (« Jackie est comme un petit oiseau, qui a besoin de liberté autant que de sécurité. Avec moi, elle a les deux. Nous nous faisons confiance, sans avoir à en parler. ») L'apparition d'un nouvel ennemi l'exaltait. C'était toujours ainsi : plus l'adversaire était proche de lui, plus implacable était son ardeur à se battre. Bolker remplaça Niarchos dans le rôle d'ennemi privé numéro un.

Pendant ce temps, Christina commençait à s'habituer au rôle de troisième femme de M. Bolker. Elle donnait de petits dîners pour ses amis, jouait au tennis, lisait beaucoup, faisait du surf et se promenait au bord du Pacifique. « L'air de l'océan me remet en forme », disait-elle, en reconnaissant qu'elle avait beaucoup souffert de la réaction de son père à son mariage. « La mer, c'est la vie, pour les Grecs. » Elle savait aussi qu'Ari ne voudrait ni ne pourrait les laisser longtemps tranquilles. « Nous aimions dormir ensemble et parler, et tout était bien. Chacun répondait aux besoins de l'autre », raconte Bolker sur les premiers temps de leur union. Il survint néanmoins, pendant qu'elle faisait du surf à La Jolla un incident de mauvais augure : elle perdit sa bague de mariage. « Elle lui avait glissé du doigt, et ça l'a beaucoup bouleversée. Elle m'a obligé à plonger pendant des heures dans les vagues pour essayer de la retrouver. Nous savions tous les deux que c'était sans espoir, mais elle ne voulait pas abandonner. »

Certes, dans son for intérieur, Ari respectait et même admirait la révolte de sa fille — « L'obéissance ne vaut pas un pet de lapin, si on ne s'est pas rebiffé un bon coup au moins une fois », grogna-t-il après avoir bien crié. Mais il n'était pas non plus question qu'il tolère cette manifestation d'insubordination pendant plus de temps qu'il ne lui en faudrait pour prendre les arrangements nécessaires à sa répression. Pour son vingt et unième anniversaire, les gérants du capital à son nom devaient lui remettre soixante-quinze millions de dollars (nets d'impôt); Ari annula ces dispositions et repoussa le moment où elle aurait accès à l'argent. « Elle ne m'aura pas comme ça. Tant qu'elle sera mariée à cet homme, elle n'aura pas un sou », dit-il à Meyer avant de l'envoyer en Californie pour discuter avec Bolker. Les deux hommes et Christina déjeunèrent au Beverly Hills Hotel. Tout en étant prêt à écouter ce que Meyer avait à lui dire, Bolker restait sur ses gardes. Il savait que l'émissaire d'Ari était capable « de faire assassiner des gens, de vous faire casser les jambes, enfin ce genre de choses. Christina m'a dit qu'il faisait beaucoup de choses pour son père, qu'il s'était occupé de régler pour lui beaucoup de situations ». Elle comprenait parfaitement Meyer, il l'aimait bien et était dans son bon jour; il savait charmer aussi bien qu'effrayer.

Au Polo Lounge, Meyer exposa la situation, il leur expliqua qu'Ari désapprouvait le mariage, qu'il était « profondément blessé » de n'avoir été averti qu'après la cérémonie. Quand il aborda le sujet des fonds bloqués par Ari, Christina l'interrompit en lui disant qu'elle aussi était « profondément blessée » d'être punie ainsi. Mon père, lança-t-elle, m'enlève « ce qui me revient de droit ». Meyer lui rétorqua qu'elle connaissait la solution : l'argent lui serait remis dès qu'elle aurait divorcé de Bolker. Ce dernier garda son calme. Il affirma qu'il était parfaitement capable de faire vivre sa femme. C'était une preuve de loyauté admirable de la part d'un homme qui ne s'était pas vraiment marié dans l'enthousiasme et qui ne tenait pas non plus outre mesure à subir le poids des passions qu'il avait déclenchées par inadvertance.

Meyer en vint aux « sérieuses implications » que le mariage pourrait avoir pour les affaires d'Ari. Se tournant vers Bolker, il lui dit : « Tu vois, Joe, Ari fait beaucoup d'affaires avec les Saoudiens. Ils ne seront peut-être pas ravis qu'il y ait un juif dans la famille. S'ils retiraient leurs contrats, les banques risqueraient de s'inquiéter. Des banquiers inquiets, c'est une mauvaise nouvelle. Ça ferait vraiment très mauvais effet dans le tableau s'ils annulaient leurs prêts, Joe. » Bolker répondit qu'il avait beaucoup d'amis saoudiens et qu'il connaissait les problèmes géopolitiques du Moyen-Orient : « Je ne crois vraiment pas que les Saoudiens éprouvent de l'animosité envers les Juifs américains. »

Bolker eut l'impression que le déjeuner s'était bien passé et qu'ils avaient réussi à lui faire comprendre leur point de vue. « Nous pensions qu'il comprenait la situation, que c'était un ami; malheureusement, ça ne s'est pas vérifié. Par la suite nous avons appris qu'il avait fait un rapport très défavorable. » Peu après le retour de Meyer à Paris, Ari accentua ses efforts pour mettre fin au mariage. « Dès que je partais au bureau, le matin, Christina commençait à recevoir des coups de téléphone de gens qui essayaient de la convaincre de divorcer, qui lui racontaient des trucs faux, incroyables, stupides, tout pour me discréditer. » Le bruit courut bientôt qu'il était en relation avec le syndicat du crime. « Je rentrais à la maison pour la trouver en plein désespoir. On l'avait appelée pour lui dire que je faisais partie de la mafia. Au bout d'un moment elle n'en pouvait plus. »

En septembre, moins de cinq semaines après le mariage à Las Vegas, elle prit seule l'avion pour aller parler à sa mère à New York. Elles se retrouvèrent dans une suite du Regency Hotel. « J'essaie seulement de me construire une existence vivable. Est-ce que papa ne veut pas que je sois heureuse ? » Tina avança qu'il testait sa résolution. « Tu dois lui prouver que tu as raison et qu'il a tort. C'est la guerre des nerfs. Résiste-lui, c'est tout. » Pour l'aider à se consoler du blocage des 75 millions de dollars, Tina lui remit en secret deux cent mille dollars — extraordinaire prodigalité de la part d'une femme célèbre pour son goût de l'épargne : « Faire régler une addition de cinq livres par Tina, c'était un drôle de miracle », dira Fiona Thyssen. Elle lui suggéra de se chercher une maison sur le bord de mer en Californie.

Si cet argent a sans doute soulagé le fardeau de culpabilité de Tina, il n'était, pas plus que le conseil, offert de manière tout à fait désintéressée. Son ménage avec le marquis, qui battait de l'aile depuis un certain temps, était bien près de la fin et elle projetait déjà d'épouser Stavros Niarchos. Chez Tina, la roublardise d'une femme insatisfaite ajoutait à une disposition innée pour le secret : son beau-frère et elle avaient bien caché leur jeu et si l'idée du tour qu'elle jouait à Ari augmentait son plaisir, elle n'en était pas moins inquiète de ses réactions. « Le problème Christina » était un moyen sûr de détourner son attention : « Joe Bolker a remplacé Stavros dans le rôle de l'homme qu'il aime haïr », annonça-t-elle à un ami parisien. Ignorant les projets de sa mère et le véritable motif de ses conseils et de sa générosité, Christina rentra à Los Angeles renforcée dans sa résolution. Ces dispositions d'esprit ne devaient pas durer.

Le 22 octobre, dix-huit mois après la mort d'Eugénie sur Spetsopoula, Tina et Stavros Niarchos se mariaient à Paris, avec la bénédiction d'Arietta Livanos et même, de l'avis général, avec ses encouragements les plus vifs... « Arietta cherchait une alliance exclusive, qui exclurait tout mariage avec des étrangers », a dit un armateur grec. Alexandre fut avisé dans un message délivré par porteur, une heure après la cérémonie ; Christina apprit la nouvelle par le truchement du standardiste des Century Towers. « Ce fut un moment de grande émotion, elle a beaucoup crié et hurlé, une scène très dure », raconte Bolker qui pense que Tina a « épousé Niarchos rien que pour blesser Onassis — c'était une situation de revanche ». Christina nourrissait toujours les plus graves soupçons à l'égard de son oncle : elle craignait qu'il ne soit à l'origine d'un terrible malheur qui arriverait à sa mère... « Elle était convaincue que c'était dans la nature de Niarchos... elle croyait qu'il avait tué sa tante Eugénie et qu'il allait tuer sa mère », dit Bolker.

Tina était habile et égoïste, à l'évidence elle faisait preuve d'une force que nul, y compris Ari, n'avait jusque-là soupçonnée. Le mariage l'avait secoué jusqu'au plus profond de lui-même, comme l'avait fait celui de Christina. Si Ari était tellement bouleversé, ce n'était pas, comme il devait l'affirmer plus tard, parce que « la tombe venait à peine de se refermer sur la sœur de Tina et l'épouse de Niarchos ». En fait, dix ans après leur divorce, alors que chacun de son côté s'était déjà remarié, Ari considérait toujours Tina comme sa femme — elle était et elle devrait être à jamais sa femme, dans l'absolu, pour l'éternité : elle était la mère de ses enfants. Son mariage avec « Sunny » Blandford ne l'avait en fait jamais dérangé, bien au contraire. Mais Niarchos, c'était entièrement différent. « Ari se conduisait comme un amoureux blessé », dit Gratsos, qui était infiniment navré pour lui, mais aussi amusé. « Il était dans une colère folle. Il ne pouvait plus penser qu'au mal que Niarchos, à l'en croire, lui avait fait. » Il était surtout furieux qu'ils se soient mariés officiellement. « S'ils avaient eu une liaison dans le dos de Blandford, Ari l'aurait supporté, estime un collaborateur parisien. Alors il aurait vraiment pu tirer le feu d'artifice... Pour lui ce mariage violait toutes les lois morales. C'était une réaction étrangement immature de la part d'un homme d'âge respectable. »

Mais si l'explosion de fureur d'Ari pouvait être considérée comme une démonstration rituelle, il n'en était rien des craintes de Christina. Selon les mots d'une amie californienne, « il y avait une telle atmosphère de tragédie grecque autour de cette histoire, tout était possible ». Aux yeux de Christina, le mariage était « un acte de folie, une manifestation de la plus grande déloyauté envers la mémoire de sa tante, qui piétinait l'orgueil de son père », selon un ami de la Côte Ouest. Ce dernier ajoute « qu'elle ne pouvait se débarrasser de l'idée qu'il allait en résulter quelque chose de vraiment grave. C'était le pire moment pour elle. Le différend avec son père, la crainte de plus en plus forte d'avoir commis une grosse erreur en épousant Joe, tout cela l'affectait beaucoup. Et maintenant il y avait cette connerie. Tina n'aurait pu trouver mieux pour détruire le fragile équilibre affectif de sa fille ». Et tandis qu'Ari pestait et rageait, Christina affrontait la souffrance à sa manière : selon certains, elle prit une surdose de médicaments. En novembre, toutefois, elle était suffisamment en forme pour prendre seule l'avion pour Londres. Bolker déclara à la presse : « Depuis notre mariage, Christina et moi avons été soumis à d'extraordinaires pressions parentales, qui affectent maintenant gravement sa santé. C'est une femme jeune, qui ne devrait pas être privée de l'affection de son père. Sur ma suggestion, elle est allée à Londres voir son médecin... et, espérons-le, résoudre ses problèmes familiaux. »

Ce fut Fiona Thyssen qui recueillit ses confidences les plus intimes. La maîtresse de son frère était sans doute la plus avisée de ses amies ; Christina admirait la façon dont elle s'était tirée de ses propres difficultés et appréciait l'influence qu'elle avait eue sur son frère : c'était Fiona qui l'avait réconcilié avec sa sœur après des années de fâcherie. Début décembre, quand elle arriva chez Fiona à Belgravia, Christina était manifestement à bout de nerfs. Elle expliqua que Joe était un type vraiment bien, et qu'ils étaient sincèrement épris l'un de l'autre mais que leur mariage n'était pas réussi. Même s'il n'y avait pas eu les pressions de son père, le ménage était de toute façon condamné. Fiona l'écoutait en admirant sa grave beauté (« elle était sensationnelle à l'époque, elle se tenait très mal à table, comme la plupart des Grecs, mais son visage était sensationnel ») ; c'était un spectacle poignant que la détresse de cette femme si jeune, éberluée de ce qui lui arrivait, pleine de craintes pour l'avenir.

Quelques jours auparavant, Fiona avait mis la main sur des bribes d'information qu'elle avait jugées particulièrement inquiétantes. Une nuit où elle ne trouvait pas le sommeil, elle se leva pour prendre une cigarette et découvrit sur le bureau de son cabinet de travail quelques pages tapées à la machine. Alexandre avait l'habitude de lui laisser la nuit des petits mots pour lui rappeler des dispositions qu'ils avaient prises, lui demander un service, exprimer une idée sur laquelle il voulait son opinion ; parfois ce n'était rien de plus qu'une pensée affectueuse ou drôle qu'il avait couchée sur le papier. Elle alluma donc une cigarette et se mit à lire. Il lui fallut un petit moment pour comprendre qu'elle avait affaire à la transcription d'une conversation entre Meyer et un autre lieutenant d'Onassis. Ces pages avaient été oubliées sur son secrétaire par un visiteur de la veille, ami d'Alexandre et collaborateur d'Onassis. Fiona se souvient de l'impression qu'elles lui firent : « C'était très nettement menaçant... Ari était décidé à faire un sale coup à Bolker. Il voulait qu'il lui arrive "des bricoles". Il ne voulait pas le liquider, mais sûrement lui faire du mal. » Ce n'était pas une surprise pour Fiona ; Alexandre et lui avaient fini par se persuader qu'Ari « était une personne extrêmement dangereuse qui ne reculait devant rien pour parvenir à ses fins ». Mais elle ne s'était aperçue à quel point Alexandre s'inquiétait pour elle que le jour où il lui avait avoué avoir déposé en lieu sûr certains documents qui dissuaderaient son père de faire du mal à sa maîtresse.

Et maintenant elle savait que Christina devait agir vite, si elle ne voulait pas que Bolker ait de graves ennuis. « Et pourquoi ? Le malheureux ne voulait pas l'épouser au début ; Christina avait fait une erreur... et c'est Tina qui l'avait encouragée, pour des raisons personnelles très douteuses », dira Fiona. Au terme d'une nuit durant laquelle Christina s'était longuement épanchée, Fiona lui donna ce conseil : « Tu ne tiens pas à ce mariage. Et Joe non plus. Il n'est pas question de se faire avoir, personne ne va rouler personne. Reprends le premier avion pour la Californie, dis à Joe que tu demandes le divorce, et dans quelques semaines tout sera terminé. Joe et toi, vous pourrez régler ça sans que personne d'autre s'en mêle. » Il fallait agir vite, si elle ne voulait pas qu'Onassis transforme toute l'affaire en cirque médiatique, qui lui donnerait l'occasion d'exprimer ses sentiments antiaméricains : les Yankees volant une fois de plus les Onassis. « A quoi ça servirait, Christina ? Fais les choses avec dignité, un mot dont ton père ne soupçonne même pas le sens », dit Fiona sans dissimuler son mépris.

Christina rentra en Californie à temps pour la fête que Bolker avait organisée au Bistro de Beverly Hills pour son vingt et unième anniversaire. « Je vais avoir besoin de m'éloigner un moment pour y voir clair en moi, annonça-t-elle à un ami durant la soirée. Il faut que je me réconcilie avec moi-même. » En février, sept mois après la cérémonie de Las Vegas, les Bolker entamèrent une procédure de divorce. « Il sera bientôt mon ex-époux mais ce sera toujours mon meilleur ami », confia-t-elle aux reporters. Qu'est-ce qui n'allait pas ? « J'étais trop grecque et il était trop de Beverly Hills. » Pour son retour à Londres, Meyer fut chargé de l'escorter en compagnie de deux gros bras. A l'aéroport de Los Angeles, les colts 45 des deux gorilles grecs affolèrent les détecteurs de métal qui sonnèrent « comme si on avait court-circuité Quasimodo », raconta Meyer. Dans l'avion, on les invita à remettre leurs armes entre les mains du commandant de bord ; ils ne voulaient pas les lâcher. Meyer parvint à les convaincre que l'avion ne décollerait pas tant qu'ils n'auraient pas obtempéré. « Puis ils se sont mis à arpenter la cabine en dévisageant tout le monde. Ils se conduisaient de façon assez bizarre, et terrorisaient certains passagers. Il a fallu que je demande à Christina de leur dire en grec de se séparer : l'un devait rester assis en face de nous et l'autre aller au bar et surveiller de là-bas. Ces types, c'était le plus pénible de toute l'affaire. »

Ari n'en avait pas encore fini avec Joe Bolker. Il dit à Meyer de lui faire payer le billet de retour de Christina à Athènes. « Je lui ai fait remarquer que la fille pourrait rentrer chez elle gratuitement par les lignes Olympic. Ari ne voulait pas en entendre parler. » « Fais-le payer », disait-il. Inévitablement, le bruit courut qu'Ari avait royalement dédommagé Bolker. Pure contre-vérité*. Le mariage « proprement dit » avait duré moins de quatre-

---

* Leur contrat de mariage signé en octobre 1971 stipulait qu'ils étaient unis sous le régime de la séparation des biens.

vingt-dix jours. Pour y mettre fin, Joseph Bolker dut débourser « près de cinquante mille dollars en frais d'avocat ». On raconte qu'il déclara par la suite : « Quand on a un milliard de dollars contre soi, on le sent passer. » S'il nia avoir prononcé précisément ces paroles, il est évident pour lui qu'Ari s'était employé à « détruire (son) crédit, (sa) crédibilité ».

En gagnant une bataille, Ari avait perdu la guerre contre Christina. « L'énergie qu'il a déployée pour mettre fin à ce mariage est extraordinaire. S'il avait été simplement un peu plus patient, le ménage se serait pourtant désagrégé de lui-même sous le poids de sa propre instabilité, explique un des subordonnés londoniens d'Ari. C'était un mariage condamné dès le départ, né sur un coup de tête, dans le malheur — le résultat a été chaotique. Je ne sais pas ce que Christina a raconté à son père, mais je sais qu'il croyait sincèrement que c'était lui qui avait provoqué le divorce. Je pense qu'il s'en réjouissait mais je crois aussi qu'il avait le sentiment de lui devoir quelque chose. Si c'était ce que Christina cherchait à obtenir, elle ne pouvait pas mieux faire, même si je ne crois pas qu'elle ait été si machiavélique. »

Les mois qui suivirent le divorce furent très agités. Les soupirants se bousculaient au portillon : barons, héritiers et play-boys, locomotives mondaines et personnages en vue. « Ce fut l'époque la plus heureuse, dit-elle à un ami de Paris, la plus heureuse que j'aie jamais connue. » En un mois, on la vit successivement avec le baron Arnaud de Rosnay, Mick Flick, héritier de Mercedes-Benz, et le skieur Patrick Gillis, ancien compagnon de Brigitte Bardot. On a raconté, et la chose paraît plausible, qu'elle faisait souvent le premier pas ; il y eut au moins un jeune homme qui se déroba devant ses avances trop pressantes. « Son drame c'est qu'elle était passionnée sans savoir se faire aimer », dira un de ses anciens galants. Une discussion entre Meyer et Flick illustre bien la tendance qu'avait Christina à se mettre dans des situations impossibles en tombant amoureuse. Il était sept heures du matin à New York quand Flick appela Meyer et lui demanda s'il pouvait passer chez lui avant de prendre le premier avion pour l'Allemagne. Une heure plus tard, il était là et s'expliquait : « J'ai fréquenté Christina. Elle me plaît, j'ai du respect pour elle, mais je ne veux pas l'épouser. » Il raconta qu'il avait depuis longtemps décidé de ne pas se marier avant vingt-cinq ans ; il avait encore huit ans devant lui. « Voulez-vous transmettre le message à M. Onassis ? Dites-lui que j'ai le plus grand respect pour lui et sa famille mais que je ne veux pas encore me marier. »

Avec son amour des surnoms, Alexandre l'appelait « la fille prodigue ». Un soir qu'ils dînaient ensemble, il lui demanda : « Que va-t-il se passer maintenant ? — Je n'en sais rien, lui répondit-elle. C'est ça qui est excitant, non ? »

CHAPITRE 15

Les événements à venir projettent
leur ombre vers nous.

CICÉRON.

Comme son mariage le laissait insatisfait et qu'il ne voulait surtout pas analyser ses propres responsabilités, Ari rejetait la faute sur celle qu'il avait un jour, dans une envolée lyrique, comparée à un « diamant froid aux arêtes coupantes, brûlant et ardent sous la surface ». Jackie était maintenant « superficielle et sans cœur », et il cessa de la surnommer « ma dame de première classe » (d'après le slogan des L&M qu'elle fumait : « 20 cigarettes de première classe »). Le mariage de Tina avec Niarchos et la crise de ses relations avec Christina avaient éveillé en lui une terrible soif de vengeance et un chagrin qu'il avait besoin d'exprimer bruyamment, au grand dégoût de Jackie qui, elle, en période difficile, ne laissait rien paraître de ses émotions. « Jackie ne comprendra jamais Ari, dit Tina à un ami. Des hommes pareils, on les connaît de naissance, ou bien jamais. »

Depuis plus d'un an, il revoyait la Callas et se consolait avec elle. Ils s'étaient d'abord retrouvés chez la cantatrice, avenue Georges-Mandel. Puis, en février 1970, la lettre que Jackie avait adressée à Roswell Gilpatric durant la lune de miel de Skorpios fut publiée après être passée entre les mains d'un marchand d'autographes new-yorkais. Alors Ari ne fit plus mystère de son rapprochement avec son ancienne compagne et du plaisir qu'il prenait à sa compagnie. En cinquante-trois mots, Jackie avait laissé transparaître un profond attachement et si sa missive, au regard des normes de son milieu, ne dépassait pas les bornes de

276

la correction, la femme de Gilpatrick n'en demanda pas moins le divorce au lendemain de sa publication. « Bon Dieu, dit Ari à Gratsos, je me suis vraiment couvert de ridicule. » En mai 1970, les photographes le surprirent en train de dîner avec la Callas chez Maxim's. L'image, qui parut aussitôt, évoquait un peu trop le passé. Jackie prit l'avion pour Paris et le soir du jour suivant, elle était aux côtés d'Ari dans le même restaurant. Meyer reçut pour consigne d'annoncer le tête-à-tête à la presse comme s'il s'était agi d'une rencontre officielle. « Pour Jackie, dira-t-il, ce souper, c'était surtout une gifle à Maria. »

Quatre jours après cet épisode remarquable, la Callas était admise à l'hôpital américain de Neuilly après avoir absorbé une grande quantité de somnifères ; son séjour fut bref. On déclara qu'il était motivé par une simple affection des sinus. La veille au soir, elle était plongée dans un état dépressif : elle avait supplié des amis qui dînaient avec elle de ne pas la laisser seule. Elle n'en gagna pas moins un procès intenté à une radio et à un hebdomadaire parisiens qui avaient prétendu que, dans un accès de dépression dû à sa relation avec Ari, elle avait tenté de se donner la mort. Trois mois après, elle avait retrouvé toute sa vitalité : Ari vint en hélicoptère la rejoindre sur Tragonisis, l'île privée des Embiricos, une famille d'armateurs. Il lui offrit des boucles d'oreilles vieilles d'un siècle et lui donna un long baiser sur la bouche, immortalisé par un papparazzo. Jackie montra de nouveau la rapidité de ses réflexes. « Comme un pompier qui entend la sirène, Jackie s'est empressée de rejoindre la Grèce, Onassis et le yacht *Christina* pour éteindre les rumeurs », raconta *Time*.

Son amour de la vie conjugale n'était pas toujours si ardent. Ari avait du mal à dissimuler le fait que durant ses séjours à New York, il couchait rarement au 1040 de la 5e Avenue. Jackie s'excusait : les décorateurs étaient là (« Elle est dingue de décoration », disait-il à Willi Frischauer d'un air résigné) ou alors, c'étaient Caroline et John qui recevaient des amis. On avait beau expliquer que la suite permanente qu'il conservait au dernier étage du Pierre était une nécessité pour ses activités, l'existence d'un tel appartement donnait du poids aux rumeurs sur les nombreuses clauses restrictives de leur contrat de mariage. Selon Christian Cafarakis, qui fut à l'origine des informations sur ce document, Jackie ne consentait à passer que les jours fériés catholiques et les vacances d'été avec Ari, « et pour le reste de l'année se réservait le droit de voyager seule, et de rendre visite à ses amis et à sa famille sans avoir à demander la permission à son mari ». Onassis ne manquait pas néanmoins de compagnie. Il appelait l'une des nombreuses belles femmes qu'il connaissait et l'emmenait dans un endroit où on ne manquerait pas de les remarquer. A Rome il s'assura de l'attention publique en lançant un verre de champagne sur les papparazzi qui tentaient de le photographier pendant qu'il dînait à l'Osteria dell'Orso en compagnie d'Elizabeth Taylor (comme elle n'était pas accompagnée de son époux Richard Burton, l'actrice se cacha sous la table). Pour les proches d'Onassis, il devenait évident que ce mariage incroyable se transformait en mariage impossible.

Jackie dépensait absolument sans compter, ce qu'elle ne pouvait ni, selon elle, ne devait, expliquer. Enclin lui aussi à la prodigalité, Ari avait au début encouragé ses goûts dispendieux. Mais lorsqu'il reçut du couturier romain Valentino une facture de robes s'élevant à trente mille dollars, il amputa d'un tiers la mensualité qu'il versait à Jackie et retira à ses bureaux de New York le contrôle des dépenses, au profit du quartier général de Monte-Carlo, ce qui lui permettrait d'exercer une surveillance plus étroite. Autre symptôme de son durcissement à l'égard de sa dépensière épouse, son refus de compenser les pertes qu'elle subit — trois cent mille dollars, dit-on — en jouant à la Bourse : « Elle aurait dû placer son argent dans des titres exonérés d'impôts », trancha-t-il. Comme le sont souvent les gens très riches, Jackie était obsédée par la recherche de trucs pour économiser. Elle se mit à revendre à 60 % de leur valeur ses vêtements Saint-Laurent ou Halston à quelques boutiques new-yorkaises d'occasions haut de gamme. Et pourtant il lui arrivait souvent d'envoyer, avant la fin du mois, Nancy Tuckerman, sa secrétaire et intendante (à présent payée par Olympic Airways) demander de l'argent au chef comptable new-yorkais d'Ari, Creon Broun.

« Au début, le brave Broun a avancé l'argent, et puis Ari a mis le holà », raconte Jack Anderson, qui fut invité à déjeuner avec Ari au 21 à New York. Au cours du repas, Ari ne fit que quelques brèves allusions à l'engouement peu ordinaire de Jackie pour la haute couture (« Que fait-elle de tous ces vêtements ? Je ne l'ai jamais vue porter autre chose que des blue-jeans ! ») mais ensuite, il ramena à ses bureaux le journaliste de Washington pour lui présenter quelques-uns de ses subordonnés immédiats, avant de disparaître, appelé par quelque tâche urgente et inopinée. Anderson connaissait par cœur cette technique des « informations de source confidentielle » qui permettait tous les démentis, car elle était pratiquée aussi bien par les hommes politiques, les groupes de pression, les fonctionnaires, que par les maris mécontents. Le chroniqueur écouta donc sans surprise les récits des collaborateurs d'Ari sur les frasques de Jackie et ses dépenses irréfléchies qui causaient tant de mal aux relations des deux époux.

Il aspirait à se libérer d'elle ; il ordonna à Meyer de mettre le téléphone new-yorkais de Jackie sur écoutes. « J'ai fait venir un type censé être un crack pour ce boulot », raconte Meyer, qui s'était déjà occupé de placer un micro sur le téléphone londonien de Christina ; le projet tourna court quand on eut décidé que « les agents du service secret affectés à Jackie surveillaient de trop près son appartement ».

Quand elle voulut poursuivre le photographe Ron Galella pour atteinte à sa vie privée et cruauté mentale, Ari lui conseilla de s'en abstenir. Cela n'aboutirait qu'à lui faire « à (leurs) dépens une publicité gratuite qui lui aurait coûté autrement des millions de dollars ». Il ne voulut pas s'en mêler. Elle fit néanmoins interpeller Galella pour voies de fait et demanda à la justice de lui interdire d'approcher à moins de deux cents mètres de son appartement et à moins de cent mètres d'elle, où qu'elle soit. Galella contre-attaqua en réclamant 1,3 million de dollars de dommages et intérêts pour arrestation et poursuites abusives et pour ingérence dans sa profession de photographe. Après avoir écouté des dépositions qui remplissaient près de cinq mille pages, le juge trancha en faveur de Jackie. Un an plus tard, la cour d'appel annulait la sentence et réduisait à huit mètres la distance obligatoire.

La note d'honoraires du cabinet d'avocat de Jackie finit par atterrir sur le bureau d'Ari. Il consulta Roy Cohn, que le magazine *Esquire* décrivit un jour comme « le plus dur, le plus mesquin, le plus ignoble homme de loi des États-Unis, et l'un des plus brillants ». Ari n'avait pas non plus oublié que Cohn n'aimait pas les Kennedy. En 1954, quand il avait plaidé devant une commission McCarthy d'enquête sur l'armée, ses collaborateurs avaient dû se jeter sur lui pour l'empêcher de flanquer son poing dans la figure d'un de ses confrères, Bobby Kennedy. Ari conta l'affaire à Cohn : il lui expliqua qu'il avait essayé de dissuader Jackie d'entamer des poursuites, et qu'il lui avait dit ne pas vouloir s'en mêler — « et maintenant, voilà, j'y suis mêlé », conclut-il en montrant la facture. Elle s'élevait à plus de 300 000 dollars.

Cohn raconte : « Ari m'a dit : "Je crois que c'est vraiment exagéré, pour un dossier à trois sous comme celui-là. Pas de jury, rien du tout et trois cent mille dollars ! C'est absurde ! Je ne vais pas payer ces honoraires et ce que j'aimerais que vous fassiez pour moi, c'est examiner toute la procédure, du début à la fin, et me communiquer votre avis d'expert sur la valeur du service rendu... qui doit être considérablement inférieur ?" » Bien que « très proche de certains membres du cabinet en question », Cohn accepta d'estimer le coût du dossier et de donner son témoignage s'il lui paraissait inférieur au prix demandé.

La colère de Jackie devant la manœuvre de son époux se transforma en malaise lorsque son cabinet d'avocats s'adressa à la justice pour obtenir le paiement des honoraires. Elle se plaignit auprès de ses amis de la pingrerie d'Ari mais beaucoup pensaient que c'était les « marchandages » de ce dernier qui lui déplaisaient le plus. « Ils ont fini par se mettre d'accord sur un peu plus de la moitié de la somme demandée (soit 235 000 dollars), mais il était encore très mécontent d'avoir à payer ça », dit Cohn. Au cours des négociations, Ari confia à l'avocat qu'il était très ennuyé par

« la manière d'agir de Mme Onassis et par ce qui lui paraissait un manque de jugement... tout cela s'était accumulé et il lui en voulait beaucoup ».

La situation de leur mariage est illustrée à merveille par la croisière qu'ils firent à Pâques en compagnie d'Andrew et Géraldine Spreckles Fuller. Géraldine, on s'en souvient, avait, en 1942, renoncé au dernier moment à convoler avec Ari. Croyant qu'ils allaient rallier l'Europe, Jackie embarqua à Porto Rico. Le beau temps et la perspective de la traversée semblaient l'émoustiller au plus haut point. Mais bien vite il fallut se rendre à l'évidence : le navire tournait en rond, sans jamais s'éloigner de plus de quelques milles de Haïti. Ari s'excusa, prétextant des ennuis mécaniques ; Géraldine trouva l'explication « déconcertante » : la marche du navire paraissait harmonieuse.

Géraldine était heureuse de constater qu'Ari et elle étaient restés bons amis et qu'Andy éprouvait de plus en plus d'amitié pour lui. Ils avaient beau errer sans but, Géraldine Fuller avait le sentiment de participer à un voyage plein de découvertes. Dans la nuit des Caraïbes, ils échangeaient leurs souvenirs sur leur passé commun à New York et en Californie. Mais il y avait chez Ari quelque chose qui la mettait mal à l'aise. « Je me suis prise de compassion pour lui », dira-t-elle. Les relations de leur hôte avec son épouse la plongeaient dans la perplexité : il semblait à la fois furieux contre Jackie et désireux de calmer ses humeurs. Géraldine raconte que Jackie se moquait souvent de lui et qu'un jour elle fit allusion aux tendances sexuelles des Grecs. Ayant grandi en Turquie et connaissant la nature des liens qui se nouent parfois entre Levantins, Géraldine s'est demandé par la suite si Ari n'avait pas commis l'erreur d'avouer la relation qu'il avait eue dans son adolescence avec le lieutenant turc. Les taquineries de Jackie cédaient parfois la place à de la colère, et la colère s'effaçait quelquefois au profit d'une soumission teintée d'autodérision. Un soir, laissant Ari et Géraldine bavarder devant un verre au salon, elle se retira dans sa cabine avec une bouteille de champagne. Au bout d'un moment elle reparut, légèrement pompette. « Elle a dit à Ari, avec cette voix de petite fille qu'elle affecte : "Je suis montée, mon chéri, pour me mettre du parfum partout où M. Lanvin" — ou je ne sais quel fabricant de parfum — "partout où M. Lanvin m'a dit d'en mettre. Et tu n'es pas monté. Je me suis mis du parfum *partout* !" Et elle est partie d'un grand rire. »

Au bout de quelques jours, elle découvrit pour quelle raison ils restaient au large d'Haïti. Ari avoua à Géraldine qu'il avait tenté de convaincre Jackie de débarquer discrètement pour un divorce express à Port-au-Prince, étant entendu qu'ils se remarieraient dès le lendemain. « Je lui ai dit : "Comment ça, Ari, vous remarier le lendemain ?" Il m'a répondu : "C'est ce que je lui ai proposé. Une idée comme ça. Je lui ai dit qu'avec toutes ces histoires entre nous, les gens qui pensaient qu'elle ne m'avait épousé que pour l'argent, et toujours cette question de l'argent qui revenait, je lui ai dit que pour me prouver qu'elle m'aimait vraiment, nous devions accoster, divorcer et nous remarier immédiatement, ce qui prouverait qu'elle m'aime, sans discussion possible." Evidemment, elle n'a pas accepté. On ne l'avait pas comme ça. » Géraldine lui lança : « Tu es complètement cinglé, Ari. Elle n'acceptera jamais ça. Jamais. » Il éclata de rire : « Oui, en tout cas j'ai tenté le coup. » Selon Géraldine, il avait proposé à Jackie de la dédommager. « Il ne m'a pas donné de chiffre mais il m'a dit que c'était une grosse somme. Je lui ai demandé pourquoi il faisait tout ça, pourquoi il se donnait tant de mal. Il a répondu : "Parce que je ne veux pas que les avocats dansent sur ma tombe." Je pense toujours que c'était complètement stupide d'imaginer qu'une femme intelligente comme Jackie puisse se laisser prendre à un piège aussi grossier. » Peu de temps après, Ari avoua à un ami qu'il trouvait aussi humiliant de ne pas réussir à tromper les autres que d'être trompé soi-même.

Jackie n'alla pas en Europe. Le *Christina* retourna à Porto Rico, et elle prit l'avion pour New York. Elle s'appelait toujours Mme Onassis, même si c'était très théorique.

Ari n'accorda pas un regard aux succès remportés par son fils avec Olympic Aviation. D'après un cadre d'Olympic qui connaissait bien les activités de la société à Athènes : « Ari n'hésitait jamais à frustrer Alexandre dans ses aspirations s'il s'agissait de satisfaire le moindre de ses caprices à lui ; il n'y avait aucune gentillesse dans son attitude envers son fils. Pris par la passion de ses propres entreprises, il préférait sacrifier ses affections plutôt que de lâcher la moindre parcelle de pouvoir sur son empire. Au lieu de préparer Alexandre à prendre la barre, on aurait dit qu'il ne pensait qu'à lui saper sa confiance en soi *. » Alexandre

_____
* Ils s'affrontaient souvent, en particulier, parce qu'Ari refusait de fournir les fonds nécessaires au remplacement de deux Piaggio hors d'âge (depuis plusieurs mois, Alexandre les traitait d'« engins de mort ») par des hélicoptères. Ari et son épouse ne durent qu'à la chance d'échapper à la mort lorsque Donald McGregor, l'ancien pilote d'Olympic qui avait emmené Jackie et son entourage au mariage, oublia de sortir le train d'atterrissage en prenant contact avec le sol après avoir effectué un vol d'entraînement sur le Piaggio du *Christina*. A propos de cette gaffe classique chez les pilotes d'appareils amphibies, McGregor assure : « C'est le meilleur service que j'aie rendu à Onassis. En examinant les dégâts, on a découvert que tout l'intérieur de l'avion était rongé par la rouille. Il était bon pour la casse. »

en était arrivé à redouter les convocations et même les coups de téléphone de son père. « Je me suis aperçu qu'il passait ses journées à essayer d'éviter le vieux », dira un de ses collaborateurs. Fiona Thyssen estimait néanmoins que c'était à lui de « faire un effort pour rompre le ridicule cercle vicieux de la non-communication », dans lequel ils étaient enfermés. Elle croyait que lui seul avait la capacité et la souplesse nécessaires pour les tirer de cet « horrible impasse », en particulier depuis qu'il avait coupé les ponts avec sa mère à la suite du mariage avec Niarchos.

Comme il n'arrivait pas à faire sentir à Fiona combien le comportement de son père était irrationnel, Alexandre enregistra leurs conversations téléphoniques. Elle put donc écouter, bouche bée, Ari qui téléphonait de New York pour donner une version croassante de « Singin' in the Rain ». Paroles et musique étaient entrecoupées de plaintes, d'ordres, de demandes, de niaiseries et de vantardises, le tout inextricablement mêlé, déversé sans interruption pendant dix minutes. « Écoute-le. Il est deux heures de l'après-midi et il a déjà complètement perdu la boule. » Alexandre parlait comme un homme qui se résigne à l'oppression éternelle. « Et pourtant, à sa façon, Ari aimait son gosse, insistait Meyer. Il était jaloux de sa jeunesse, fou de jalousie de la baronne, mais il aimait toujours le gosse. Mais il voulait en faire une réplique de lui-même, un nouvel Ari par transfert. Il ne pouvait pas se résigner à laisser le gosse suivre sa propre voie, se construire sa propre vie. »

Hors d'un petit cercle d'amis, le secret restait bien gardé. On ignorait la nature et la profondeur de la relation d'Alexandre et de Fiona. Ils se montraient rarement en public, on ne les voyait jamais dans les grands restaurants ou au théâtre : une telle discrétion contrariait beaucoup le goût de Fiona pour la vie mondaine. Elle acceptait l'idée qu'un jour il la quitterait pour une rivale plus jeune (« j'avais toutes les anxiétés de la femme plus âgée »). Ce fut pourtant elle qui décida de rompre le jour où, découvrant qu'une réception chic à laquelle ils devaient assister grouillait de papparazzi, il avait « craqué ». « Si moi j'ai été capable de supporter cette pénible situation pendant quatre ans et demi et que toi tu n'arrives toujours pas à la supporter, alors ce n'est vraiment pas la peine d'insister. » Et elle le quitta.

Ari, aux anges, organisa pour son fils fêtes et croisières, donna des dîners en son honneur, sortit des nuits entières avec lui. Il ne manquait pas de belles femmes pour leur tenir compagnie : Elsa Martinelli, la princesse Ira de Furstenberg, Odile Rodin, le premier amour d'Alexandre, etc. Fiona se souvient de leur séparation : « C'était terriblement triste. Mais j'étais décidée, c'était fini entre nous. Alors je n'arrêtais pas de me dire : "J'y survivrai", ce qui, bien sûr, a été le cas. » Un mois plus tard, Alexandre l'appelait pour lui avouer qu'il était très malheureux. Ils passèrent un week-end ensemble et ils se rendirent bien compte qu'ils ne voulaient plus se quitter, mais qu'il n'était pas question de revenir à la case départ ni de supporter à nouveau un avenir aussi dépendant de la tyrannie de son père. Alexandre reconnut qu'il lui fallait se libérer d'Ari et de son empire. « C'est le seul moyen pour moi de survivre. Je ne vais pas supporter beaucoup plus longtemps la domination de cet homme grotesque. » Depuis le début, tout projet leur avait été interdit. Alexandre avait toujours été à la disposition de son père vingt-quatre heures sur vingt-quatre. Même pendant les vacances de ses subordonnés immédiats, Ari n'admettait pas qu'on l'oublie un instant. Quand Alexandre demanda à prendre ses congés à une date fixée par écrit, Ari lui répondit : « Ne sois pas ridicule. Ma parole suffit. — Ta parole ne suffit absolument pas, rétorqua Alexandre. En particulier pour ce qui me concerne : tu ne m'as jamais tenu parole. » Ari signa l'accord. Deux jours avant le départ en Afrique d'Alexandre et de Fiona, il lui demanda d'annuler ce voyage parce qu'il avait besoin de lui à Paris. Comme son fils lui rappelait qu'il avait donné sa parole, Ari répondit qu'il la retirait. « Ce bout de papier ne signifie rien. Que je me sois engagé par écrit ou verbalement, c'est pareil. Si je te dis de faire ci ou ça, tu dois le faire. » Mais Alexandre tint bon.

« Je me suis dit, mon Dieu, c'est un homme qui a vraiment de la valeur », raconte aujourd'hui Fiona. Si leur avenir « n'était pas forcément dans le mariage », ils reconnaissaient qu'ils s'aimaient et ils étaient disposés « à le faire savoir » en vivant ensemble. Elle acheta une maison en Suisse et il s'apprêta à reprendre ses études pour obtenir les qualifications qui lui permettraient de démarrer dans le monde, hors d'atteinte de son père. « Dès que la maison serait prête, c'était décidé, il dirait à son père : "Très bien, je vais vivre avec Fiona ; je vais retourner à l'université ; je vais décrocher un diplôme et trouver un boulot." Il était effectivement assez gonflé pour le faire, pour s'en aller et se laisser sans doute déshériter. »

Pendant ce temps, Ari avait de nouveaux entretiens avec Roy Cohn, et une fois encore, au sujet de Jackie. « M. Onassis, raconte l'avocat, avait tranché : il voulait mettre fin au mariage. Il avait consulté des confrères grecs, etc. Il y avait beaucoup de complications du côté américain et il voulait savoir si j'étais disposé à m'occuper des intérêts importants qu'il avait ici, et à participer à l'ensemble de l'affaire. Il pensait qu'on parviendrait à un accord parce qu'il ne croyait pas que Jackie voudrait en faire toute une histoire, mais il envisageait aussi la possibilité que sa femme se montre trop gourmande et qu'on ne parvienne pas à un règlement amical. Il se posait beaucoup de questions sur la loi américaine et sur les droits respectifs des parties dans ce dossier. »

Au cours d'une entrevue dans les bureaux de Cohn, sur la 60e Rue Est, Ari dit qu'il avait l'impression « qu'on l'avait pris pour un imbécile ». « Il était mécontent surtout pour deux raisons. D'abord les dépenses de sa femme. Ensuite le fait qu'elle soit apparemment partout sauf là où lui se trouvait. S'il désirait qu'elle soit quelque part, elle n'y était pas. Et s'il ne désirait pas qu'elle y soit, elle y était. » Leur mariage, déclara-t-il à Cohn, « s'était réduit à ça : tous les mois, on me présentait la facture ».

Avoir le redoutable Cohn de son côté ne suffisait pas à Ari. Il ne voulait rien laisser au hasard. Il ordonna à Meyer d'engager des détectives privés et de faire surveiller sa femme vingt-quatre heures sur vingt-quatre afin de réunir des preuves contre elle. Cohn connaissait Meyer depuis l'époque où il travaillait pour Howard Hughes et il savait que c'était l'homme de la situation. « Johnny Meyer était un type vraiment très entreprenant. Il était du petit nombre de ceux qui savent s'entourer de gens très riches et puissants... Chaque fois que surgissait un problème ou qu'il fallait faire quelque chose, que ce soit une réservation ou une discrète rencontre dans un hôtel, ou mettre quelqu'un sous surveillance, ou faire un sale coup à quelqu'un d'autre, Johnny était toujours là, prêt à agir, à mettre en branle les mille contacts sur lesquels il pouvait compter. »

Le 3 janvier 1973, Alexandre dînait avec son père à Paris. Il avait appris à cacher son jeu et ne fit aucune allusion à ses propres projets ; Ari annonça à son fils deux décisions qui le réjouirent profondément : il allait divorcer et acheter un hélicoptère pour remplacer le Piaggio. En février, il ferait un dernier voyage à bord de l'appareil jusqu'à Miami, où il le vendrait. Alexandre téléphona les bonnes nouvelles à Fiona, qui passait ses vacances au Mexique en compagnie de ses enfants, Francesca et Lorne. « On dirait que le vieux a retrouvé sa tête. Il divorce de la Veuve et il vend l'albatros », annonça-t-il.

Le dimanche 21 janvier ne fut un jour ordinaire ni pour Fiona ni pour Alexandre. Aujourd'hui encore, après avoir si souvent réfléchi, elle ne saurait dire pourquoi ils passèrent ce jour-là un dimanche si différent de tous ceux qu'ils avaient connus ensemble à Morges. Il n'y avait ni échanges de regards ni sous-entendus, simplement une atmosphère d'inquiétude qui avait envahi l'appartement depuis le début de la matinée. Ils n'avaient jamais été aussi heureux que durant l'hiver qui venait de s'écouler ; maintes difficultés avaient été aplanies, et ils prévoyaient de déménager dans la maison qu'elle avait achetée, qu'on était en train de rénover et de décorer. Dans l'après-midi, elle allait partir pour assister au mariage de son frère à Londres ; Alexandre se rendrait à Monte-

Carlo pour acheminer un charter à Athènes. Le déjeuner tête à tête constituait l'un de leurs rituels du dimanche. Pourtant ce jour-là, il lui demanda : « J'aimerais bien voir Chessie (Francesca) et Lorne ; si on déjeunait ensemble ? » Après le repas, ils jouèrent au baby-foot, Francesca et sa mère contre Lorne et Alexandre. « C'était si étrange, cette envie d'être en famille. J'ai pensé qu'il savait ou devinait quelque chose qui le rendait triste, et j'ai sans doute senti ses vibrations toute la journée. » Comment expliquer autrement sa propre inquiétude et le déroulement inhabituel de ce dimanche ? Elle lui demanda s'il y avait quelque chose qui le dérangeait. « J'ai l'impression de découvrir l'existence de ces enfants », dit-il. Du fait de la discrétion de Fiona et de l'hostilité défensive de Francesca envers tous les amis de sa mère, il n'avait effectivement jamais été qu'un fantôme dans leur vie. Cet après-midi-là, au moment où il partait, Francesca le serra très fort dans ses bras et lui dit : « Quel dommage. On ne s'est vraiment pas vus assez. Le prochain week-end, on jouera le match retour et on vous rétamera. »

Il pleuvait quand il s'en alla. Un chauffeur d'Olympic Airways était venu le chercher pour l'emmener à l'aéroport, et bien qu'il évitât les démonstrations d'affection en public, en particulier devant des employés, il étreignit longuement Fiona en lui disant au revoir. Elle lui donna une boîte des chocolats qu'il préférait, les Dairy Milk Tray, comme chaque fois qu'il la quittait. (Il ne mangeait que les bouchées placées au milieu de l'assortiment.) Il monta en voiture puis, sur une impulsion soudaine, sortit et regrimpa le perron pour l'étreindre une fois encore. « Il pleuvait des cordes et Alexandre détestait la pluie parce qu'elle lui abî-mait les cheveux, il était très coquet, et cette façon qu'il a eue de revenir, de remonter les escaliers pour me serrer si violemment... ça faisait partie de l'étrange ambiance de ce dimanche », raconte Fiona.

Le lendemain, Alexandre l'appela d'Athènes et ils bavardèrent un moment. Ils devaient se retrouver à Londres le jour suivant. La conversation dura longtemps — plus de quatre-vingt-dix minu-tes et, s'il paraissait en pleine forme, il avait l'air de ne pas pou-voir raccrocher. Une tâche précise l'attendait ce jour-là : vérifier les qualités du nouveau pilote, Donald McCusker, qui venait d'arri-ver de l'Ohio, et devait remplacer McGregor (interdit de vol à la suite d'une opération de l'œil) aux commandes du Piaggio. S'il avait l'habitude des appareils amphibies, McCusker n'avait jamais piloté de Piaggio, et Alexandre avait prévu de le familiariser aussi vite que possible avec ses nouvelles tâches. Après seulement deux heures de sommeil à l'hôtel, le nouveau venu partit retrouver Alexandre et McGregor à l'aéroport.

« Nous avons décidé de procéder comme si McCusker avait

affrété l'avion, raconte McGregor. Pour respecter les règlements, Alexandre devait aller faire un tour avec McCusker et vérifier qu'il s'en sortait. Ensuite McCusker devait "louer" l'avion et c'était moi qui l'accompagnais pour veiller à ce que tout aille bien. On volerait comme des dingues pour augmenter les heures de vol de McCusker avant de convoyer l'avion à Las Palmas, où se trouvait le *Christina*. Puis l'appareil partirait pour Miami où il devait être vendu. »

Le 22 janvier 1973, peu avant quinze heures quinze, le Piaggio 136 de l'Olympic Airways, immatriculé SX-BDC, se plaçait sur la piste d'accès F de l'aéroport international d'Athènes. Alexandre était assis sur le siège de droite. McCusker, qui pilotait sous surveillance, occupait celui de gauche. McGregor s'était installé derrière eux, au centre des fauteuils de passagers. Il s'agissait d'effectuer quelques amerrissages et décollages entre les îles d'Egine et de Poros. En arrivant à l'avion, Alexandre avait découvert qu'il avait oublié la liste des vérifications avant décollage. Il effectua ces dernières de mémoire. Les sept vérifications au sol manuelles du Piaggio, les quinze vérifications avant mise en route des moteurs, les douze vérifications avant décollage, les sept vérifications après. D'où il était assis, McGregor ne pouvait voir si Alexandre procédait à la vérification visuelle du bon fonctionnement des volets et des ailerons, mais il avait toute confiance dans les qualités professionnelles du jeune Onassis. « Je sais que quand c'était lui qui me surveillait, il ne me passait aucun oubli dans les vérifications visuelles », se souvient McGregor. Ce dernier était un ancien pilote de 707. Dans ces appareils il est impossible de procéder de visu à de telles vérifications des ailes à partir du poste de pilotage. A quinze heures vingt et une, un Boeing 727 d'Air France décolla de la piste d'envol 33 et le Piaggio fut autorisé à s'envoler de la même piste, la consigne étant de tourner à gauche dès qu'il serait en l'air.

Le Piaggo quitta le sol. « Au bout de trois ou quatre secondes, l'aile droite s'est inclinée brutalement et est restée baissée », raconte McGregor. Il n'y eut ni embardée ni tangage indiquant une défaillance mécanique, aucune vibration suggérant qu'un moteur avait calé. L'avion parut simplement perdre l'équilibre. McGregor pensa que le flotteur droit avait touché la piste ; coincé comme il l'était dans le siège du milieu, il lui était impossible de voir ce qui se passait à l'extérieur. « A cet instant, on amorçait une remontée sur la droite, on a pris un virage très raide, de plus en plus raide et j'ai compris que nous allions heurter le sol. » Selon McGregor, entre le moment où l'avion prit de la hauteur et celui où il toucha la terre, il ne s'écoula guère plus de quinze secondes. McGregor ne se souvient pas qu'un seul mot ait été prononcé pendant qu'ils plongeaient vers la piste.

Ari et Jackie se trouvaient à New York quand ils furent avertis. Tina et Stavros Niarchos étaient à Saint-Moritz. Au Brésil, Christina apprit la nouvelle grâce à son auto-radio. A Londres, il était dix-huit heures trente et Fiona se préparait à aller au dîner de noces de son frère quand elle entendit le bulletin d'information : McCusker et McGregor étaient sérieusement blessés, Alexandre subissait une intervention chirurgicale destinée à retirer des caillots et à diminuer la pression sanguine dans son cerveau. Le dernier vol régulier pour Athènes était parti. « J'ai passé les trois heures suivantes à remuer ciel et terre, à appeler toutes les personnes de ma connaissance qui possédaient un avion privé, raconte Fiona. Tout ce que je savais, c'est qu'il était vivant. J'allais être à son chevet pour veiller sur lui et il allait guérir. » A vingt-trois heures, un coup de fil lui apprit qu'un avion privé serait disponible à minuit. Elle arriva à Athènes le mardi à six heures du matin. Quoiqu'il fût sous respiration assistée, son apparence était étonnamment intacte. « C'est drôle, ce qui vous marque. Il était toujours si fier de son nouveau nez, et j'ai pensé immédiatement : "Merci mon Dieu, son nez n'est pas touché." On lui avait rasé la tempe droite. Hormis cela, il n'y avait pas de trace de blessure, et aucun pansement. »

Tandis que Fiona se démenait, téléphonant à travers toute l'Europe pour trouver un avion qui la conduirait en Grèce, Ari louait un Trident de la British Airways (149 places) pour transporter un seul homme à Athènes : le neurochirurgien anglais Alan Richardson. La famille n'était pas encore au complet et ses différents membres continuaient d'arriver des quatre coins du monde, lorsque le Dr Richardson confirma le sombre diagnostic du chirurgien grec. Le cerveau d'Alexandre avait subi des « dégâts irréparables ». C'était difficile à admettre. En dehors d'écorchures aux mains (« on dirait qu'il est tombé sur le gravier », songea Fiona), il ne présentait aucune trace de l'accident. On fit appel à un autre chirurgien exerçant à Boston et tandis qu'on l'attendait, quelqu'un se rappela qu'une icône sacrée conservée sur une des îles grecques était réputée pour ses pouvoirs miraculeux. Ari l'envoya chercher. Dans un bureau voisin de la chambre d'Alexandre, on installa des sofas et des fauteuils. Les sœurs d'Ari sanglotaient sans retenue, violemment. Leur chagrin paraissait bien proche de la colère.

Calme en apparence, Fiona était assise près d'une fenêtre, seule avec ses pensées. Au bout d'un moment, Jackie vint s'asseoir à ses côtés. Sans doute comprenait-elle la solitude d'une femme qui était probablement, de toutes les personnes présentes, la plus proche d'Alexandre. Elle parla doucement. Elle savait qu'Alexandre disait tout à Fiona ; elle savait aussi qu'Ari avait discuté avec son fils de son futur divorce. Fiona pouvait-elle lui dire quel chiffre

Ari avait en tête pour un règlement à l'amiable ? L'amie d'Alexandre s'attendait à des manifestations de sympathie, et les redoutait. (« La sympathie, quand on est si vulnérable, ce n'est pas souhaitable. »). La question la prit complètement au dépourvu. Pourtant, c'était exactement le genre de distraction dont elle avait besoin en ce moment, et aussi irréel que celui lui paraisse à posteriori, elle se souvient d'avoir répondu calmement qu'Alexandre avait effectivement mentionné un chiffre mais qu'elle estimait que Jackie devait poser cette question à son époux. Jackie approuva et laissa Fiona à ses pensées.

Le 23 janvier 1973, à treize heures, le spécialiste de Boston était parvenu à la même conclusion que les chirurgiens grec et anglais. Alexandre était « dans un coma dépassé, incapable de respirer sans assistance artificielle. » On exposa la situation à Ari : son fils avait subi un choc massif, provoquant un œdème au cerveau, le lobe temporal droit était en bouillie et la fosse frontale droite gravement fracturée, seule la machine maintenait les fonctions végétatives. Il n'y avait aucun espoir. Ari demanda au docteur d'attendre que Christina arrive du Brésil pour dire adieu à son fils « et après, ne le torturons plus ». Le Dr Richardson trouva qu'il faisait face à la situation « avec un stoïcisme remarquable pour un tempérament grec ». Ce fut le seul acte de sa vie de père que Fiona ait « respecté totalement, à tous les niveaux ».

Ari quitta l'hôpital. Fiona fut autorisée à rester seule auprès d'Alexandre. « Je suis restée là à penser : j'y arriverai... Il doit y avoir une partie de son cerveau encore intacte. J'ai pris sa main et j'ai essayé de lui faire comprendre... même si je devais admettre qu'il n'y avait aucun moyen de le faire revenir de là où il était. Au bout d'une quarantaine de minutes, j'ai versé des torrents de larmes en me disant : "Oh ne craque pas maintenant, ça ne sert vraiment à rien." Puis le médecin a dit qu'il était temps que je m'en aille. » Christina arriva en fin d'après-midi et à dix-huit heures cinquante-cinq, on le débranchait.

Quand Fiona rentra au Hilton, le directeur l'invita à venir avec lui ouvrir la chambre d'Alexandre ; on n'y avait pas touché depuis qu'il l'avait quittée, la veille, et l'hôtelier voulait voir s'il ne s'y trouvait pas quelque objet qu'elle désirerait prendre — « des lettres par exemple ». Sur la table de chevet, elle aperçut la boîte de chocolats qu'elle lui avait offerte au moment où il quittait Morges. Il en manquait trois, elle savait lesquels. Le cerveau se défend jusqu'à un certain degré, dira-t-elle plus tard ; on boit beaucoup, on prend des somnifères, et ce sont les petites choses qui finissent par vous faire craquer.

Ari erra dans les rues d'Athènes à la recherche de l'église dans laquelle il avait prié la nuit où il avait appris la mort de sa grand-mère. Il la découvrit au petit matin du 24 janvier et s'agenouilla devant l'autel auprès duquel il avait prié pour Gethsémanée. La distance qui séparait le présent de cette époque n'était pas d'ordre temporel. Rien ne saurait mieux résumer les changements intervenus dans sa vie que le mot qu'Ingeborg lui envoya de Paris ce matin-là : « Cher Ari », écrivait-elle en français, et c'était comme si le langage lui-même rendait plus perceptible le passage du temps : « En songeant à tout ce qu'il y a eu de bien entre nous, je ne puis m'empêcher de te dire du fond du cœur combien j'ai été choquée et navrée d'apprendre l'incroyable nouvelle de l'accident de ton fils Alexandre. Je partage de loin, en toute sincérité, le deuil et le chagrin qui doivent te submerger. Avec mes sentiments de sympathie les plus profonds, Inge. »

Après qu'Ari eut changé d'avis plusieurs fois quant à sa dernière demeure, on l'enterra sur Skorpios. Il avait d'abord promis à Fiona et à plusieurs amis d'Alexandre qu'on l'inhumerait à Athènes pour qu'ils pussent plus facilement venir se recueillir sur sa tombe. Puis il décida que le corps serait congelé et conservé dans une cuve de cryogénisation en attendant que la science médicale soit en mesure de recréer le cerveau d'Alexandre ; il chargea Meyer de contacter la Life Extension Society à Washington, spécialisée dans cette technique. Ari renonça à ce projet après avoir parlé théologie dix jours durant avec Yannis Georgakis, qui estimait que son ami n'avait pas le droit « de faire obstacle au voyage de l'âme d'Alexandre ».

Pour un père qui aime son fils, la mort de ce dernier est un coup terrible. Pour un père plein de remords, elle est dévastatrice. Il ne pouvait admettre la thèse de l'accident et en attribuait la responsabilité à la CIA et à son vieil ami le colonel Georges Papadopoulos, qui, croyait-il, travaillait depuis longtemps pour l'agence. « C'est une vengeance pour le ratage d'Oméga », assurait-il. Il est vrai que le régime des colonels paraissait de plus en plus menacé et que l'opinion publique considérait comme un échec particulier de la junte l'abandon d'Oméga, à un moment où la dictature devait faire face à de sérieuses difficultés économiques. Mais comment croire qu'Alexandre avait été tué pour punir son père « d'avoir trahi » ? En écoutant Ari se répandre en accusations, la plupart de ses auditeurs pensaient que le chagrin et la culpabilité l'égaraient ; nul n'ignorait qu'Alexandre avait dit depuis plus d'un an à son père que ses Piaggo étaient des engins de mort.

« Ari nous faisait tourner en bourrique, sa paranoïa n'épargnait personne », dit Meyer qui, dans les heures qui suivirent l'accident, fut chargé de retrouver et de détruire les bandes magnétiques des conversations entre Ari et son fils, que ce dernier avait enregistrées. « Comment connaissait-il leur existence ? C'est ça qui est bizarre », dit Fiona Thyssen, qui ne comprend toujours pas pourquoi Ari tenait tant à les détruire. « C'était simplement les bandes enregistrées par un jeune homme désireux de prouver à son amie à quel point son père est insupportable. » Meyer estima qu'« Ari ne voulait pas laisser à ses ennemis le moindre élément contre lui. Il ne faisait confiance à personne ». Au lendemain des funérailles, Fiona surprit à la villa de Glyfada une conversation entre deux des principaux collaborateurs d'Ari, qui l'horrifia. « Vous connaissez le mot allemand *Schadenfreude* ? Il signifie le plaisir qu'on prend au malheur des autres. On aurait dit qu'ils étaient enfin vengés pour le traitement terrible qu'il leur avait infligé pendant toutes ces années. J'étais effarée par la haine absolue que vouaient à cet homme deux personnes très proches de lui. Il ne pouvait pas faire le geste de se moucher sans qu'un de ces personnages lui tende un Kleenex. Et ils le méprisaient cordialement. J'ai pensé : "Mon Dieu, cet homme est pire que ce que j'ai jamais imaginé." »

L'armée de l'air prit en charge les restes du Piaggio. Les experts militaires passèrent au peigne fin les débris répandus sur la piste 33. Ils étiquetaient et marquaient les fragments de moteur et d'autres parties de l'appareil, les disposaient suivant un système de classement au sol, interrogeaient les témoins oculaires, enregistraient les déclarations de McGregor et McCusker, qui avaient tous deux survécu à l'accident — le premier était affligé d'une fracture de la colonne vertébrale, d'une commotion cérébrale et de blessures à la jambe ; le second, moins atteint physiquement, souffrait par moments d'amnésie. Olympic n'étant pas considéré comme une partie impartiale dans l'affaire, les ingénieurs d'Ari se virent interdire l'accès à l'épave jusqu'à ce que les militaires aient fini leurs investigations. L'idée que la junte cherchait à étouffer l'affaire se renforça d'autant dans l'esprit d'Ari.

Le rapport d'enquête déposé le 20 avril 1973 semblait avoir été entièrement rédigé pour renforcer la thèse du sabotage dans l'esprit d'Ari. Selon les enquêteurs, l'accident avait été provoqué par l'inversion des câbles de l'aileron au cours de la pose d'un nouveau levier de commandes : lorsque le pilote, sur les instructions de la tour de contrôle, avait tenté de tourner à gauche en prenant de la hauteur, l'appareil avait viré sur la droite ; plus le pilote tirait le manche à balai vers la gauche, plus l'avion s'inclinait à droite.

Les ingénieurs d'Olympic contestèrent les conclusions officielles. En premier lieu, ils affirmèrent que les repères colorés indiquant les connexions à l'intérieur du circuit de commandes avaient été peints *après* avoir été déconnectés. C'était le cas, en particulier, des câbles dont l'inversion, à en croire les enquêteurs, étaient à l'origine de l'accident. « Ils ont déclaré ensuite que les câbles n'étaient pas assez longs pour être croisés et mal connectés », dit McGregor qui refusa lui aussi de croire à la thèse de l'inversion. Le Piaggio avait amorcé son décollage à peu près au milieu de la piste 33, une minute et cinquante secondes après le départ du Boeing 727 d'Air France. « Depuis j'ai lu un tas de choses sur les turbulences qui naissent dans le sillage des avions, et à mon avis, nous étions placés idéalement pour recevoir de plein fouet les tourbillons du 727 (comme dans le sillage d'un grand navire, les turbulences créées par le passage d'un avion de ligne durent plusieurs minutes après le décollage). Nous nous y sommes mal pris. Nous aurions dû décoller de la piste et virer avant d'être pris dans le sillage du 727, ou attendre que le délai prescrit (trois minutes) se soit écoulé. Ari accusait McCusker, mais c'était Alexandre qui pilotait, même si ce n'était pas lui en fait qui tenait le manche à balai », dit McGregor, sans s'embarrasser de précautions de langage.

L'idée d'une vengeance s'ancrait de plus en plus dans l'esprit d'Ari. Il offrit un million de dollars pour toute information qui confirmerait la thèse du sabotage. « Un bon petit million devrait suffire à faire apparaître la vérité, écrivit McCusker à Don McGregor. S'il ne trouve rien, je crois que je vais lui suggérer d'arrêter les frais, en ce qui nous concerne, toi et moi, et nous on fera de même, d'accord ? » A l'hôpital, McGregor avait eu droit à une visite du directeur d'Olympic qui lui avait laissé une boîte de chocolats mais aucun des deux pilotes n'avait eu le moindre signe d'Ari depuis l'accident ; « pas même un coup de fil pour nous souhaiter un prompt rétablissement », raconte McGregor. « C'est vraiment un drôle de type », écrivit McCusker, qui avait commencé à batailler contre Ari pour obtenir des dommages et intérêts, après que ce dernier eut en vain tenté de lui faire porter la responsabilité de la mort d'Alexandre.

Les pensées d'Ari prirent une tournure morbide : il s'était procuré auprès de la base aérienne Edwards, en Californie, un enregistrement des dernières paroles prononcées par des pilotes d'essai dont les appareils, devenus ingouvernables, s'étaient abattus, et repassait sans cesse la bande. (« Écoutez ces hommes, ils n'abandonnent pas, ils se battent jusqu'au bout, comme Alexandre. ») Il avait fait enquêter sur les liens entre McCusker et la CIA. Il engagea Alan Hunter, l'un des spécialistes des catastrophes aériennes les plus écoutés en Grande-Bretagne, pour mener une enquête indépendante. Le 6 juillet, Hunter était parvenu à la même conclusion que les experts militaires : les câbles de l'aileron avaient bel et bien été inversés. Hunter eut beau expliquer à quel point il était facile de se tromper en installant de nouveaux mécanismes de contrôle sur ce type particulier d'avion, Ari s'accrocha à la thèse du meurtre. Le rapport de Hunter fut mis sous le boisseau.

Mais l'enquête sur le prétendu meurtre aboutissait à des impasses : ce fut un pur hasard si Alexandre pilota le Piaggio ce lundi-là. Seul un charter organisé à la dernière minute l'avait empêché de se rendre à Londres au mariage du frère de Fiona ; il avait fallu qu'un examen médical interdise à McGregor de diriger le vol d'entraînement de McCusker. Entre le moment où on pouvait être certain qu'Alexandre serait dans l'avion et celui où il décolla, on n'aurait pas eu le temps de saboter les câbles.

En juillet 1974, par un règlement à l'amiable, l'Olympic Airways versait quinze mille dollars (moins 15 p.100 de frais judiciaires) pour dédommager McGregor de ses blessures. Ari interdit absolument aux avocats d'Olympic de chercher un accord avec McCusker. « Il ne pouvait pas supporter l'idée que ça se termine ; il voulait continuer, on aurait presque dit que c'était la procédure judiciaire qui seule gardait vivante la mémoire d'Alexandre. Même quand les avocats de McCusker ont menacé de faire saisir un 747 d'Olympic aux États-Unis, il n'a toujours pas voulu lâcher d'un pouce, raconte Meyer. Jusqu'à la fin, il est resté persuadé que la CIA avait tué son fils, et qu'à force de laisser mijoter McCusker, il en sortirait sûrement quelque chose. »

Un dirigeant, inquiet du mauvais effet qu'avaient sur la réputation d'Olympic les soupçons exprimés par Ari, rapporte que ce dernier « collectionnait dans sa tête les boucs émissaires, les gens qu'il voulait attaquer ». Gratsos se souviendra par la suite qu'Ari lui raconta à ce sujet qu'un philosophe grec a dit un jour qu'il ne savait pas si les dieux existaient, ni même à quoi ils pourraient ressembler, et que trop d'obstacles empêchaient même de le découvrir. « Bon, ajouta Ari, je n'en sais pas davantage en ce qui concerne les dieux, mais pour ce qui est des salopards, je m'y connais et j'ai salement payé pour savoir à quoi ils ressemblent. Et quels que soient les obstacles, je vais en coincer quelques-uns avant de mourir. »

En 1978, trois ans après la mort d'Ari, Olympic Airways parvenait à un accord avec Donald McCusker et lui versait huit cent mille dollars.

CHAPITRE 16

Les hommes n'ont que peu de
temps à vivre.

HOMÈRE.

Il avait décidé de mettre de côté ses projets de divorce. « Il avait
toujours l'intention d'entamer une procédure, insiste Meyer, mais
ce n'était pas le moment. » Peu après l'enterrement sur Skorpios,
Jackie téléphona à Pierre Salinger à Paris. Ari était « au plus bas »
et voulait faire une croisière. Les Salinger accepteraient-ils de
se joindre à eux ? La demande ne pouvait pas plus mal tomber :
cette semaine-là, il commençait justement à collaborer à
L'Express. Néanmoins, le lendemain à huit heures, son épouse et
lui prenaient la route d'Orly, où Jackie et Ari les attendaient. Un
707 des Olympic Airlines, dont ils étaient les seuls passagers, les
conduisit à Dakar, où ils embarquèrent à bord du *Christina*. Salinger et Ari partageaient le même intérêt pour la politique et le jour-
nalisme : « Il y avait deux sortes de gens qu'il haïssait par-dessus
tout : les hommes politiques et les journalistes », raconte Salinger, qui appartenait aux deux catégories. Ils avaient donc beaucoup de sujets de discussions, et Ari aimait toujours autant
discuter, même si parfois sa passion sonnait creux, à présent. On
ne faisait jamais allusion à Alexandre. Longtemps après que les
invités se furent retirés dans leur cabine, Sabine de Labrosse,
femme de lettres française, aperçut Ari qui arpentait le pont du
yacht. On était en route pour les Antilles, Ari aimait sentir sous
ses pieds la présence des flots. (« Tu sais, Wendy, je ne suis pas
fait pour le plancher des vaches », dit-il un jour à Wendy Reves.)
« Avant la mort d'Alexandre, il travaillait presque toute la nuit

quand il était à bord, se souvient Costa Konialidis. A présent on racontait qu'il se contentait de marcher de long en large sur la passerelle jusqu'à ce qu'il fasse jour, comme s'il avait peur de dormir dans le noir. »

Hélène Gaillet le rencontra pour la première fois peu de temps après cette croisière. Séduisante, intelligente, pince-sans-rire, cette photographe new-yorkaise avait l'habitude de fréquenter les hommes qui réussissent et les hommes qui réussissent la trouvaient à leur goût. Son amant de l'époque était un banquier spécialiste en investissements qu'Ari admirait beaucoup. Hélène raconte : « Nous étions huit à dîner dans un restaurant de la 8ᵉ Rue, à l'est de Washington Square. Des hommes comme Ari et mon ami emmènent toujours des tas de gens avec eux, c'est une façon d'arborer leur surface sociale ; si vous leur aviez demandé le lendemain qui avait dîné à leur table, ils auraient été bien incapables de vous le dire. Ils ont parlé affaires pendant presque toute la soirée. » Pour elle, son amant et Ari appartenaient à cette espèce d'homme « chez qui tout est toujours remis en question ». Mais au terme de la soirée, elle était parvenue à la conclusion qu'« Ari était un homme qui avait décidé que rien n'était plus très important. On aurait dit que cet élément essentiel qui maintient les choses ensemble avait disparu de sa vie ».

L'été 1973 fut une période d'euphorie pour les pétroliers ; les prix du marché grimpaient à la verticale, les très grands et les supertransporteurs de brut jaugeant plus de quatre cent mille tonneaux rapportaient quatre millions de dollars de bénéfices en un seul voyage du Koweit à l'Europe. La flotte d'Ari — plus de cent navires — rapportait douze millions de dollars par mois, la consommation mondiale de pétrole augmentait de plus de 8 p. 100 par an, les États-Unis, qui absorbaient près de 40 p. 100 du total, connaissaient une croissance de 8,7 p. 100. Dans un tel contexte, Ari passa commande au Japon de pétroliers de deux cent mille tonneaux et aux chantiers français de deux superpétroliers. Il s'agissait simplement de s'adapter aux conditions du marché et le sentiment de triomphe, les réjouissances qui avaient autrefois accompagné l'expansion de la flotte d'Onassis faisaient à présent défaut. Quand Konialidis le félicita, il rétorqua : « Je n'arrive pas à m'exciter pour ça, Costa, j'ai peut-être usé jusqu'à la corde les possibilités d'excitation, je n'en avais peut-être pas autant besoin que ce que je croyais. » Le cousin d'Ari fut éberlué de sa réponse. Il avait vécu toute sa vie dans l'étonnement respectueux devant l'énergie et l'élan d'Ari, il l'avait accepté sans discussion comme le chef de famille. Jamais il ne l'avait entendu tenir de tels propos. En y repensant par la suite, Costa Konialidis vit dans cette seule phrase, prononcée en quelques secondes, « la fin d'une époque ». Ari avait toujours mesuré la réussite de sa vie grâce à une arithmétique simple : trois fois trois pétroliers égalent neuf pétroliers ; neuf pétroliers égalent des millions de dollars. Et maintenant, il avait trouvé la faille de cette progression arithmétique : « Les millions n'apportent pas toujours ce qu'on attend de la vie. »

Certes, il était toujours sujet à des accès d'irritabilité et à des explosions de colère effrayante (« Tête de cochon un jour, tête de cochon toujours », disait Meyer), mais il recherchait de plus en plus la compagnie de vieux complices comme Gratsos et Konialidis, de quelques individus de confiance enracinés dans un passé que les autres ne pouvaient comprendre. Il aimait évoquer les souvenirs de jeunesse. Parfois il parlait de lui à la troisième personne. Gratsos supposait que l'évocation des jours anciens conjurait les images d'un passé récent. Il revisitait son enfance, comme un homme qui revient dans une maison vide qu'il a autrefois habitée et va de pièce en pièce, en se remémorant des scènes et des noms, en essayant de ressaisir les sons et les odeurs à demi oubliés : le murmure de l'*imbat*, le vent qui soufflait à Smyrne jusqu'au coucher du soleil ; l'odeur du feu de charbon de bois que la grand-mère Gethsémanée activait avec une aile de pintade ; le nom des contre-torpilleurs américains à l'ancre dans le port quand Smyrne brûlait ; la première fois que son père lui avait offert un cigare ; la libidineuse Napolitaine et les filles dans les grands lits de cuivre de chez Fahrie ; le goût amer de la défaite ce jour de 1922 où le titre de *Victor Ludorum* lui avait échappé ; l'immensité du *Fuad*, le yacht du sultan, le plus beau navire qu'il ait jamais vu ; les larmes des émigrants du *Tommaso di Savoia* disant adieu au vieux continent.

Durant l'été, il retourna à Skorpios pour la première fois depuis l'enterrement. Comme pour manifester par un geste symbolique que le passé avait été enterré avec son fils, il invita Tina et Stavros Niarchos à venir se recueillir sur la tombe. Leurs yachts se retrouvèrent à mi-chemin de leurs îles privées. « Ce fut une étrange rencontre au milieu de la mer, ces deux énormes yachts... comme si deux seigneurs de la guerre se rencontraient pour signer un traité de paix dans des eaux neutres, se souvient Géraldine Fuller. Mais pour une raison ou pour une autre, Jackie n'appréciait pas du tout cette initiative. Elle était furieuse. Elle aurait voulu que Stavros s'abstienne de venir et quand il l'invita à déjeuner à bord de son nouveau yacht (l'*Atlantis*), elle refusa d'y aller. » L'équipage de Niarchos, en uniforme blanc immaculé, forma une garde d'honneur pour accueillir Onassis et ses hôtes. « Rien à voir avec la tenue décontractée des hommes d'Ari, qui portaient simplement un T-shirt avec l'inscription *Christina*. » Le soir, ils se rendirent sur une île voisine pour dîner et Ari invita ensuite tout le monde à venir se reposer à bord de son yacht. « A notre grande surprise, raconte Géraldine, nous avons été accueillis par le capitaine et l'équipage d'Ari en grand uniforme tropical et casquette à visière ; le capitaine arborait plus de galons qu'un amiral. Comment Ari a-t-il réussi à se procurer ces tenues au milieu de la mer Egée ? Je n'en sais rien. C'est le genre de chose qu'il réussissait. » Elle avait le sentiment que ce qui le poussait à de telles extravagances était plus profond que le seul désir d'être le plus fort. « Il était très riche et très prestigieux, mais au fond, c'était toujours un petit Grec de Smyrne. Il avait épousé la veuve du président des États-Unis et Niarchos n'était certainement pas arrivé si haut. Alors quand les marins de Stavros paraissaient plus élégants que les siens, c'était tout simplement insupportable. »

La vie sur Skorpios reprit son train habituel, mais le diplomate britannique Sir John Russell ne fut pas le seul à remarquer que Jackie était à présent très solitaire. « Elle était toujours sortie, à lire dans un coin, ou elle allait nager. Il émanait d'elle un sentiment croissant de solitude », raconte-t-il. « Elle faisait peser sur l'île une espèce de désapprobation silencieuse pour le style de vie de son mari et de ses amis », dit un autre familier des lieux. A l'en croire, elle avait décidé que le seul moyen de « survivre avec Ari était de se maintenir un centre de gravité personnel ». Ari continuait de boire du Black Label et de chanter le soir les ballades grecques qu'il aimait tant. Mais ses amis remarquèrent que son énergie l'avait quitté. « Il avait l'air mal fichu et se plaignait de maux de tête », se souvient l'un d'eux. Quand ses hôtes s'étaient couchés, il se promenait des heures durant dans l'obscurité de l'île, et aboutissait toujours à la tombe de son fils près de laquelle il se reposait, accroupi comme un paysan. Une nuit, une invitée américaine, incapable de trouver le sommeil, sortit faire un tour et se trouva soudain à quelques pas de lui, sans qu'il l'ait remarquée. « Pour quelqu'un d'aussi fermé que lui, c'était là, semble-t-il, une forme de bonheur, dira-t-elle. J'ai eu le sentiment que si Alexandre avait vécu et s'était trouvé à ses côtés, Ari n'aurait pas été plus proche de lui qu'en cet instant. »

En octobre 1973, le marché mondial du transport du pétrole tomba au plus bas. Les Arabes mettaient en œuvre les plus grandes restrictions de carburant de l'histoire, pour dissuader l'Occident d'aider Israël dans la guerre du Kippour. Ari comprit que la guerre du pétrole allait bien au-delà des champs de bataille moyen-orientaux. Depuis la seconde guerre mondiale, aucun événement n'avait laissé prévoir d'aussi vastes changements mondiaux. Les différentes nations s'emploieraient désormais à préserver leurs réserves en lançant d'énormes programmes de développement de ressources locales et des énergies nouvelles. La dépression du secteur des pétroliers allait durer. Plus d'un tiers de sa flotte déjà immobilisé, aucun des géants du pétrole ne s'intéressant à des contrats à long terme, Ari fut contraint d'annuler la commande de deux superpétroliers aux chantiers français, ce qui lui coûta 12,5 millions de dollars.

Depuis l'échec du projet Oméga, il parlait de construire une raffinerie de pétrole aux États-Unis. Au moment où les soldats égyptiens traversaient le canal de Suez et où les troupes syriennes passaient à l'attaque sur les hauteurs du Golan, Costa Gratsos appelait pour annoncer qu'il avait déniché un site parfait pour la raffinerie américaine : Durham Point, promontoire boisé qui s'avance dans la Grande Baie, sur la côte du New Hampshire. Les pétroliers déchargeraient leur cargaison au terminal en eaux profondes des îles de Shoals, à sept milles du continent. Un oléoduc acheminerait le brut à la raffinerie de Durham Point. Mais Gratsos avait fait mieux que repérer les lieux. Il avait mis la main sur le seul gouverneur de toute la Nouvelle-Angleterre qui serait heureux d'accueillir une raffinerie de pétrole dans son État. Dans le New Hampshire, les vieilles filatures de coton et les industries du bois déclinaient, les usines de chaussures fermaient. Le gouverneur Meldrim Thomson Jr manifesta le plus vif intérêt pour les projets de Gratsos. Il n'y aurait « aucun problème, aucune opposition de l'administration ». Ari donna le feu vert.

L'installation d'une raffinerie de pétrole dans le voisinage d'une ville préservée comme Durham, siège de l'université de l'État, risquait de susciter des oppositions, non seulement de la part des amoureux du site, mais aussi du côté des écologistes. Il était donc vital d'agir vite. Jouant les citadins « las de la foule urbaine et aspirant à la solitude », ou se présentant comme les hommes de confiance de sociétés nourrissant des projets aussi anodins que la construction d'une maison de retraite ou la création d'une réserve ornithologique, des cadres de l'Olympic Oil Refineries se portèrent acquéreurs de propriétés et de domaines dans la zone de Portsmouth, de Rye et de Durham. Ils avaient pris des options sur un ensemble de terrains formant une longue bande étroite de 1 600 hectares aboutissant à la mer lorsque Ron Lewis, reporter de l'hebdomadaire local *Public Occurrences*, spécialisé dans les dossiers brûlants, découvrit le pot-aux-roses et le révéla au public. Le 27 novembre, au cours d'une conférence de presse hâtivement organisée à l'hôtel Concorde, le gouverneur Thomson dévoila le projet : investissement de 600 millions de dollars, créant directement et indirectement des milliers d'emplois, rapportant à l'État des millions de dollars d'impôts (la raffinerie et ses annexes bénéficieraient pourtant d'un abattement de 75 p. 100). Ces déclarations suscitèrent beaucoup d'interrogations. On s'éleva contre le secret qui avait entouré les négociations. En quelques jours quatre mille personnes signèrent une pétition contre la raffinerie. « Ces conneries écologiques me cassent les pieds, dit Ari à Gratsos quand il lui eut appris ce qui se passait. Une raffinerie moderne, ce n'est pas pire qu'un ensemble immobilier moderne. Nous vivons à une époque où il faut savoir ce qu'on veut : survivre ou conserver un cadre charmant pour les pique-niques. »

Il ne tenait pas du tout à s'engager personnellement mais à la mi-décembre l'opposition à la raffinerie était si déchaînée que Gratsos le supplia de recevoir la presse (« Montrons à ces gens que tu n'es pas un ogre, Ari ») dans la ville principale du New Hampshire, Manchester, où vivait une importante communauté grecque massivement favorable aux républicains. Ari était sûr que le contrat serait signé. Outre le soutien du gouverneur, il bénéficiait à présent de celui de William Loeb, qui avait mis tout son poids, et il était considérable, dans la bataille. Propriétaire du *Manchester Union Leader*, le plus grand journal de l'État, avec un tirage de soixante-cinq mille exemplaires, il se faisait surtout remarquer, selon le *New York Times*, par ses éditoriaux de première page « dénonçant les nègres, les homosexuels, les juifs, les Kennedy et tous ceux qui, selon lui, menacent la civilisation ». Durant la guerre du Kippour, il titra un de ses éditoriaux : « Kissinger le Youp ? » Le jour où Ari arriva en hélicoptère à Manchester, l'*Union Leader* proclamait : « Bienvenue aux deux grands O : le pétrole (*Oil*) et Onassis. » Des centaines de personnes tracèrent dans la neige des champs un message nettement plus froid : *Ari Go Home* et *Ari O No*, en lettres assez grandes pour être vues à mille mètres du sol.

Ari n'était pas au mieux de sa forme. Il ne se sentait pas bien. Il avait froid. Il était fatigué. Son cœur lui donnait des inquiétudes. Il aurait aimé que Jackie soit à ses côtés. « Merde, il lui suffirait de rester plantée à côté de moi, avec John elle n'a fait que ça pendant des années », s'était-il écrié, mais Gratsos le lui avait déconseillé : « Loeb hait profondément les Kennedy. » Il ouvrit la conférence de presse par une plaisanterie plutôt faible : « Je ne suis pas le Grec qui appporte des cadeaux*. » Ce que je tiens par-dessus tout à éviter, expliqua-t-il tout en mâchant nerveusement l'extrémité de son cigare, c'est d'imposer un investissement dont les habitants du New Hampshire ne voudraient pas, « surtout si nous gardons à l'esprit l'idée que les habitants du New Hampshire appartiennent à l'aristocratie des États-Unis ». Néanmoins, même les aristocrates ont besoin d'une cuisine, dit-il : « Voilà longtemps, voilà bien des années que vous vous ravitaillez dans des restaurants très chers et très éloignés. Si nous réussissons à installer une raffinerie aussi propre qu'une clinique, sans la moindre odeur ni la moindre fumée, et si nous parvenons à convaincre

---

* Jeu de mot intraduisible à partir d'un proverbe américain : « *Beware of the Greek bearing gifts* » : « Méfie-toi du Grec qui apporte des cadaux » (*NdT*).

les responsables de l'environnement et de l'écologie, j'espère que ce que nous ferons sera bon pour tout le monde. » On lui demanda : « Quand vous dites que nous ne voulez rien imposer au New Hampshire, vous parlez de l'État ou de sa population ? » Un journaliste rapporta sa réponse en insistant sur l'accent grec : « La population, c'est l'État, l'État c'est la population. » Sa prestation fut fort terne. Les notables et les politiciens locaux qui soutenaient la raffinerie étaient consternés. Son charme légendaire, ses façons décontractées avec la presse, son assurance avaient perdu leur pouvoir. Le gouvernement tenta de prendre en main la conférence mais il se laissa entraîner dans une discussion avec les journalistes. « On s'est plantés du début à la fin, avouera Meyer. Ari était mal préparé, sauf pour faire une blague nulle sur le sirop d'érable fabriqué par le gouverneur*, censée éluder la question des achats secrets de terrain. Personne n'avait pris la peine de discuter avec lui de la stratégie appliquée pendant la séance de questions ; et même si ça avait été le cas, son équipe de conseillers était dans un état d'impréparation incroyable. » Gratsos, lui, accordait moins d'importance à l'impréparation d'Ari : « Il n'était jamais bon pour des réponses toutes préparées. C'est quand il improvisait qu'il se débrouillait le mieux. » Tandis que ses collaborateurs l'entraînaient hors de la salle, la journaliste Anne Gouvalaris le relança sur la tactique utilisée pour acheter la terre : croyait-il que c'était là une conduite honorable ? Retrouvant un instant son charme de toujours, il lui rétorqua : « On ne force personne avec de l'argent, ma chère. On séduit. »

Jackie le persuada de faire un voyage à Acapulco pour les fêtes du nouvel an. La veille du départ pour le Mexique, l'embargo arabe sur le pétrole durait depuis trois mois, et il reçut les statistiques de l'American Petroleum Institute : les importations de carburant représentaient à peine un peu plus de la moitié du volume d'octobre, et elles chutaient toujours. Chaque semaine le nombre de ses bateaux immobilisés augmentait et il savait que même si un accord était trouvé immédiatement au Moyen-Orient, les Arabes ne rouvriraient pas les vannes aussi largement qu'avant la guerre ; ils avaient découvert que le pétrole prenait de la valeur en restant sous la terre. Et l'inflation galopante continuerait d'affecter le marché des pétroliers même après la cessation du conflit, car les nations industrielles, incapables de faire face aux augmentations, seraient simplement forcées de diminuer leur demande. En ce dernier jour de décembre 1973, quand Ari monta à bord

---

* Ari brandit une bouteille de sirop d'érable et répondit : « Bon, nous ne dirons certainement pas que nous allons construire une distillerie de sirop d'érable. »

de son avion à réaction privé, il avait les cheveux ébouriffés et les yeux enfoncés dans les orbites. Il avait cessé de prospérer dans les crises et les nuits blanches. Selon un dirigeant d'Olympic qui l'accompagna à l'aéroport, « il avait l'air malade comme un chien ».

Il n'avait pas que la crise pétrolière en tête. Olympic Airways lui avait toujours apporté beaucoup de soucis et maintenant, du fait des associations malheureuses qu'il lui imposait, c'était un sujet de préoccupations encore plus cruelles. Son attitude ne faisait qu'aggraver les choses pour des dirigeants confrontés à des difficultés qu'il était le seul, en dernier ressort, à pouvoir résoudre. Il était aussi beaucoup moins optimiste en ce qui concernait l'opposition locale à la raffinerie du New Hampshire et, tout en se plaignant d'être « toujours crevé » (c'était une plainte de plus en plus fréquente depuis le séjour estival sur Skorpios), il assaillait de coups de fil Gratsos, Loeb, le gouverneur Thomson, pour leur demander de « se remuer les fesses ».

Jackie commit l'erreur d'exprimer ses goûts dispendieux à ce moment précis. Elle avait envie de faire construire une maison à Acapulco. Selon un proche d'Ari, ce désir de bâtir une maison dans la ville de sa lune de miel avec John lui parut le « symptôme final de leur mésalliance ». Au cours d'une des nombreuses conversations téléphoniques qu'il eut avec Gratsos durant le voyage mexicain, Ari laissa tomber : « C'est une belle femme. Mais sa beauté ne vaut pas des millions. » Il se préparait à organiser un divorce correct et la tension entre eux était perceptible par tous ceux qui les approchaient. Le 3 janvier 1974, quand ils reprirent l'avion pour New York, ils discutaient toujours. Jackie était d'humeur batailleuse et rendait coup pour coup, lui rappelant chacune des fautes de goût dont il s'était rendu coupable durant les cinq années de vie commune ; elle savait être cinglante à propos des fautes des autres, et comme toutes les femmes « élevées pour devenir des aventurières » (ainsi Gore Vidal décrit-il Jackie et Lee) et des « geishas occidentales » (suivant le mot de Truman Capote), elle s'entendait manifestement à blesser les hommes aussi bien qu'à les flatter. Il finit par se retirer dans un coin calme de l'appareil et le voyage prit une dimension spirituelle quand il se mit à noircir les pages d'un carnet de notes. Surmontant ses appréhensions superstitieuses, il écrivit : « Ma chère fille. » Aristote Socrate Onassis rédigeait son testament. Depuis la mort d'Alexandre, il était hanté par l'idée qu'il était lui aussi mortel. A présent, il vérifiait la réalité de cette découverte. Depuis de nombreuses semaines, il souffrait, tout son corps lui faisait mal, et la rédaction de son testament lui demandait un effort physique et mental surhumain. Pour un homme qui s'était rarement embarrassé de considérations sur la morale et la loi, c'était un document soigneusement pesé.

La femme qui lui avait apporté l'Histoire en dot était renvoyée avec une espèce de lot de consolation : comme il avait déjà pris soin d'assurer son avenir tout en lui soutirant la renonciation écrite à ses droits d'héritage, il léguait à Jackie un revenu annuel de 200 000 dollars. (Caroline et John recevraient chacun 25 000 dollars par an jusqu'à leur majorité.) Mais si elle contestait le testament ou en appelait aux tribunaux, elle perdrait aussitôt le droit à ses annuités, et les exécuteurs testamentaires d'Ari ainsi que ses autres héritiers étaient invités à user contre elle de « tous les recours judiciaires ». Si sa mort survenait avant qu'il ait eu le temps de créer une fondation au nom de son fils, ses exécuteurs testamentaires devraient le faire en ses lieu et place. Cette fondation aurait pour tâche de promouvoir des activités sociales, religieuses, artistiques et éducatives, principalement en Grèce, et de remettre chaque année des prix sur le modèle des Prix Nobel. La fondation Alexandre-Onassis, ayant son siège à Vaduz, au Liechtenstein, aurait aussi un autre but plus intéressé. Le réseau de sociétés très intriquées qu'il avait manipulé et contrôlé mourrait avec Ari. Son empire survivrait grâce à une structure comprenant deux sociétés de holding, Alpha et Bêta : Alpha consoliderait tous ses avoirs (soigneusement catalogués pendant le vol vers New York); Bêta serait simplement propriétaire des actions d'Alpha. L'héritière principale, Christina, recevrait la totalité du capital d'Alpha (plus une rente annuelle de 250 000 dollars et, si elle se remariait, 50 000 dollars par an pour son époux). La fondation posséderait une participation de 52,5 p. 100 lui assurant le contrôle de Bêta. Son conseil d'administration serait constitué avec ses collaborateurs, dirigés par Costa Konialidis, et dirigerait dans les faits l'empire au nom de Christina.

Tandis que l'avion fendait le ciel au-dessus du golfe du Mexique, Ari écrivait toujours, divisant son royaume : soixante mille dollars par an pour de ses sœurs Artémis, Mérope et Calirrhoë, rente soigneusement indexée sur l'inflation; soixante mille dollars par an pour son cousin et loyal collaborateur Costa Konialidis; trente mille dollars par an pour Costa Gratsos et pour son directeur général à New York Nicolas Cokkinis; vingt mille dollars par an pour Costa Vlassapoulos, son représentant à Monte-Carlo; chauffeurs, femmes de chambre, gouvernantes recevaient des gages variés de gratitude. Ari ne s'interrompit qu'au moment où l'avion atterrit à Palm Beach pour faire le plein et que le directeur de l'aéroport fit remarquer que sa carte de crédit de la Shell était expirée. On raconte que Jackie et lui se restaurèrent de sandwiches bacon-laitue-tomate dans la buvette de l'aéroport pendant que l'on réglait l'affaire. Jackie soupçonnait sans doute ce que son époux était en train de faire et elle le surveillait pour voir dans quelles dispositions d'esprit il le faisait. Si elle regrettait les exigences exprimées à Acapulco, elle réussit dans la buvette à donner l'impression qu'il y avait toujours entre eux « une intimité passée inaperçue jusqu'alors ». Entre Palm Beach et New York, il compléta ce qui devait sans doute être la plus longue missive qu'il ait rédigée depuis ses amours de jeunesse avec Ingeborg. « Si ma fille et ma femme le désirent, elles pourront conserver pour leur usage personnel mon yacht, le *Christina*. » Si elles estimaient que l'entretien du navire leur revenait trop cher (on évaluait à six cent mille dollars par an le coût de sa maintenance), elles en feraient don à l'État grec. Une clause similaire concernait l'avenir de Skorpios. (Jackie recevait 25 p. 100 de l'île et du yacht.) Son principal exécuteur testamentaire serait « Athina, née Livanos, Onassis-Blandford-Niarchos, mère de mon fils, Alexandre ».

Il n'était pas en forme en revenant à New York. Sa mine effraya ses subordonnés. Il semblait avoir de la difficulté à tenir la tête droite. Les membres du personnel qui s'étaient habitués à son fort accent, particulièrement perceptible quand il était fatigué ou en colère, remarquèrent que son élocution était souvent embrouillée, même quand il n'avait pas bu. (« Je n'arrive plus à me soûler, même quand j'en ai très envie », avoua-t-il à un ami proche à Londres.) « Sa peau était d'une pâleur qu'on n'aurait pas crue possible après même un seul après-midi à Acapulco », dira l'un des spécialistes de relations publiques appelé à travailler sur la campagne de Durham Point. « C'est sûr, j'aurais drôlement préféré avoir de meilleures nouvelles à lui annoncer. Il avait l'air d'un type qui manque de bonnes nouvelles depuis longtemps. » L'équipe d'Olympic qui s'occupait du projet de la raffinerie avait découvert que les citoyens du New Hampshire étaient aussi susceptibles et volages qu'on le disait. Un groupe de pression qui s'était donné pour sigle SOS (*Save Our Shores* — Sauvez Nos Côtes) répandait quantité d'histoires sur les fuites de pétrole et les oléoducs fracturés, à la grande consternation des responsables des relations publiques et des conseillers de gestion embauchés par Olympic Oil Refineries.

Ce fut durant une banale opération de relations publiques menée à la Rye Junior High School que fut porté l'un des coups les plus graves aux projets d'Olympic. « Ils trimbalaient partout un stupide film en Technicolor prouvant qu'on pouvait manger sur le pont des pétroliers d'Ari... la seule trace de gras visible, c'était dans les cheveux de Booras », raconte Meyer*. Les superpétro-

---

* Ce fut Booras qui le premier attira l'attention de Gratsos sur le site de Durham Point. Immigrant grec, vieil ami de la famille de Gratsos et propriétaire de la société de cartes de vœux Yankee Artists, il était particulièrement fier de son invention : le Système Pain Sans Fin, qui permettait de cuire pour les restaurants des pains sans quignons, économisant ainsi « les 15 p. 100 de la miche que personne ne veut ».

liers de l'Olympic seraient amarrés au large des côtes de Rye et l'oléoduc acheminant l'or noir à Durham Point couperait à travers les plages de la ville. Alors que les experts et les spécialistes de relations publiques d'Ari étaient retenus dans les studios d'une station de télévision, Frederick Hochgraf, professeur d'ingénierie à l'université du New Hampshire, prenait la parole devant les 600 personnes entassées dans le gymnase de l'école (les pêcheurs, les éleveurs d'huîtres et les travailleurs du tourisme étaient fortement représentés) et livrait des données d'une gravité que même les plus ardents opposants à la raffinerie n'auraient jamais soupçonnée. Si les superpétroliers apportaient 270000 barils par jour à la raffinerie, 3660 barils seraient répandus chaque année dans la mer. Et si la raffinerie atteignait ne fût-ce qu'en partie sa capacité de 1600000 litres par jour, on pouvait garantir que 3980 barils de plus seraient répandus dans les eaux du New Hampshire. Lorsqu'on eut écouté les inquiétantes statistiques de Hochgraf, un spécialiste de la biologie marine leur apprit qu'il suffisait d'un centimètre cube de pétrole dans un million de centimètres cubes d'eau de mer pour détruire les larves d'huîtres, et aussi peut-être anéantir à jamais le fond marin. « Quand j'eus terminé mes premiers calculs, racontera Hochgraf, j'ai été effaré par les résultats, si effaré que je suis resté à les contempler pendant une semaine jusqu'à ce que j'aie obtenu confirmation grâce à une autre étude menée par une méthode entièrement différente. » Quand l'équipe d'Olympic conduite par Booras arriva enfin, elle ignorait l'exposé d'Hochgraf et s'efforça une fois de plus d'éluder les questions avec des déclarations comme : « Il n'existe pas d'étude à ce sujet... quand nos études seront terminées, tout le monde verra l'importance de l'affaire et les avantages qu'elle apportera... » (Les hommes des relations publiques disposaient d'un bureau au Ramada Inn et d'un autre en face du Concord ; quand on leur posait des questions difficiles, ils invitaient leurs interlocuteurs à dîner.) Quand pour la nième fois on demanda à Booras quels étaient les risques de pollution et que pour la dixième fois, il répondit qu'on ne disposait pas de données chiffrées, Hochgraf traversa lentement la salle et posa l'épais dossier bourré de chiffres et d'informations aux pieds des experts d'Olympic.

Mais la principale difficulté au New Hampshire, Ari l'avait à présent découvert, c'était le principe d'autonomie, le droit de chaque ville de rejeter toute politique gouvernementale qui lui déplairait. En mars, la ville de Durham rejeta la raffinerie par 1254 voix contre 144. En dépit de cette « petite opposition locale », Gratsos s'entêtait. Il était convaincu que la représentation populaire, avec ses vingt-quatre sénateurs et ses quatre cents représentants qui constituaient le troisième parlement du monde par la taille, était trop nombreuse pour être sensible au jeu des groupes de pression. « Ils vont annuler ces idioties de votes autonomes. On ne peut pas diriger un État si chaque patelin a le droit de dire au gouvernement d'aller se faire voir. » Quelques jours plus tard, les quotidiens du New Hampshire parurent avec des suppléments vantant les mérites et les avantages de la raffinerie. (« Ne laissez pas une minorité bruyante bloquer notre État », suppliaient les gros titres.) La liste des numéros de téléphone personnels de chaque législateur était jointe, et le lecteur était invité à appeler pour apporter son soutien au projet. Ce coup de pub heurta la vieille éthique puritaine des habitants de la Nouvelle-Angleterre. Ils téléphonèrent par milliers pour dire à leurs représentants d'envoyer au diable la raffinerie, et M. Aristote Onassis avec.

Le jour où le Parlement du New Hampshire rejeta le projet de raffinerie, Ari décida de se faire faire un bilan de santé. Depuis quatre mois il se sentait faible, et à une ou deux reprises il avait eu les plus grandes peines à s'arracher de son fauteuil. L'élan qui l'avait porté à travers les vicissitudes de ces années incroyablement productives était en train de s'évanouir. Le courage qui lui avait permis de surmonter les catastrophes et les déceptions était près de s'épuiser. Il avait aussi du mal à lever et baisser les paupières ; ces troubles n'étaient qu'intermittents, et d'une gravité variable mais ils l'inquiétaient bien davantage que son état de fatigue permanente. Comme il craignait d'être atteint de dystrophie musculaire, il fut presque soulagé quand les médecins lui dirent qu'il souffrait de myasthénie, une affection du système immunitaire que les médicaments permettaient de maîtriser. Il avait insisté pour connaître l'exacte vérité et parlait en homme averti, mais avec une légèreté surprenante, de son état. « D'ordinaire, ça touche les quadragénaires, alors je le prends comme une preuve de mon excellente condition physique », disait-il à ses amis. C'était une affection incurable, avec des rémissions et des rechutes mais, disait-il, « on ne peut pas dire que ça me tue ». Les patients qui mouraient de cette maladie souffraient en général de complications pulmonaires, mais hormis sa myasthénie, il était au mieux de sa forme. Il saurait bien assez tôt si les médicaments étaient efficaces : la plupart des rémissions survenaient durant les cinq premières années de l'affection, et la plupart des décès se produisaient dans le même laps de temps.

« Le désir de vengeance, pensait Gratsos, était tout ce qui l'empêchait de s'effondrer totalement », et il voyait derrière l'affaire du New Hampshire la main des grandes compagnies et celle de Niarchos. Pourtant, il prit sa défaite avec philosophie et pendant un moment on put croire qu'il avait repris le dessus, même s'il buvait plus que jamais et le supportait de plus en plus mal. Au Crazy

Horse Saloon, il invita le papparazzo Roger Picard « à photographier le secret de (son) succès ». Dans les toilettes pour hommes, il posa son pénis sur l'assiette des pourboires. « Voilà, hurla-t-il, triomphal, ça vous dit tout. Le sexe et l'argent — voilà mon secret. » Tandis qu'il retrouvait apparemment son moral, Jackie, elle, portait habituellement le masque du désespoir. « Elle avait pris cette expression d'austérité religieuse qu'on voit sur le visage de certaines paysannes d'Europe — ardente, malheureuse, marquée par le sacrifice de la chair », dit un de ses amis, et ce n'était certes pas la Callas qui la mettrait de meilleure humeur en débarquant à New York pour discuter de ses relations avec Ari (« le grand amour de ma vie ») avec Barbara Walters dans l'émission *Today*. « L'amour, c'est tellement meilleur quand on n'est pas mariés », déclara la malicieuse cantatrice. Est-ce qu'elle en voulait à Jackie ? « Pourquoi donc ? Bien sûr, si elle traitait mal M. Onassis, je pourrais me mettre en colère. »

Au printemps, il revint à Monte-Carlo pour la première fois depuis sa rupture avec Rainier. Ils dînèrent ensemble à bord du *Christina* et un rapprochement s'opéra entre ces deux hommes qui appartenaient à la même espèce. Mais cette visite le déprima et un soir qu'il dînait à l'Hôtel de Paris, les muscles de ses mâchoires refusèrent de bouger. Il eut le plus grand mal à manger. Ce symptôme avait disparu le lendemain mais il savait que c'était le signe d'une aggravation de la maladie. En dépit des drogues et des piqûres douloureuses, il n'était pas à l'abri de tels accès, brusques et pénibles : cette découverte le plongea dans un désarroi sans limite. « Il y a trop de souvenirs ici, trop de fantômes, bon Dieu ! » répétait-il sans cesse, comme pour faire porter la responsabilité de sa dépression à la ville de Monaco. Il décida d'écourter son séjour. Le dernier soir, il alla chez Régine. Dans un coin sombre de la boîte, à l'écart de la piste de danse, il aperçut avec étonnement l'un de ses « fantômes ». « Que faites-vous là ? lui lança-t-il. Vous détestez les night-clubs ! » Wendy Russel, s'appelait à présent Mme Emery Reves. C'était elle qui avait organisé dans les années cinquante la première rencontre avec Churchill. Elle lui répondit qu'elle était venue avec son mari et quelques amis ; elle détestait toujours autant les boîtes de nuit. « Il s'est assis à côté de moi et m'a dit que maintenant lui aussi détestait les night-clubs. "J'ai beaucoup changé. J'ai eu le temps de réfléchir... J'ai tant de raisons d'être triste. Je suis triste pour vous et pour Emery." Il a redit cette dernière phrase et puis il m'a embrassée sur la joue. » Emery fut émue par sa détérioration physique et son ton mélancolique. Elle savait qu'il essayait de s'excuser pour s'être servi d'eux comme il s'était servi de tant d'autres personnes autrefois, pour avoir trahi leur confiance en rameutant la presse à la première visite de Churchill au *Christina*, il y avait tant d'années de cela. « Je lui ai pris la main et je lui ai dit : "Ne vous faites pas tant de soucis pour Wendy et Emery Reves." » C'était une sorte de pardon, un adieu.

CHAPITRE 17

> Tu dois quitter tes terres, ta mai-
> son et la femme chère à ton cœur ;
> et aucun de ces arbres ne t'ac-
> compagnera, toi leur maître à la vie
> si courte, hormis les cyprès
> abhorrés.
>
> HORACE.

En ce printemps 1974, peut-être Ari perçut-il le caractère définitif de son départ de Monte-Carlo à bord du *Christina*. C'était
en tout cas avec un profond sentiment d'urgence qu'il se préoccupait maintenant du sort de sa fille. « Je pense que sa conscience
lui a brusquement rappelé l'existence de Christina car cette
conscience était la mémoire d'Alexandre », dira un collaborateur
d'Olympic. La mort de son frère avait définitivement changé la
vie de la jeune femme. Si elle gardait un calme apparent (« Peut-
être était-ce une sorte d'engourdissement, ou alors une sérénité
ancestrale », suggère un ami parisien), une remarque qu'elle fit
le jour de l'enterrement d'Alexandre laissait présager les crises
à venir. « Les choses ne se passent jamais comme on s'y attendait. Ce serait très réconfortant de dire comme Médée : "Quant
à moi, j'ai mon content." N'est-ce pas ce que nous voulons tous ? »

Il avait été décidé qu'elle irait à New York « apprendre les ficelles du métier » sous la surveillance de Costa Gratsos. Il la traitait comme une femme intelligente et non comme une enfant ou
une élève. Et apparemment, ça marchait. « Elle s'en tirera très
bien, assura-t-il. Je me fie déjà plus à son intuition qu'à mon intelligence, peut-être même plus qu'à ta magie ! » Ari répondit à Grat-

307

sos d'une voix légèrement troublée et son vieux complice comprit combien sa plaisanterie l'avait affecté. A présent M. Onassis emmenait sa fille avec lui dans les conférences et les dîners d'affaires, il la présentait à tous les niveaux de la hiérarchie mais elle parlait peu. Au cours d'un déjeuner au siège londonien de British Petroleum, elle ne prononça pas un seul mot, ne posa aucune question. Son attitude renfermée déconcerta Sir Eric Drake, président de BP. Est-elle toujours aussi lointaine ? demanda-t-il ensuite à Nigel Neilson. L'homme d'Ari à Londres ne s'expliquait pas cette apathie apparente ; c'était une attitude en contradiction complète avec l'éducation qu'elle avait reçue. Plus tard, il se souviendra d'une scène à laquelle il avait assisté à bord du *Christina* quand elle avait dix ans. Elle revenait de chez le coiffeur. Ari s'extasia : comme elle était jolie ! Et comment s'appelait le monsieur qui lui avait coupé les cheveux ? Elle ne savait pas. Il lui demanda si le monsieur en question avait de la famille. Elle ne savait pas. Son père la sermonna : « Il faut toujours parler aux gens, leur poser des questions, découvrir des choses. Il faut toujours s'intéresser. » Au cours d'un cocktail au Savoy, où elle se montrait très animée, Sir Eric, surpris, lui demanda pourquoi elle était restée si silencieuse pendant le déjeuner de travail. « Mon père m'a dit que je devais écouter, faire attention à chaque mot, observer et me taire jusqu'à ce que je sache de quoi je parle. »

Ari était fier des progrès de sa fille. Elle entreprit de changer de vie. Elle travaillait avec sérieux et application, et si elle n'avait pas tout à fait renoncé à la vie nocturne, on la voyait moins souvent dans les boîtes. Ari semblait satisfait. « Il n'est pas impossible, disait-il, qu'elle se révèle un jour capable de diriger la famille. » C'était le plus grand compliment qu'un Grec pût faire à une femme. Pourtant, en dépit de la confiance croissante qu'Ari lui manifestait, et des rapports rassurants de Gratsos, ses amis remarquaient des signes inquiétants dans le comportement de Christina. « Elle était en pleine forme, souriante, détendue, et puis tout à coup, patatras ! Elle prenait de plus en plus souvent la mouche », raconte un cadre moyen du département assurances maritimes de la firme Frank B. Hall & Co., où elle avait fait un stage d'un mois. Une secrétaire ajoute : « Elle vous fusillait du regard, c'était terrible, je n'ai jamais vu ça ! Et on ne comprenait jamais ce qu'on était censé avoir fait de si terrible. »

Au début du mois d'août, qu'elle passait d'ordinaire à Skorpios, elle disparut. Aucun de ses amis à New York, à Paris ou dans le Midi ne savait où elle était. Impossible de la joindre au téléphone. Elle ne répondait pas aux lettres. Un de ses plus vieux amis parisiens raconte : « Je me suis dit : "Oh, Christina, tu t'es trouvé un amoureux que tu veux garder pour toi." Elle protège beaucoup cette partie de sa vie. J'espérais passer le mois d'août sur l'île et j'étais déçu mais j'ai pensé "Tant mieux pour elle." J'espérais qu'elle était heureuse, là où elle se trouvait. » Ce n'était certes pas le cas. Le 16 août, après avoir absorbé une dose massive de somnifères, elle était admise sous le nom de C. Danai dans le service public du Middlesex Hospital de Londres. Tina arriva en jet privé du Sud de la France et durant quarante-huit heures ne quitta le chevet de sa fille que pour de brèves siestes sur un fauteuil de la salle d'attente. Chose étonnante, la presse ignora l'événement. Son père ne fut mis au courant qu'une fois Christina hors de danger et transférée dans une chambre privée.

Tina était mal armée pour affronter les situations difficiles et la dépense d'énergie nécessaire pour réconforter Christina dans ces moments douloureux lui fut particulièrement pénible. Son mariage avec Niarchos ne lui avait pas apporté les satisfactions qu'elle attendait et ses amis la soupçonnaient de nourrir des projets de divorce*. Elle avait découvert que le Code civil grec proscrit le mariage entre un beau-frère et une belle-sœur. Selon un ami de la famille, « c'était un moyen de sortir d'une situation malheureuse, mais cela l'embarrassait aussi, comme une transgression ». L'effondrement de Christina, après la mort d'Alexandre et celle d'Eugénie, réveillait chez Tina le sentiment qu'une sorte de châtiment était à l'œuvre. « Je suppose que nous avons tous tendance à demander trop », dit-elle en rentrant à Paris en septembre. Sa beauté se fanait, en partie à cause d'un recours systématique aux barbituriques. Alors que les seules angoisses qu'elle eût connues jusque-là portaient sur les réceptions auxquelles elle devait assister ou le prochain amant qu'elle choisirait, elle se trouvait à présent confrontée au choc, à la trahison que représentait l'arrivée de l'âge mûr. « Tout à coup, j'ai eu quarante-cinq ans. »

Au matin du jeudi 10 octobre, une domestique la trouva morte dans sa chambre de l'hôtel de Chanaleilles, la résidence parisienne des Niarchos. Son époux dormait dans la pièce voisine. On diffusa des informations contradictoires sur les causes de sa mort. Au siège londonien de la société de Niarchos, un porte-parole annonça que Tina avait « un caillot de sang dans un vaisseau de la jambe et que la mort avait résulté du déplacement du caillot au cœur, ce qui avait bloqué la circulation sanguine ». A Paris, sa secrétaire déclara qu'elle était morte d'une « crise cardiaque ou d'un œdème au poumon » — c'est-à-dire d'une accumulation

---

* Dans sa chronique du *New York Daily News*, l'échotière Suzy écrivait le 6 février 1975 : « Helene Rochas faisait les yeux doux à Stavros alors que son épouse, récemment décédée, vivait encore. Tina n'était nullement amusée par ce flirt. Elle était très gênée d'être ainsi traitée mais elle n'y pouvait pas grand-chose. »

excessive de liquide dans les tissus. Christina se trouvait à New York quand la nouvelle lui parvint et elle prit aussitôt l'avion, arrivant à Paris dans les premières heures de la matinée du vendredi. Les journaux comparaient déjà la mort de sa mère à celle d'Eugénie Niarchos quatre ans plus tôt dans l'île de Spetsopoula. L'Agence France-Presse et *France-Soir* envisagèrent aussitôt l'hypothèse d'une mort due à l'absorption de somnifères. « De sources proches de Niarchos, on déclare que sa mort est due à une surdose de barbituriques et de calmants », racontait Bernard Valéry, un journaliste du *New York Daily News* qui connaissait la famille depuis ses premiers pas à Monaco.

Christina agit sans tarder. A onze heures du matin, elle avait obtenu que le procureur de la République ordonne une autopsie. « Ari approuvait cette démarche, dit Meyer. Je ne crois pas qu'il s'agissait de chercher des noises à Niarchos. Il voulait simplement étouffer dans l'œuf les rumeurs, pour le bien de Christina. Elle paraissait si secouée qu'il craignait en fait qu'elle tente de tuer Stavros... il y avait beaucoup de spéculations, des ragots infâmes. » Onassis et Niarchos publièrent une déclaration commune affirmant que c'était certes Christina qui avait demandé l'autopsie, mais que les deux familles « bien loin de s'y opposer, approuvaient cette décision ».

Le 13 octobre, les deux médecins légistes désignés par le parquet confirmèrent sans plus de détails que Tina était morte d'un œdème au poumon. Le *Times* de Londres rapportait que le corps ne présentait aucune trace de violence. Le permis d'inhumer fut délivré. On l'enterra à côté de sa sœur, au cimetière Bois-de-Vaux à Lausanne. L'absence d'Ari fut remarquée. Niarchos pleura tout au long du service religieux ; de l'autre côté de la travée se tenait le duc de Marlborough, deuxième époux de Tina, lui aussi en larmes. Quand Christina craqua, au bord de la fosse, ce fut auprès de l'Anglais qu'elle chercha du réconfort. (« Ma tante, mon frère, ma mère maintenant... qu'est-ce qui nous arrive ? ») Un ami intime dit qu'il était certain que Tina « avait choisi la mort ». Peter Stephens, qui faisait un reportage pour le *Daily Mirror* de Londres et la connaissait bien, assure : « Je n'ai jamais pu décider dans ma tête si Tina s'était ou non tuée. Mais elle a sans doute exprimé le vœu d'être enterrée à côté de sa sœur et non sur Skorpios avec son fils, ce qui me donne à penser qu'elle soupçonnait qu'elle arriverait au même endroit par le même chemin. »

Encore furieux de l'intervention de Christina, Niarchos publia un communiqué qui pour la première fois révélait la tentative de suicide de la jeune Onassis... « à un moment où sa mère pleurait encore la mort de son fils. Tina ne s'est jamais remise de la dépression dans laquelle l'ont plongée ces coups successifs ». Les implications du démenti public étaient d'un cruelle clarté : Christina avait elle-même dramatiquement aggravé la santé défaillante de sa mère.

Après la mort de Tina, le déclin physique continu d'Ari fut d'abord expliqué par la fatigue, mais selon un collaborateur d'Olympic à Monaco, « les blessures psychiques infligées par la tragédie de Paris et le regain de tension entre les familles pesa d'un poids terrible ». Quelques semaines à peine avant la mort de Tina, une amie qui avait passé une semaine seule avec lui sur Skorpios avait trouvé qu'il « n'était pas tout à fait dans son assiette, même si je ne l'avais pas vu depuis longtemps en aussi bonne forme et avec un aussi bon moral ». La visiteuse s'appelait Hélène Gaillet. Elle était venue à Paris photographier le combat de boxe Muhammad Ali-George Foreman, mais celui-ci avait été remis et déplacé au Zaïre. « Je l'ai appelé à Skorpios : "Ari, j'ai un dilemme, je ne sais pas quoi faire, pouvez-vous me conseiller ?" Avec sa voix rauque, il m'a répondu : "Qu'est-ce qui se passe, Hélène ? Qu'est-ce que vous voulez ?" Il était toujours très direct, il n'employait pas ces formules de politesse qu'on est censé utiliser. Il m'a dit : "Vous voulez venir ici ? — Oui, ai-je dit, c'est ce que j'espérais que vous me diriez." » Elle expliqua qu'elle s'en était entretenu avec son amant, l'ami d'Ari, et qu'il lui avait assuré que ce serait une bonne idée d'appeler Ari. Ce dernier s'enquit du nom de son hôtel et une heure après un des employés de l'empire Onassis appelait la jeune femme pour lui dire qu'il viendrait la chercher le lendemain à neuf heures. L'avion privé d'Ari la transporta à Athènes ; elle passa une nuit à Glyfada où elle dîna avec Artémis et Christina. « Christina était très sombre, très maigre, c'était une femme très passionnée, une forte personnalité. Je l'ai trouvée fascinante. Elle avait cette espère d'aura... je ne veux pas dire de fatalité, mais disons que c'est la notion la plus proche. On sentait quelque chose en elle d'incontrôlable, quelque chose dans ses yeux... »

Conduite sur Skorpios en hélicoptère, Hélène découvrit, à sa grande surprise, qu'Ari était seul sur l'île. « Il ne m'a jamais fait d'avances. Je dormais sur le *Christina*, il restait dans la maison. » Un jour, à l'aube, elle le vit qui arpentait seul la plage, comme un animal qui sort de sa tanière au petit matin. « Je ne crois pas qu'il m'ait jamais désirée physiquement, ce n'était pas nécessaire à notre amitié. Le jour de mon arrivée, il m'appela et me demanda ce que je faisais. Ce que je fais ? Je ne fais rien, je lis, je passe des moments merveilleux. Il m'a dit : "Venez, allons faire un tour en voiture." Il m'a fait visiter l'île de long en large, m'a montré les vergers, les animaux de la ferme, les fleurs. L'île était comme un domaine médiéval, une unité économique autosuffisante, qui produisait son lait, son pain, sa viande, ses figues ; seule l'eau douce devait être acheminée par bateau et conservée dans des réservoirs. Il m'a montré où était enterré Alexandre. Ce n'était pas triste ; il parlait comme s'il s'attendait à ce qu'il vienne nous rejoindre d'une minute à l'autre. « Pour moi, m'a-t-il dit, Alexandre est aussi vivant que vous. Il vient souvent au-devant de moi. Malheureusement, jusqu'à ce que je meure, je ne pourrai pas aller vers lui. » Un bref moment, « une ombre passa sur son visage, une expression de mélancolie poignante ». Après, il l'emmena sur la plage. « Nous nous sommes déshabillés et nous sommes entrés dans la mer. Et de nouveau derrière la beauté et la simplicité de cet homme, il n'y avait aucune espèce de sous-entendu sexuel. Dans mon souvenir, il y a peut-être eu certains moments où je me suis dit : "je pourrais vraiment m'attacher à ce personnage..." Quand on le regardait, il avait une nudité animale et dans d'autres circonstances, un homme et une femme sur une plage déserte auraient été attirés par l'idée de faire l'amour. D'une certaine manière, je crois qu'il aimait mieux l'idée que j'étais intouchable. » Le soir, ils dînaient en tête à tête à bord du yacht. « C'est le seul endroit sur la terre où je ne me sente pas étranger », lui confia-t-il.

Début novembre, sous le nom de M. Philips, il fut admis dans un hôpital new-yorkais pour y subir des examens. Christina vint lui tenir compagnie et la presse ne tarda pas à découvrir la véritable identité de M. Philips. « Il était visiblement sur la mauvaise pente, raconte un journaliste de *Paris-Match* très proche de Christina, mais les gens d'Olympic, et même Johnny Meyer affirmaient avec insistance que son état allait se stabiliser. Honnêtement, je ne sais pas ce que Christina pensait à l'époque, mais elle paraissait avoir atteint avec Ari un degré d'intimité qu'elle n'avait jamais eu jusque-là, elle semblait s'être débarrassée de l'éternel regret de ne pas lui apporter tout ce qu'il attendait d'elle. »

Ils passaient des heures ensemble. Quand les paupières d'Ari s'affaiblirent et qu'il fut incapable de garder les yeux ouverts, elle les fit tenir avec des bouts de sparadrap et, connaissant sa coquetterie, elle demanda des lunettes aux verres plus foncés pour les dissimuler. Elle le taquina : « Dieu te punit pour tous tes péchés. — Je n'ai jamais pensé au péché, rétorqua-t-il de cette voix que l'âge et la nicotine faisaient gronder. C'est dans ma nature. » L'heure de la souffrance cruelle était venue. Christina sentait l'obscurité se refermer sur lui. « Mes vœux les plus fervents sont que mon père aille mieux et que je rencontre un homme qui m'aime pour moi et non pour mon argent. L'argent ne fait pas le bonheur. Notre famille est là pour le prouver », déclara-t-elle, en se souvenant avec émotion du communiqué de sa mère le jour où elle quitta Ari. « Depuis la mort de ma mère et celle

312

de mon frère, nous avons tous deux appris combien la vie est courte et avec quelle soudaineté terrible la mort frappe. »

Il se sentit assez de force pour quitter l'hôpital en novembre mais son visage était gonflé par les injections de cortisone destinées à combattre son insuffisance surrénale. Si son humeur était toujours aussi imprévisible, on sentait derrière ses fanfaronnades qu'il avait peur, peur pour lui-même, pour sa fille et pour son empire. Sa compagnie aérienne traversait une très mauvaise passe. L'augmentation des tarifs pétroliers avait affecté Olympic plus que n'importe quel autre transporteur, car la menace d'une guerre avec la Turquie à propos de Chypre avait durant l'été tari le trafic touristique, vital pour la Grèce. Il fut presque le dernier à découvrir la gravité de la situation. Les vieux employés de la compagnie avaient du mal à admettre qu'il ait pu à ce point perdre le contact depuis la mort d'Alexandre. Le jour où Ari sortit de l'hôpital, les liquidités disponibles tombèrent à un niveau tel que les vols réguliers ne purent être maintenus. Costa Konialidis, qui était presque depuis le début à la tête de la bancale compagnie aérienne, dut se résoudre à lui révéler la situation.

L'état-major new-yorkais d'Olympic ne l'avait jamais vu dans une telle rage. Et pourtant, ses rages étaient célèbres dans les bureaux de la société. En prenant l'ascenseur, il avait l'habitude d'appuyer sur le dernier bouton et se retrouvait invariablement dans l'entresol, ce qui le plongeait dans de telles fureurs qu'on avait dû installer dans les cabines un système de commande sur le modèle européen. La nouvelle lui fut annoncée en pleine inauguration de l'Olympic Tower, un immeuble de cinquante-deux étages sur la 5e Avenue, construit en association avec la Arlen Realty Corporation. De l'avis général, ce gratte-ciel bâti dans le centre ville et destiné à une très riche clientèle représentait un investissement risqué dans une période d'inflation galopante et de récession menaçante. Seuls 35 des 230 appartements étaient vendus et si l'immeuble ne devait pas être ouvert au public avant plusieurs mois, on jugea nécessaire de lancer l'Olympic Tower à travers une campagne de promotion « rarement égalée même dans le secteur immobilier », rapportait le *Wall Street Journal*. La dernière chose dont Ari avait besoin en ce moment était qu'on fasse beaucoup de publicité à un nouvel échec signé Onassis.

Entre-temps, les premières élections libres en Grèce depuis 1964 avaient porté au pouvoir le parti de Constantin Caramanlis, la Nouvelle Démocratie. C'était Caramanlis qui avait incité Ari à acquérir la compagnie aérienne, et en se souvenant des concessions multiples qu'il avait arrachées les unes après les autres au Premier ministre, le vieux magnat était encore sûr de pouvoir « rétablir la situation ». Mais quand il présenta une demande de soutien financier massif au gouvernement, celui-ci la rejeta sèchement. « Il était tellement hors du coup, raconte un ancien cadre d'Olympic. Il était hors de question que Caramanlis le tire d'affaire. Ari était devenu un pestiféré. Avec les Grecs, c'est toujours l'amour ou la haine, il n'y a pas de milieu. » Papadopoulos et sa clique attendaient à la prison de Korydallos de comparaître devant un tribunal pour insurrection et haute trahison. On faisait pression sur Caramanlis pour qu'il traite avec sévérité les anciens membres de la junte et leurs collaborateurs. Presque chaque jour se déroulaient des manifestations réclamant la tête des putschistes. « Caramanlis n'allait pas lever le petit doigt pour aider un homme qui passait pour avoir noué avec Papadopoulos des relations qui allaient bien au-delà des simples rapports d'affaires », explique un magistrat athénien qui avait participé au projet Oméga.

Mais Ari n'avait toujours pas compris. « Il ne lui venait même pas à l'idée qu'il avait perdu. Il a réagi comme il réagissait toujours autrefois, quand il ne parvenait pas à ses fins, en menaçant de tout laisser tomber, en immobilisant la totalité de la flotte d'Olympic, en gelant les salaires. Il a vraiment mis tous les feux rouges », raconte Meyer. Au lieu de céder et de le supplier de rester, comme il avait fait si souvent autrefois, Caramanlis nomma un administrateur provisoire et annonça que le gouvernement allait immédiatement rouvrir des négociations pour le rachat de la compagnie nationale.

Le bluff et les combats au bord de l'abîme étaient depuis toujours le pain quotidien d'Aristote Socrate Onassis. Il crut donc que le Premier ministre était simplement en train de fortifier ses positions avant de négocier. La brutalité de la réaction de Caramanlis l'avait néanmoins secoué car il ne voulait pas renoncer à ces avions dont il avait si souvent dit à Alexandre qu'ils étaient « les feuilles de l'arbre tandis que les bateaux sont les racines ». La perte d'Olympic était un échec épouvantable qu'il ne pouvait ignorer. En décembre, contre l'avis de ses médecins, il prit l'avion pour Athènes. Décidé à garder le contrôle de la compagnie aérienne tout en feignant de vouloir conclure le transfert, il discuta plusieurs jours durant les clauses de la transaction, dans l'attente des contre-propositions. Quand il comprit que le gouvernement avait réellement l'intention de reprendre Olympic, il changea de tactique. « Chaque matin, il nous présentait une nouvelle liste de demandes et de requêtes qui remettaient en cause des points acquis vingt-quatre heures plus tôt », raconte un collaborateur de Caramanlis étonné par « le changement brusque intervenu dans l'atmosphère des pourparlers ». Ari n'était vraiment pas en état de conduire des négociations délicates et complexes. Il était à bout de fatigue. « Ses façons étaient péremptoires, son langage parfois incompréhensible, le sens de bon nombre de ses réponses nous échappait », dira un autre négociateur gouvernemental, qui, plein de sympathie au départ pour Ari, s'irrita de plus en plus de ses tergiversations. Les pourparlers s'enlisaient dans la rhétorique onassienne et d'ahurissantes remises en cause qui exaspéraient chaque jour davantage les négociateurs. Quoique la plupart des appareils et des installations fussent la propriété d'un inextricable réseau de sociétés panaméennes, un éminent juriste gouvernemental pressa Caramanlis de suspendre purement et simplement les pourparlers et de reprendre la compagnie en mettant l'opinion devant le fait accompli, par une déclaration insistant sur la « bonne volonté du gouvernement et la mauvaise foi d'Onassis ». Un conseiller du magnat avoue : « Il nous laissait tous sur la touche. Ari était profondément réfractaire au travail d'équipe. C'était lui et lui seul qui connaissait les chiffres. Il considérait l'affaire comme un combat entre lui et tous les autres. »

Tandis qu'Ari affrontait à Athènes la crise d'Olympic Airways, Jackie, elle, se préoccupait de... la crise cubaine de 1962. Tel était en effet le sujet d'une émission spéciale de la chaîne ABC, *The Missiles of October*, qu'elle regarda chez Ted Sorensen à New York en compagnie d'anciens collaborateurs de JFK. Après quoi, elle partit skier sur les pistes suisses de Crans-sur-Sierre avec son fils. Selon un proche d'Onassis qui assista, atterré, à ses manœuvres athéniennes, « Jackie semblait bien décidée à se tenir à l'écart des difficultés d'Ari. Elle n'avait pas grand-chose à faire à Athènes, sauf être là. Ce furent parmi les pires semaines de la vie de son mari. Il aurait eu besoin de tendresse conjugale, sans parler de l'effet bénéfique pour les relations publiques... Il se mettait à dos tous ceux qu'il lui aurait fallu séduire. Même avec ceux dont il avait le plus besoin, son ton était renfrogné et ronchon. Il avait complètement perdu le contact, il était hors du coup. Autrefois son nom était un mot de passe magique à Athènes et à présent son monde était bouleversé de fond en comble. Il était devenu... vulnérable. C'était peut-être la cortisone (l'explication la plus fréquente pour sa conduite), peut-être l'âge qui se faisait brusquement sentir. Il était d'une pâleur extrême, et je n'ai jamais vu un homme transpirer autant hors d'un sauna. » Meyer n'a pas gardé de souvenirs bien précis des discussions : « Je me rappelle seulement que d'une certaine manière il paraissait résigné au fait qu'il était battu ; mais il ne voulait pas jeter les gants et il était résolu à ne pas leur lâcher un pouce de terrain sans combat. » Il y avait dans cette bataille quelque chose qui touchait tous ceux qui observait son évolution. De tous les spectateurs, Gratsos était peut-être le plus affecté : son association avec Ari était si profonde et si intime qu'il lui était presque insupportable de voir son ami perdre son dernier grand sujet de fierté.

Le chef des négociateurs de Caramanlis, futur successeur d'Onassis à la tête de la compagnie, George Theofanis, avait percé à jour la tactique favorite d'Ari : il prolongeait les discussions fort avant dans la nuit pour passer un accord sur un point particulier, accord qu'il remettait en cause le lendemain matin. Au cours d'une séance décisive, comme Ari venait enfin de faire une concession essentielle, Theofanis proposa de la mettre immédiatement par écrit pour qu'il n'y ait pas « de mauvaise impression, de méprise » le lendemain. Ari remarqua qu'il était plus de minuit et que toutes les secrétaires étaient rentrées chez elle. Theofanis sortit chercher une machine à écrire pour taper lui-même un brouillon de l'accord partiel et le faire signer sur-le-champ par Onassis. Quand il revint, Ari était parti.

C'était une bataille perdue. Le 15 janvier 1975, en dépit de tous ses efforts, près de vingt ans après avoir pris le contrôle de la compagnie, il la rendait au gouvernement grec*. Durant ces semaines consacrées à se battre pour garder le contrôle d'une société qu'il affectait de dédaigner et qu'il avait un jour présentée comme un « violon d'Ingres », il avait été soumis à des tensions qui hâtèrent les progrès de sa maladie, et il se savait condamné. Il n'ignorait pas non plus que les caprices du hasard pouvaient conduire de grandes familles et de vastes fortunes à la ruine et à l'oubli. « Ce n'est pas trop difficile pour un seul homme de faire fortune, avait-il dit un jour. Mais si l'on veut que cette fortune se développe et perdure, il faut que l'homme en question ait des héritiers, et qu'il s'organise pour l'avenir. » Dans les semaines qui suivirent il s'employa à renforcer son empire, sans ménagements.

Avec le temps, la question du divorce avait paru perdre de son importance aux yeux d'Ari mais maintenant, à la condition expresse qu'il mettrait fin à son union avec Jackie, il soutirait à Christina la promesse d'épouser Peter Goulandris, auquel elle avait été plusieurs fois sur le point de se marier. Diplômé de Har-

_____

* On révéla par la suite que l'accord fixait à soixante-neuf millions de dollars les indemnités d'Ari. « Pour l'observateur moyen, c'était à première vue un règlement avantageux, écrivait Lewis Beman dans le magazine *Fortune*. En fait, tout l'argent qu'Onassis était censé recevoir du gouvernement servirait à régler les dettes d'Olympic. Sur les comptes et le capital d'Olympic, l'accord lui garantissait la possession d'une quinzaine de millions de dollars, ainsi que dix millions de dollars environ sur les biens immobiliers de la société. Il était également autorisé à vendre deux 707 à la Jordanie pour neuf millions de dollars et à garder pour son usage personnel un Learjet et deux hélicoptères évalués à cinq cent mille dollars. » Les trente-cinq millions de dollars que représentait l'ensemble, à en croire Beman, n'étaient pas de trop eu égard à la quantité de travail et d'argent qu'il avait mise dans l'affaire.

vard, Goulandris était l'héritier de la troisième dynastie mondiale d'armateurs. Leur alliance aurait des dimensions formidables. (« Tu te rends compte, Johnny, la plus grande flotte de pétroliers que le monde ait jamais vue », avait-il dit à Meyer). « Trente ans plus tôt, constate un collaborateur athénien, il consolidait sa propre fortune en épousant une Livanos ; à présent, il tentait le coup semblable pour consolider la fortune de sa fille. »

Le 3 février, Jackie reçut un coup de fil d'Athènes qui lui annonçait qu'il souffrait de graves douleurs abdominales. Ses médecins diagnostiquèrent une colique hépatique et exprimèrent leur inquiétude : du fait des carences alimentaires dont il souffrait, en partie à cause de difficultés croissantes à mâcher, et en partie parce qu'il s'était peu soucié de manger pendant la bataille autour d'Olympic Airways, à quoi venait s'ajouter un accès grippal, il se trouvait dans « un état extrêmement précaire ». Jackie partit immédiatement pour la Grèce. Informée elle aussi de la situation de son père, Christina accourut en hâte de Gstaad, la station suisse où elle passait des vacances avec Goulandris. Ingeborg Dedichen, qui avait depuis des mois des cauchemars au sujet d'Ari (elle avait déjà noté dans son journal : « 9 septembre : Cauchemars AO ! 10 septembre : Mauvaise nuit. AO mourant !! ? »), écrivit le 4 février, pleine d'appréhension : « Ari malade ! » et le 5, ce simple mot : « Ari ? ».

Dans la villa athénienne, la tension montait. Les spécialistes venus de Paris et de New York étaient en désaccord sur la conduite à tenir. Le gastro-entérologue français le Dr Jean Caroli était partisan d'une intervention immédiate pour retirer les calculs d'Ari ; le cardiologue américain le Dr Isodore Rosenfeld pensait qu'il était trop faible pour subir une opération chirurgicale importante. Impressionnée par la dégradation physique visible de son père, Christina se laissa submerger par la détresse. Et Jackie, comme elle l'avait toujours fait pour conserver son sang-froid, affecta l'insouciance (bien que Meyer trouvât qu'elle « pâlissait visiblement » en découvrant Ari) ; et une fois de plus Christina et ses tantes se méprirent sur le comportement de l'Américaine. « Jacqueline gardait ses sentiments pour elle, dit un ami de la famille, c'était dans sa nature d'éviter toute démonstration publique ; malheureusement son caractère réservé heurtait profondément leurs sensibilités de Levantins expansifs. »

Ce fut Ari qui trancha le délicat dilemme. Il décida de rentrer à Paris pour se faire retirer ses calculs biliaires à l'hôpital américain de Neuilly. Le 6 février, dans l'après-midi, au moment où il allait quitter la villa de Glyfada pour l'aéroport, il envoya un domestique chercher en toute hâte un livre qu'il était en train de lire et qu'il avait oublié. Il s'agissait de *Supership* (« Supernavire »), dans lequel Noel Mostert annonçait la prochaine construction du premier bateau d'un million de tonneaux, dans lequel des cathédrales entières et leurs clochers pourraient tenir. Pendant le reste du voyage, Ari garda sur ses genoux le livre fermé ; sans doute songea-t-il à l'*Ariston*, le « monstre » de quinze mille tonneaux qu'on croyait impossible à construire dans les années trente.

L'épuisement lui donnait un air serein, au fond de cette limousine dans laquelle il était assis, entre Christina et Jackie. La voiture filait dans la banlieue de Paris tandis que le soir gagnait. Mais cette apparence tranquille ne rassurait pas les deux femmes. Il avait perdu dix kilos en huit semaines. Le col de sa chemise de soie sur mesure était maintenant trop large et il s'était noué une écharpe de cachemire bleu autour du cou. Il avait du mal à articuler, sa voix était éraillée, son accent très fort : « Je veux, dit-il, sortir de cette voiture par mes propres moyens. Je ne veux pas que ces fils de pute me voient soutenu par deux femmes. » Ce sursaut d'orgueil émut aux larmes la mélancolique Christina. Jackie tendit la main pour lui toucher le bras. Elle connaissait ce dilemme : qu'est-ce qu'il fallait dire, et qu'est-ce qu'il fallait faire, et qu'est-ce qu'il fallait garder pour soi ? Christina avait beau être désespérée, le geste amical de sa belle-mère ne fit qu'exarcerber son hostilité envers la femme qu'elle avait un jour appelée « le malheureux coup de tête de mon père ».

Devant le 88 de l'avenue Foch, outre les habituels papparazzi, des reporters d'agence, cinq équipes de télévision, des photographes de *Paris-Match*, *Stern*, *Oggi*, de nombreux autres magazines et journaux du monde entier, ainsi que de simples curieux les accueillirent avec le tohu-bohu réservé d'ordinaire aux stars déchues et aux politiciens battus. L'attention de la presse proclamait ce que les deux femmes savaient déjà au fond de leur cœur : il était revenu à Paris pour la dernière fois. Il ne pleuvait pas, la soirée était presque tiède ; un léger vent d'est jouait dans le fouillis de lierre et de vigne vierge qui couvrait la haute grille de fer forgé. Quand il s'extirpa de la voiture, les projecteurs et les éclairs des appareils photo déchirèrent la nuit. Ses jambes étaient faibles, et il souffrait beaucoup en marchant, mais il monta le perron et seul, sans aide, entra.

Installé dans son fauteuil habituel, à l'hôtel George V, où se trouvait son bar préféré, Johnny Meyer buvait un verre avec une journaliste française lorsqu'on le demanda au téléphone. « Mon maître est de retour », dit-il en revenant quelques minutes plus tard. La bedaine débordant par-dessus la ceinture de crocodile de son costume bleu nuit, il avait l'air prospère, en pleine possession de ses moyens, et la journaliste pensa qu'il faisait tout pour qu'on le sache. « Comment va-t-il, Johnny ? » demanda-t-elle à l'homme qu'elle avait souvent présenté comme «une source digne de foi» ou «un proche d'Onassis».

«Je crois que nous sommes en voie de guérison», répondit Meyer. Lui qui n'était guère plus qu'un comparse dans l'aventure d'Ari, s'attribuait sans vergogne, mais d'une manière assez touchante, beaucoup d'importance. Dans les notes préparatoires de son autobiographie inachevée, il se présente comme le Falstaff d'Ari. «Nous allons passer la nuit avenue Foch avant d'aller subir des examens à l'hôpital américain pour déterminer si oui ou non il faut nous retirer ces calculs rénaux», annonça-t-il. La journaliste avoua qu'elle était étonnée d'apprendre que l'état d'Ari s'améliorait. «Vous avez déjà vu quelqu'un mourir parce qu'il a les paupières qui tombent?» rétorqua Meyer. Manquait-il vraiment de jugement ou était-ce excès d'optimisme? En tout cas, Meyer était convaincu qu'Ari s'en sortirait. Le matin même il s'était entretenu avec Gratsos, qui lui avait assuré que tout était pour le mieux. Il faisait confiance à Gratsos. Il ne lui était jamais venu à l'esprit que ce dernier pût lui cacher la vérité.

Avenue Foch, Ari dormit quelques heures; peu après son réveil, il prit un cachet retard de pyridostigmine pour tenir durant la nuit : la capsule libérait immédiatement un tiers de son contenu, c'est-à-dire soixante milligrammes de médicament qui lui donnèrent un regain d'énergie dont il allait user du mieux possible pour travailler. Il envoya chercher les personnes qu'il voulait voir.

En le découvrant installé dans le large lit ancien qui trônait dans la chambre de maître au cinquième étage, Meyer eut un choc. Il faisait trop chaud, d'une chaleur de serre; la rumeur de Paris était étouffée par l'épaisseur des vieux murs, des vitres blindées et des lourdes tentures. Rasé de près et lotionné de frais, son visage présentait une sorte de pâleur vernissée et sa tête paraissait trop large et trop lourde pour la minceur de son cou. Meyer était sidéré, saisi d'un sentiment qu'il identifia plus tard à de la pitié pour son ami visiblement au bout du rouleau. C'était la première fois qu'il lui apparaissait comme un vieil homme. Il était sûr de n'avoir trahi ses sentiments que par un battement de cils et fut pris au dépourvu quand Ari lui dit : «Mon vieux camarade, tu ne t'attendais pas à ce que je ressemble à ça, hein? Un sac d'os et de peau. Je te demande pardon pour ce spectacle déplaisant.» Meyer, qui ne se sentit pas la force de mentir complètement, lui répondit qu'il avait seulement besoin de se remplumer un peu.

«J'ai du mal à mâcher. Je trouve ça difficile. Je ne mange pas beaucoup», dit Ari. Il articulait mal et tenait le menton relevé comme pour mieux soutenir le poids de sa tête mais Meyer supposa qu'en fait, il lui était plus facile de parler dans cette position. « Dieu me punit d'avoir été gourmand », dit-il. Meyer rit consciencieusement mais derrière l'humour cynique, il percevait l'anxiété d'Ari. Il savait que c'était une peur naturelle chez un homme qui avait vécu toute son existence au milieu des conflits et qui redoutait que son courage et son sang-froid ne l'abandonnent au dernier moment. « Je ne crois pas que Dieu soit assez gonflé pour te punir », répliqua-t-il et il se réjouit de voir que sa remarque éclairait le visage d'un homme qui était, il s'en rendait compte maintenant, au bord de la tombe.

Ils se mirent à évoquer le passé ; c'était devenu une habitude entre eux de condamner le présent et de faire l'éloge du bon vieux temps. *Supership* avait réveillé chez Ari le souvenir de l'*Ariston*. « C'était le meilleur moment. J'avais tant de projets alors. » Meyer confia qu'il aurait aimé le connaître à l'époque. « Je lui ai dit : "Tu te souviens du coup que tu as fait à Rotterdam quand le consul grec t'emmerdait à te refuser une autorisation de départ ?" C'était une de ses histoires préférées, ça l'amusait toujours. Mais il s'est contenté de me regarder : "De quoi parles-tu, Johnny, rappelle-moi de quoi il s'agit." Son histoire favorite ! Je l'avais entendu la raconter des milliers de fois. "Ce fonctionnaire casse-pieds qui voulait absolument appliquer le règlement, tu te souviens bien ? — Raconte-moi, Johnny." Alors je lui ai raconté toute l'histoire, mot à mot, comme un rituel, jusqu'à la chute : "Mon ami, vous êtes maintenant à bord d'un bateau panaméen." L'histoire avait l'air de l'amuser comme s'il l'écoutait pour la première fois. "Bon Dieu, Ari, c'est toi qui as inventé le pavillon de complaisance", assura Meyer, bien qu'il eût entendu d'autres Grecs affirmer la même chose, raconter des anecdotes quasi identiques. Ils parlèrent un moment d'Hollywood, des filles qu'ils avaient connues, des bons moments qu'ils avaient passés avec elles ; Meyer songea qu'elles avaient bien vieilli depuis. Ari demanda à Meyer où en était sa collection de chaussures. C'était la passion de Meyer ; les meilleurs artisans d'Europe conservaient la forme de son pied dans leur atelier. « Il m'a dit qu'il faudrait que j'en sacrifie une paire pour ses funérailles : "Mes chemins sur Skorpios sont mauvais pour les belles chaussures." Je lui ai répliqué : "Ari, je te parie tout ce que tu veux que tu danseras sur ma tombe." Il m'a répondu qu'il n'était pas joueur, qu'il ne pariait jamais. Je lui ai affirmé que je n'avais jamais vu un joueur aussi culotté que lui. "Non, Johnny, m'a-t-il rétorqué, je n'étais qu'un gamin grec qui savait compter." »

Il y eut un long silence ; Meyer pensa qu'il s'était assoupi. Puis Ari lui dit : « Bientôt je serai à Skorpios avec Alexandre. Tu sais que je suis mourant, Johnny. » Meyer se souvint d'avoir lu quelque part que la mort était une solitude achevée. Son ami ne lui avait jamais donné une telle impression de solitude. « Tu es fou,

Ari », lança Meyer, répétant la blague qu'il avait faite un peu plus tôt. « Tu as déjà vu quelqu'un mourir parce qu'il a les paupières qui tombent ? » Ari ne se laissa sans doute pas abuser par les mensonges miséricordieux et les mimiques encourageantes de Meyer. Ses doigts étaient d'une maigreur squelettique. Meyer lui prit la main et l'étreignit, étonné de la sentir si froide. « Tu veux mourir ? Tu veux lâcher la barre ? » Ari lui répondit qu'il ne pouvait plus continuer à vivre avec des fantômes. « Je ne veux pas, Johnny. Je ne pourrais pas le supporter. »

De nouveau, Meyer remarqua le silence qui pesait sur la maison. C'était le genre de silence qui évoquait pour lui les meubles recouverts de housses. Mais il savait que la demeure grouillait de monde. Il n'avait pas vu Jackie, mais il savait qu'elle était là. Christina l'avait salué dans le hall d'une voix solennelle et lui avait demandé de lui faire réserver une suite au Plaza-Athénée; elle avait expliqué qu'elle ne voulait pas partager la maison avec Jackie quand son père aurait été admis à l'hôpital américain de Neuilly.

Sur la table de chevet, il n'y avait pas de pendule, mais des photographies d'Alexandre et de Christina (pas une seule de Jackie), le livre intitulé *Supership*, un petit crucifix et une calculatrice de poche. Un crucifix et une calculatrice ! L'association des deux objets se grava pour toujours dans l'esprit de Meyer. Il racontera mille fois l'anecdote, la terminant toujours ainsi : « Toute sa vie était rassemblée sur la petite table, du berceau à la tombe — cette bon dieu de calculatrice, et un crucifix. »

Le lendemain, à onze heures cinquante, une Peugeot bleue sortait du garage souterrain et se dirigeait vers le boulevard Victor-Hugo et l'hôpital américain. C'était une journée ensoleillée, douce et lumineuse. Place du Maréchal-de-Lattre-de-Tassigny, la voiture tourna à droite et par le boulevard de l'Amiral-Bruix gagna la porte Maillot. A midi, alors que la foule de reporters et de photographes était mobilisée par l'arrivée de Jackie et de Christina, il pénétrait incognito dans l'hôpital par la chapelle adjacente, que les internes appelaient « la sortie des artistes », parce que c'était aussi le chemin de la morgue.

Un porte-parole déclara qu'il avait été admis à l'hôpital parce qu'il était «éprouvé par une très forte grippe ». Le dimanche 9 février, on lui retirait un calcul rénal. Christina, qui s'était installée à l'hôtel Plaza-Athénée, prit aussi une chambre dans l'aile Eisenhower de l'hôpital, à côté de la suite de son père. Elle passa le plus clair de son temps au chevet d'Ari. Artémis, la sœur la plus proche d'Ari et la tante préférée de Christina, leur tenait compagnie. Les deux femmes, imbues de leurs droits, unies par l'esprit du clan, donnèrent à Jackie le sentiment d'être une étrangère en présence de son mari. Elle ne laissa rien transparaître de la blessure que lui infligeait cette exclusion. Elle rendait visite chaque jour à Ari, avec la même détermination qu'elle mettait à dîner tous les soirs avec des amis.

Le 22 février, *Paris-Match* interrogeait l'un des médecins qui avaient opéré Ari : « Notre dernière alliée pour le sauver, c'est sa fierté. Et ça, c'est l'inconnue finale. » A la fin du mois, il parut reprendre le dessus. Quoiqu'il fût toujours sous respiration artificielle et sous dialyse, un communiqué de l'hôpital signalait « une lente mais progressive amélioration » de son état. Jackie se sentit suffisamment rassurée pour retourner à New York voir sa sœur. Elle téléphonait chaque jour pour suivre son rétablissement et on ne lui apprit rien d'inquiétant ; apparemment, son état restait sérieux, mais il était stabilisé.

Christina et Peter Goulandris échangèrent le traditionnel « serment de fiançailles grec », après quoi ils se rendirent au chevet d'Ari pour lui annoncer la nouvelle et recevoir sa bénédiction.

Le samedi 15 mars, il pleuvait depuis douze heures et neuf minutes sur Paris ; ce fut la plus longue averse de l'hiver et quand elle s'arrêta, Aristote Socrate Onassis était mort.

A New York Jackie apprit qu'elle était de nouveau veuve. Avant de partir pour la France avec sa mère le soir même, elle téléphona à Ted Kennedy pour le prier de l'accompagner aux funérailles et d'emmener les enfants. Elle savait qu'elle aurait besoin de tout le soutien possible. Seul Jacinto Rosa, le chauffeur de la famille, était venu l'attendre à l'aéroport de Paris. Il y avait aussi la presse. « Le regard dissimulé derrière les lunettes noires, elle a simplement eu un petit sourire et a resserré son manteau de cuir noir en apercevant les reporters », se souvient Peter Stephens, surpris par le sourire. Il eut l'impression que seuls les principes et les convenances dictaient la déclaration soigneusement pesée qu'elle fit à Orly : « Aristote Socrate Onassis est venu à mon secours dans une période sombre de ma vie. Il a beaucoup compté pour moi. Il m'a introduite dans un monde où l'on trouve à la fois le bonheur et l'amour. Nous avons partagé maints moments magnifiques qui ne peuvent s'oublier et je lui en serai éternellement reconnaissante. » Ensuite, accompagnée par Miltos Argyropoulos, ancien responsable d'Olympic à Paris, elle se rendit à la chapelle de l'hôpital pour un dernier adieu à son époux. Dans la salle baignée de la lumière des cierges, il gisait sur une civière, une icône grecque orthodoxe posée sur la poitrine. Elle se signa et pria. Sept minutes après, Jacqueline Bouvier Kennedy Onassis, les yeux secs sous la pluie et les éclairs de magnésium, retournait avenue Foch. Mais ses manières courageuses qui avaient suscité tant d'admiration après l'assassinat de JFK paraissaient maintenant trop hautaines et glacées.

Les femmes du clan Onassis étaient mieux à même que quiconque de comprendre l'effet destructeur d'une accumulation de deuils. Et pourtant les gestes de réconfort qu'elle eut pour Christina furent accueillis avec dédain. Elle avait commis une grave erreur en ne retournant pas à Paris quarante-huit heures plus tôt ; la famille ne lui pardonnerait jamais de s'être trouvée à 6 000 kilomètres de là quand Ari était mort. Pour une fois son parfait instinct d'autoconservation n'avait pas fonctionné. Elle fut tenue à l'écart. On parlait grec et les collaborateurs autrefois amicaux l'évitaient ; Christina était sous calmants et ne pouvait la voir. Elle avait très mal supporté la mort de son père. Quand elle avait quitté l'hôpital le jour du décès, un large bandage recouvrait son poignet et on avait murmuré que, au comble du chagrin, elle avait de nouveau tenté de se donner la mort. « C'était un accident. Elle a glissé dans sa salle de bain », affirma un ami. Que le pansement ait eu ou non une signification inquiétante, trois jours plus tard, elle s'était suffisamment reprise pour retourner à Skorpios avec le corps de son père.

Dans le Boeing 727 qui ramenait le corps en Grèce, trente-quatre proches du défunt avaient pris place. Quand elles sortirent de l'appareil, les deux femmes semblaient s'être rapprochées. Peut-être allaient-elles mieux se comprendre. Quand Christina vit les photographes, ses angoisses la reprirent et Jackie lui saisit le bras. « Du calme, c'est bientôt fini. » Les deux femmes et Ted Kennedy montèrent dans la même limousine. Un autre avion amenant des amis et des relations d'Athènes avait atterri un peu plus tôt et, les assistants étant réunis, le cortège de voitures et de bus se mit en route pour un lent voyage d'Actium au petit village de Nidri, où le corps d'Ari serait embarqué sur une vedette pour le dernier voyage jusqu'à Skorpios. C'était une journée sombre et froide. Les villageoises en châle noir étaient alignées le long de la route, un bouquet de fleurs pourpres à la main. Le glas sonnait dans les églises. Le cortège de voitures s'immobilisa. Christina descendit de la limousine qu'elle partageait avec sa belle-mère et monta dans la voiture qui suivait. Un moment, tout sembla s'être figé dans le paysage nu. (« Ça ressemblait beaucoup à du Dali, c'était irréel », raconte un ami de la famille.) Teddy Kennedy claqua la portière et, après un instant d'hésitation, le défilé reprit. « Je ne sais pas ce qui s'est dit dans la voiture, mais quelque chose s'est passé entre les deux femmes. Et l'orgueil de Christina était bien plus fort que son respect des convenances ou que son tact. Manifestement, elle a eu besoin de faire un geste, même en cette journée de deuil, et elle l'a fait », raconte une personne qui assistait aux funérailles. Pendant une décennie, le mystère a régné sur ce qui s'est passé sur la route d'Actium, mais il a été levé depuis par un des plus proches compagnons de Christina : Ted Kennedy avait tenté de parler de « questions financières » à Christina. Elle avait été révulsée par son insensibilité. « Elle savait que Teddy n'était pas là pour partager sa peine ou simplement pour tenir la main de Jackie. Il était là dans un but précis : il parlerait affaires tôt ou tard. Ari avait toujours l'argent en tête, et Christina le comprenait... Les Kennedy avaient l'argent au cœur, elle comprenait cela aussi. Mais le moment choisi par Teddy l'a choquée. C'est pour ça qu'elle est sortie de la limousine ce jour-là. »

A Skorpios le cercueil fabriqué avec le bois d'un noyer de l'île et portant une plaque de cuivre avec cette simple inscription : « Aristote Onassis : 1900-1975* », fut hissé sur la colline jusqu'à la minuscule chapelle. Le long du chemin les employés en tenue de travail, cuisiniers, serveurs, jardiniers, marins et femmes de chambre tenaient à la main des cierges allumés. Au-dessous d'eux, le *Christina* se balançait sur les flots, son pavillon libérien à mi-mât. Un prêtre villageois lut l'épître de saint Paul aux Thessaloniens et quelques choristes chantèrent plusieurs versets, dont celui-ci : « J'ai approché de la tombe et j'ai vu les os nus et je me suis dit : Qui es-tu ? Roi ou soldat ? Riche ou pauvre ? Juste ou pécheur ? » Le service fut rapide. Chacun des assistants baisa l'icône posée sur le cercueil. Tandis que le ciel s'obscurcissait et que l'air s'emplissait du parfum des amandiers et des oliviers qu'il avait plantés de ses mains, quelques gouttes d'eau tombèrent et le corps d'Aristote Socrate Onassis fut déposé dans un caveau de béton à côté de son fils Alexandre.

Debout sur le pont du *Christina*, alors que la brise du soir se levait sur la mer Égée, l'héritière qui avait donné son nom au yacht leva les bras et, poussée par quelque chose en elle de plus profond encore que sa peine, elle dit à la foule et aux employés de son père rassemblés autour d'elle : « Ce bateau et cette île m'appartiennent. Vous tous m'appartenez désormais. » Elle avait parlé en grec et ces paroles semblaient venir des profondeurs de son être.

_____
* La supercherie se poursuivit jusqu'à la fin, car les dates gravées sur la pierre tombale étaient : 1906-1975.

ÉPILOGUE

> Mon père ne me laissera rien à faire.
>
> ALEXANDRE LE GRAND.

Le lendemain de l'enterrement de son père, Christina partit pour Lausanne, où elle allait prendre « quelques jours de repos ». En fait, les semaines qui suivirent ne furent pas spécialement reposantes, car elle s'attela à la tâche de régler la succession. Le 29 avril, à l'ambassade américaine à Paris, elle renonça à la citoyenneté américaine, qui plaçait la totalité de ses revenus sous le régime fiscal américain. Mais en abandonnant son pays natal, elle n'échappait au spectre de l'impôt sur le revenu que pour se trouver confrontée à des difficultés inattendues. Elle était l'unique bénéficiaire du cartel qui contrôlait Victory Carriers, la société américaine créée dans les années cinquante au terme d'un accord avec la justice des États-Unis. Cette convention excluait toute participation étrangère à la compagnie propriétaire de quatre pétroliers battant pavillon des États-Unis. La réponse de Christina au problème posé fut rapide, créative et efficace. Les navires — ils avaient maintenant de douze à quatorze ans et opéraient sur l'incertain marché au comptant — seraient toujours gérés par Costa Gratsos à New York mais elle créa un autre cartel qui détiendrait Victory Carriers, et le bénéficiaire serait l'hôpital américain de Paris. C'était un joli coup, qu'Ari lui-même aurait admiré. Le directeur de l'hôpital, Perry Cully, devait admettre : « Pour nous, cela ressemble à un truc de Christina pour échapper aux impôts*. »

Selon le testament d'Ari, la majorité de ses intérêts devaient être détenus par une fondation installée au Liechtenstein et dirigée par un vénérable aréopage de cousins et de vieux copains. Mais au cours d'une réunion du conseil d'administration en Suisse, hâtivement organisée, Christina manifesta sa détermination à asseoir son autorité sur l'empire. Selon le testament, la fondation remettrait des prix dans divers domaines, dont l'art, la religion et l'éducation, sur le modèle du prix Nobel. L'héritière annonça qu'en fait elle se spécialiserait dans les projets sociaux en Grèce. Cette modification apparemment minime marquait en fait un profond changement. Elle donnait une image philanthropique d'Ari dans un pays où les gouvernants étaient encore mal disposés à son égard, en raison de ses liens avec la dictature, et se montraient fort chatouilleux sur la question des droits d'héritage. C'était aussi une façon d'aviser les exécuteurs testamentaires d'Ari qu'elle avait l'intention de prendre la direction des affaires, quoi qu'en ait dit le testament de son père. Un avocat suisse présent à la réunion de Lausanne confiera : « Christina a réinterprété d'une manière subtile les buts qu'Ari assignait à la fondation. Konialidis et les autres exécuteurs n'y ont vu que du feu. » Si aucun des oncles ne s'opposa à son attitude offensive, Gratsos était conscient, et peut-être complice, de son entreprise. Il était heureux de la voir jouer avec tant d'aisance son nouveau rôle. Le *New York Times* du 15 juin citait ces propos de lui : « D'ici peu, elle va devenir un des meilleurs experts du secteur maritime, capable de diriger tout ça sans avoir besoin de l'avis de vieillards usés. »

En tête de liste des problèmes auxquels Christina était confrontée, figurait la situation de la flotte pétrolière. La crise du pétrole et la dépression économique rétrécissaient le marché comme jamais. Les quinze superpétroliers d'Olympic étaient sous contrat à long terme avec les grandes compagnies et, en dépit de l'encombrement du marché, réalisaient des bénéfices confortables, mais la moitié de ces contrats allaient expirer dans les deux années à venir. « C'était un sale temps pour appareiller, dira un cadre du pétrole londonien. Mais c'était précisément le genre de situation de crise qui excitait Ari. Et maintenant nous avions l'occasion de voir si sa fille était de la même étoffe. »

---

* Il a été impossible d'évaluer la donation ; les experts maritimes estiment que l'hôpital américain peut recevoir un revenu annuel qui va « d'une somme très faible à des millions de dollars ». A l'heure actuelle, selon son porte-parole Bruce Redor, l'hôpital n'a pas encore, semble-t-il, reçu un sou du cartel.

A New York, elle organisa un « groupe de travail » spécial, présidé par Eliot Bailen, qui avait été conseiller d'Ari à partir des années cinquante et était récemment entré au cabinet Holtzmann, Wise & Shepherd. Le groupe devait passer la situation en revue et mettre au point une stratégie pour les temps difficiles qui s'annonçaient. Ensuite, elle se préoccupa de changer la manière dont l'empire était gouverné. Formidable entreprise. Le style autocratique d'Ari, la façon dont il avait réparti son autorité entre une multitude de féaux, sa volonté inflexible de se réserver les décisions importantes, son incapacité à attirer des jeunes cadres et à introduire les méthodes de gestion moderne, tout cela avait irrémédiablement paralysé l'ardeur des responsables. Olympic Maritime, qui supervisait le secteur naval de l'empire Onassis, avait son siège dans un immeuble belle époque de Monte-Carlo. Avec son personnel de 130 personnes, ce n'était même pas une compagnie normale, mais une branche d'une société fantôme enregistrée à Panama. Soixante-cinq autres personnes, qui s'occupaient d'embaucher les équipages et d'approvisionner la flotte, travaillaient pour la Springfield Shiping Company, qui avait son siège dans un immeuble minable du Pirée. Chacun des navires était administré par une société particulière, généralement enregistrée au Panama pour échapper aux impôts. Il n'y avait pas de comptabilité centrale ; les livres de comptes d'une société étaient tenus dans un bureau sur un autre continent ; les bénéfices passaient par un labyrinthe de paradis fiscaux.

En tête de ses vieux blocs-notes, Ari avait écrit : « Ne te lance jamais dans une négociation, dans une bataille ou dans une aventure amoureuse si la peur de perdre obscurcit la perspective de gagner. » Et bien que ces mots eussent été écrits à une époque plus simple, où Ari pouvait garder en tête le détail de ses affaires, ils conservaient pour Christina toute leur signification. On avait bien des raisons de la considérer comme une jeune femme d'une extraordinaire naïveté, mais elle était la fille de son père, et bien décidée à suivre son modèle. Chez tout autre dirigeant d'une multinationale la prudence aurait été considérée comme l'expression de la sagesse. A ses yeux, ce n'était qu'une forme de déloyauté, une trahison de son héritage. Aucun de ses amis ne fut surpris lorsque, au milieu de l'agitation de ses débuts à la tête d'Olympic, elle entama une procédure d'annulation du troisième mariage de sa mère, au motif que l'union de Tina avec son beau-frère était illégale. Certes, il y avait beaucoup d'argent en jeu ; un proche estime à 270 millions de dollars la fortune personnelle de Tina. Mais l'argent n'expliquait pas tout. « On peut dire qu'elle réglait quelques comptes privés », observe un des avocats athéniens, qui reconnaît que Christina en voulait beaucoup à son beau-père d'avoir révélé sa tentative de suicide. Elle courut d'un pays à l'autre et de crise en crise, s'impliqua personnellement sans ménager sa peine et fit la démonstration d'une force et d'un style qui impressionnèrent même ses plus sévères critiques. La disparition de sa famille l'obligeait à réaliser ses potentialités, ce qui ne changea pas seulement sa position, mais encore toute sa personnalité et son point de vue sur la vie. Meyer racontait à quel moment il avait reconnu la profondeur et la nature de sa transformation. « Elle m'a appelé de Monte-Carlo à trois heures du matin pour de me demander de faire quelque chose pour elle ce jour-là à Miami. Seul Ari aurait eu le culot de se conduire de cette façon. Je me suis dit : "Cette gosse sait vraiment ce qu'elle veut." Elle rattrapait le temps perdu, sans perdre une minute. »

Le 18 avril, le *New York Times* révéla qu'Ari avait eu l'intention de divorcer de Jackie et que peu avant de mourir il avait demandé à Cohn de commencer la procédure. « Plusieurs amis de la famille ont dit que Mme Onassis voulait davantage d'argent », racontait John Corry dans un article de première page. Christina, écrivait-il, « passe pour être violemment hostile à Mme Onassis ». Jackie « a sauté au plafond » quand elle a lu l'histoire, à en croire Cohn. « D'après ce que m'ont confié des sources très sûres proches de Christina, Jackie a téléphoné à Christina à Monte-Carlo dès que l'article est paru et l'a menacée : si Christina ne publiait pas un communiqué assurant que son père et Jackie s'étaient toujours aimés d'un amour merveilleux, elle allait flanquer une pagaille sans fin dans la succession, et dans tout le reste. »

Il aurait fallu que Jackie soit une sainte pour ne pas s'irriter quand elle lisait dans la presse qu'Ari avait l'intention de divorcer et qu'il ne lui laissait que le minimum imposé par la loi grecque. Quatre jours plus tard, le *Times* publiait en page intérieure une dépêche d'agence : « Mlle Onassis dément que son père ait projeté de divorcer. » Ces « informations sont totalement fausses », déclarait-elle par la bouche de son avocat, ajoutant que ses relations avec sa belle-mère étaient placées sous le signe de l'amitié et du respect et qu'il n'existait « aucun différend financier ou autre » entre elles. Johnny Meyer, l'un des rares collaborateurs d'Ari à avoir gardé son amitié à Jackie, n'était pas le dernier à penser qu'elle n'aurait pas dû exercer de telles pressions sur Christina pour obtenir un démenti officiel. Selon Cohn, « c'est le genre de déclaration qu'il aurait mieux valu s'abstenir de faire. Elle ne faisait que confirmer que quelque chose ne tournait pas rond. C'était aussi sincère que des aveux arrachés sous la torture... C'était si faible qu'il était clair aux yeux de tout le monde que Christina l'avait faite uniquement pour que Jackie lui lâche la jambe. La déclaration ne faisait que confirmer que ça n'allait pas du tout. »

Alors Christina partit à New York pour s'expliquer avec sa belle-mère. Elle insista pour lui parler en tête à tête et lui demanda combien elle voulait pour renoncer à toute prétention ultérieure sur l'héritage Onassis. Jackie ne demandait pas mieux que de parler affaires. La visite ne dura pas plus de quinze minutes, mais on s'entendit sur les principes d'un accord. Jackie promit à Christina de vendre sa part de l'île et du yacht. Elle retourna à Skorpios pour prendre ses effets personnels et des notes d'Ari. Il faudrait dix-huit mois d'intenses débats juridiques pour fixer le chiffre final de vingt-six millions de dollars. « C'était un lourd prix à payer, mais Christina ne s'est pas plainte. Elle avait besoin d'effacer jusqu'à l'idée même de Jackie », dit Meyer. Mais Christina continuerait de manifester une profonde ambivalence à l'égard de sa belle-mère. Quelques jours après leur réunion au sommet à New York, elle prit l'initiative d'un nouveau communiqué demandant qu'on les laisse toutes les deux tranquilles « et que cesse toute spéculation nuisible et blessante ». Le 24 avril, chacune de son côté, elles s'envolèrent pour assister à Skorpios au service grec orthodoxe célébrant le quarantième jour après la mort d'Ari. Les fidèles achevèrent le rite de passage en mangeant une miche de pain sucré, acte symbolique visant à envoyer l'âme d'Ari au paradis. « Quarante jours, dit Christina à Artémis ce soir-là. Il me semble qu'il y a quarante ans. »

S'il était inévitable que les deux femmes trouvent une entente, si fragile fût-elle — un vieux banquier new-yorkais d'Onassis explique : « Ces deux dames étaient assez fines pour comprendre qu'un accord n'était pas seulement possible, mais encore concrètement utile » — nul ne soupçonnait que le fossé entre Christina et Niarchos pût jamais se combler. Et pourtant, quelques jours après son retour de Skorpios, « après, selon une source proche de son beau-père, quelques marchandages et beaucoup de réflexion », Christina déclara qu'il régnait maintenant entre elles une « harmonie complète ». De nouveau l'utilité concrète était à l'origine de sa volte-face. Ses avocats, jouant les pompiers, avaient réussi à étouffer sa colère. « Ils l'ont convaincue que les prétoires n'étaient pas le lieu idéal pour laver le linge sale de la famille », explique un proche de Niarchos qui a contribué à organiser les discussions pour le règlement de la succession de Tina.

Mais le signe le plus révélateur de son assurance croissante devait être sa décision de rompre avec Peter Goulandris. « Je suis fatiguée de tous ceux qui veulent se marier avec moi. Ce n'est pas parce que la mort de mon père serait trop récente mais parce que je n'ai pas l'intention d'épouser Peter ni personne d'autre. » On a aussi laissé entendre que la très conservatrice famille Goulandris avait conspiré pour empêcher Peter d'épouser une divorcée, fille bien digne d'un père toujours considéré avec une immense répugnance. Il était de fait, également, que les dirigeants de l'empire Goulandris ne considéraient plus d'un œil aussi favorable que six mois auparavant l'aspect financier de cette alliance car il apparaissait clairement que la récession des pétroliers ne cesserait pas avant très longtemps. Selon un courtier maritime athénien, un mariage Onassis-Goulandris aurait été « la plus importante réunion de diplodocus du monde ». Mais selon un cousin des Goulandris : « Les considérations financières ont joué un rôle, c'est sûr. Mais ce ne sont pas elles qui ont emporté la décision. Christina avait l'âme grecque mais l'esprit très américain, alors que Peter, de par son éducation, avait plutôt un idéal de femme soumise. Pas question qu'elle marche là-dedans. En outre, elle avait tâté des joies du pouvoir, elle s'était assise à la table d'un conseil d'administration. Ce sont des choses dont on ne peut plus se passer. En rejetant Peter, elle faisait le premier pas dans l'âge adulte, sur le chemin de l'épanouissement personnel. C'était sa façon de régler ses comptes avec le passé — avec l'époque où elle n'était qu'une fille de famille. Au cours d'une réunion à Londres avec Sir Eric Drake et le conseil d'administration de la British Petroleum elle annonça : « Désormais, messieurs, s'il y a des questions à discuter ou des décisions à prendre, vous vous adresserez à moi. » Elle fit une prestation semblable devant Sir Frank McFadzean et son conseil d'administration de la Shell Oil. « Elle paraissait très séduite par l'aspect purement théâtral des grosses affaires, raconte un directeur. Elle était comme une reine déterminée à se faire rendre les honneurs dus à son rang. On percevait d'instinct qu'elle avait des caprices qu'il fallait soigneusement respecter. » Sa démonstration de force avait, sur le plan des affaires, une grande importance. « Cela faisait trois mois qu'il n'y avait plus de patron aux commandes, dit Nigel Nielson, et beaucoup de gens se demandaient ce qui se passait. Maintenant elle était là, pour rassurer nos associés et leur montrer qu'il n'y aurait pas de changement. » Mais la grande question restait : comment une femme si dépourvue d'expérience dirigerait-elle un empire aussi compliqué qu'Olympic Maritime ? « Elle peut compter sur l'avis de personnes qui ont une expérience étendue » : Nielson répéta la réponse habituelle, même si, en privé, il ne cachait pas son inquiétude. Tous ces hommes avaient plus de soixante ans, la plupart même étaient septuagénaires et ils étaient plus connus pour leur fidélité à Ari que pour leur brillante carrière. Bien entendu, elle avait aussi hérité des blocs-notes de son père. Et quiconque les possédait avait pénétré les secrets les plus intimes de l'esprit d'Ari. Quand le moment viendrait, avait dit Ari avant la mort d'Alexandre, son fils hériterait de ses carnets : « Alors, il en saura autant que son père. Mais il ne sera jamais aussi malin... parce que c'est moi qui ai écrit les carnets ! » Mais avait-elle hérité d'autre chose ? D'une chose presque aussi importante ?

Un jour qu'un ami parlait de la perspicacité d'Ari, de sa capacité à jauger les gens, Alexandre lui demanda où il s'était assis lors de sa visite avenue Foch. L'ami répondit qu'il était généralement installé sur le siège placé en face du bureau Louis XV d'Ari. « On est toujours assis sur ce siège, dit Alexandre, sa perspicacité, c'est une machine qui la lui donne. Elle mesure votre respiration. C'est la technologie qui lui dit si vous mentez, pas l'instinct*. »

Christina avait-elle hérité aussi du détecteur de mensonges ? « Elle a tout ce qui est nécessaire pour l'aider à juger et à prendre ses décisions. Mais c'est toujours Christina Onassis qui fait la synthèse finale des informations qu'on lui fournit », déclara un de ses lieutenants de Monte-Carlo. Et Costa Gratsos se montra tout aussi affirmatif : « Elle prend toutes les décisions, jusque dans les moindres détails. » Eric Morgenthaler, du *Wall Street Journal*, estima que c'était peut-être « pousser le bouchon un peu loin », mais qu'il était clair que Christina avait l'intention de prendre les choses en main. Durant ses premiers mois à la tête des affaires Onassis, elle fut aussi largement favorisée par la chance. Olympic avait certes payé plus de dix-sept millions de dollars de pénalité pour l'annulation de la construction de six superpétroliers commandés par Ari au moment du boom de 1973. Mais l'un des trois navires dont la construction était trop avancée pour être annulée, l'*Olympic Bravery*, 277 000 tonneaux, s'échoua à son premier voyage et la compagnie reçut des assurances cinquante millions de dollars pour un bateau qui lui aurait facilement fait perdre dix millions de dollars par an, étant donné l'état du marché.

La puissance vitale de Christina était étonnante. Elle s'avérait capable de débrouiller les complexes aspects techniques de son affaire et d'affronter leurs implications dans sa vie privée avec une aisance qui étonnait ses intimes, car ils savaient que son équi-

---

* L'instrument préféré d'Ari, qu'il avait acquis quelques mois avant sa mort, était un analyseur de voix de la taille d'un magnétophone à cassettes. Relié au téléphone, il indiquait par un ensemble de petites lumières colorées si la personne au bout du fil était anxieuse et donc s'il était probable qu'elle mentait, ou sereine et donc disait sans doute la vérité. Il appelait ces gadgets ses « jouets » et parfois « les instruments de mon trafic ». Il s'en servait depuis très longtemps et était devenu un expert dans leur maniement. Dans un bar du Midi de la France, il avait fait au profit d'Alan Brien la démonstration des possibilités d'un bracelet-montre. « Supposons que je veuille savoir ce que dit notre voisin. Si nous nous taisons, il va se méfier. Voilà ce que je fais. » Il posa le bras sur le comptoir de façon que la « montre » soit assez près de l'homme, qui était plongé dans une conversation avec une jolie jeune femme. « Et maintenant, je parle très fort et je ne montre aucun intérêt pour lui. » Quand le couple fut parti, Ari fit entendre les doux reproches que l'homme avait adressés à la jeune femme.

libre émotionnel avait été longtemps précaire. Mais quand on la voyait consommer de plus en plus de médicaments, on sentait venir les ennuis. Après la mort de son père, son oncle, le Dr Garofalidès, lui avait prescrit un antidépresseur, l'imipramine. Mais ce produit avait des effets secondaires : fatigue, faiblesse, qu'elle combattit à coup d'amphétamines et elle eut très vite besoin de barbituriques pour dormir. Au bout d'un moment, les cachets n'ayant plus assez d'effet à son goût, elle décida de rompre le « cercle vicieux » des calmants et des excitants. Elle passa à la seringue. Une infirmière particulière la suivit partout pour s'occuper des piqûres. « Elle était toujours en train d'essayer de se réveiller ou de s'endormir », dira un ami parisien. Le personnel d'Olympic remarqua ses brusques changements d'humeur, souvent dans une seule journée (« énervée, enjouée, péremptoire, détendue, tout ce qu'on voudra ») et commença à s'interroger sur sa capacité à diriger la compagnie. Christina admettra par la suite : « J'étais au bout du rouleau. » Cependant, quoique l'intérêt public pour les aventures des Onassis ait été excité depuis la mort de son père, Christina a réussi à l'époque à cacher son état à la presse.

En juin, elle redécouvrait l'amour. Le nouvel élu de son cœur paraissait mieux choisi que Bolker. Il était jeune (trente ans), riche et grec. Alexandre Andreadis était le deuxième fils de Stratis Andreadis, l'un des plus importants banquiers d'Athènes, propriétaire du plus grand chantier naval grec. De fait, les amoureux avaient beaucoup en commun, à l'instar de leurs pères, qui avaient tout deux noué des liens exceptionnellement étroits avec la junte militaire. Ce fut Stratis Andreadis qui reprit le contrat de la raffinerie après qu'Ari l'eut perdu. Il lui échappa à son tour en 1973, quand Papadopoulos fut déposé. Les successeurs des colonels annulèrent également la décision de réforme médicale d'Alexandre, et il lui restait encore une année de service militaire à accomplir quand il rencontra Christina. Il lui fit une cour passionnée et discrète, qui se conclut très vite. « Je crois, avouera-t-elle à des amis, que j'ai demandé à Alexandre de m'épouser le jour où je lui ai dit que je ne pourrais vivre sans lui. Il m'a dit : "Alors, pourquoi ne pas nous marier ?" J'étais sidérée... Je sais que ça a l'air ridicule à dire, mais mon cœur s'est arrêté de battre pendant une seconde. »

Artémis, qui était devenue la grand-mère de la famille et la plus intime confidente de Christina, parvint à vaincre l'antipathie de la jeune femme pour Jackie, et la persuada de l'inviter au mariage. Les tantes Onassis et les oncles Olympic n'étaient pas aussi enthousiasmés par ce mariage qu'ils s'employèrent à le faire croire. Costa Konialidis dit qu'Alexandre était un choix inopportun, ce qui ne signifiait pas grand-chose, sinon que la désapprobation des oncles augmentait l'intérêt du mariage aux yeux de Christina.

Une hypothèse répandue en particulier par les média était que la logique des affaires se trouvait autant que l'amour à l'origine du mariage. S'il était considéré comme un play-boy à Athènes, un collectionneur passionné de Rolls-Royce anciennes, Andreadis avait aussi décroché à l'université de Zurich un diplôme d'ingénierie mécanique. A Londres le *Financial Times*, toujours bien informé, écrivait :

« Christina Onassis aurait-elle su diriger l'empire de son père ? La question est désormais rhétorique puisque son nouvel époux, s'il n'appartient pas comme on l'avait prédit à l'une des grandes familles d'armateurs grecs, est néanmoins un homme d'affaires d'une formidable puissance. Si le mariage dure — elle a déjà connu une brève et malheureuse expérience conjugale —, on peut difficilement croire qu'Alexandre Andreadis ne jouera pas un rôle de direction dans les activités Onassis. Andreadis a des intérêts dans le secteur bancaire, notamment à la Banque Commerciale de Grèce, la plus grande banque privée du pays... Aussi, même s'il ne s'agit pas d'un de ces mariages soigneusement arrangés entre dynasties grecques, et si les deux époux ne se connaissent apparemment que depuis un mois, il semble qu'il y ait un apport de nouvelles capacités de gestion et de financement dans les entreprises Onassis. »

Le 22 juillet, quatre semaines après s'être rencontrés en prenant leur café à l'hôtel Hilton d'Athènes, les amoureux se mariaient au coucher du soleil dans la chapelle privée de la résidence d'été du prince Pierre à Glyfada. La plus grande partie de la famille fut choquée par tant de hâte, mais pas Jackie, dont les félicitations furent remarquées : elle déclara qu'elle « aimait beaucoup cette enfant » ; « enfin, dit-elle, je vois des jours heureux qui s'annoncent pour elle ». Ari était mort depuis trois mois, la famille était encore en deuil, et même lorsque, dans un magnifique monastère byzantin au-dessus de la mer Egée, Christina et Alexandre répétèrent leurs serments suivant le rituel grec orthodoxe, avant d'effectuer les trois traditionnelles pérégrinations autour de l'autel, même quand ensuite on les déclara mari et femme, la tristesse de la mort d'un homme pesait encore sur l'assemblée très réduite. Le maximum d'amabilité auquel parvint un employé d'Olympic, ce fut de déclarer : « On ne peut pas excuser Christina, mais c'est difficile de ne pas avoir pitié d'elle. »

Ce n'était pas seulement parce que le moment était mal choisi que l'on s'inquiétait beaucoup du côté des oncles et des tantes. Konialidis et les autres braves de la vieille garde avaient des informations que le *Financial Times* ne possédait pas, et avant la fin de sa lune de miel, Christina écouta leurs conseils. Suivant les indications précises qu'elle avait reçues, elle donna une conférence de presse : elle continuerait, déclara-t-elle, à diriger personnellement l'empire Onassis. Son patrimoine ne fusionnerait en aucune façon avec celui des Andreadis.

La précipitation n'est pas la meilleure introduction à la paix domestique. Les incidents ne manquèrent pas dès les premiers temps du mariage. Les insatisfactions privées explosaient dans des disputes publiques. Le jour où Christina, aux petites heures de l'aube, voulut à toute force rester avec des amis dans le salon d'un hôtel de Monte-Carlo pour jouer au backgammon, Alexandre fit une spectaculaire démonstration de virilité grecque en lançant la table à travers le salon et en ramenant son épouse égarée à l'ascenseur. Mais la plupart du temps, incapable de s'opposer aux caprices de sa moitié, il se contentait de se retirer. Au milieu d'une de leurs fréquentes disputes, Christina partit à Moscou négocier avec l'agence maritime soviétique Sovfracht l'affrètement de cinq vraquiers par ce département du ministère soviétique de la Flotte maritime. Elle traita principalement avec Serguei Kauzov, chef de la division pétroliers de la Sovfracht. Ils s'étaient déjà rencontrés à Monte-Carlo. « Serguei dit que je n'ai pas été très gentille avec lui », racontera Christina à ce propos. Et de fait, elle lui avait demandé comment un fonctionnaire du parti comme lui justifiait sa présence dans une ville de Monte-Carlo — « et avec quel argent ? » Profondément déçue par Andreadis — peut-être aussi intriguée et émoustillée par le risque — elle prit ce quadragénaire marié pour amant. S'il n'avait pas l'allure d'un don juan — à peine plus grand que Christina, le cheveu rare, un visage pâle, il ne voyait plus que d'un œil à la suite d'un accident d'enfance — il émanait de lui une espèce de charme bizarre qui plaît à certaines femmes.

Au début leur relation, suivant le mot d'une amie parisienne, était « physique et capricieuse ». Il s'agissait seulement de trouver une distraction au désespoir suscité par un mariage récent et raté. Les contacts entre Christina et Kauzov avaient été facilités par un vieil ami d'Ari, David Karr. La CIA et le SDECE s'étaient intéressés de près à ce dernier personnage en raison de ses relations extrêmement proches avec d'importants fonctionnaires soviétiques, dont le beau-fils d'Alexis Kossyguine, Dzherman Gvishiani, vice-président du Comité d'État pour la Science et la Technologie. Karr vivait à Paris, où il devait bientôt mourir mystérieusement, à cent mètres de l'appartement des Onassis avenue Foch.

Tandis que Christina se débattait au milieu de ses ennuis conjugaux, les pires soupçons de ses oncles au sujet de l'empire Andreadis se confirmaient. A la suite d'une banale inspection de la Banque de Grèce, trois des cinq établissements Andreadis furent placés sous le contrôle du gouvernement. Stratis Andreadis fut accusé d'avoir détourné trente-huit millions de dollars. Par la suite, de nouvelles charges furent retenues contre lui : on lui reprocha d'avoir vendu des actions appartenant aux banques, pour un prix sous-évalué, à des holdings qu'il possédait en propre. Ironie du sort, la nouvelle crise déclenchée par la Faute Andreadis, comme on disait chez Olympic, remit leur mariage sur les rails. « Il lui était difficile de laisser tomber Alexandre au milieu de ce désastre, dit un ami. Et au pire moment, le malheureux a fait une chute de moto sur Skorpios et s'est brisé une cheville. » Christina réagit en interdisant les motos sur l'île et en renvoyant sur le continent les engins d'Alexandre. « Faire de la moto, c'était la seule distraction d'Alex à Skorpios. C'était une mauvaise année pour lui », dit une ancienne maîtresse d'Andreadis.

Alexandre grossit. Il rongeait son frein à Athènes, en se lamentant sur le scandale qui menaçait la fortune Andreadis et en se perdant en récriminations contre Christina qu'il aimait tant mais qui devenait impossible. « Je ne sais plus à quel saint me vouer. Il y a tant de femmes en elle. Je ne sais jamais à laquelle j'ai affaire », disait-il à ses amis. Il était évident, pour lui et pour tout le monde, que leur mariage était fini. Il apprit par la presse qu'elle avait donné à Paris un grand dîner de soixante couverts chez Maxim's. Parmi les invités figurait Stavros Niarchos. Mais ce qu'Alexandre ignorait, c'est que son épouse se consacrait avec ardeur à sa liaison avec Kauzov, qui par un heureux hasard avait été nommé à la tête du bureau français de la Sovfracht à Paris. Il ne s'agissait plus d'une simple passade. Pour échapper aux regards, ils se retrouvaient dans des hôtels et des restaurants discrets. Ils firent même une escapade de dix jours au Brésil. Un de ses anciens chevaliers servants se souvient qu'à son retour elle lui demanda : « Qui est Dostoïevski ? » De temps à autre, elle trouvait un prétexte pour rendre visite à Kauzov dans ses bureaux, sis entre une boucherie et un bar, rue des Huissiers à Neuilly. Quand il retournait en Russie pour des réunions d'affaires et pour voir sa femme et Katia, leur fille de neuf ans, elle filait en Angleterre pour utiliser la ligne directe Londres-Moscou (à Paris, elle était obligée de passer par un opérateur). Même ses intimes ignoraient totalement que ses relations avec Kauzov allaient bien au-delà de rapports d'affaires.

En octobre 1976, quinze mois après leurs promptes épousailles, Christina et Alexandre se présentèrent devant l'archevêque d'Athènes pour une tentative de réconciliation — formalité exigée par l'Église orthodoxe avant toute procédure de divorce. En mars de l'année suivante, chacun demanda le divorce, en invoquant des « différences de caractère ». Dans une déclaration lue à la barre par son avocat, Christina prétendit qu'Andreadis était

« despotique, grossier, d'une jalousie aveugle tout en étant volage, et d'un égocentrisme fanatique ». Le conseil d'Alexandre lut aussi les explications de son client, qui affirmait que Christina avait « un caractère bizarre et dictatorial et se désintéressait de lui ».

Le mariage fut dissous en juillet 1977. « J'en ai fini avec le mariage et les idylles, dit-elle. Désormais, je ne laisserai plus rien entraver mon activité à la tête de mes entreprises. Elles constituent l'essentiel de ma vie. » Elle ne disait pas tout à fait la vérité, mais elle ne négligeait pas non plus son empire. Elle utilisa une partie des cinquante millions de dollars versés par l'assurance à la suite du naufrage de l'*Olympic Bravery* pour acheter à la DK Ludwig un pétrolier de 370000 tonneaux. Cela parut un achat risqué, même si elle acquit le navire (rebaptisé *Aristotle Onassis*) pour une valeur inférieure de dix millions de dollars à celle du marché du moment, et de cinquante-trois millions à celle du marché au plus fort de son expansion. « Dans le transport maritime, disait son père, l'avantage est toujours à celui qui a le plus de patience. » Elle le savait, et avait calculé que même en immobilisant son nouveau pétrolier cinq ans, elle ferait encore un gros bénéfice en peu de temps si les affaires reprenaient. « Christina n'est pas une joueuse. Mais, comme son père, elle n'a pas peur de prendre des risques calculés », explique son avocat, Stelios Papadimitriou.

En septembre, quand Maria Callas mourut d'une crise cardiaque dans son appartement de l'avenue Georges-Mandel, Christina envoya des fleurs « de la part de la famille Onassis ». « Maria, déclara-t-elle à ses amis, n'a jamais eu ce qu'elle désirait le plus au monde... Elle ne s'est pas assez battue pour ce qui comptait vraiment. » Fait significatif, sa liaison avec un homme marié avait atteint un point critique. Kauzov avait annoncé à sa femme, Natalya, qu'il avait une maîtresse à Paris et qu'il allait demander le divorce. Le journaliste Jack Anderson a raconté que le Russe s'est vanté par la suite auprès de ses amis d'avoir trompé Natalya, en prétendant que c'était sur l'ordre de ses patrons qu'il avait séduit Christina. Malheureusement, il avait reçu de son héritière capitaliste des cadeaux qu'il n'avait pas déclarés et il risquait d'être arrêté à tout moment, et de se faire confisquer la voiture et l'appartement de la famille. En divorçant rapidement et en mettant tous leurs biens au nom de Natalya, ils régleraient la situation. Kauzov avait promis qu'en sortant de prison, il l'épouserait de nouveau. Un ami proche dit que ce fut Christina qui insista pour qu'il se sépare de Natalya. « Je ne crois pas qu'elle se sentait particulièrement coupable. Ce n'est pas le genre de femme à se tourmenter de reproches dans des affaires sexuelles. Elle était simplement fatiguée de manger dans des cafés de banlieue et de se cacher. »

Ce furent les services de renseignement français qui découvrirent les premiers leur liaison. Les numéros minéralogiques des voitures garées devant les bureaux de la Sovfracht étaient régulièrement relevés, et celui de la limousine de Christina fut repéré. Diplômé de l'Institut de Moscou des langues étrangères, considéré comme une école du KGB, Kauzov figurait sur la liste noire des services français. C'était bien plus qu'une histoire croustillante pour feuilles à scandales. Leurs rencontres avaient beau ressembler à des rendez-vous d'amoureux, elles présentaient aussi tous les ingrédients d'une activité d'espionnage. « Christina avait accès à certaines informations qui pouvaient permettre aux analystes soviétiques d'apprendre beaucoup de choses sur les besoins énergétiques de l'Occident, dit un officier du M15 à Londres. Les Soviétiques ont dû se lécher les babines en écoutant l'histoire de Kauzov. C'était un vrai cadeau pour eux. » Selon un ancien de la compagnie à Washington : « Je ne crois pas à l'hypothèse d'un coup monté depuis le début. Kauzov était un cadre moyen, un administratif du KGB. Personne ne pouvait deviner que Christina s'enticherait de lui comme elle l'a fait. Mais quand c'est arrivé, Moscou a essayé d'en tirer le meilleur parti. »

Aussi, quand Kauzov rentra brusquement chez lui... Christina le suivit de près. Poursuivie par les journalistes occidentaux à l'Intourist Hotel, elle réagit avec indignation quand ceux-ci l'interrogèrent sur les rumeurs qui avaient commencé à circuler (à l'initiative de la CIA, désireuse de lui « couper la route » avec une publicité embarrassante). Projetait-elle vraiment d'épouser Kauzov ? L'idée était « absurde... fausse... stupide... c'était un mensonge. Je ne comprends rien à ces histoires. Je suis ici en touriste », conclut-elle en manifestant cette irascibilité qui avait si souvent tendu les relations d'Ari et de la presse dans les dernières années. « Je rentre à Paris dans quelques jours », insista-t-elle.

Les reporters occidentaux avaient tendance à traiter cette histoire comme une nouvelle version de *Ninotchka*, la comédie hollywoodienne dans laquelle Greta Garbo, farouche communiste russe, tombait amoureuse du capitaliste occidental Melvyn Douglas. A Whitehall et à Washington, on trouvait que les circonstances de cette liaison évoquaient davantage John Le Carré qu'Ernst Lubitsch. A l'origine des inquiétudes de la CIA, il y avait un renseignement émanant des services secrets français : Christina projetait d'ouvrir un bureau à Moscou, avec son amant à la tête. Selon un spécialiste du transport maritime occidental, « si la flotte de pétroliers Onassis avait dû tomber sous influence soviétique, les gens du Kremlin auraient réussi bien plus qu'un coup de propagande ». L'expansion de la marine marchande soviétique suscitait à l'époque un regain d'inquiétude à l'Ouest. Des fonctionnaires du Département d'État exposèrent aux dirigeants Onassis à New York les conséquences politiques de l'alliance envisagée.

Le lendemain, Costa Gratsos partait pour la capitale soviétique. Christina le vit, écouta ce qu'il avait à dire, répondit qu'elle y réfléchirait. On espérait qu'après avoir entendu les graves accusations portées contre son amant, elle abandonnerait l'idée du mariage. Mais c'était oublier ce que l'un des collaborateurs appelait « son dédain olympien pour la prudence ».

Elle ne tint aucun compte des discours de Cassandre de ses tantes. L'une d'elles, à en croire un journal grec, l'avait menacée de la faire examiner de force par des psychiatres pour obtenir son incapacité juridique. Le 1er août 1978, dans le palais des mariages de la rue Griboyedova, Christina épousa Serguei Danyelovich Kauzov au cours d'une cérémonie à 2 dollars 15. Un quatuor à cordes (supplément non compris dans le prix de base) joua la marche nuptiale de Mendelssohn. Les jeunes mariés promirent solennellement à l'officier d'état civil Klara Lemehkova qu'ils s'aimeraient pour la vie, seraient fidèles et loyaux et se porteraient mutuellement assistance dans l'amour et dans la peine. Mme Lemehkova leur présenta ses vœux de bonheur et exhorta Serguei : « Partout où tu iras, n'oublie pas ta patrie soviétique. » Onze invités assistaient à la cérémonie, dont aucun n'appartenait à la famille de la mariée. (Artémis avait clairement exprimé sa désapprobation le jour où Christina lui avait pour la première fois parlé de Serguei : « Comment peux-tu aimer un homme sans dieu ? ») Le marié avait pour témoin John Fotopoulos, premier secrétaire à l'ambassade grecque. Avant de partir dans la Volga marron de Serguei, l'heureux couple annonça qu'après une lune de miel sibérienne sur les bords du lac Baïkal, il partagerait le deux pièces et demie de la mère de Serguei jusqu'à ce qu'ils aient trouvé un appartement à eux. « Nous sommes des gens tout à fait ordinaires », dit Kauzov, qui révéla qu'il avait quitté la Sovfracht deux mois plus tôt et gagnait maintenant 150 dollars par semaine en enseignant l'anglais à des étudiants russes ; il omit de signaler qu'il donnait aussi des cours sur le rôle idéologique de la marine marchande soviétique à des militants du tiers monde et de l'Occident à l'École supérieure des Syndicats de Moscou, dirigée par la Deuxième Direction principale (Département des Étudiants étrangers) du KGB. Comme le dit un agent de renseignement qui a suivi la carrière de Serguei depuis son apparition à Paris en 1976, « le rôle idéologique des quinze mille dollars par an qu'il devait recevoir comme mari de Christina (selon le testament d'Ari) aurait constitué un excellent sujet de cours ».

Il n'y eut pas de lune de miel. Quatre jours après qu'ils eurent échangé leurs anneaux — avant même que, dans l'appartement de sa belle-mère, le bouquet de roses rouges et blanches dans le vase sur le buffet ait fané — Christina partit pour la Grèce. Tout comme Bolker et Andreadis avant lui, le jeune marié délaissé dut

338

faire bonne figure. « Elle a des affaires urgentes à régler », assura-t-il aux journalistes qui l'interrogeaient à Moscou. Elle ne s'attarda que le temps d'une photo dans la piscine de la villa de la tante Artémis sur la côte athénienne, avant de rameuter une dizaine d'amis pour passer le week-end à Skorpios. « Moscou ne te manque pas ? » lui demanda un invité facétieux. Elle répondit que ses amis — et son avion privé — lui avaient manqué infiniment plus. « A Moscou, on s'occupait beaucoup trop de ses affaires, à son goût, dit l'un des participants à l'escapade à Skorpios. Les bureaucrates ont refusé de lui dégager un couloir aérien et ont parlé de ''sybaritisme capitaliste'' quand elle a voulu utiliser son propre avion pour la lune de miel. Elle a un fond hystérique et on peut dire qu'elle a piqué une jolie colère. » Ce n'était pas tant contre les Russes qu'elle était furieuse que contre David Karr, qui n'était jamais loin quand on avait affaire aux Soviétiques. « Elle pensait qu'il ne s'était pas assez démené pour persuader les camarades de recevoir son Learjet, alors qu'il se vantait toujours d'avoir arrangé l'atterrissage en plein Moscou du Gulfstream de Armand Hammer. Je crois qu'elle percevait ça comme un affront délibéré. »

Son retour à Skorpios ne surprit personne de sa bande. « C'est là qu'elle finit toujours par se retrouver quand les choses deviennent trop dures pour elle dans le monde réel, dit un de ses copains. Sur Skorpios elle est la Reine Christina — j'ai vu des paysans littéralement tomber à genoux pour lui baiser la main. Il n'y a que sur l'île qu'elle se sent libre de danser sur les tables si l'envie lui en prend — c'est là qu'elle ressemble le plus à Ari, qu'on voit la vraie Christina, et qu'elle dit ce qu'elle pense vraiment. » Un soir, assis en rond, ils se mirent à jouer avec les si. « Et si Alexandre n'avait pas été tué ? » demanda Christina. Ses amis s'étonnèrent. « Comment répondre à une question pareille ? » se récria quelqu'un. Ce fut Christina qui trouva elle-même la réponse : « Je suppose que je n'aurais pas eu la lourde charge d'être une Onassis, rêva-t-elle. J'aurais été plus libre... mais je n'aurais jamais été tout à fait moi-même. »

Le 10 août, elle se rendit à Londres pour des entretiens avec les dirigeants de la British Petroleum, un des principaux clients d'Olympic. Au cours du déjeuner dans la salle de réunion de la Britannic House, siège de la BP à Londres, ils furent rejoints par un représentant du Foreign Office dont la présence, selon un cadre du pétrole, « avait été décidée au plus haut niveau ». Convaincus qu'un homme du KGB « influençait profondément » maintenant les affaires de l'Olympic Maritime, les Saoudiens étaient peu désireux de renouveler leurs contrats et n'auraient aucune difficulté à trouver des bateaux meilleur marché que ceux d'Onassis. C'est ce qu'expliqua l'homme du Foreign Office. Elle n'avait pas besoin qu'on lui rappelle que 85 p. 100 de la capacité des pétroliers d'Olympic étaient employés au transport du pétrole saoudien. Quand elle prit congé ce soir-là, visiblement très secouée, pour retourner à Athènes avec son Learjet, un dirigeant de la BP dit à un collègue : « Pour tout l'or du monde je ne voudrais pas que ma fille soit à la place de cette jeune femme, en ce moment. » Son anxiété après une journée de pourparlers avec les chefs du pétrole britannique avait été décuplée quand lui était parvenue aux oreilles une information, inspirée par les services secrets, selon laquelle en l'absence de sa nouvelle épouse, Serguei passait ses nuits avec Natalya. Christina appela Moscou : « Est-ce que tu aimes toujours ta femme ? » demanda-t-elle à Serguei. « Bien sûr. Et je veux que tu reviennes le plus vite possible », répondit-il avec vivacité.

Elle revint à Moscou le 13 août. Elle refusait l'idée que Serguei soit un espion. Selon un de ses anciens amants à Paris, « elle ne pouvait pas supporter l'idée qu'on s'était servi d'elle. Mais elle était aussi réaliste. Si l'on ne pouvait pas prouver que Serguei travaillait pour les services russes, elle savait que le scénario était parfaitement plausible. Elle ne fit plus jamais allusion à l'idée d'ouvrir un bureau à Moscou, même si elle s'efforça de s'habituer à la Russie ». Comme prévu, son séjour chez la mère de Serguei fut bref ; elle appela à la rescousse son décorateur favori, Atalanta Politis, pour arranger sa maison de sept chambres. Elle utilisa sa monnaie forte pour acheter les bons spéciaux nécessaires pour faire des courses dans les magasins de Beriozka, qui fournissent en produits occidentaux de luxe les étrangers et les Russes privilégiés. Mais le sentiment de sa solitude la déprimait. Elle dépensa des milliers de dollars en coups de fil à ses amis occidentaux. Ses tentatives pour apprendre le russe — elle était pourtant douée pour les langues — n'allèrent jamais au-delà des leçons préliminaires. Elle grossit de sept kilos (ce qu'elle attribua au Pepsi-Cola russe et au caviar) et figura dans la liste des dix femmes les plus mal habillées du monde. Un ami qui lui a rendu visite raconte : « Moscou l'oppressait. Je n'ai jamais vu de couleur sur son visage pendant toute cette époque. »

Mais de toutes les inquiétudes qui assaillaient Christina, les pires furent suscitées par la mort de David Karr. Ce qui disparaissait avec lui, ce n'était pas seulement son lien le plus fiable avec l'Ouest — il prétendait volontiers qu'il avait facilité, grâce à ses contacts au Kremlin, le mariage avec Kauzov et l'installation de sa protégée à Moscou. C'était aussi un ami sur lequel elle avait pris l'habitude de compter. Il avait passé la journée du 4 juillet à Moscou, où il avait fêté l'ouverture d'un hôtel de luxe qu'il avait créé, et Christina y avait dîné avec lui quelques jours seulement avant qu'on le retrouve mort dans son appartement de l'avenue Foch. Deux médecins, celui de Karr et un médecin légiste, appelés à son chevet, conclurent d'un commun accord qu'il avait succombé à une défaillance coronarienne massive. Mais leur expertise fut remise en question par la jeune veuve de Karr, Evia, qui accourut de New York juste à temps pour obtenir que la justice interrompe la cérémonie de crémation au Père-Lachaise, et ordonne une autopsie. Karr prétendait entre autres jouer le rôle d'intermédiaire officieux entre les État-Unis et la Russie pour les affaires relatives à l'émigration des Juifs soviétiques. Selon un ami de la famille, Américain d'origine russe qui s'occupait beaucoup lui-même de ces questions, « Evia était convaincue que Dave avait été assassiné comme Markov avait été piqué à Londres et comme Kostov avait failli l'être à Paris* ». Selon un télex confidentiel envoyé au secrétaire d'État par l'ambassade américaine à Paris, Evia Karr affirmait que son mari avait été soit empoisonné par les Russes (il tombait malade après chaque séjour en Union soviétique, raconta-t-elle à un agent des services américains qui l'interrogeait à Paris) soit assassiné par le KGB dans leur appartement. Mais l'autopsie ne fit apparaître aucune substance toxique ; une petite fracture du larynx, attribuée à la chute qu'il avait faite en mourant, ne fut pas considérée comme contradictoire avec les premières conclusions des médecins. Evia n'était pas convaincue et porta plainte contre X pour homicide, afin que le dossier reste ouvert. Dans un dernier message à Washington, l'ambassade faisait savoir que « ... l'on ne pouvait compter que les aspects sensationnels de la mort de Karr soient tout à fait effacés par le rapport d'autopsie ». On ne sait toujours pas qui a tué Karr et si sa mort fut vraiment un meurtre, mais Christina y a certainement songé, comme beaucoup d'autres personnes qui avaient fait des affaires avec lui et, comme le faisait remarquer le magazine *Fortune* quatre mois après son décès, ses puissants amis russes étaient tout autant des ennemis potentiels. Et Karr avait la mauvaise habitude de se vanter d'avoir dans sa poche un joli lot de pontes soviétiques.

Christina avait été élevée dans la croyance que la mort, comme

---

* Émigré bulgare travaillant dans une émission de propagande anticommuniste à destination de l'Est, Georgi Markov fut piqué à la cuisse pendant qu'il attendait un bus à Londres. Quand il se retourna, un homme tenant un parapluie s'excusa avant de se précipiter dans un taxi. Markov mourut quatre jours plus tard, apparemment d'une crise cardiaque. Des examens des tissus, y compris de la portion de chair entourant la piqûre sur la cuisse de Markov, furent effectués ultérieurement au Chemical Defense Establishment. On découvrit alors une minuscule bille de métal ayant contenu un poison mortel. Dans le métro parisien, un attentat identique fut perpétré contre Vladimir Kostov, qui avait aussi fait défection des services bulgares, mais il survécut.

la pauvreté, ce n'était pas pour les Onassis. La disparition de Karr exacerba le sentiment d'isolement et de vulnérabilité qu'elle éprouvait à Moscou et rouvrit les blessures émotionnelles occasionnées par la mort d'Alexandre et de ses parents. « Elle voulait fuir... fuir Moscou et ce mariage », dit un ami qui avait été à ses côtés durant la dernière maladie d'Ari et qui estime que le comportement irrationnel de Christina — « d'abord l'affaire Andreadis, puis Kauzov » — n'était pas seulement une manifestation impulsive de son égocentrisme, mais aussi un symptôme de son chagrin pathologique. Moins de cinq mois plus tard, elle se séparait officiellement de Kauzov ; en mai un tribunal suisse prononçait le divorce. Le Russe reçut en dédommagement entre autres un pétrolier de 78 000 tonneaux et obtint promptement un visa de sortie pour développer ses affaires en Occident. « Il était peut-être communiste, dit un ancien associé de New York, mais le petit Serguei ne crachait pas sur les largesses des ploutocrates. Christina a le divorce magnanime. »

De retour à Paris, à l'aube des années 80, après une décennie au cours de laquelle elle avait perdu toute sa famille, Christina était devenue la plus célèbre héritière du monde et avait raté trois mariages (aucun d'entre eux n'ayant duré plus de deux ans). Elle était confrontée à un défi qu'elle définissait ainsi : « refaire ma vie ». Après avoir fui son chagrin dans son activité réformatrice à la tête de la compagnie, elle arborait à présent un calme que certains attribuaient à l'incertitude ou peut-être à la poignante satiété des gens très riches. A présent, elle jouait le rôle de chef de famille et l'on attendait beaucoup d'elle, mais elle avoua à ses amis que lorsqu'elle regardait en elle, il lui était difficile de définir ce qu'elle avait envie d'y trouver. Elle réfléchissait à la période qui venait de prendre fin comme un skieur, à la fin de sa dernière saison, analyse chaque course, revit chaque virage, chaque flexion des genoux, accuse les skis, le fart et le temps de lui avoir ravi les triomphes espérés.

Elle continuait à recevoir de temps à autre Kauzov chez elle, à Saint-Moritz, à Paris, à La Jolla en Californie du Sud. A un ami qui avait la témérité de l'interroger là-dessus, elle répliqua : « C'est un divorce ouvert. » La plupart du temps, elle courait plusieurs lièvres à la fois. Yvon Coty, héritier du parfumeur, et Philippe Junot, ex-époux de la princesse Caroline, furent au nombre de ses chevaliers servants. « Mais elle doit être impossible à vivre, dit un de ses amis. Quand elle entre dans une salle de bain, c'est une vraie étable au bout de cinq minutes... mais je dois dire que ses fautes sont toujours réparées par les impulsions généreuses qui suivent ses explosions incontrôlées. » Son ami parisien Jean-Pierre de Lucovich raconte : « Il ne faut pas se risquer à admirer quelque chose dans un magasin quand on est avec elle, parce qu'elle vous l'achète aussitôt. Si on ne veut pas se conduire comme un gigolo, ce que, malheureusement font beaucoup de ceux qui l'entourent, il faut la boucler. »

Quand Christina eut passé son trentième anniversaire, le spectre de la solitude se fit plus menaçant. Elle manifestait un besoin croissant d'être entourée. Comme Ari, elle détestait qu'une réception se termine. L'un de ceux qu'elle emmena avec elle sur Skorpios durant l'été où elle faussa compagnie à Kauzov remarque : « Elle était tout simplement incapable de comprendre que la solitude ne dépend pas du nombre de gens qu'on voit et qu'un seul vrai ami est parfois la seule compagnie dont on a besoin. » Son Learjet était en permanence disponible, les réservoirs pleins, à l'aéroport du Bourget, pour transporter ses amis là où elle le désirait. Patrice Habans, un photographe français qui l'a connue depuis son enfance, confie : « Les jets privés, ça n'a rien d'extraordinaire de nos jours, mais Christina est la seule personne au monde que je connaisse qui en a un en exclusivité. Elle pourrait couvrir en partie ses frais en le louant à l'occasion, mais elle s'y refuse : l'avion, le pilote, les mécaniciens — ils attendent. » Elle redoutait tant d'être seule qu'elle engagea un homme du monde pour lui tenir compagnie. Deux des habitués de Skorpios se plaignirent un jour à Christina de cet homme et de son amie. « Ils n'étaient pas amusants, ils ne disaient jamais rien d'intelligent ni d'intéressant. Ils étaient simplement ennuyeux. C'était un mystère pour nous, parce que des gens dans cette position... c'est leur boulot d'être amusants, vous comprenez ? Alors nous avons dit à Christina : "Tu sais, si tu veux te payer des gens et que tu dois avoir tout le temps un couple avec toi, nous sommes sûrs que tu pourras trouver pour le même prix des gens un peu plus charmants." Elle a répondu : "Oh, vous savez, c'est si difficile de trouver du personnel." Ça nous a fait rire. » Christina se mit à rire aussi mais il leur sembla qu'il y avait derrière sa gaieté un certain malaise.

Tina avait appris à Ari que la vie mondaine nous montre ce que nous sommes — « mais Christina savait que ce que la vie mondaine lui montrait, c'est qu'elle devait être seule », disait Costa Gratsos, qui estimait qu'elle se perdait en mondanités et qu'elle démentait des débuts prometteurs dans des activités auxquelles Ari et lui s'étaient consacrés durant toute leur existence. Ces propos faisaient partie d'une sévère mise en garde qu'il lui adressa : il estimait qu'elle gâchait sa vie. Christina eut néanmoins beaucoup de chagrin lorsque Gratsos mourut au début du mois de décembre 1981. « Je ne retrouverai jamais un ami comme lui », dit-elle. Son calme, sa sagesse, sa force lui manquaient. Elle savait qu'il lui disait toujours la vérité, et il n'y avait plus grand monde pour le faire. Un responsable de la maison de haute couture Jean-Louis Scherrer a avoué qu'il lui avait abondamment menti le jour où elle se présenta pour un deuxième essayage après avoir grossi de cinq kilos : « Elle n'entrait plus dans la robe, alors elle s'est mise à courir partout en sous-vêtement, à accuser le styliste, l'essayeuse, la couturière — en négligeant totalement le fait qu'elle avait enflé entre deux essayages. Je l'approuvais : oui, oui, oui, c'est intolérable ! Et vous êtes superbe, Christina ! Comment pouvait-elle avaler ça ? Une salle d'essayage, avec tous ses miroirs, c'est l'endroit le plus cruel du monde pour une dame forte. Elle savait bien qu'elle n'était pas superbe. Elle ne s'en occupait pas, c'est tout. Elle ne faisait rien pour son visage, ses cheveux étaient tout emmêlés... on aurait dit qu'elle voulait punir le monde entier de l'avoir faite si riche et si épouvantablement malheureuse. »

Sa tendance à prendre du poids devenait inquiétante. Elle ne buvait pas d'alcool, ne se droguait pas, mais sa consommation de Coca-Cola et de friandises prenait des proportions que ses amis trouvaient suicidaires. Avec une espèce de candeur désinvolte, elle avouait que son corps était gauche et peu désirable. Lorsque parurent dans les journaux des photos révélatrices de Christina installée sur le siège arrière d'une moto qui roulait dans le bois de Boulogne, l'écrivain et homme du monde Taki Theodoracopulos la surnomma « Supercuisses ». Cela la peina, mais elle ne le montra pas ; en fait elle aimait qu'on la reconnaisse et lisait avec plaisir son nom dans les journaux ; et il ne lui déplaisait pas non plus d'être poursuivie par les papparazzi, de jouer à cache-cache avec eux — même si elle n'appréciait pas toujours les photos qu'ils prenaient quand elle n'était pas sur ses gardes.

Mais elle continuait d'être fréquemment déprimée, et elle restait pleine d'incertitudes sur sa vie. Certains de ses conseillers et des amis en qui elle avait eu le plus confiance avaient disparu les uns après les autres : l'oncle Théodore, David Karr, Gratsos et sa tante préférée, la sœur aînée d'Ari, Artémis ; et Johnny Meyer, le dernier survivant de l'entourage de son père, était condamné — mais dans un bizarre accident sur une route de Floride, il allait voler sa mort au cancer pour lequel on le traitait à la Mayo Clinic. Un soir après dîner, il rentrait chez lui dans sa Lincoln quand, pris d'un besoin pressant, il s'arrêta au bord de la route. Le véhicule avait une transmission défectueuse. Pendant que Meyer se soulageait, la voiture partit brusquement en marche arrière, le tuant sur le coup. Brian Welles, un auteur qui l'a connu quand il jetait ses derniers feux en Floride, conclut : « Sa mort avait tous les ingrédients d'une authentique histoire à la Johnny Meyer, sauf qu'il n'y avait pas une jolie fille dans l'auto... mais c'était en tout cas une fin bien préférable à celle qui l'attendait, et qu'il redoutait. »

Le sentiment obsédant de perdre tout ce qu'elle aimait la poussait à s'intéresser vivement à la santé de ses amis. « Si vous aviez le malheur d'avouer que vous aviez un peu de température, raconte l'un d'entre eux, qui parle d'expérience, en un rien de temps, elle avait réservé une chambre à l'hôpital américain et pris rendez-vous avec des spécialistes. » Quand elle apprit que la belle-sœur du journaliste Jean-Pierre de Lucovich était gravement malade, elle insista pour qu'elle passe l'été à Skorpios. « Françoise était traitée comme une reine ; Christina était son infirmière », se souvient un ami de la famille. Malheureusement, la maladie empira et en septembre Christina fit venir à Paris un grand cancérologue de Houston. Françoise fut opérée, mais dix jours plus tard, elle mourut. L'un de ses parents raconte qu'une semaine après l'enterrement, la famille était en train de dîner. « La gouvernante de Christina, Hélène, nous a téléphoné que Christina arrivait. Elle nous a demandé d'aller la prendre au bas de l'escalier parce qu'elle était seule et très perturbée. A ce moment-là, nous commencions à retrouver une certaine apparence de sérénité, nous ne parlions plus des moments difficiles que nous venions de vivre. Et puis Christina est arrivée... cette silhouette de veuve grecque, tout en noir, qui sanglotait, pleurait. Un vrai spectacle : "Tout est ma faute, je n'aurais jamais dû demander au chirurgien de Houston de venir", etc. Nous lui avons assuré qu'elle n'avait vraiment rien à se reprocher. Tout le monde savait que cette intervention avait été l'opération de la dernière chance. Mais c'était très étrange de voir la mère et les sœurs de Françoise essayer de réconforter cette femme en pleurs qui leur tombait dessus sans crier gare. »

Son sens immodéré de la compassion irrita passablement son ancien beau-frère, Jamie, marquis de Blandford. En 1983, à vingt-sept ans, ce beau et faible jeune homme héritier du Blenheim Palace et du duché de Marlborough, se droguait à l'héroïne. Il était parti d'une clinique de désintoxication du Minnesota quelques jours plus tôt, et son avenir semblait bouché. Son père était naturellement très inquiet. L'aura romantique qu'avait le nom de Marlborough aux yeux de Christina l'avait depuis longtemps poussée à pardonner à Sunny d'avoir épousé sa mère en 1961, quand elle nourrissait encore l'espoir d'une réconciliation entre Tina et Ari. Bien plus, elle s'était prise d'une affection sincère pour son ancien beau-père, qui s'était montré si gentil avec elle à l'enterrement de Tina. Toujours plus à l'aise quand il s'agissait d'agir que quand il fallait faire preuve de tact, Christina invita Jamie à une réception à Paris et envoya le Learjet pour le ramener. « Quand je suis arrivé, quatre solides gaillards en blouse blanche me sont tombés sur le paletot, m'ont embarqué dans une ambulance, tout y était... Christina avait comploté ce coup fumant avec son père : m'emmener dans une maison de dingues privée, dans un château près de Paris. » Jamie estime que cette sorte d'enlèvement ne risquait pas d'aider des drogués à se débarrasser de leur accoutumance.

Un jour du printemps 1983, en fin d'après-midi, Finn Bryde se rendit à l'appartement de sa tante à Oslo. Ingeborg dormait dans un fauteuil. Il était encore aisé de voir qu'elle avait été d'une extraordinaire beauté. Bryde resta un moment assis à côté d'elle en silence. Au bout de quelques minutes, elle murmura dans ses rêves : « Ari, oh Ari, réveille-toi, mon chéri, Mamico, s'il te plaît, réveille-toi... » Quelques jours plus tard, Ingeborg Dedichen était morte... « J'ai l'âge du siècle », disait-elle à la fin à ses amis.

A Londres, Christina s'était trouvé un nouvel amoureux, Nicky Malroleon, un ancien élève d'Eton, fils aîné d'un armateur grec milliardaire installé en Angleterre. De dix ans son cadet, c'était un charmant jeune homme, mais peu doué pour le compliment. Lorsqu'on raconta qu'elle était enceinte, Nicky, rien moins que naïf, se confia à l'échotier londonien Nigel Dempster : « Je suis tout à fait certain qu'elle n'attend pas de bébé. Mais si c'est le cas, il n'est pas impossible que je sois le père. » Il n'y avait pas de bébé en perspective, et bientôt, il n'y eut plus de Nicky dans la vie de Christina. C'était une époque difficile pour elle. Son poids atteignit cent kilos. Elle eut une autre liaison, qui ne dura pas. A une amie qui lui demandait s'il y avait un nouvel homme dans sa vie, elle répondit qu'elle avait renoncé à attendre « de nouvelles extases, de nouveaux frissons ». Le seul homme pour lequel elle éprouvait, selon ses dires, un « attachement psychique », et qui ne s'était jamais éloigné, Serguei Kauzov, refit surface. Selon certains des amis de Christina, qui s'inquiétaient de son régime alimentaire aberrant et de la quantité de pilules qu'elle ingurgitait pour maigrir, le Russe exerçait sur elle une bonne influence et la stabilisait. On estimait la flotte de Serguei à vingt millions de dollars mais sa nouvelle image de capitaliste ne désarmait pas les services occidentaux qui le considéraient toujours comme un agent du KGB. Devenu un prospère armateur, il était toujours frappé d'anathème par les « oncles », ce qui ne l'empêcha pas de donner quelques bons conseils professionnels à Christina. Selon un ami parisien, « Serguei lui glissait des informations exclusives dans une oreille, la tante Calirrhoë* lui disait le

---

* Calirrhoë, la plus jeune des demi-sœurs d'Ari, était veuve d'un dirigeant d'Olympic Airways, Constantin Patroniçola. Avec un compagnon de vingt-cinq ans son cadet, elle s'était installée dans l'appartement de l'avenue Foch durant l'été 1983 ; trois mois plus tard, elle rentrait en Grèce, seule.

346

contraire, les gens de Monaco et d'Athènes la pressaient de n'écouter ni l'un ni l'autre ; c'était régulièrement des combats au couteau dignes de la Société des Nations. »

Le dimanche 28 août 1983, Christina fut retenue pendant trois heures par des fonctionnaires des douanes qui l'interrogèrent sur l'aérodrome militaire d'Actium avant de l'autoriser à quitter le pays avec son Learjet. On lui réclamait 32,5 millions de dollars de droits de succession et d'amendes fiscales pour non-déclaration d'impôts*. L'astuce « onassienne » n'avait pas réussi : changer les buts de la fondation n'avait pas suffi à redorer le blason d'Ari dans la Grèce socialiste. A Actium, son père avait pendant vingt ans joui d'un privilège unique, le droit d'atterrissage, et avait été pratiquement intouchable. L'affront subi sur ce terrain d'aviation devait lui rappeler que le nom d'Onassis avait perdu sa magie à Athènes.

En décembre 1983, des amis remarquèrent une nette amélioration dans le comportement de Christina. Elle passa plusieurs semaines à la clinique Buschinger à Marbella, où elle se débarrassa de douze kilos et d'une bonne part de ce cafard qui leur avait tant gâché la vie, à elle et à son entourage, tout au long de l'année.

Les cyniques attribuèrent sa transformation à l'indulgence inattendue du fisc grec, et à la rapidité du règlement du litige. Ils étaient peu nombreux, ceux qui connaissaient la vérité. Elle était tombé amoureuse de Thierry Roussel, héritier d'une fortune pharmaceutique, considéré à trente-quatre ans comme un des meilleurs partis de France. En mars, ils se mariaient au cours d'une cérémonie civile à la mairie du XVIᵉ arrondissement. Après un rituel de bénédiction à l'église orthodoxe grecque, elle donna un dîner de cent vingt-cinq couverts chez Maxim's. Quelques loyaux amis assurèrent que c'était le mariage que Christina attendait depuis toujours. (« Nous avons l'intention de vieillir ensemble », déclara son époux); d'autres se livraient à des prophéties moins optimistes et la suite sembla leur donner raison quand une semaine après la cérémonie, Christina annonça à Roussel qu'elle voulait rompre. « Ça ne m'étonne pas, déclara un proche des Onassis, c'est ce qu'on peut appeler les sept jours de réflexion de Christina. » La raillerie dissimulait l'inquiétude suscitée à Monte-Carlo par ses largesses. « Roussel est censé être un homme très riche. Et pourtant elle est disposée à lui verser une fortune dans l'éventualité d'un divorce. Un Kauzov dans une vie, ça devrait suffire. »

---

* Christina objecta que son père était citoyen argentin et n'avait jamais résidé ni possédé de propriété en Grèce. En novembre 1983, l'affaire fut réglée pour 3,7 millions de dollars.

Néanmoins, le couple survécut à ces débuts difficiles, et les premiers mois furent remplis comme il se doit par les réceptions, les voyages, l'achat de maisons ; un appartement de sept chambres à un million de dollars, sis Grosvenor Square, vint s'ajouter à la série de ses résidences. Mais elle le revendit quatre mois plus tard avec un bénéfice de 95 000 dollars. Ils se bâtirent une maison de rêve sur les rives du lac Léman, près de Genève.

L'embonpoint de Christina dissimula un moment son état. A l'automne, elle annonça la nouvelle, sur laquelle les journaux se jetèrent. On racontait que l'échographie avait révélé que c'était un garçon, on assurait qu'il naîtrait sur Skorpios et qu'il recevrait le prénom de son grand-père. Le 29 janvier 1985, à l'hôpital américain où Aristote Socrate Onassis était mort dix ans plus tôt, Christina subissait une césarienne et donnait le jour à un bébé de trois kilos, une fille. Elle fut baptisée Athina, comme sa défunte grand-mère. « Ce serait agréable de finir l'histoire ici et de dire que Christina fut heureuse le reste de ses jours, dit un ami londonien après un week-end sur les bords du Léman. Mais on sait que pour elle la désillusion n'est jamais loin. »

Le 15 juillet 1985, *People* publiait un article intitulé : « Ça marche ou ça marche pas ? Le temps se couvre pour Christina O et son infortuné époux. » Le magazine racontait : « Depuis la naissance d'Athina, la maison est devenue une sorte de prison de haute sécurité. » Une amie qui l'avait connue sur les bancs des Miss Hewitt's Classes à New York explique : « Christina a vécu dans une autre dimension que nous. » « Des caméras surveillent en permanence chaque chambre, raconte *People*, des vigiles patrouillent sur leurs terres... » Plus elle vieillit, plus sa richesse l'emprisonne. Ce n'est plus qu'une vision fugitive, un personnage lointain et malheureux, sur lequel écrivent les feuilles de chou, une image volée, dans la lumière des flashes, avec des yeux d'enfant. Parfois, on dirait qu'elle a perdu tout sens de l'avenir, et qu'elle ne se considère plus que comme une vague perpétuation.

REMERCIEMENTS

C'est à Paris, à l'automne 1967, qu'est né ce livre, ou du moins le projet d'écrire un tel livre. Comme je l'appris par la suite, John Meyer suggéra à Ari de raconter sa vie , « la véritable histoire, le dessous des cartes », etc. Comme il me le dit un jour, il faut être bien naïf pour croire les versions aseptisées de la vie d'Onassis « et je pense que les gens ont toujours de la sympathie pour le méchant qui se décide à passer à table ». Ari consulta Costa Gratsos, son collaborateur le plus avisé et le plus efficace, qui trouva l'idée bonne. Ma dette envers Meyer et Gratsos est donc immense. Je ne leur rendrais pas suffisamment justice en ne les citant qu'en notes car le récit tout entier s'est nourri de leurs contributions. Les souvenirs de Costa Gratsos m'ont fourni un tableau irremplaçable de la jeunesse d'Ari en Argentine. Leur aide, leurs conseils et leurs encouragements dans les moments difficiles m'ont convaincu que le projet était réalisable.

Le chagrin que j'éprouve de les savoir morts tous deux est encore plus grand que la reconnaissance que je leur dois. J'aime à croire que la lecture de ce livre les aurait satisfaits, amusés sinon tout à fait convaincus.

Impossible d'écrire un compte rendu exact de la vie d'un homme sans consulter de nombreux témoins, sans confronter des points de vue différents. Le succès ou l'échec d'une telle entreprise dépend d'abord de la bonne volonté du principal intéressé : il faut qu'il se livre autant qu'il est humainement possible. Ensuite, la coopération et la franchise de ceux qui ont été mêlés à sa vie est indispensable. Nombreux sont ceux qui ont donné de leur temps pour m'aider. J'ai ainsi pris contact avec plus de trois cents amis et relations : banquiers, hommes à tout faire, hommes politiques, journalistes, mondains, avocats, chauffeurs, célébrités, cadres et anciens cadres de l'empire Onassis... des plus humbles aux plus puissants. Pour des raisons personnelles ou professionnelles, ou les deux à la fois, beaucoup d'entre eux ont demandé à garder l'anonymat. Je leur suis à tous reconnaissant.

J'ai une dette toute particulière envers Joseph Bolker, Finn Bryde, Alan Campbell-Johnson, Roy Cohn, Geraldine Spreckles Fuller, Wendy Russel Reves, Joan Thring Stafford et Fiona Thyssen-Bornemisza, sans qui ce livre aurait été considérablement moins explicite et infiniment moins documenté. Je rends à chacun son dû dans le cours du récit, dans les notes et dans les sources.

Dans les sociétés du groupe Onassis et dans la famille, j'ai été traité avec une cordialité plus ou moins sincère, mais j'ai particulièrement apprécié l'aide d'Artémis et Théodore Garofalidès, Constantin Konialidis et Mme Livanos ; la confiance manifestée par Alexandre Onassis et la franchise, l'inépuisable patience et l'amabilité de Nigel Neilson — (j'attends impatiemment le livre qu'il projette d'écrire

349

sur sa propre vie, qui fut, elle aussi, extraordinaire). Seule Christina Onassis m'a refusé son concours. Je l'ai rencontrée pour la première fois avec son père à Paris en 1968; au début des années 70, j'ai dîné avec elle chez Fleur Cowles dans son appartement londonien d'Albany. Elle était détendue, débordant d'anecdotes, plus séduisante que jamais. Le 12 octobre 1982, à la veille de reprendre mon travail sur *Ari*, je pris l'avion pour Paris et envoyai un mot avenue Foch, pour exposer le but de ma visite et demander une interview. Ce mot, et les suivants, restèrent sans réponse. De retour à Paris, le 12 mars 1983, je déjeunai avec maître Hubert Michard-Pellissier, son avocat et ami d'enfance. Je lui exposai la situation et réitérai ma requête. Il me suggéra de poser mes questions par écrit; il en parlerait à Mlle Christina Onassis et me rappellerait le lendemain. Dès la fin de l'après-midi, je lui fis parvenir une liste de questions. Le lendemain il ne me rappela pas, ni les jours suivants. Je ne pus l'obtenir au téléphone, et il ne me rappela jamais. Je revins donc à Londres le 17 janvier, convaincu qu'il me faudrait écrire ce livre sans l'aide de Mlle Onassis.

Un grand nombre de journalistes, d'écrivains et de spécialistes des services de renseignement m'ont fourni des éléments d'information qui m'ont beaucoup aidé. A Washington, je dois remercier mon ancien collègue Ross Mark, du *London Daily Express*, ne fût-ce que pour m'avoir présenté à William Lowther, qui m'a fourni une aide inestimable. Grâce à son flair politique et à ses relations dans le milieu du renseignement, à sa capacité de produire au moment opportun les notes et documents officiels essentiels, à son opiniâtreté à houspiller la bureaucratie, il a su éviter que mes demandes soient jetées au panier. Je suis reconnaissant à Kipling Boogdan, du *Toronto Star*, et à son épouse, de leur hospitalité durant mon séjour à Washington. Je suis redevable à Len Deighton d'avoir rencontré au moins un agent de renseignement dont la prudence m'oblige à taire le nom.

A New York, j'ai reçu l'aide de Dudley Freeman, dont la prodigieuse agence News Service a su retrouver des articles que les autres agences et centres de documentation disaient perdus à jamais. Je suis également reconnaissant à Gloria Hammond de l'indispensable travail de débroussaillage qu'elle a accompli au début de mes recherches. J'ai une dette envers Joan Walsh du *Time Magazine*, envers Morton Redner et aussi envers Joan et Philip Kingsley. En Floride, j'ai reçu l'aide généreuse de Brian Wells, qui devait collaborer à l'autobiographie de John Meyer, et qui m'avait communiqué un synopsis contenant des anecdotes que j'ignorais — matériau que j'ai utilisé en partie, et je lui en suis reconnaissant. A Los Angeles, ma reconnaissance va à Douglas Thompson et à Leslie Salisbury qui m'ont prêté leur concours. Je remercie Eve Foreman des efforts qu'elle a déployés pour retrouver des photos de la rencontre de son ex-mari, Carl, avec Ari. C'est un bonheur d'avoir des amis comme William C. Jordan et Lorraina G. Winchester, de l'agence WCJ Investigative Consultants : je les remercie de leur hospitalité durant mon séjour à Los Angeles et de m'avoir mis en contact avec certains de leurs partenaires, en particulier Hal Lipset, de San Francisco, merveilleusement efficace, qui en quelques coups de fil m'a épargné des semaines de labeur. Pour ce qui concerne le séjour d'Ari en Californie pendant la guerre, j'ai une dette envers Frank Angel, ancien chef du bureau du FBI à Los Angeles. A Boston, je remercie Walter Conrad, ancien directeur général d'exploitation pour l'Amérique du Nord d'Olympic Airways qui, projetant d'écrire un livre sur ses propres expériences avec Ari, s'est néanmoins entretenu avec moi sur le sujet. Je remercie aussi Hélène Gaillet de m'avoir révélé un aspect de la vie d'Ari, ses derniers jours à Skorpios, qu'elle était la seule à connaître.

A Paris, j'ai reçu l'aide d'Edward Behr de *Newsweek*, de Sam White du *Standard*, de Patrice Habans, Peter Stephens, Lydia Taffouraud, C.L. Sulzberger, Bruno Courtin, Paul Chutkow, Bernard Valéry. J'ai une dette envers Jill Ibrahim, ma principale enquêtrice en France. Elle a eu accès aux notes confidentielles échangées entre les deux parties, durant la crise entre Onassis et le prince de Monaco, ce qui fut pour moi une source d'information et une aubaine dont

350

je n'aurais jamais osé rêver. Je remercie mes amis de *Paris-Match* ; en particulier l'équipe des archives. Je remercie Yoko Tani qui m'a traduit les documents en japonais. Ma reconnaissance va également à Henry Pessar, qui travaillait avec Ingeborg Dedichen à la rédaction des Mémoires de cette dernière, et qui m'a fait bénéficier de jugements qui se révèlèrent toujours fort avisés.

J'ai bénéficié également des précieux conseils d'agents des services de renseignement français. Je suis aussi reconnaissant à Vivienne Wilson Roberts de m'avoir donné un aperçu du Tout-Paris et fait entrevoir les plus beaux fleurons du monde de l'argent, vieilles fortunes et nouveaux riches confondus. A Monte-Carlo, j'ai été aidé pour le contexte général par les recherches de Johanna Morris. Aux deux distingués journalistes grecs, importants collaborateurs de la presse clandestine sous le régime des colonels, qui traduisirent pour moi des documents de la junte, et à l'éminent avocat athénien, qui ont exprimé le désir de garder l'anonymat, j'exprime ma gratitude. Je remercie Roger Mainwood de l'*Athens New* pour l'intérêt qu'il m'a manifesté et pour sa contribution amicale, et Georgio Filandrianos pour avoir apporté une réponse à beaucoup de mes questions. Taki Theodoracopulos m'a donné des conseils utiles sur ses compatriotes paysans et d'autres conseils, encore plus utiles, sur les femmes grecques. En Norvège ma profonde reconnaissance va à Tore Johannsen, de NRK TV, à Oslo, qui m'a permis de joindre Finn Bryde.

A Londres, je remercie Eric Clark et Brian Freemantle qui m'ont aidé à plonger dans les bas-fonds de l'intrigue internationale, Miles Copeland, ancien de la CIA, qui connaît toutes les filières, et mes amis du renseignement britannique dont je ne puis prononcer le nom. Je suis particulièrement reconnaissant envers Raymond Hawkey qui a patiemment examiné les albums de Dedichen et m'a expliqué pourquoi telle photo était plus importante que telle autre. Feu Willi Frischauer m'a beaucoup aidé de différentes façons : il m'a permis de lire et de comparer les déclarations d'Ari et d'autres personnes recueillies pendant la préparation de sa biographie *Onassis* (New York, Meredith Press, 1968 ; Londres, Bondley Head Ltd, 1968) ; il m'a aussi fait bénéficier de souvenirs et opinions personnels qui n'avaient pu, pour une raison ou une autre, trouver place dans son livre. Je suis redevable à Robert Edwards, Michael Evans et Norma Heyman d'avoir organisé pour moi de précieuses rencontres ; et à Lady Carolyn Townshend de m'avoir communiqué ses souvenirs. J'ai beaucoup appris en écoutant les réflexions et les récits de Sir John Russel, de Brian Morris, Lady Nora Docker, Richard Burton, Alan Brien, Sir Woodrow Wyatt, et Basil Mantzos, directeur de l'Olympic Holidays et ancien sparring partner d'Ari. Je suis reconnaissant au Dr Martin Gilbert, biographe de Churchill, d'avoir pris le temps au milieu de ses propres travaux de retrouver des documents intéressant mon sujet ; et également à Anthony Montague Browne, ancien secrétaire particulier du grand homme d'État britannique, d'avoir répondu à mes questions. Lady Soames et M. Winston Churchill, député aux Communes, ont fait montre à mon égard d'une égale courtoisie, ainsi que le Dr Alan Richardson. Je suis reconnaissant envers Nigel Dempster et Sir John Junor de leurs suggestions. Je remercie Judith Dagworthy, du Savoy, et les bibliothécaires du Churchill College Archives Center à Cambridge, de l'University of London Library, de la Central Reference Library de Westminster, de la British Library, de la British Newspaper Library à Colindale, du *London Daily Mirror*, de la London Library et des archives de la Chambre des lords. Mes remerciements vont aussi au vice-amiral Julio Zapata, chef de la commission navale péruvienne en Europe et attaché naval à Londres. Ma reconnaissance va à Simon Wiesenthal du Centre de documentation juive de Vienne, qui a pris le temps de répondre à beaucoup de mes demandes, et aussi à Deana Cohen du Centre Simon Wiesenthal du campus de l'université Yeshiva de Los Angeles.

Bon nombre des entretiens de ce livre avaient été enregistrés, ce qui a demandé des mois de transcription. La plus grande partie de ce fastidieux labeur a été accomplie avec dévouement et persévérance par ma secrétaire Jane Pratt. Pour cette raison, entre mille autres, elle a droit à toute mon affection. Nul n'a collaboré plus longtemps et plus étroitement à mon entreprise qu'Ann Hoffmann qui, ayant commencé à travailler avec moi comme enquêtrice, est devenue une amie précieuse. Son enthousiasme et ses idées, la sérénité avec laquelle elle m'accordait tout son temps et me faisait profiter de son expérience m'ont extraordinairement simplifié la tâche. J'exprime aussi ma gratitude à Richard Philpott pour ses recherches iconographiques et à mon fils pour l'aide multiple qu'il m'a apportée. Je me dois d'exprimer tout particulièrement mes remerciements affectueux à mon ami et agent littéraire, Ed Victor qui, non content de m'avoir donné l'idée de ce livre, a entretenu l'espoir dans mon cœur tout au long de l'entreprise. Pour leurs commentaires perspicaces, pour leur patience et leurs fermes encouragements, j'ai une grande dette envers mes deux directeurs de collection : Jim Silberman, des éditions Summit Books à New York, et Tom Maschler de chez Jonathan Cape à Londres. Et pour avoir veillé sur moi, et sur ce livre, du début à la fin, je remercie mon épouse, Pamela.

Londres, décembre 1985.

NOTES

Chapitre 1

Pour décrire le climat politique et le contexte général de la période, je me suis appuyé sur les comptes rendus des journaux et périodiques de l'époque ; j'ai aussi puisé abondamment dans les rapports diplomatiques et consulaires, en particulier le Trade of Consular District of Smyrna, compilé par la division du renseignement de l'état-major de guerre de l'Amirauté, et publié dans un ouvrage confidentiel préparé sous la direction de la Section historique du Foreign Office (janvier 1919); pour ce qui concerne les événements consécutifs au débarquement des troupes grecques, j'ai utilisé les rapports de l'officier commandant l'armée d'occupation et du Haut Commissaire de la Grèce à Smyrne, dans le résumé qu'en a fait E.K. Venizelos, chef de la légation royale grecque à Paris, à l'intention de Georges Clemenceau qui présidait alors la Conférence de la Paix (29 mai 1919); j'ai utilisé aussi *An Atlas of Middle Eastern Affairs*, par Robert C. Kingsbury et N.J.G. Pounds (Londres, Methuen, 1964).

Pour les détails personnels, je me suis appuyé autant que possible sur des renseignements de première main, fournis par des entretiens avec Ari et Artémis Garofalidès qui se sont déroulés sur une période de sept ans. Alors que le passeport argentin d'Ari, délivré en 1924, porte la date de naissance du 21 septembre 1900, son biographe Willi Frischauer a pris pour argent comptant la date avancée par Ari (20 janvier 1906) et l'a publiée; cette date est reprise par *Aristotle Onassis* (Londres, Weidenfeld and Nicolson, 1977), ouvrage des journalistes du *London Sunday Times* Nicholas Fraser, Philip Jacobson, Mark Ottaway et Lewis Chester; cette date est également avancée par Frank Brady, *Onassis, An Extravagant Life*, New York, Prentice-Hall, 1977, Londres, Futura, 1978. « En réexaminant les preuves, comme je comprends beaucoup mieux Ari que je ne le faisais quand j'ai commencé mes recherches en 1966, je crois maintenant que 1900 est l'année de naissance la plus crédible », concluait Frischauer peu avant sa mort en 1978. Mais il restait persuadé qu'Ari avait dit la vérité sur le mois de sa naissance : « Les hommes tout autant que les femmes se rajeunissent souvent de quelques années, mais leur signe astrologique est sacré », me disait-il. Que ce soit dans nos conversations ou dans les notes de Frischauer, Ari n'a jamais fait allusion au premier employeur de son père, le commerçant juif Bohar Benadava. Benadava a été identifié grâce à une lettre du bureau de l'attaché de presse de l'ambassade turque à Washington, adressée à Joachim Joesten, le 14 octobre 1954. Le texte complet de cette lettre a été publié dans : Joesten, *Onassis*, New York, Abelard Schuman, 1963, p. 22-23. La première biographie d'Onassis a été préfigurée par l'article de Joesten publié dans le *New York Herald Tribune*, juin 1954.

P. 26 : « Mais il n'oublierait jamais sa première fois chez Fahrie » — Toute sa vie Ari a manifesté une attirance irrésistible pour les maisons closes et les prostituées ; quand son fils Alexandre eut quinze ans, il le présenta à Manuela, qui passait pour être la plus belle et la plus douée des filles de Madame Claude : « Elle a appris à Alexandre à être un amant de talent », m'a déclaré Fiona Thyssen-Bornemisza à Londres, en novembre 1985.

Chapitre 2

Outre les articles de journaux de la période, en particulier le *Christian Science Monitor*, le *London Daily Telegraph*, le *London Times*, le *Chicago Tribune*, le *New York Times*, le *Manchester Guardian*, les sources historiques qui ont le plus contribué à ma compréhension des événements et des situations décrites dans ce chapitre sont : *Greek Atrocities in Turkey*, ministère de l'Intérieur, Département des Réfugiés, Ahmed Ihasan & Co, 1921 ; *Report of International Commission of Inquiry to Investigate the Treatment of Greek Prisoners in Turkey*, Londres, Anglo-Hellenic League, 1923 ; *Papers Relating to the Foreign Relations of the United States*, 1915, *Supplement*, 1922, vol. 2, 1923, vol. 2, U.S. Department of State, Washington ; Edward Hale Bierstadt, *The Great Betrayal*, Londres, Hutchinson, 1924 ; Marjorie Housepian, *Smyrna 1922 : The Destruction of a City*, Londres, Faber and Faber, 1972 ; et le témoignage sous serment du révérend Charles Dobson, l'aumônier britannique de Smyrne.

P. 29 : « Pour moi, c'est une calamité » — Lettre de Bristol à l'amiral W.S. Sims, 18 mai 1919, Papers of Mark L. Bristol, Library of Congress.

P. 37 : « Juste à ce moment, le téléphone a sonné » — *Holiday*, décembre 1958.

Le journaliste Michael Sheldon écrivait dans le magazine anglais *Everybody's* du 4 septembre 1954 qu'Ari était « un gosse misérable né dans une vieille masure délabrée... (son) père vendait des bibelots de sa fabrication dans les rues de Smyrne et sa mère balayait les bureaux et faisait des lessives pour augmenter leur maigre revenu ». Après que les Turcs se furent soulevés contre les Grecs, raconte Sheldon, Ari s'enfuit à Constantinople « laissant derrière lui son père et sa mère assassinés ». Un article du *Times* du 19 janvier 1953 raconte que « son père et les autres membres de sa famille » furent tués dans le massacre de 1922. Dans le *Saturday Evening Post* du 25 juillet 1953, Ernest Leiser raconte, dans un article intitulé « Le mystérieux millionnaire de Monte-Carlo » : « Le futur magnat est né en Grèce en 1906 et a été élevé à Smyrne... » Ari ne fit rien pour corriger ces récits jusqu'au mois de mai 1957. A cette époque le conseiller en relations publiques Nigel Neilson organisa une série d'entretiens avec Graham Stanford pour une « version autorisée » de la vie d'Ari, qui parut dans *The News of the World*. Y figure la première interview connue d'Ari dans laquelle il admet que son père a survécu au massacre. Deux de ses oncles ont été tués par les Turcs... « Je les ai vu pendre », affirme-t-il à Stanford. C'était un de moins que dans la version qu'il livra à Joachim Joesten pour son article du *New York Herald Tribune* (voir plus haut). Dans sa lettre déjà citée à Joesten, l'ambassade turque à Washington assurait : « Aucun membre de la famille Onassis n'a été pendu, et il n'y a aucune indication que lui ou son fils aient été emprisonnés. » En tenant compte des déformations partisanes, des conflits d'intérêts et de la nécessité de garder le secret sur certains événements ou de les travestir, Joesten conclut que ces dénégations ne « doivent pas être prises pour argent comptant ». Selon Artémis Garofalidès, trois oncles furent exécutés, mais dans un entretien à Paris en 1974, elle m'a affirmé qu'Ari n'avait pu voir leurs corps sur la potence. « Il est possible qu'il croie les avoir vus. C'était une époque très perturbante. Il a eu des cauchemars pendant des années. »

354

La description du salon de Karatass, la lecture par Gethsémanée de l'Ecclésiaste, la manière turque de ranimer le feu, l'arrivée du fugitif arménien, l'histoire de la mort de Chrysostomos, tout cela je le dois aussi à mes conversations
avec Artémis, sans qui le récit de la jeunesse d'Ari aurait été très incomplet. A
en croire les ennemis d'Ari (et même quelques amis : voir la note sur Randolph
Churchill, p. 163), Peter « Taki » Theodoracopulos, qui l'appelle « le vieux Turc »
(The Spectator, 13 août 1983), et au moins trois vieillards qui affirmaient connaître
la famille depuis plus de soixante ans (interview par l'auteur, Izmir, 1983), les
Onassis étaient non des Grecs anatoliens, mais des Turcs. Ce serait seulement
à l'époque de Socrate qu'ils se seraient hellénisés pour des raisons de statut social,
et qu'ils auraient adopté des noms grecs classiques. A ce propos, on pourrait
peut-être rappeler les remarques de Miss Housepian dans son excellent livre
Smyrna, 1922 : « Smyrne a été le berceau des légendes grecques, la demeure ancestrale des demi-dieux et des rois mortels de Mycènes et de Lydie. » Les origines
ethniques de la famille Onassis demeurent un problème sans solution définitive
et en l'absence de documents historiques, la vérité dépend largement de l'inter-
prétation de ce que les Onassis eux-mêmes avaient à dire sur leur passé.

Chapitre 3

En racontant sa fuite de Smyrne à James Loder Park, Ari lui dit qu'il avait
persuadé « le lieutenant Tyrell, qui avait les mêmes initiales que (lui) » de lui trouver une place à bord de l'Edsall. Ari n'a jamais su à quel point sa délivrance
a sans doute tenu à un fil, car ce Tyrell était presque certainement le lieutenant
A.S. Merrill, agent de renseignement de l'amiral Bristoll, qui avait voyagé avec
l'Edsall. « Comme son chef, Merrill méprisait les malheureux Grecs et de leur
part, s'attendait au pire » (Marjorie Housepian, Smyrna, 1922, p. 113). « Merrill
éprouvait une sorte de dégoût pour les réfugiés ; chaque fois que son regard crois-
sait celui d'une femme, elle fondait en larmes. « Ces sempiternelles pleurniche-
ries me donnent la nausée, disait-il, ça paraît tellement fabriqué » (Ibid., p. 178).

Ari a prétendu qu'il avait dix-sept ans lorsqu'il est parti pour Buenos Aires,
mais il ajoutait qu'il était « au seuil de l'âge d'homme », ce qui signifiait généralement vingt-trois ans en Asie Mineure, en particulier dans les familles de l'intérieur, où les Onassis avaient leurs racines. Dans son étude sur les valeurs morales
des communautés grecques de la montagne (Honour, Family and Patronage, Cla-
rendon Press, Oxford, 1964), J.K. Campbell écrit : « Lorsqu'un fils parvient au
seuil de l'âge d'homme, 23 ans, la quête du prestige à l'intérieur de (son groupe
d'âge) devient incompatible avec la déférence due à toute personne plus âgée,
y compris son père. »

Le rapport du Bureau du renseignement de la Marine des États-Unis a été
obtenu grâce au Freedom of Information Act. Selon le même rapport, le Maria
Protopapas (« rebaptisé Onassis Maria ») « disparut tout de suite après son départ
de Gênes ». Quel que soit l'endroit où ce cargo a coulé, on ne peut rejeter l'hypothèse d'une nouvelle fraude avancée par le rapport.

Claudia Muzio était considérée comme une des plus grandes cantatrices de
son temps, avec « sa voix d'une grande beauté, capable d'effets dramatiques et
pathétiques intenses », selon le critique musical du London Times, Noël Goodwin, et elle a connu une grande célébrité, à l'égal de celle de Caruso, qui fut souvent son partenaire. Pourtant elle est aujourd'hui à peu près oubliée; ses
triomphes à Covent Garden, au Metropolitan Opera de New York, au Lyric Opera
de Chicago et à la Scala ont été assez peu étudiés dans le détail; elle a fait beaucoup d'enregistrements pour les gramophones, généralement de mauvaise qualité. S'il est difficile de déterminer l'importance du rôle qu'elle a joué dans la
vie d'Ari, Costa Gratsos, qui disait que « sur le plan sexuel, il était minime, sur
le plan des sentiments, il était nul », admettait que son conseil (« chanter pour
une seule personne ») lui avait donné un coup de pouce décisif. Elle mourut en

1936 à Rome, à l'âge de quarante-sept ans. La notice nécrologique d'un journal concluait : « Sa solitude et la tristesse de sa vie ont probablement hâté sa mort prématurée. »

P. 52 : « Dodero donnait des réceptions fastueuses » — *Time*, 16 mai 1949.

Chapitre 4

La principale source d'informations sur l'histoire d'Ari et d'Ingeborg Dedichen est aussi la plus fiable : elle est constituée par la collection de lettres, de télégrammes, de journaux intimes, de documents et d'albums de photographies conservée par Ingeborg de 1935 à sa mort à Oslo en 1983. Je suis profondément reconnaissant à son neveu et exécuteur testamentaire, Finn Bryde, de m'avoir permis d'accéder à ces matériaux, et de m'avoir prêté l'exemplaire de l'*Onassis* de Joesten portant des annotations révélatrices d'Ingeborg. En m'expliquant l'histoire de sa famille et me livrant des souvenirs personnels, M. Bryde m'a fourni nombre d'aperçus inédits sur la personnalité de sa tante et les subtilités de son extraordinaire liaison amoureuse avec Ari. Et je lui suis particulièrement reconnaissant pour la constante gentillesse et la compréhension qu'il a manifestées à ma collaboratrice Ann Hoffman au cours de ses visites à Oslo en 1983 et 1984. Bryde a généreusement donné son temps, répondu à d'innombrables questions et clarifié maints détails de la vie et des relations de sa tante. Les importantes archives de la famille Dedichen m'ont été d'une utilité inestimable d'abord dans la recherche historique et dans la reconstitution du passé, en me permettant de préciser les dates et les lieux, en particulier dans les années 30 et 40. Ces papiers m'ont également permis de confirmer bien des souvenirs et des allégations d'Ari et de beaucoup d'autres dans ce chapitre et dans l'ensemble de l'ouvrage.

P. 62 : « Elle avait un parfum » — Ingeborg Dedichen, en collaboration avec Henry Pessar, *Onassis, mon amour*, Paris, Éditions Pygmalion, 1975, p. 137.
P. 62 : « aimait me lécher » — *Ibid*.
P. 73 : « il avait déjà acquis un ranch » — « Poison from Europe », *The American Mercury*, janvier 1945.

Parmi les nombreuses publications qui m'ont permis de mieux comprendre le secteur du transport maritime, citons : *Cases and Mercantile Law*, J. Charlesworth, Londres, Stevens & Son Ltd., 1951 ; *Chartering and Shipping Terms*, par J. Bes, Pays-Bas, Uitgeverij V/H C. De Boer Jr, Hilversum, 1951 ; *Lloyd's List*, *New York Journal of Commerce*, *Seatrade*, *Shipping Gazette*.

Chapitre 5

Les souvenirs d'Ari sur cette période étaient d'une vivacité extraordinaire. Les émotions et les pensées qu'il m'a décrites dans les conversations que nous eûmes en 1967 et 1968 et durant l'été et l'automne 1974, sont confirmées abondamment par les lettres et les câbles qu'il a échangés avec Ingeborg en 1940. Durant l'été 1974, il m'a confié : « Je suis totalement responsable des mauvais moments (avec Ingse). Dans bien des cas, je ne me suis pas très bien conduit. Je pensais trop à mes affaires. Je croyais toujours que j'aurais tout le temps de me détendre et d'être heureux et ça n'arrivait jamais. » Près de trente ans plus tôt (voir p. 77), il lui a écrit : « Je me suis trop laissé absorber » (sans date ni adresse, Papiers Dedichen). On trouvera un intéressant récit de l'évacuation de l'ambassade britannique aux pages 232-233 de *The Paris Embassy*, par Cynthia Gladwyn, Londres, Collins, 1976.

P. 81 : « Mon cher, mon très cher amour », hôtel Tivoli, 16 juillet 1940 — **PD** (Papiers Dedichen).

P. 82 : « essaie par amitié », hôtel Tivoli, 8 août 1940 — **PD**.

P. 83 : « je ne peux pas continuer à t'écrire », hôtel Tivoli, 16 août 1940 — **PD**.

P. 83 : « cadeau inestimable », hôtel Tivoli, 2 septembre 1940 — **PD**.

P. 83 : « Ah mon dieu », hôtel Tivoli, 3 septembre 1940 — **PD**.

P. 88 : « Ce fut vers cette époque qu'il rencontra Géraldine Spreckles » : J'ai eu un premier entretien avec Géraldine Spreckles Fuller le 21 septembre 1983 dans son appartement de Park Avenue à New York, et j'ai eu une autre conversation avec elle lorsqu'elle m'a invité à déjeuner avec son époux, Andrew Fuller, dans leur maison de Southampton, à Long Island, le 22 septembre 1984. Elle n'avait jamais parlé à un journaliste de ses relations avec Ari et ses souvenirs et opinions personnels sur l'homme qu'elle a failli épouser en 1942 contiennent nombre de révélations. Son intimité avec Ari dans l'une des périodes les plus intéressantes et les moins connues de sa vie lui ont donné maintes occasions d'avoir des aperçus exclusifs sur ses comportements imprévisibles, son immense orgueil et ses démons. J'ai une lourde dette envers Géraldine Fuller. Elle s'est montrée extraordinairement aimable et m'a beaucoup aidé à un moment où, je l'ai appris par la suite, elle relevait de maladie, et cela sans condition ni restriction d'aucune sorte.

P. 89 : « il revendiquait la nationalité argentine » — Information contenue dans une lettre de J. Edgar Hoover au chef de l'antenne de Los Angeles du FBI et obtenue grâce au Freedom of Information Act.

P. 92 : « agents nazis » — Cité d'après Preminger, *An Autobiography*, New York, Doubleday, 1977, p. 79. J'ai interviewé Preminger dans son appartement de New York le 16 février 1983, mais il venait d'avoir un sérieux accident qui affectait sa mémoire et il a été dans l'incapacité de m'en dire davantage.

P. 96 : « A présent, elle souhaitait épouser Ari » — Selon le neveu d'Ingeborg, Finn Bryde, interviewé à Oslo en septembre 1983, le drame constant dans les relations d'Ari et d'Ingeborg était que lorsque l'un songeait au mariage, l'autre n'en voulait pas, et réciproquement.

P. 96 : « les yeux au beurre noir » — *Onassis, mon amour*, p. 201.

P. 98 : « A partir de maintenant » — *Ibid.*, p. 215.

Chapitre 6

P. 100 : « les Bisto, deux gamins à l'air affamé » — *Heathfield Magazine*, janvier 1939.

P. 100 : « Nous sommes ravis qu'elle ait gagné son insigne bleu » — Dans un entretien avec ma collaboratrice, le 25 août 1983, la secrétaire de la directrice, Mme A. Jacot, a expliqué que ces « insignes » n'étaient pas forcément accordés pour la réussite scolaire, mais pour les progrès généraux de la personnalité. Elle pense que Tina a dû très bien se conduire pour le recevoir dès le troisième trimestre de son séjour à l'école.

Si Mme Livanos était trop fatiguée pour s'entretenir avec moi, je lui suis reconnaissant de m'avoir autorisé à poursuivre mes recherches et d'avoir donné son aval au présent livre.

P. 103 : « Nous sommes sans arrêt... » — On a dit qu'Ari avait souvent répété cette remarque. Mais selon Costa Gratsos, il la fit ce jour-là pour la première fois.

P. 103 : « des diamants et des Rolls-Royce » — *Time*, 16 mai 1949.

P. 103 : « contrats d'armements, prêts pour l'achat de nouveaux navires » — *Ibid.*

P. 105 : « Quand, le 12 septembre 1947, son offre d'achat fut repoussée » — *Senate Report on the Sale of Government-Owned Surplus Tanker Vessels*, 29 mai 1952, p. 21.

P. 106 : « six cents parts étaient attribuées » — *Ibid.*

P. 106 : « Presque aussitôt Dudley doublait » — *Ibid.*

P. 106 : « Dans les six mois qui suivirent » — *Ibid.*

P. 106 : « Cokkinis (devenu citoyen des États-Unis...) » — Mémorandum du FBI rédigé par Allen J. Krause, attorney responsable des poursuites criminelles, à l'intention du chef de la section des règlements administratifs ; 31 octobre 1951, p. 6, obtenu grâce au Freedom of Information Act.

Chapitre 7

The History of Modern Whaling, par J.N. Tonnessen et A.O. Johnsen, Londres, C. Hurst & Co., 1982, est la source principale de mes informations pour tout ce qui touche à la pêche à la baleine, dans ce chapitre et les suivants.

L'accord de Djeddah a été le sujet de nombreuses dépêches et articles publiés dans les journaux et magazines du monde entier. J'ai pris l'essentiel de mes informations dans les articles des périodiques suivants : *Time, Newsweek, Paris-Match, The New York Times, International Herald Tribune.* Trois ouvrages m'ont été particulièrement utiles pour comprendre les affaires pétrolières au Moyen-Orient : *Blood Oil and Sand*, par Ray Brock, Londres, Bodley Head, 1952 ; *Power Play*, par Leonard Mosley, New York, Random House, 1973 ; *The Seven Sisters*, par Anthony Sampson, New York, Bantham Books, 1976, Londres, Hodder and Stoughton Ltd. 1975.

P. 112 : « Ari travaillait partout sauf au bureau » — C'était l'impression qu'il aimait donner à ses subordonnés mais il passait en réalité plusieurs heures par jour (souvent très tôt dans la matinée) à son bureau.

P. 113 : « Une nouvelle source de capitaux » — Documents du service étranger du Département d'État obtenus grâce au Freedom of Information Act.

P. 115 : « l'agent d'Onassis » — Documents du FBI obtenus grâce au FIA.

P. 116 : « il avait en effet de quoi s'inquiéter » — *Senate Interim Report on the Sale of Government's Owned Surplus Tanker Vessels*, 29 mai 1952.

P. 116 : « Le bureau de New York devrait vérifier » — Mémorandum du FBI obtenu grâce au FIA.

P. 118 : « le chiffre d'un million de dollars » — *Time*, 22 novembre 1954.

P. 119 : « et vendait à présent ses conseils de spécialiste du monde musulman » — *Time*, 6 octobre 1952, *Fortune*, novembre 1952. Je me suis appuyé sur : Amos E. Simpson, *Hjalmar Schacht in Perspective*, La Haye, Mouton, 1969, et aussi sur la traduction scrupuleuse par Kathleen Brown d'une grande quantité de documents allemands, dont la rubrique Schacht dans *Biographisches Worterbuch zur Deutschen Geschichte*, vol. III, deuxième édition, et sur ses recherches au sujet des activités d'Ari en Allemagne.

Chapitre 8

P. 122 : « Il était particulièrement furieux contre Brownell » — Ari n'était pas le seul. Le 7 février 1954, Drew Pearson, journaliste à Washington, notait dans ses carnets intimes : « Joe Caseys est venu dîner. Il vient juste d'apprendre qu'il était poursuivi pour la vente des pétroliers du Surplus. Le débat judiciaire revient à décider si un citoyen américain a le droit de revendre à des étrangers des pétroliers qu'il a achetés au gouvernement des États-Unis. Brownell avait apparemment assuré qu'un tel transfert serait légal. Casey dit que le Grec Onassis a acheté plusieurs T2 qui étaient ancrés dans l'Hudson et dans le James, alors que personne n'en voulait. Lui aussi a été poursuivi et il avait aussi pris Brownell comme conseiller juridique. Il a versé à Brownell personnellement dix mille dollars. » *Drew Pearson Diaries 1949-1959*, Tyler Abell, New York ; Holt, Rhinehart & Winston, 1974 ; Jonathan Cape, 1974.

P. 123 : « il a voyagé avec un passeport argentin » — Documents du FBI obtenus grâce au FIA.

P. 127 : « Ceux d'entre nous qui comprennent vraiment » — Elaine Davenport et

Paul Eddy, en collaboration avec Mark Hurwitz, *The Hughes Papers*, Londres, André Deutsch, 1977.

P. 127 : « dès le début la CIA » — *Inspector General's Report, 1967*, Congressional Document O.C., 30.05.75.

P. 127 : « Il lui arriva un jour de produire un film pornographique » — *Ibid.*

P. 128 : « Environ deux semaines après l'arrestation d'Ari » — *Interim Report of the US Senate Select Committee to Study Governmental Operations with Respect to Intelligence Activities*, novembre 1975.

P. 128 : « Rome était le centre du programme d'interventions politiques occultes de la CIA » — William Colby, en collab. avec Peter Forbath, *Honorable Men : My Life in the CIA*, New York, Simon and Schuster, 1977 ; Londres, Hutchinson, 1978, Presses de la Renaissance, 1978.

P. 128 : « Je veux qu'Onassis soit rappelé à l'ordre » — Entretien de l'auteur avec Alan Campbell-Johnson, Londres, 10 janvier 1983.

P. 129 : « Maheu ne fut pas long » — Congressional Document O.C. 1975.

P. 129 : « Nixon nous a tout balancé » — Jim Hougan, *Spooks, The Haunting of America : The Private Use of Secret Agents*, New York, Morrow, 1978, p. 292-293.

P. 130 : « Car le vice-président était très proche du chef de la CIA » — Leonard Mosley, *Dulles : A Biography of Eleanor, Allen, and John Foster Dulles and Their Family Network*, New York, The Dial Press, 1978 ; Londres, Hodder and Stoughton, 1978.

P. 130 : « Les Nixon dînèrent fréquemment... » — *Ibid.*

P. 131 : « Les cercles dirigeants saoudiens » — Documents du Département d'État obtenus grâce au FIA.

P. 132 : « Il donnait l'impression... » — Parker T. Hart, cité dans *Aritotle Onassis*.

P. 133 : « Le 12 juin, il était de retour à Paris » — Je remercie J.L. Sulzberger de m'avoir autorisé à utiliser ces extraits de *A Long Row of Candles : Memoirs and Diaries 1934-1954*, New York, MacMillan, 1969 ; Londres, MacDonald, 1969, et pour la conversation intéressante que nous avons eue chez lui, à Paris, le 13 janvier 1983.

P. 136 : « Nous croyons que cette affaire est l'œuvre d'un Grec malin » — Documents de la CIA obtenus grâce au FIA.

P. 137 : « Sur le strict plan économique » — Documents du Département d'État obtenus grâce au FIA.

P. 138 : « combattre le feu par le feu » — Interview d'Allen Dulles, « Meet the Press », NBC, 31 décembre 1961.

P. 139 : « Onassis était comme le frère cadet » — Entretien de l'auteur avec Alan Campbell-Johnson, Londres, 10 janvier 1983.

P. 141 : « miné par la corruption » — Leonard Mosley, *Power Play*, New York, Random House, 1973 ; Londres, Weidenfeld and Nicholson Ltd., 1974.

Chapitre 9

Les informations utilisées pour ce chapitre proviennent de différents articles de l'époque ainsi que de : *Reports of the Whaling Board*, Oslo, 1972 : *The Norwegian Whaling Gazette*, Sandefjord ; *International Whaling Commission Reports*, Londres et Cambridge (rapports annuels). Outre l'inestimable *History of Modern Whaling*, j'ai également utilisé les archives de la Commission baleinière. Tous mes remerciements à Mrs. Emery Reves, qui a accordé à ma collaboratrice une longue interview les 18 et 20 novembre 1983, dans sa villa de La Pausa à Roquebrune. Ce entretien m'a apporté des informations importantes sur les origines de l'amitié entre Churchill et Aristote Onassis. Mme Reves a parlé sans détour et dans le détail de l'époque où elle a connu Ari. Elle s'est préparée pour l'entretien en rassemblant ses souvenirs et ses réflexions, et elle s'est en outre montrée pleine de patience et de bonne volonté pour répondre ensuite à mes innombrables questions.

Je remercie également Mary Soames pour l'éclairante conversation qu'elle a eue avec Ann Hoffmann à Londres, le 16 février 1984, et pour l'autorisation de citer la lettre que son père a envoyée de La Pausa, et qu'elle a publiée pour la première fois dans sa biographie, *Clementine Churchill*, Boston, Houghton Mifflin Co., 1979; Londres, Cassel, 1979. J'ai aussi une dette de reconnaissance envers Doreen Pugh, secrétaire personnelle de Churchill, qui l'a accompagné dans nombre de ses visites à La Pausa; elle s'est montrée pleine de bonne volonté pour vérifier les faits, les dates et les détails dans son journal intime, et la conversation qu'elle a eue avec Ann Hoffman à Londres, le 13 janvier 1984, m'a été très utile.

P. 149 : « En 1955, pour la première fois depuis la seconde guerre mondiale... » — *London Evening Standard*, 19 septembre 1955.

P. 150 : « A son grand étonnement, un soir » — *Margot Fonteyn : Autobiography*, New York, Knopf, 1975.

P. 151 : « Il y a cent ans » — Cité par *Paris-Match*, 16 juillet 1955.

P. 152 : « Il m'a demandé de lui raconter » — Entretien de l'auteur avec Nigel Neilson, Londres, 26 juillet 1983; de ma collaboratrice avec le même, Londres, 24 janvier 1984.

P. 153 : « pressé de planter le drapeau panaméen sur le toit du palais » — Dans une interview à *Paris-Match* (4 juillet 1953), Ari niait avoir nourri une telle ambition; il lui suffisait de laisser le pavillon de Panama sur ses navires : « Et puis, il existe une tradition franco-monégasque qui limite le tonnage des bateaux de la principauté. Pourquoi, moi, m'y opposerais-je ? »

P. 155 : « sortie tout droit du Gotha de Philadelphie »; « la stupéfiante ascension sociale de la famille (Kelly) n'a pas suffi pour qu'elle soit inscrite au Gotha de Philadelphie » — Jack Kroll, en collab. avec Scott Sullivan, *Newsweek*, 27 septembre 1982.

P. 158 : « quarante agents s'étaient occupés du dossier » — Documents du FBI obtenus grâce au FIA.

P. 164 : « En revenant à la bibliothèque » — Il semble que Wendy Russel ait réussi à retourner complètement Churchill. Le lendemain, 17 janvier 1956, Churchill écrivit à sa femme à Londres : « Randolph nous a amené Onassis (l'homme au grand yacht) à dîner hier soir. Il m'a fait bonne impression. C'est un homme très capable et plein d'autorité, il nous a beaucoup parlé de baleines. Il m'a baisé la main ! »

P. 164 : « Néanmoins, quand Ari descendit la passerelle » — Une note du journal intime de Doreen Pugh établit que cela se passa le 2 avril 1956 un lundi de Pâques.

Chapitre 10

La déposition d'Ari devant la sous-commission du Congrès est racontée d'après les articles de presse de l'époque, en particulier ceux du *New York Times* et du *Washington Post*, et aussi d'après les souvenirs d'Ari, de Costa Gratsos et de Johnny Meyer, tels qu'ils ont été livrés au cours de conversations avec l'auteur.

Dans un entretien réalisé par ma collaboratrice Jill Ibrahim à Paris en décembre 1982, Tom Fabre s'est longuement expliqué sur son association avec Ari. Outre des informations très utiles, il m'a fourni d'intéressantes directions de recherches. Qu'il en soit chaleureusement remercié.

P. 165 : « avec des airs de croisé » — Entretien de l'auteur avec un ancien fonctionnaire monégasque, qui a demandé à garder l'anonymat.

P. 165 : « Ari était extrêmement attentif » — Entretien de l'auteur avec Alan Brien, Londres, 13 mai 1985.

P. 166 : « M. Onassis, vous êtes mal élevé » — *London Daily Mail*, 17 avril 1956.

P. 167 : « un jour, ils se présentèrent » — *Ibid*.

P. 171 : « Il t'a peut-être pris pour un serveur » — *The Kennedys : An American*

Drama, par Peter Collier et David Horowitz, New York, Summit Books, 1984, p. 196.

P. 171 : « En mai, au cours d'une interview » — Émission diffusée le 5 mai 1958.

P. 171 : « C'était un homme tout à fait civilisé » — Entretien de l'auteur avec Sir Woodrow Wyatt, Londres, 10 mai 1983.

P. 175 : « Beaverbrook était ravi » — Entretien de l'auteur avec Sam White, Paris, 7 octobre 1982.

P. 176 : Lettre de Beaverbrook — Beaverbrook Papers, House of Lords Records Office.

P. 176 : « De concert avec Lady Churchill » — *Ibid.*

P. 176 : « attaché, ligoté » — *Ibid.*

Chapitre 11

Le récit de la croisière fatidique du *Christina* a été écrit à partir de diverses sources, mais je suis tout particulièrement reconnaissant à lady Sargant, ex-Nonie Montague Browne, d'avoir accordé à ma collaboratrice Ann Hoffmann deux entretiens extrêmement utiles le 5 mai et le 9 août 1983 à Londres. Lady Sargant, qui a accompagné Churchill dans huit croisières à bord du *Christina* et qui a connu Ari pendant près de vingt ans, ne s'est pas contentée de s'entretenir longuement avec Mlle Hoffmann, et de se donner la peine de lire et d'approuver les notes de cette dernière. Elle a aussi apporté ses propres observations et commentaires en s'appuyant sur ses carnets ; elle a aussi exprimé son avis et d'utiles considérations sur Ari, sa famille et nombre de personnes concernées par cet épisode.

P. 177 : « Un seul déjeuner » — Conversation de l'auteur avec Alexandre Onassis à Paris, en avril 1968.

P. 177 : « Au cours d'une spectaculaire explosion de colère » — Entretien de l'auteur avec Joseph Bolker à Los Angeles, 13 février 1983.

P. 178 : « presque honte d'avoir donné le jour » — Entretien en France d'Ann Hoffmann avec un ami qui a demandé à garder l'anonymat.

P. 179 : « soixante-trois dollars » — *Time*, 29 octobre 1956.

P. 180 : « A en croire son autobiographie » — *My Wife Maria Callas*, New York, Farrar, Straus and Giroux, Inc., 1982 ; Londres, Bodley Head, 1983 ; publiée pour la première fois en italien sous le titre *Maria Callas mia moglie*, Rusconi Libri S. p. A., Milan, 1981.

P. 180 : « Peu après, il vendait ses usines » — *Time*, 29 octobre 1956.

P. 183 : « Parfois, j'aimerais qu'on ne soit pas obligé de se déplacer » — William Hickey, *London Daily Express*, 18 juin 1959.

P. 184 : « Le cachet de son concert » — Arianna Stassinopoulos, *Maria Callas*, New York, Simon and Schuster, 1981 ; Londres, Weidenfeld and Nicholson Ltd., 1980.

P. 185 : « cette femme qui se vantait » — Dans ses mémoires, Maxwell admettait qu'elle n'avait jamais « eu d'expérience sexuelle ni désiré en avoir une » (*Elsa Maxwell's Own Story*, Boston, Little, Brown, 1954, publié en Angleterre sous le titre : *I Married the World*, Londres, Heinemann Ltd., 1955).

P. 185 : « de hasardeuses tentatives » — Lady Sargant s'est poliment contentée de confier que Meneghini « avait de grands pieds et qu'il les bougeait beaucoup sous la table ».

P. 186 : « débauches et bacchanales » — Le 23 juillet 1984, Anthony Montague Browne a obtenu des excuses publiques devant la High Court pour les allégations contenues dans le livre de Meneghini. Ce dernier prétendait que le couple Browne ainsi que Sir Winston et Lady Churchill avaient assisté à une orgie durant la croisière. Son avocat traita cette affirmation de « grossière et inexcusable fiction ». L'éditeur anglais, Bodley Head, reconnut que c'était une contre-vérité.

P. 186 : « aussi bien que le livret de Bellini » — Stassinopoulos, ouvr. cité.

P. 188 : « Artémis, la "petite sœur" » — Entretien de Lady Sargant avec l'auteur.

P. 189 : « il ne pouvait se débarrasser de l'impression » — « On aurait presque pu croire qu'il (le patriarche) accomplissait un rite de mariage », raconte Meneghini dans ses mémoires.

P. 189 : « ne touche pas » — *Ibid.*

P. 189 : « Nous naviguons sur de la merde » — *Ibid.*

P. 190 : « Il faut frapper durement » — Lord Moran, *Churchill : The Struggle for Survival 1940-1965*, Boston, Houghton Mifflin, 1966 ; Londres, Constable, 1966.

P. 191 : « preque nue » — Meneghini, ouvr. cité.

P. 195 : « Bien sûr, comment ne pas être flatté » — *London Daily Mail*, 9 septembre 1959.

P. 196 : « pour l'aider à surmonter ses problèmes sentimentaux et son penchant pour la drogue » — Entretien de l'auteur avec Geraldine Fuller, New York, 21 septembre 1983.

Chapitre 12

La bataille judiciaire de Maria et d'Ari contre Vergottis est racontée d'après les minutes du procès (*Lloyd's List Law Reports* : Queen's Bench Division Commercial Court before Mr. Justice Roskill, 17-28 avril 1967) en s'appuyant sur les observations et les opinions de trois avocats impliqués dans l'affaire, qui ont tous demandé à garder l'anonymat. Pour ce qui concerne l'appel devant la Supreme Court of Judicature Court of Appeal (23 janvier 1968), je me suis appuyé sur les notes sténographiques de l'Association des sténographes officiels. Parmi tous les livres écrits sur Maria Callas, il en est deux qui m'ont été particulièrement utiles : John Ardoin, *The Callas Legacy*, New York, Scribner's 1977, Londres Duckworth, 1977 ; Arianna Stassinopoulos, ouvr. cité.

P. 198 : « même en amour » — D'après une lettre de Tina à un ami londonien, qui a demandé à garder l'anonymat.

P. 200 : « si absorbés par leurs propres personnes » — Conversation de l'auteur avec Alexandre Onassis, Paris, avril 1968.

P. 201 : « En Grèce, il se conduisait comme un Grec » — Fraser, Jacobson, Ottaway, Chester, *Aristotle Onassis*, p. 215.

P. 204 : « le sacré tribunal de la Rote » — Le 16 février 1964, le Vatican annonçait l'annulation du premier mariage de Lee Radziwill. Pour obtenir une telle décision, il faut prouver que le mariage n'a pas réellement eu lieu. Certains demandeurs font valoir qu'il n'a pas été consommé. « La décision a déplu à beaucoup de catholiques qui ont estimé que l'influence des Kennedy a dû se faire sentir à Rome. Un évêque catholique de la Nouvelle-Écosse a publiquement condamné le verdict » : article de l'auteur sur Lee Radziwill, dans *Cosmopolitan*, mars 1968.

P. 204 : « dis à Lee de se calmer » — Kitty Kelley, *Jackie Oh!*, Secaucus. N.J., L. Stuart, 1978 ; Londres, Hart-Davis, MacGibbon Ltd., 1978.

P. 205 : « indiquait qu'il aimerait avoir un rapport » — Documents du FBI obtenus grâce au FIA.

P. 206 : « les sentiments de culpabilité » — Benjamin Bradlee, *Conversations with Kennedy*, New York, W. W. Norton & Co., 1975.

P. 207 : « le centre d'intérêt » — William Manchester, *The Death of a President*, New York, Harper and Row, 1967 ; Londres, Michael Joseph, 1967.

P. 209 : « Aussi longtemps que je les entendrai s'agiter et siffler » — *Time*, 29 octobre 1956.

P. 214 : « Un moment, il offrit de racheter leurs droits » — Stassinopoulos, ouvr. cité.

Chapitre 13

Joan Thring Stafford m'a raconté la première le rendez-vous de Jacqueline

Onassis avec le *Christina* dans les îles Vierges. C'était à Londres, le 21 mars 1975, et je l'ai rencontrée de nombreuses fois depuis. Il est difficile de rendre la vivacité de son style et la finesse de son ironie quand elle m'a raconté les incidents auxquels elle a assisté et j'espère qu'elle ne rejettera pas l'utilisation que j'ai faite des informations qu'elle m'a généreusement fournies. L'accès de la presse à Skorpios pendant la cérémonie a été limité à un petit nombre de reporters et de cameramen, qui ont été maintenus à l'extérieur de l'église. A leur retour à Athènes, le dimanche soir, conformément à une entente préalable, ils ont partagé informations et films avec leurs collègues. La description de la cérémonie s'appuie sur différents articles de presse, mais deux sources méritent d'être particulièrement mentionnées : l'article d'Alvin Shuster paru dans le *New York Times* du 21 octobre, et celui de *Newsweek* du 28 octobre 1968. J'ai étoffé mon récit grâce à ceux de nombreux participants, dont Alexandre Onassis et Artémis Garofalidès.

Les ouvrages qui m'ont été les plus utiles pour comprendre les agissements et les intrigues des colonels sont : John A. Katris, *Eyewitness in Greece*, St. Louis, MO, New Critic Press Inc., 1971 ; sous le pseudonyme Athenian, *Inside the Colonels' Greece*, Londres, Chatto & Windus, 1972 ; William H. McNeill, *The Metamorphosis of Greece since World War II*, The University of Chicago, 1978 ; Basil Blackwell, Oxford, 1968 ; C. M. Woodhouse, *The Rise and Fall of the Greek Colonels*, Londres, Granada Publishing, 1985 ; *Greece under Military Rule*, édité par Richard Clogg and George Yannopoulos, Londres, Secker & Warburg, 1972.

P. 222 : « C'est terrible, le temps qu'il passe avec la veuve » — Richard Lee, « Ethel Kennedy Today », *Washingtonian*, juin 1983.
P. 222 : « Sais-tu ce que je pense » — Arthur M. Schlesinger Jr, *Robert Kennedy and His Times*, New York, Houghton Mifflin, 1978.
P. 223 : « Je pense que tu sais que ça pourrait me coûter » — Fred Sparks, *The $: 20000000 Honeymoon*, New York, Bernard Geis Associates, 1970, p. 26.
P. 226 : « ils n'étaient certainement pas encore amants » — Entretien de l'auteur avec Joan Thring Stafford.
P. 227 : « détestait cordialement et vice versa » — Bobby Baker, *Wheeling and Dealing*, New York, W. W. Norton & Co., 1978.
P. 227 : « aimait lire les dossiers du FBI » — David Halberstam, *The Best and the Brightest*, New York, Random House, 1972.
P. 227 : « vieux amis » — Schlesinger, ouvr. cité.
P. 228 : « Dans ses pourparlers avec les Russes » — « The Death of Dave Karr, and Other Mysteries », *Fortune*, 3 décembre 1979.
P. 229 : « Je hais ce pays » — Kitty Kelley, ouvr. cité.
P. 229 : « En fait, s'il n'y avait pas les enfants » — Schlesinger, ouvr. cité.
P. 230 : « Elle a été choquée de le voir en cette tenue » — Entretien de l'auteur avec une personne qui a demandé à garder l'anonymat.
P. 230 : « Nous étions répartis » — Rose Fitzgerald Kennedy, *Times to Remember*, New York, Doubleday & Co., 1974 ; Londres, Collins, 1974.
P. 233 : « Nous aimons Jackie » — Willie Frischauer, *Jackie*, Londres, Sphere Books, 1977.
P. 233 : « Voilà qui est en accord » — Thomas Wiseman, *The Money Motive : A Study of an Obsession*, New York, Random House, 1974 ; Londres, Hutchinson, 1974.
P. 234 : « Il pensait que ce n'était pas une bonne fusion de sociétés » — Cary Reich, *Financier : The Biography of André Meyer*, New York, Morrow & Co., Inc., 1983, p. 262.
P. 234 : « Où est la bouteille » — Jack Anderson et Joseph Spear, *Washington Post*, 26 août 1985.
P. 235 : « la possibilité de faire chambre à part » — Christian Cafarakis, *The Fabulous Onassis, His Life and Loves*, New York, William Morrow & Co., Inc., 1972.
P. 235 : « il savait faire des descriptions » — Entretien de Jill Ibrahim avec Pierre Salinger à Paris, décembre 1982.

P. 235 : « d'empêcher que tout cela se réalise » — Cardinal Cushing, Boston, octobre 1968.

P. 237 : « Oh merde ! » — Cité par Pierre Salinger, Paris, décembre 1982.

P. 239 : « n'était pas du genre à se précipiter » — Rose Fitzgerald Kennedy, ouvr. cité.

P. 239 : « Personne ne savait ce qui pouvait bien se passer » — Entretien de Donald McGregor avec un collaborateur de l'auteur, Mike Jerram, dans le Northampshire, Angleterre, septembre 1983.

P. 240 : « un insigne souvenir » — *New York Times*, 21 octobre 1968.

P. 241 : « Billy, vous avez raté les délices » — *Billy Baldwin Remembers*, New York, Harcourt Brace Jovanovich, 1974.

P. 243 : « Avec la venue des colonels » — Helen Vlachos, *House Arrest*, Boston, Gambit, 1971.

P. 243 : « quarante robes » — *Time*, 11 juin 1973.

P. 244 : « Quoiqu'il n'eût jamais étudié l'économie » — Katris, ouvr. cité, p. 252.

P. 244 : « ont corroboré ses dires » — Solon Grigoriadis, *Istoria tis Diktatorias* (3 vol., Athènes, 1976), tome III, p. 343, citant une interview du sénateur Thomas Eagleton dans *Acropolis*, 22 août 1975.

P. 245 : « aucun livre de comptes » — *New York Times*, 15 septembre 1968.

P. 246 : « gagné en appel devant la Chambre des lords » — *Onassis and another (feme sole) versus Vergottis et è contra*, vol. 1170, House of Lords Record Office.

P. 247 : « Comme vous l'avez peut-être noté » — Documents du FBI obtenus grâce au FIA.

P. 250 : « Dites-donc, vous ! » — Katris, *Eyewitness in Greece*, p. 254.

Chapitre 14

Je n'ai rencontré Fiona Thyssen que le 5 septembre 1983 mais depuis lors j'ai passé avec elle de nombreuses heures et je lui suis reconnaissant à un point que je ne saurais exprimer. Ce chapitre, et la plupart de ceux qui suivent, n'auraient jamais contenu autant d'informations précises et intimes si elle n'avait fait preuve de générosité et d'une exemplaire patience en répondant à mes innombrables questions. Dans le cours de nos entretiens, nous sommes devenus amis, et c'est peut-être là le plus heureux des effets secondaires de mon entreprise. Sa chaleureuse humanité, son coup d'œil pour le détail significatif et sa bonne volonté dans des discussions où elle m'a parlé d'elle aussi bien que des autres, tout cela en a fait une quasi-collaboratrice, qui m'a beaucoup apporté pour enrichir, expliquer la saga d'Onassis, et l'éclairer d'un jour nouveau. Lorsqu'elle a lu le manuscrit du présent livre, son approbation a été pour moi la meilleure des récompenses pour l'effort qu'a demandé l'écriture de ce livre.

Je désire encore remercier Joseph Bolker, premier époux de Christina, qui a accepté de s'entretenir avec moi chez lui, à Los Angeles, le 13 février 1983, et qui s'est montré loquace et sincère au-delà de tout ce qu'un biographe peut espérer. Je suis reconnaissant envers M. Bolker non seulement de m'avoir consacré de précieuses heures (volées à un week-end en compagnie de son épouse, Victoria Tatyana et de leur jeune fils), mais encore de m'avoir laissé voir des lettres personnelles appuyant sa version des événements.

P. 263 : « Sophistes » — *Time*, 1er novembre 1971.

P. 264 : « il pouvait présenter des accusations très convaincantes contre chacun d'eux » — Entretien de l'auteur avec Willi Frischauer à Londres en juin 1974.

P. 264 : « Je ne sais pas ce qui est arrivé » — Dans un entretien avec Mike Jerram, collaborateur de l'auteur.

P. 267 : « Elle voulait se donner des airs émancipés » — Entretien de l'auteur avec une personne préférant garder l'anonymat.

Chapitre 15

C'est Fiona Thyssen qui, pour l'essentiel, a permis de restituer le contexte de ces drames privés, le fossé qui s'est creusé entre Alexandre et son père, les scènes d'hôpital et la réunion de la famille à Athènes. Le neurochirurgien Aland E. Richardson m'a généreusement accordé son temps précieux (Londres, 17 mai 1983) pour me raconter la part qu'il a prise dans les événements des 22 et 23 janvier 1983 ; et par la suite il a pris la peine de donner des réponses soigneusement pesées à de nouvelles questions. Roy Cohn a également eu l'amabilité de trouver dans un emploi du temps chargé quelques heures (à New York, le 17 février 1983) non seulement pour me parler des projets de divorce d'Ari, mais encore pour m'exposer en détail la succession d'événements qui amenèrent son client à cette décision. La contribution de M. Cohn à une meilleure compréhension de l'état d'esprit d'Ari et de ses relations avec son épouse s'est avérée irremplaçable. Durant l'année 1983, Donald McGregor m'a aidé avec beaucoup d'amabilité, en me livrant ses souvenirs et en me prêtant des documents importants, dont une copie de son propre témoignage manuscrit devant les autorités grecques au sujet de l'accident. Ses souvenirs et son témoignage, ainsi que le rapport d'enquête de l'armée de l'air grecque, m'ont permis de décrire l'accident du Piaggio. Je remercie Mike Jerram, qui a conduit des recherches méticuleuses sur l'accident et sur l'ensemble des aventures d'Ari dans l'aviation. Une fois de plus, je dois remercier Geraldine Fuller, cette fois pour le récit de la croisière au large de Haïti.

P. 276 : « un diamant froid aux arêtes coupantes » — Willi Frischauer, ouvr. cité.
P. 278 : « Que fait-elle de tous ces vêtements ? » — Jack Anderson, *New York Post*, 16 avril 1975.
P. 291 : « et repassait sans cesse la bande » — Entretien de l'auteur avec un informateur anonyme.

Chapitre 16

De nombreuses personnes m'ont aidé à reconstituer les événements racontés dans ce chapitre. La plupart d'entre elles sont citées dans le cours du récit (en particulier Costa Konialidis, Hélène Gaillet, Geraldine Fuller, Sir John Russel, Wendy Russel Reves). Plusieurs autres ont demandé à garder l'anonymat. Pour collecter les informations relatives à l'état du marché des pétroliers et à la situation critique de la flotte d'Ari à l'époque, j'ai consulté les journaux de l'époque, en particulier *Business Week*, le *Wall Street Journal* et le *London Financial Times*. La débâcle de Durham Point a été couverte par de nombreux journaux, mais j'ai particulièrement utilisé l'article de John Kifner paru dans le *New York Times* du 27 janvier 1974, et celui de Gerry Nadel dans *Esquire* de juillet 1974.

P. 294 : « Nous étions huit à dîner » — Entretien de l'auteur avec Hélène Gaillet, 23 septembre 1983.
P. 296 : « Elle était toujours sortie » — Entretien de l'auteur avec Sir John Russel, Londres, 6 avril 1983.
P. 296 : « Une nuit, une invitée américaine » — Entretien de l'auteur avec une personne désirant garder l'anonymat.
P. 299 : « La population... » — Gerry Nadel.
P. 300 : « symptôme final de la mésalliance » — Entretien de l'auteur avec un informateur anonyme.
P. 300 : « Aristote Socrate Onassis rédigeait son testament » — *Newsweek*, 28 juillet 1975.
P. 301 : « Alpha et Bêta » — *New York Times*, 8 juin 1975.
P. 302 : « Une intimité passée inaperçue » — Liz Smith, « Jacqueline Kennedy Onassis : The Ultimate Goddess », *Cosmopolitan*, octobre 1974.

P. 302 : « Ce fut Booras qui le premier » — *New York Times*, 27 janvier 1974.
P. 303 : « pour la nième fois, il répondit qu'on ne disposait pas de données » — Gerry Nadel.
P. 305 : « Elle avait pris cette expression d'austérité religieuse » — Entretien de l'auteur avec un informateur désireux de garder l'anonymat.

Chapitre 17

L'arrière-plan des événements publics rapportés dans ce chapitre, la tenta-tive de suicide de Christina à Londres, la mort de Tina, le voyage d'Ari à Athè-nes pour tenter de sauver Olympic et les derniers jours du magnat, tout cela a été reconstitué à partir de nombreuses sources publiques existant aux États-Unis et en Europe. De nombreuses personnes m'ont fourni des détails. Les sou-venirs personnels de Peter Stephens ont représenté une source inappréciable d'informations nouvelles et m'ont souvent permis de confirmer les récits d'autres personnes ; il a mis sa longue expérience de chef du bureau de Paris du *London Daily Mirror* à mon service pour m'aider à contacter bon nombre de banquiers, de gens du monde et d'autres personnes, tous proches d'Ari et de Tina.

P. 307 : « Je pense que sa conscience lui a brusquement rappelé » — Entretien de l'auteur avec une source confidentielle.
P. 307 : « Peut-être était-ce une sorte d'engourdissement... » — *Ibid.*
P. 308 : « Est-elle toujours aussi lointaine ? » — Entretien de l'auteur avec Nigel Neilson, Londres, 26 juillet 1983.
P. 310 : « Je n'ai jamais pu décider dans ma tête » — Entretien de l'auteur avec Peter Stephens, Paris, 13 janvier 1983.
P. 311 : « n'était pas tout à fait dans son assiette » — Entretien de l'auteur avec Hélène Gaillet, New York, 23 septembre 1983.
P. 313 : « En prenant l'ascenseur » — Entretien de l'auteur avec Walter G. Conrad, Hyannis, Massachusetts, 24 septembre 1983.
P. 313 : « campagne de promotion rarement égalée » — *Wall Street Journal*, 21 octobre 1974.
P. 314 : « Il était tellement hors du coup » — Entretien de l'auteur avec un infor-mateur désireux de garder l'anonymat.
P. 315 : « Jackie se préoccupait de la crise cubaine » — *Time*, 30 décembre 1974.
P. 315 : « elle partit skier avec son fils » — *Time*, 13 janvier 1975.
P. 316 : « On révéla par la suite » — « The Reality Behind the Onassis Myth » par Lewis Beman, *Fortune*, octobre 1975.
P. 318 : « Il ne pleuvait pas, la soirée était presque tiède » — Institut météorolo-gique national, Paris.
P. 321 : « sortie des artistes » — Entretien de l'auteur avec des personnes pro-ches de l'hôpital.
P. 322 : « il pleuvait depuis douze heures » — Institut météorologique national, Paris.
P. 322 : « elle téléphona à Ted Kennedy » — Kitty Kelley, ouvr. cité.
P. 324 : « Elle savait que Teddy n'était pas là pour partager sa peine » — Source confidentielle, entretien avec l'auteur.
P. 324 : « 1900-1975 » — *London Times*, 19 mars 1975.
P. 324 : « Tandis que le ciel s'obscurcissait » — *New York Times*, 19 mars 1975.

Épilogue

De nouveau, je dois à Roy Cohn d'avoir eu accès à des informations et des points de vue inédits sur les relations entre Jacqueline Onassis et sa belle-fille après la mort d'Ari. La mort bizarre de Johnny Meyer en Californie m'a été racontée par Brian Wells. Parmi les journalistes qui ont suivi de près les péripéties de la vie amoureuse de Christina, j'ai une dette particulière de reconnaissance envers Nigel Dempster à Londres, Suzy et Liz Smith à New York, et les innombrables spécialistes de Christina à *Paris-Match*.

P. 325 : « elle renonça à la citoyenneté américaine » — *New York Times*, 9 juin 1975.

P. 325 : « l'unique bénéficiaire du cartel » — *Ibid*.

P. 326 : « en fait elle se spécialiserait dans les projets sociaux » — *New York Daily News*, 6 juin 1975.

P. 327 : « un groupe de travail » — *Seatrade*, avril 1975.

P. 327 : « les livres de comptes d'une société étaient tenus dans un bureau » — *New York Times*, 15 juin 1975.

P. 329 : « célébrant le quarantième jour » — *Time*, 5 mai 1975.

P. 330 : « Les considérations financières ont joué un rôle » — Source confidentielle, entretien avec l'auteur.

P. 331 : « Olympic avait certes payé plus de dix-sept millions de dollars » — *Fortune*, octobre 1975.

P. 331 : « l'*Olympic Bravery*, 277 000 tonnes, s'échoua » — *New York Times*, 9 octobre 1977.

P. 332 : « le cercle vicieux » — Cité dans un entretien avec Henri Leridon, *London Daily Mail*, 28 juillet 1975.

P. 332 : « une infirmière particulière » — *Ibid*.

P. 332 : « De fait, les amoureux avaient beaucoup en commun » — *New York Times*, 23 juillet 1975.

P. 332 : « Les successeurs des colonels annulèrent » — *Ibid*.

P. 333 : « aimait beaucoup cette enfant » — *Ibid*.

P. 334 : « d'importants fonctionnaires soviétiques » — *Fortune*, 3 décembre 1979.

P. 335 : « Stratis Andreadis fut accusé d'avoir détourné » — Article de l'agence de presse UPI, Athènes, 24 octobre 1976.

P. 335 : « Il apprit par la presse qu'elle avait donné à Paris » — *New York Daily News*, 24 novembre 1976.

P. 335 : « Qui est Dostoïevski ? » — *Time*, 14 août 1978.

P. 336 : « acheter à la D. K. Ludwig » — *Wall Street Journal*, 22 février 1977.

P. 336 : « Maria n'a jamais eu » — Source confidentielle, entretien avec l'auteur.

P. 336 : « En divorçant rapidement » — Jack Anderson, *Parade*, 29 avril 1979.

P. 336 : « Ce furent les services de renseignement français » — Source proche des services français, entretien avec l'auteur.

P. 337 : « Christina avait accès » — Source proche des services de renseignement britanniques, entretien avec l'auteur.

P. 340 : « Est-ce que tu aimes toujours ta femme ? » — Jack Anderson, *Parade*, 29 avril 1979.

P. 341 : « empoisonné par les Russes » — *Fortune*, 3 décembre 1979.

P. 342 : « Il ne faut pas se risquer à admirer » — Entretien de l'auteur avec Jean-Pierre de Lucovich, Paris, 16 janvier 1983.

P. 345 : « Christina invita Jamie » — Nigel Dempster, *London Daily Mail*, 30 août 1983.

P. 345 : « quatre solides gaillards en blouse blanche » — *You, London Mail on Sunday*, 28 juillet 1985.

P. 346 : « Un jour de printemps 1983 » — Entretien d'Ann Hoffmann, collaboratrice de l'auteur, avec Finn Bryde, Oslo, septembre 1983.

Index

Cet ouvrage a été composé par Charente-photogravure
et imprimé par la S.E.P.C. à Saint-Amand-Montrond (Cher)
pour le compte des éditions Presses de la Renaissance le 21 janvier 1987
Dépôt légal : janvier 1987.   N° d'impression : 095.

Imprimé en France